Wat er van het leven overblijft

SIGRID COMBÜCHEN

Wat er van het leven overblijft

EEN DAMESROMAN

Uit het Zweeds vertaald door
Janny Middelbeek-Oortgiesen

DE GEUS

Deze uitgave is mede mogelijk gemaakt dankzij een bijdrage van
de Zweedse Cultuurraad te Stockholm

De vertaalster ontving voor deze vertaling een werkbeurs van het
Nederlands Letterenfonds

Oorspronkelijke titel *Spill – en damroman*, verschenen bij Norstedts
Oorspronkelijke tekst © Sigrid Combüchen, 2010
Published by agreement with Norstedts Agency
Nederlandse vertaling © Janny Middelbeek-Oortgiesen en De Geus BV, Breda 2012
Omslagontwerp Mijke Wondergem
Omslagillustratie © Gary Isaacs/Trevillion Images
ISBN 978 90 445 1882 5
NUR 302

Wilt u het gratis magazine *Geuzennieuws* met informatie over onze
nieuwe uitgaven ontvangen, ga dan naar www.degeus.nl en meld u aan.

DEEL I

Enkele brieven over mijn tuin

De eerste brief

Beste Sigrid Combüchen,

Wij kennen elkaar niet. Ik schrijf naar aanleiding van een foto. Een maand geleden kwam er een familielid uit Zweden op bezoek. Zij had Uw roman voor me meegenomen. Ik houd van lezen.

Het boek is dikwijls leuk, ook al komt het hier en daar misschien bewust ontoegankelijk over. Ik lees voornamelijk biografieën. Wanneer je oud wordt, verlies je het plezier in verzonnen intriges. Vergeleken met werkelijke gebeurtenissen komen die zo gezocht over. Maar het omslag vond ik mooi. Het is een afbeelding van Lund, waar ik geboren en getogen ben, en gebaseerd op een schilderij van Gösta Adrian-Nilsson. Ik heb G.A.N. een paar keer ontmoet, maar wist niet dat hij het was. Een vriendin van mij was in het bezit van een schetsboek dat hij voor haar had gemaakt. Zo oud ben ik al.

Mijn familielid had Uw boek meegenomen omdat ze dacht dat het misschien een roman over mijn geboortestad was. Ze wist ook niet wie U was, maar zo had het in de krant gestaan. Maar dat zal toch wel niet kloppen? Van het hart van de stad beschrijft U alleen de auto's en de motorfietsen, vind ik.

Er is een reden dat ik U schrijf. Op bladzijde 137 beschrijft U een foto van het romanpersonage dat U 'de vrouw van de professor' noemt. Het is een vrouw van een jaar of vijftig, omringd door haar kinderen, drie volwassen kinderen en een nakomertje. Ze staan in een groepje voor het huis. Op het eind schrijft U dit: 'De tienjarige Benjamin staat voor haar, de volwassen dochter schuin achter haar, een trede hoger op het terrasbordes. Ze is lichtblond en haar haren vallen over haar linkerschouder naar voren. Het is voorzomer in de tuin bij hen thuis. Een dalmatiër die Quatrejamb heet.'

Ik heb die alinea verscheidene keren herlezen en was er uiteindelijk

7

van overtuigd dat U een foto van ons gezin had gezien, van mijn moeder met ons kinderen. Mijn man zegt dat de fotografische opstellingen uit die tijd zo stereotiep waren dat het 'elke familie kan zijn'. Maar ik ben natuurlijk beter bekend met het origineel, als ik althans de dochter ben die daar staat. En de naam van de hond klopt, al was dat in die tijd een veelvoorkomende hondennaam.

Verder heb ik nog een paar vragen. Als U de moeite zou willen nemen daarop te antwoorden, zou duidelijk worden of het inderdaad de bewuste foto is.

Staat er rechts van het bordes ook zo'n diagonaal gesnoeide spalierperenboom? U noemt het een terras, maar wij hadden alleen een bordes.

Draagt de dochter een witte blouse zonder mouwen maar met heel lange kraagpunten en een cameebroche?

Heeft de jongste zoon zijn arm in een mitella?

Als U denkt dat het de bewuste foto is, zou ik heel erkentelijk zijn om te mogen vernemen hoe die in Uw bezit is gekomen (als hij althans in Uw bezit is). Ik zou ook heel graag willen weten of U mijn moeder hebt gekend, die werkelijk helemaal niet leek op Uw romanpersonage. Moeder is vijftien jaar geleden overleden, op een leeftijd van eenennegentig jaar. Zij was ook van Deense afkomst. Als er al enige overeenkomst zou zijn met Uw 'vrouw van de professor', dan was het de manier waarop ze 'matter-of-fact' bleef op een leeftijd waarop anders overgevoeligheid op de loer ligt. Zou ik, in het geval de foto in Uw bezit is, hem misschien zelfs van U mogen hebben?

Voor U betekent hij niets, voor mij zou hij iets verbinden van wat langgeleden is verdwenen. Een mens wil zich de doden herinneren, maar vergeet hen. Ik heb tamelijk weinig documenten uit die tijd. Voor zover ik weet, zijn wij geen aangetrouwde familie van elkaar? U zult het wel vreemd vinden dat iemand persoonlijk reageert wanneer U voor de vuist weg schrijft, voor willekeurig wie.

Toch was het leuk om het boek te lezen. Hebt U nog meer boeken geschreven? U lijkt in het verkeerde tijdperk te zijn geboren met Uw voorliefde voor iets ondefinieerbaars (*a self-indulging quality*, zegt mijn buurman). Ja, dat is voor mij natuurlijk maar gissen. Maar ik kan U vertellen dat een mens later, wanneer het leven in mineur is overgegaan, niet meer zo verrukt is over die toonsoort. U hebt geen idee wat een mens in het leven te wachten staat. Ik stuur deze brief naar Uw uitgever omdat ik U niet in de telefoongids van Stockholm of Lund heb kunnen vinden; U hebt misschien een geheim nummer?

Met vriendelijke groet,

Hedwig Langmark

Een bron

Sinds we hiernaartoe zijn verhuisd heb ik zin om romans te schrijven die zich in onze wijk afspelen. De eerste jaren zat ik bij mijn raam met uitzicht op een rode beuk, waarvan het gebladerte door de wind doorploegd werd. In de winter ruiste hij niet, maar dan zat er een bosuil op een naakte tak. In mijn kamer was het erg koud. Onze wijk is niet bekend of beroemd. Valse bescheidenheid is in deze streek altijd bon ton geweest. Voor een deftige buurt is deze wijk pretentieloos, met haar lage torens, hier en daar een discrete stijltoets van nationaalromantiek, in een enkel geval van jugendstil. Eigenlijk heeft ze geen naam, maar ze wordt De Professorenstad genoemd.

Als je diep zou graven, kom je uit bij een slagveld van het leger van Karl XI met Deense opponenten. Dan is er een latere grondlaag – een naam die op 'lycka' eindigt, dat 'veld' of 'akker' betekent, een beek die een weg werd, een boerderij met veel vleugels en een smidse. Alles wat er ooit geweest is, is er nog, een atmosfeer uit een onbekend verleden.

Ik wilde schrijven over een paar minuten op een lente- of herfstavond, wanneer in de oudste van de straten de lantaarns aangaan. Dat is zo'n intens moment. De lantaarns zijn eerst groen, daarna worden ze fabrieksgeel, dan wit. De kronen van de bomen vullen zich met elektriciteit. In de lente zijn ze donkere taktekeningen, in de herfst loofhutten. De straat glimt en blijft donker. Op de plek waar de zon net is ondergegaan en de westelijke hemel zich kleurt, bevindt zich het middelpunt van het perspectief: het silhouet van een kerk. Het zwart van de toren heeft een gat van licht, het uurwerk dat altijd de juiste tijd aangeeft. Het is dan stil. Auto's rijden zonder motorgeluid voorbij, alleen rubber op asfalt, ze flirten voorzichtig met remrood wanneer ze een fietser voor laten gaan of voor het stopbord wachten. De straatnamen zijn gotisch, in navolging van de schrijver Tegnér: Finn en Gerda, Sölve. De sfeer verandert niet. Alles verandert, het autoverkeer verveelvoudigt, de huizen worden gerenoveerd, leeggehaald en weer gevuld. Er vinden voortdurend wegwerk-zaamheden plaats. Een paar minuten echter keert deze stemming terug als een constante.

Hedwig Langmark groeide op in een huis dat enkele blokken van het onze ligt. Het werd net als de meeste andere in het eerste decennium van de twintigste eeuw gebouwd en het pleisterwerk is tegenwoordig bleek-roze geverfd, met groene raamkozijnen. Die kleur past niet bij de stijl, maar toch is het best mooi geworden. In de jaren tachtig is het perceel verkaveld, gemarkeerd door een kaarsrechte ligusterhaag; daarachter staat een bakstenen huis met romantische arcades en cirkelronde ramen, alle houten details asblauw. Tegenwoordig zijn verkavelingen niet meer toe-gestaan. Je mag ook geen grote gezonde bomen meer kappen.

Toen ik de brief had ontvangen zocht ik op internet naar de laatste kadasterregistratie; die gaf aan dat het huis twee jaar eerder, in 1994, voor het laatst in handen van een nieuwe eigenaar was overgegaan. De verkopers waren de erfgenamen van een bekende taalwetenschapper, die minstens vijf jaar daarvoor was overleden, en ik herinnerde me nu dat het huis lang had leeggestaan en dat er gepraat werd over een ruzie over de erfenis tussen de weduwe en twee lichtingen halfbroers en -zussen uit eer-dere relaties van de professor. De kopers heetten Bo en Birgitta Bradhed, vennoten in GoedWonen bv, die niets met huizen of inrichting te maken had maar componenten produceerde voor draadloze alarmsystemen. Ze hadden 4,8 miljoen kronen voor de plek neergeteld en moeten daarna minstens hetzelfde bedrag hebben gespendeerd aan de renovatie. In het jaar dat ze daarmee bezig waren, kon je werklui containers zien vullen met gips, planken en vloerbedekking, witgoed dat er tamelijk nieuw uit-zag, boekenrekken en teakhouten meubels met brandplekken van siga-retten, kleding, schoenen en boeken. Het huis was al een hele tijd dood, het was geen slachting waar de damp van afsloeg, maar niettemin triest. Er werd een gedemonteerde, groengeglazuurde tegelkachel naar buiten gedragen en keurig op een beschermende onderlaag gelegd, met achter op het tegelwerk de codes 2 g en 6 b.

Er werden hopen zand aan- en afgevoerd, en op de garageoprit lagen lange tijd leisteentegels tot ze op een dag verdwenen waren. Cementmo-lens bleven een half jaar staan. Toen arriveerde in een camper de tegel-kachelbouwer uit Värmland, en vervolgens een elektricien, een stoffeerder en een schoonmaakbedrijf. Twee schuurtjes werden tegen de haag geplaatst en bepleisterd en geverfd in de nieuwe kleur van het huis. Ze werden onderling door een pergola verbonden en daarmee was het lelijke rechte van de verkaveling weggetoverd.

Ten slotte verschenen er hoveniers om te herstellen wat de voertuigen van de werklui kapot hadden gereden. Daarna volgde de verhuiswagen en als laatste het gezin. Ouders met drie kinderen, zo tussen de zes en twaalf, het oudste een lang meisje, de jongens waren klein en vierkant.

Sinds hun komst waren er zes maanden, en sinds de komst van de brief enkele weken verstreken, toen ik mevrouw Bradhed tegen het lijf liep terwijl ze de klimop tegen de garage stond te knippen. Ik zei: 'Ja, neem me niet kwalijk?'

De tweede brief

Beste Sigrid Combüchen,

Dank voor Uw brief. Toen ik U schreef, had ik nooit kunnen dromen dat mijn brief zou aankomen in het huis van mijn kinderjaren, dat U echt woont en leeft in dat huis. Ik schrik ervan dat er een schrijfster in ons huis woont en dat U onze sporen ziet. Moeder is er tot in de jaren zestig blijven wonen; ze heeft er vijftig jaar gewoond. Daarna heeft het een tijdje leeggestaan, want mijn broers konden niet beslissen of we het buiten de familie zouden verkopen. Mijn ene broer was er een poosje half in geïnteresseerd, maar ze woonden natuurlijk in Stockholm en mijn schoonzuster vond de tuin en het feit dat er maar één wc was die het deed te ongemakkelijk en dat wilde ze niet, dus werd het verkocht. En U zou dan dus de derde eigenaar zijn van een honderdjarig huis. Je verwacht dat jonge mensen veel verhuizen. Ik had verwacht dat er al verschillende jonge gezinnen de revue zouden zijn gepasseerd.

Wij wonen tegenwoordig in Spanje en U bent in ons huis getrokken.

Ik voel me zo betrapt wanneer ik zie dat U op zolder dingen van ons hebt gevonden. Bedankt voor de foto's. De oudste zijn van tijden die ik me nauwelijks kan herinneren, ja, op de alleroudste was ik nog niet eens geboren, maar ook de andere foto's, waar ik zelf op sta, wekken geen sterke herinneringen. Ik kan me gelukkig weinig van vroeger herinneren. En wat het kortetermijngeheugen betreft, is het afkloppen ... Iemand anders zou me over mijn leven kunnen vertellen en ik zou alles geloven.

Ik ben natuurlijk het meisje dat bij haar vader op schoot zit. Hij ziet er daar ouder uit dan dat hij tien jaar later deed. Dat was zo met de mannen. Ze waren zo stijf. En het kon hun niet schelen of ze vroegtijdig kaal werden. Voor zover ik me kan herinneren, hebben we anders nooit twee dienstbodes gehad. In mijn jeugd was er een mevrouw die één keer in de week kwam helpen met de was en het schoonmaken. Maar dat was vóór de echte wasmachines; er werd toen koud gemangeld, de was moest

gesteven zijn en glimmen! Van jongs af aan moesten wij kinderen mee-
helpen in de tuin, het was onze taak om het zilver te poetsen, en vanaf
het moment dat ik een jaar of twaalf, dertien was, hielp ik met koken.
Als er een feest werd gegeven kwam mevrouw Björk om grote porties te
koken en te helpen alles voor te bereiden. Dat komt heden ten dage in
Zweden natuurlijk weer voor. Hier in Spanje hebben we voor alles hulp,
al delen we die met onze buren. Maar wij zijn dan ook oud. De mensen
zijn blij als ze een grijpstuiver kunnen verdienen, velen van hen komen
uit Oost-Europa en Afrika.

De foto waar ik naar informeerde, is zoals ik me hem herinner. Maar
dan natuurlijk als nieuw. Misschien is het wel de laatste die gemaakt is
waar we allemaal op staan. Dat is in mei 1937, vlak voordat ik eindexamen deed en uitvloog. Ik was dus negentien jaar en zoals de meesten
die zo oud zijn, dacht ik dat ik die leeftijd had bereikt om hem een hele
tijd te behouden. Bedankt dat U in het boek behalve de hond verder
niemand bij zijn werkelijke naam noemt. Ik werd Hedda genoemd en
Torsten werd Tom genoemd. Mijn broertje Åke overleed een jaar later,
op de dag vóór Oudjaar. Hij had zijn arm gebroken, vandaar die mitella.
Dat was het eerste teken van zijn ziekte. Hij heeft veel geleden. Akelig,
wanneer het voortschrijdt terwijl er geen remedie is. Daarna ben ik nooit
meer zorgeloos geweest. U kunt zich waarschijnlijk niet voorstellen dat
een sterfgeval in je jeugd ervoor zorgt dat je de rest van je leven slaegn
om de arm blijft houden. Je hebt geen vertrouwen in het leven. Het leven
is spilziek. De mensen proberen te sparen en te bewaren terwijl het leven
verkwistend is. De hond was niet helemaal raszuiver. In Europa was het
een kwade, bruine tijd, niet alleen in Duitsland. Maar degenen die hier
thuis de dans ontsprongen en geen verantwoording hoefden af te leggen,
zullen ons later wel zand in de ogen hebben gestrooid.

U schrijft dat er nog krassen van hondenpoten op een aantal deuren
zitten. En dat er een nieuwe koperen drempel in de hal ligt. Dat er zo veel
roeken en kauwen in de omgeving zouden zijn, is nieuw voor me. Wij
zaten natuurlijk aan de rand van de stad, met zangvogels. In de voorzo-
mernachten was het er gewoon lawaaierig van. Dat er nog steeds zo veel
bosuilen zijn is grappig; die zijn immers niet meer nodig om de akkers
schoon te maken.

Wij wonen in een van de Spaanse bungalowgebieden die jullie in Zweden 'pensionadogetto's' noemen. Het zal wel heel vanzelfsprekend klinken, maar lichaam en ziel gedijen beter als je van de winter verlost bent wanneer het aantal kwaaltjes toeneemt. We hebben het hier zelfs in de zomer tamelijk rustig, want voor de toeristen is er maar één strand en er zijn geen winkels. Het merendeel van onze buren is Engels, prettig in de omgang, maar je leert ze niet echt goed kennen, mocht je dat willen. Maar waarom zou je? De Zweden zijn te veel gericht op 'goede vrienden'. Aan elkaar tegenkomen, praten en weer uit elkaar gaan, kun je ook een heleboel hebben. Dat blijft je beter bij dan gesprekken met vrienden. De Engelsen hebben rashonden. De Spaanse honden die hier los rondlopen zijn geel en hebben zieke uiers, ondanks de EU. Ze blaffen de hele nacht en de stank van afvalverbrandingen komt dichterbij. Overdag zijn ze stil. Voor alle zwaardere klusjes hebben we hulp.

U hebt zo veel vragen! Soms hadden we drainageproblemen en werd het achter ons huis drassig, maar het huis was degelijk en heeft nooit meer dan normaal onderhoud gevergd. Het zou heel goed kunnen dat de tuin is aangelegd naar voorbeeld van het boek *Tuin-Onderhoud* van Daniel Müller uit 1888. Ik herinner me de drie grindpaden die wij kinderen eens per week van onkruid en mos moesten ontdoen. In die tijd douchte je na afloop niet. We hadden geen douche. Wel een badkuip, maar geen douche. We gingen één keer in de week in bad. Moet je je dat heden ten dage eens voorstellen. Je had een spons en een washandje. Achter het huis moesten we de groentetuin wieden en de bessen van de struiken plukken. Toen we het zomerhuis in Småland erfden, werd er in de stad minder groente verbouwd.

De potloodtekening moet van mij zijn als erop staat dat die van de kleine Hedda is. U mag die wel houden. De cijfercombinaties die U hebt gevonden zijn misschien telefoonnummers of de framenummers van de fietsen. Hoe het zit met de houten spullen en het herbarium weet ik verder niet.

Ik ga nu stoppen. We spelen met een paar echtparen en weduwes elke vrijdag om zes uur jeu de boules en ik was van plan onderweg langs de brievenbus te lopen. Ik vind het leuk om over Uw vragen over het huis en de tuin na te denken, dus als me nog iets te binnen schiet, komt er misschien nog een nieuwe brief. Nogmaals bedankt voor alle foto's.

Vriendelijke groet,
Hedwig Langmark

15

Het uitgangspunt

Het gebeurt niet zo verschrikkelijk vaak dat ik brieven van lezers krijg. Dat ik moeilijk in het telefoonboek te vinden ben omdat ik daar niet onder deze naam in sta, is één ding. Maar dat is niet de reden. Om te beginnen ben ik niet zo'n enorme publiekstrekker, en verder denk ik dat mensen niet zo vaak reageren als auteurs zeggen. Meestal zijn het 'heb-ik-ook-meegemaakt-brieven' die je krijgt. Als enthousiasme vermomde andere boodschappen. Je hebt toevallig een snaar geraakt bij een lezer. Dat hoeft niet met mijn boek te maken te hebben. Het is een zelfstandig iets, los van mij, waarover degenen die thuis aan het associëren zijn, willen vertellen aan de schrijver.

Van een ander type lezers komt alleen frustratie over duizend ongerealiseerde plannen, heel dicht opeengeschreven in een zuur commentaar op het een of andere detail in de tekst. Ze lijken te denken dat ik zelf de betekenis van dat detail 'over het hoofd heb gezien', en willen me inlichten of corrigeren. En dat in een handschrift compact als bommateriaal, een bombrief van ironie – het zijn voornamelijk in het leven teleurgestelde heren die zoiets sturen. Ik stel me licentiaten voor die geen docent zijn geworden, of mannen van wie de echtgenote veertig jaar geleden is opgestapt. Ze hebben nooit gelijk gekregen, hoewel ze dat wel hadden. Ik herken het breekpunt in hun brieven. Alsof je geblazen glas vasthoudt – zo dun dat de bel trilt van de spanning.

In beide gevallen verwonder ik me ook over de moed van de brievenschrijvers. Het is immers niet alleen dat ik ze lees, maar ik lees ze ook écht. Of beter gezegd: ik lees degéne die heeft geschreven, stel me de verschijning voor, de beweegredenen van mensen die zichzelf uit totale onbekendheid uitleveren aan mijn observatie. Voor het geval ze echt lezen – want als ze mijn boek gelezen hadden, moesten ze toch hebben ervaren dat geschreven woorden willen sturen. En dat de lezer genoeg tijd heeft om aan de manipulatie weerstand te bieden en over zijn eigen indrukken te beslissen.

Toen kwam de eerste van deze brieven. Een jaar of drie, vier nadat mijn boek verschenen was, had Hedwig Langmark het gelezen. Ik was bezig met een nieuw boek en niet in de stemming om terug te bladeren in dat oude, waarbij ze me er ook nog met een tamelijk alledaagse, beetje lullige formulering aan wilde herinneren dat ik expres een moeilijke schrijver ben. Hoe kun je die mening onderbouwen? Wat denken de mensen eigenlijk? Met platgetreden paden kun je niet altijd uitkomen waar je wilt.

De foto die zij herkende, had ik misschien een jaar of vijf, zes daarvoor in een antiekzaak gevonden toen ik een lijstje nodig had. Dat moest niet te mooi zijn, maar dun en geoxideerd, en ik kwam het tegen in een doos met restanten, zoals reisgidsen uit de jaren zeventig, brilmonturen zonder glazen – en lijstjes en de foto's die erin zaten, of foto's in albums of die uit albums waren gevallen. Toen realiseerde ik me opeens dat ik niet alleen het lijstje nodig had, ik had misschien ook een paar gezichten nodig. Ik was bezig om het boek te bevolken waar deze afbeelding van de familie Langmark deel van ging uitmaken, en behalve 'de professorsvrouw' figureerde er ook een ander personage in, dat jong was geweest in de jaren twintig en dertig.

De roman gaat over een meisje dat haar studiebeurs aanvult met werk in de thuiszorg. Ze moest gaan nadenken over hoe de oudjes waren geweest toen ze jong waren, wat ze aanhadden, hoe ze hun haar droegen. Uiteindelijk werd ik gegrepen door een envelop met acht foto's die in een album hadden gezeten, dat zag ik aan de hoekjes, die in inkepingen gestoken waren geweest. Behalve eentje, dat een waas van slijtage vertoonde en misschien in een lijst had gezeten. Hoewel de foto's niet van één zomer of één jaar of zelfs uit hetzelfde decennium kwamen, waren de achterkanten beschreven in hetzelfde handschrift, zelfs met dezelfde kleur inkt. Mijn indruk was dat de familie die erop afgebeeld stond, niet zo veel foto's van zichzelf gemaakt had. In die tijd waren de mensen er niet als de kippen bij om visuele prikkels te vereeuwigen, je kon immers niet maar raak knippen, maar moest kiezen voor een opstelling. En die werd het dan. (Wanneer je een foto bekijkt, zijn het toch de associaties die prikkelen.) En hier had je dus het moment dat ik later in mijn boek beschreef. Plus vier eerdere en drie latere. Samen vormden die hun eigen verhaal (dat niet in de roman paste):

de chronologie begon met een echt oude afdruk, de scherpste van allemaal, niet met een amateurtoestel gemaakt. De spalierboom was er nog niet. Op die plek stond een klimroos met zware, decadente bloemen. De familie stond en zat voor het huis. Een vader in een tuinstoel, met een zachte hoed en een licht kostuum, zijn ene been ver uitgestrekt, het andere gebogen. De echtgenote stond, haar hand op zijn schouder. Net als hij droeg ze in de zomerwarmte een hoge kraag, verder een korsetstrak jasje en een rok die bij de enkels smal toeliep. Eronder puntige rijglaarsjes. Tegen haar heup rustte aanhalig een vlaskopje van een jaar of vijf, in een kniebroek en met een overhemd dat aan de ene kant een beetje uit zijn broek hing. Twee dienstmeiden in uniform waren wat verder weg geparkeerd, de ene met nog een kind op de arm, twee of drie jaar oud, naar de naam te oordelen was dat ook een jongetje (Torsten), maar hij droeg een jurk en had lange donkere krullen. Het jaartal was 1917;

1925 de volgende, de foto die verbleekt was omdat hij in een lijstje had gezeten. Daarop werd modern geposeerd. De nieuwe tijd had de lichamen bevrijd. De vader was in hemdsmouwen met mouwophouders (een soort kousenband rond de arm om de mouwlengte te regelen), broek zonder geperste vouw, geen kraag of das, maar nog wel in de stoel en met dezelfde hoed op zijn hoofd. De moeder droeg een korte, ongetailleerde jurk zonder mouwen. Ze was een paar sporten op een laddertje geklommen dat tegen een boom was gezet en wendde haar gezicht lachend naar de camera, in haar linkerhand liet ze pruimen zien, eentje viel bijna op de grond. De belichtingstijd had daar een komeet of rijzende ster van gemaakt – of een fossiele coelacant. Dat mankement maakte het juist mooi – zorgde dat het lijstje er op de vensterbank uitsprong. De knapen waren inmiddels halve mannen geworden, de jongste zorgde ervoor dat de ladder niet omviel doordat hij erop was gaan zitten. De oudste zette juist een grote stap achter een kat aan, die omkeek en wegschoot. Zich niet bewust van al het andere worstelde het meisje om van haar vaders schoot af te komen, ze moest zich gewoon losmaken;

daarna twee keer de eerste of laatste schooldag. Omdat het in zwart-wit is en de focus op de kinderen ligt, kun je niet zien hoe het licht valt, of er voorjaarsbloemen bloeien of herfstasters. De blonde jongen die Christian heet staat op beide foto's in het midden, tussen zijn donkere jongere broertjes. Al het licht op hem, de anderen moesten het doen met wat hij reflecteerde. Misschien voor Hedda (zoals Hedwig op de achterkant van de foto's genoemd werd) aanleiding om haar toevlucht te nemen tot waterstofperoxide, of wat je gebruikt om blond te worden. Op de foto waar ik in mijn boek over schreef, heeft ze steil platinablond haar en is ze nauwelijks te herkennen als het lieftallige wisselkind met het bruine krulhaar, dat ze had gemeend voor een andere kleur te moeten verruilen. En daar staat Åke met zijn mitella – vermeldde ik die mitella niet in het boek? Daar noemde ik hem Benjamin. Hoewel ik wist dat hij Åke heette.

Want toen ik de foto's in tekst begon te vertalen gebruikte ik niet de echte namen en ik wijzigde ook het uiterlijk van het huis. Eerst was ik van plan van de werkelijke details gebruik te maken. Kleine dingen maken een verhaal levendig en het bedachte kan in dat opzicht nooit concurreren met het authentieke. Met de arrogantie van de levenden was ik er bovendien gewoon van uitgegaan dat iedereen die op zulke oude foto's stond dood moest zijn. Pas daarna realiseerde ik me dat als Åke in het midden van de jaren twintig geboren was, hij nu amper vijfenzestig zou zijn en Hedda misschien een jaar of zeven, acht ouder. Waarom zouden ze niet meer in leven en gezond zijn? En als ze dat waren, hadden ze er vast geen zin in om model te staan voor een roman waarin ze niet thuishoorden.

Verder liet ik me er ook door beïnvloeden dat de foto uit mei 1937 gevolgd werd door twee rouwfoto's uit februari 1939. Op die afbeeldingen stond Christian op de achtergrond, vóór hem Hedda, met haar rug naar de camera en een afwerend gezicht. Op een ervan had iemand in blokletters geschreven: VOOR VERTREK. Hedda hield haar linkerhand op de schouder van haar broer en aan haar vinger zaten een gladde verlovings- en een trouwring. Op de allerlaatste foto uit de nawinter van 1942 werd er voor het huis houtgehakt. Torsten in uniform, Krister (zoals de oudste opeens heette) hakte en Hedda reed het gekloven hout met de kruiwagen weg. De sneeuw was tot hoge hopen opgeschoven.

Omgang met de buren

'Ja, neem me niet kwalijk', zei ik tegen Birgitta Bradhed, die de klimop bij Hedwig Langmarks huis aan het knippen was. Mijn blik werd gehypnotiseerd door haar uitpuilende navel onder een bolstaand roze T-shirt. Al na vijf of tien minuten kreeg ik te horen dat de zwangerschap 'niet gepland' was; ze had eerst gedacht dat ze vroeg in de overgang was gekomen, maar nu het eenmaal zo was gelopen konden ze toch niet anders dan zich verheugen op nummer vier?

Aangezien ik de verbouwing bespioneerd had, onderzoek had gedaan naar wat voor mensen het waren toen het gezin arriveerde en bovendien had uitgezocht hoe het zat met de kadasterregistratie en wat ze voor het huis betaald hadden, gaf het me niet helemaal een goed gevoel om te luisteren naar hoe ze zichzelf voorstelde. Ik meende dat je aan de weinige vragen die ik stelde kon horen dat ik het antwoord al wist. Maar zij voelde zich tegenover mij natuurlijk nieuw en onbekend, zoals mensen doen wanneer ze elkaar voor het eerst ontmoeten, en ze leek buitengewoon veel zin in praten te hebben. Absurd veel zin! Wilde ik werkelijk weten dat ze:

nee, niet langer in het familiebedrijf werkte, dat was een noodoplossing geweest in de stad in het binnenland van Norrland, waar ze hiervoor hadden gewoond. Ze was politicoloog – toevalligerwijs ging er een doctorsring door mijn blikveld – en had onlangs een lectoraanstelling aan de universiteit van Växjö gekregen. Voorlopig voelde ze zich nog prima met haar buik, ook al was ze dan geen *spring chicken* meer en hadden de artsen ongegeneerd reclame voor abortus gemaakt. Ze pendelde met de trein; vergeleken met Norrland waren het afstanden van niets. Binnenkort begon haar ouderschapsverlof. Ze was van plan zich niets van het maatschappelijk debat aan te trekken en het hele verlof zelf op te nemen; het bedrijf expandeerde en haar man Bosse zat de ene dag in Korea en de volgende in Venezuela. Het had vast alleen maar voordelen dat zij de constante factor kon zijn terwijl de grote kinderen aan hun nieuwe school en nieuwe vriendjes gewend raakten. De school van hun keuze had een groot percentage hoogbegaafde leerlingen en het is bekend dat zoiets zijn eigen psychologische probleembeeld schept: stotteren, anorexia, depressie, migraine. Zonder enige aarzeling gaf ze me heel haar bladerdeegverhaal, alsof niet kon worden verwacht dat ik over enig onderwerp dat ze aansneed een afwijkende mening had. (De buurt hier is behoorlijk homogeen.) Ondertussen liet ze me het huis zien, al het grijze, aubergi- nekleurige, zwarte, witte, nieuwe en op maat gemaakte.

Ik zei niet veel, niets over mezelf, ik noemde alleen mijn naam, straat en dat ik toevallig oude foto's had van hun huis en het eerste gezin dat er gewoond had. Ik bespeurde dat het onsympathiek zou zijn geweest om een mok rooibos af te slaan.

We zaten onder infraroodverwarming op hun terras en ik vertelde over mijn weelderige wisteria, die al veel bloementrossen had, ook al was hij in het najaar flink teruggesnoeid.

'Blauweregen!' zei ze. Ze noemde de kruidentuin van Tirup! Tuin- centrum Flyinge. In het najaar zou ze gaan zaaien en planten. Eerst de kruidentuin. 'Kussentjes tijm.' Met onze mokken in de hand liepen we om het huis en zetten de paar stappen naar de pergola tussen de schuur- tjes, waar ik aanwees waar de blauweregen goed zou gedijen. Ze zei dat de verkaveling haar niet beviel, ze had graag een diepe tuin gewild. Tot overmaat van ramp had de buurman zijn uitrit achter de haag langs hun erf. Verscheidene keren per dag 'likten' daar drie auto's langs. Gelukkig ging de zoon in juni verhuizen en dan waren het er nog maar twee, dus in het beste geval vier likken per dag.

Ze zei: 'Wat leuk dat je de stap hebt gezet! In Norrland raak je eraan gewend dat mensen even binnenwippen. Daar is een tekort aan mensen, dus dan grijp je elke gelegenheid aan.'

Ik was er een uur, maar het lukte me niet om op mijn eigenlijke aanlei- ding terug te komen. Toen ik wegging, stelde ik voor dat ik de foto's bij haar in de bus zou stoppen zodat zij ze kon bekijken. Ze ging er niet op in omdat ze het nog over iets anders had toen ik het tuinhek dichtdeed en zwaaide, maar die nacht stopte ik de envelop in een meterhoge brieven- bus met een slot erop en een klep waarop vermeld stond GOEDWONEN BV en GEEN RECLAME. Aan de voorkant stond wat meer uitnodigend: **Hier wonen Bosse, Gitta, Cecilia, Claes en Carl.**

21

Lund, 23 april 1996

Dag Hedwig Landmark,

Bedankt voor Uw brief. Wanneer ik het afzenderadres zie, roept dat bij mij herinneringen op. Een palmenbos waarvan de naam me momenteel ontschoten is – niet Murcia, maar iets in die richting – een parador ten zuiden van Alicante, waarvan ik ook de naam ben vergeten.

Ja, dat is wel toevallig, zeg. Ik ben niet bijzonder lokaal chauvinistisch aangelegd (sowieso niet chauvinistisch), maar een ontmoeting als deze met de voorgeschiedenis van De Professorenstad geeft me toch wel een apart gevoel. Omdat ik weg ben geweest en net ben thuisgekomen moet U mij even de tijd geven om op te scharrelen wat ik als uitgangspunt heb gebruikt voor deze roman (waarin nog wel wat anders aan de orde komt dan auto's en motoren, als ik zo vrij mag zijn om dat op te merken. Dat het feitelijke milieu wordt gevormd door buitenwijken die boerderijen en dorpen waren toen U hier woonde, is een ander verhaal).

Als U dus een beetje geduld wilt hebben, kom ik er over een week of wat op terug.

M.v.g.

S. Combüchen

Samen vormden ze een eigen verhaal
(dat niet in de roman paste)

In november 1936 werd Conrad Carlsson vijfenvijftig en ter gelegenheid hiervan gaf hij thuis in De Professorenstad een diner om de viering van zijn vijftigste verjaardag in te halen. De kwestie van hoe het gevierd moest worden was vanaf Midzomer tot vervelens toe een punt van discussie geweest. Als hij echt vijftig was geworden zou er een feest buiten de deur zijn gegeven, met een diner en een bal. Maar halve kroonjaren lieten wat intiemere vormen toe, vond vader. En wat bescheidener uitgaven.

Niettemin werden er uiteindelijk achtenveertig couverts opgedekt op een lange tafel, die de zoons hadden samengesteld uit alles waar ze tegenaan liepen dat de goede hoogte had en dat ze konden effenen met klossen en zachtboardplaten. De tafel strekte zich helemaal uit van het grote raam van de eetkamer tot de erker in de salon, waar hij eindigde in een T, met een eretafel. Dat was echter niet de plek voor het feestvarken, maar voor de oudste en meest hardhorende gasten, die zich er van tevoren al op hadden ingesteld dat ze kou zouden lijden, zich buitengesloten zouden voelen en vroeg zouden willen vertrekken.

Ter gelegenheid van een kinderfeest was Hedda bijgebracht dat je gelijken niet bij gelijken moest zetten, vrienden niet bij vrienden, want 'als je saaie mensen bij andere saaie mensen zet, kunnen ze nooit veranderen'. Maar toen Christian een paar jaar later zijn middelbareschooldiploma haalde, stond precies op het moment dat iemand aan een speech was begonnen een oude achternicht uit Hörby op om te vertrekken. Ze wrong zich ongeduldig en chagrijnig tussen de mensen door, die met geheven glas stonden te luisteren en ze wachtte ook nog op haar zuster, die niet van plan was nu te vertrekken, maar niet anders kon dan stommelend overeind komen en meegaan.

Sindsdien werden de saaien altijd bij de rest uit de buurt geplaatst, en zo werd in het echte leven weer een levensregel afgeschaft. Zo was het burgerlijk leven blijkbaar; dat was de les die hieruit getrokken kon worden.

Hedda trok de cretonnen gordijnen van de erker dicht om de oude ruggen tegen koude trek te beschermen. De gordijnen hadden er een half jaar onaangeroerd bij gehangen en het stof wolkte op. Maar ze zouden de duisternis verbergen – het ongewisse dat ze zelf graag zag, de bladloze bomen en het spiegelbeeld aan de binnenkant dat door het geblazen glas vertekend werd.

De jongelui zaten aan de bibliotheektafel in de hal, waar geen gordijnen hingen. Hedda had toen ze 's middags in de Östra Vallgatan liep, gezien hoe een vracht kolen de kelder in ging door het gat onder een stalen luik dat omhooggeklapt op het trottoir stond. Het stof van de neervallende briketten was niet zwart, maar lichtgrijs. Daar moest ze nu aan denken, omdat er buiten een mist hing als een staarblik, troebel, met vorstranden. Blokken berkenhout brandden in de open haard. Buiten was het windstil en de vlammen bleven klein, het hout bleef lang branden. De vlammen verspreidden een onbestemde rode kleur. Dezelfde als van de rozenbotteltakken uit de tuin, die Hedda in kannen op de tafel had gezet. Ze geurden scherp, maar minder giftig dan de paarse en lila chrysanten die moeder had gekocht voor de vazen op de lange tafel. Hedda hield van het trosgevoel van de rozenbottels, als ze zwaar en rijp in je handpalm vielen. Aan de tafel van de jongelui hoorde je een geluidsgolf van het banket. Ze wisten natuurlijk dat een geluidsgolf iets anders is, lange golven, korte golven, maar gesprekken aan een dinertafel van bijna vijftig personen vormen een gebundelde golf die daalt en stijgt en daalt, als op open water, zonder een bodem te bereiken waarop ze kan breken. In de hal hoefde geen conversatie gevoerd te worden, daar kenden ze elkaar door en door, en zaten ze te kletsen. Over, bijvoorbeeld, rozenbottels – herfst. 'Geen bloemen ...'

'Ja, maar ...'

Die dragen het volgende voorjaar in zich, bloeiende rozen verliezen hun bladeren.

'Zou jij dat over jouw jeugd zeggen?'

Nog meer woorden over 'herfst'. Het contrast tussen binnen en buiten, wanneer de natuur van bovengronds naar ondergronds gaat. Twee maanden geleden hadden huis en perceel een samenhangend thuis gevormd.

Daarna kwam de opdeling, de verschansing.

'De stralen der zon verwijderen zich' is geen bestaand kerkelijk lied, verlies van licht is niet iets wat je bezingt. Wanneer de duisternis komt, construeert een mens lichtgestaltes om naar uit te kijken.

En dan is daar een muur opgetrokken tussen buiten en binnen, tussen knus en dreigend. Het knusse zo kwetsbaar, het dreigende niet zo gevaarlijk. Hedda herinnerde eraan hoe drie van hen ooit in het noorden van Jämtland bij de Noorse grens geoefend hadden om in een iglo te wonen. 's Middags was het al donker genoeg voor noorderlicht!

dat stilstond of vluchtige bewegingen maakte, als scholen vissen.

Maar ook in onze tuin hoefde de duisternis niet zo bedreigend te zijn.

De nevel was tamelijk warm, het gras nog sappig, het geurde in de bloemperken naar gevallen ooft en bladeren, en de eekhoorn vond nog wat nootjes om in te graven. Boven de mist waait het, de wolken rijden als boodschappers, daarboven een blauwe halvemaan die de sterrenbeelden rondom uitwist. Een fruitboom heeft toen hij jong was te gulzig naar licht gedorst, overdag is hij met de zon meegedraaid, maar hij heeft verzuimd 's nachts om te keren en een spiraalstam gekregen. De bosuil zit hoog in de eik, zoals hij de laatste tijd af en toe heeft gedaan. In het huis hiertegenover is een dichter op bezoek. In onze stad wordt in het najaar meer gedweept dan in het voorjaar.

'Waar universiteiten zijn, is het najaar het begin. Het voorjaar het einde. De mensen gaan vaker dood in het voorjaar.'

Hedda was voor de tweede dag ongesteld ('ze had haar regels' zoals ze zou zeggen, als ze iets moest zeggen), de ergste dag, en ze voelde hoe het bloed uit haar vagina gleed, kriebelde langs de haarrand van haar schaamlippen en vochtig, warm en rijkelijk naar buiten stroomde. Het belangrijkst om geheim te houden is dat wat je niet onder controle kunt houden. Ze kon niet voorkomen dat het bloed naar buiten liep, je kunt het niet tegenhouden als je bloedt, ze kon niet in het zicht van iedereen naar de wc rennen.

Zij droeg de verantwoordelijkheid voor alles. Ze zat zo opgesteld dat ze het kon zien wanneer de mensen mes en vork op tien voor half vijf hadden gelegd en de borden lang genoeg, maar niet te lang, leeg waren. Dan moesten de broers afruimen en rondgaan om de glazen bij te vullen en wat te kletsen over van alles en nog wat, behalve over politiek, terwijl zij en de nichtjes Brita en Eleanor verwarmde borden pakten om die met nieuw bestek voor de gasten te plaatsen. Dan kon ze ook wegrennen naar de wc in de kelder, die niet meer werkte, maar waar ze water, zeep, een doosje Radix en een handdoek had achtergelaten. Daar kon ze kijken of ze misschien was doorgelekt op haar donkerrode jurk. Nee. Ook haar onderjurk vertoonde geen sporen. Dat die schoon was, betekende dat ze niets zichtbaars had achtergelaten op de zitting van haar stoel.

Mevrouw Björklund en haar hulp stonden in de keuken om het eten dat door Hedda en haar nichtjes werd geserveerd mooi op te scheppen. Na de consommé en de zeetong die moeder zelf had voorbereid, volgden er kalfsmedaillon met gestoomde venkel en een groene salade en vervolgens een koud hoofdgerecht dat Hedda had bereid en dat op vijf schotels was geschikt. Haar handen waren hun gewicht in goud waard,

ze was zo goed met haar handen.

Alles wat Hedda aanpakte, werd iets; wat mooi moest worden, kon je aan Hedda's handen overlaten, daar kon je op vertrouwen. Haar vingervaardigheid en oog voor verhoudingen waren feilloos, zeiden ze, of het nou ging om het innemen van moeders jurken (haar taille bedroeg eenenzestig centimeter) of het maken van versieringen voor de kerstboom, of het nou ging om het zonder voorbeeld borduren van kussens voor de bank, het knippen van Åkes haar of het aanpassen van vaders overhemdkragen. Die waren een paar millimeter te hoog, hij zei dat hij zich net een schoorsteenpijp voelde. Hedda was om haar behendigheid bekend komen te staan. Het koude hoofdgerecht was haar idee, ze had het recept in een tijdschrift gezien, het niet gekopieerd maar er uit haar hoofd op geïmproviseerd.

Eerst had ze van kalfsvlees een jus getrokken met sinaasappels en port als smaakmakers.

Vervolgens was ze eenden gaan braden, er pasten er twee tegelijk in de oven. Zonder thermometer. Ze was ook goed met andere dingen dan haar handen; hun talent gehoorzaamde aan haar brein, dat oplossingen aanvoelde. Ze was heel stellig in wat ze aanvoelde, en toonde lef waar anderen aarzelden. Soms mislukte het wanneer ze vrijwel zonder patroon of recept werkte, maar ze was verrast wanneer dat gebeurde, want meestal ging het zoals ze gedacht had.

De saus maakte ze van gesmolten vet, meel en de kalfsjus. Toen de eenden meer dan half klaar waren, vulde ze die met heel fijngemalen, met salvia gekruid kalfsgehakt dat had staan marineren in riesling en citroen, en zette ze weer terug, nu in een iets minder hete oven. Toen het gerecht was afgekoeld trok ze voorzichtig het knapperige vel van de eenden, sneed de borstfilets eraf en knipte de ribben weg, voorzichtig, zodat er geen splinters in het gehakt kwamen. Daarna sneed ze de eendenborst in dunne plakken en knipte het vel in bijpassende repen die ze in de vorm van een eend mooi op het gehakt schikte. Als laatste schepte ze de saus die al begon op te stijven eroverheen en garneerde die met dunne, voorgeweekte reepjes sinaasappelschil.

Met tien eenden nam dat meer dan anderhalve dag in beslag. Terwijl ze bezig was, voelde ze hoe verveling en concentratie elkaar in evenwicht hielden. Ze kon zich niet voorstellen dat iemand anders in hun gezin zou begrijpen wat ze bedoelde als ze dat uitsprak. Als ze uit de keuken kwam om te zeggen dat verveling en concentratie elkaar in evenwicht moeten houden wil je goed kunnen werken, zouden ze niet luisteren. Dergelijke uitspraken hoorden niet thuis bij het bereiden van een feestmaal, of bij huishoudelijk werk. Of bij iets anders. Niemand zei zoiets. Misschien elk van die dingen afzonderlijk. Je concentreren op iets was goed. Verveling voelen bij het langdurig bereiden van eten was best begrijpelijk. Maar gewaarwordingen uit hun verband rukken om een uitdrukking te munten? Absoluut niet. De ingeving die ze net had gekregen, dat de balans tussen concentratie en verveling in feite de aanjager van het werk was (zonder die drijfveer zou ze – in dit geval – geen tien eendgerechten hebben voltooid) zouden ze als aanmatigend hebben opgevat. Eerst zou moeder een ironische opmerking hebben gemaakt, in de hoop op vaders bottere verontwaardiging over dat zij aanmatigend was vooruit te lopen en die daardoor te verzachten.

Gedachtevrijheid bestond. Het treurige privilege van het onuitgesprokene. Als Hedda 'filosofisch' werd bevonden, deed vader er het zwijgen toe en werd moeder ironisch. Soms kon ze improviseren met de jongste van de oudere broers. Het liefst buitenshuis, als ze aan het lopen waren en elkaar niet aankeken. Blijdschap om haar woorden wekte in zijn hoofd verwante gedachten op. Twee mensen denken immers niet hetzelfde, maar kleine raakvlakken zijn verlossend, wekken de illusie van geestverwantschap.

Over het geheel genomen kan een mens duidelijker denken zonder woorden, op gevoel. De ruimte en duidelijkheid van de droom. Het intellect moet bewijzen. Maar intelligentie heeft geen grammatica, je kunt zonder antithese door een eindeloos aantal bijzinnen de draad van de gedachte verder spinnen, totdat die misschien in de geworpen richting houvast vindt. Beet heeft. Zoals dat het dit evenwicht was – tussen verveling en concentratie – dat voor het totale doorzettingsvermogen zorgde. Ze reageerde niet toen moeder begon te piekeren of er wel voldoende eten zou zijn – tien eenden voor achtenveertig plus negen personen. Toen vader voor de derde keer vroeg wat het kostte, antwoordde ze voor de derde keer dat de eenden vier kronen en vijftig öre hadden gekost, maar dat zij ze voor vier kronen had gekregen omdat ze een dozijn afnam; mevrouw Björklund had de resterende twee gekocht. Ze herhaalde ook voor de derde keer dat ganzen – die hij had gewild – duurder zouden zijn geweest, een langere bereidingstijd zouden hebben gevergd en als koud gerecht ook niet zo geschikt waren. Het ene uur volgde op het andere met dezelfde monotone handeling, die aan het eind evenveel zorgvuldigheid vereiste als aan het begin. De tiende eend moest net zo smaken als de derde, en inmiddels dacht ze ook monotoon aan verveling en concentratie. Het evenwicht daartussen mag niet eens trillen, het moet voortdurend gelijkmatig zijn. Hedda meende dat de zin van het bereiden van deze grote maaltijd was dat ze een formule had gevonden voor scheppingswerk. Maar dat ze nooit de gelegenheid zou krijgen om die te formuleren – hetgeen toch per definitie is wat je doet met een formule?

De derde brief

Beste Sigrid Combüchen,

We zijn veertien dagen op bezoek geweest bij onze dochter. We rijden gewoon over de snelweg in noordelijke richting en steken dan de grens over; ze is getrouwd en woont in Zuid-Frankrijk. Veel interessante post komt er niet, dus we nemen niet de moeite die te laten nasturen. We zijn er trouwens ook niet zeker van of die dan wel zou aankomen. Er is veel communicatie, maar kleinigheden als brieven raken tussen wal en schip.

Onze schoonzoon is iemand die communicatiesystemen ontwerpt. Ik weet niet wat dat zijn, en wanneer hij het probeert uit te leggen vallen mijn ogen dicht. Als hij het over informatie heeft, is het alsof die gepasteuriseerd of gehomogeniseerd is. In elk geval onbetwistbaar, onweerspreekbaar. Hij heeft ook zijn computer en 'het net' laten zien. Toen ik niet zo onder de indruk was als had gemoeten liet hij me alle fantastische dingen zien die je met een cd-rom kunt doen. Dat was op de eerste avond, dan doet hij altijd zijn best voor ons. Hij is Portugees. Zonder onze fantasie ervoor in beweging te zetten maakten we een reis door India. Er kwamen voortdurend nieuwe beelden en keuzemogelijkheden. Je kon de binnenkant en de buitenkant kiezen, het kleinste detail, de boom in het park buiten bestuderen, zijn bladeren, zijn eikels. Maar als je de inhoud in ogenschouw nam, was het eigenlijk niets bijzonders: dezelfde oude afbeelding van de Taj Mahal. Wat heeft het voor zin om bewegende beelden van de Taj Mahal te laten zien? Daar ben ik trouwens geweest. Die staat waar hij staat, maar in de graven wemelt het van de mensen en al die mensen stralen warmte af en dat zie je op 'la computadora' niet.

Nee, dan zijn deze brieven toch eigenlijk duizend keer 'informatiever'. Uw brief was welkom. Het is echt leuk dat U mij wilt schrijven. Ik snap niet dat U daar de tijd voor neemt, eerlijk gezegd. Woont U alleen in ons grote huis?

Mijn dochter en ik zijn net zussen. Ze lijkt opgelucht wanneer ik kom. Dan kan ze Zweeds praten en hoeft ze zich niet zo aan te passen. Haar man is een moneymaker, en wat zij mogelijk met haar enig leven had gewild heeft moet wachten. Van de vrijheid van die vent mag nog geen decimaal afgetrokken worden. Hij kan zijn werk en het golfen als excuus aanvoeren om zich aan zijn gezin te onttrekken. Dat is zijn manier om een gezin te hebben. Hij is degene die meer kinderen wil. Met haar vader was het al net zo toen die in de kracht van zijn leven was. Nu ben ik de sterkere en hij moet er maar op vertrouwen dat ik geen wraak neem. Als hij althans op het idee zou komen om op die manier te gaan denken; hij zal wel vinden dat hij een onberispelijke echtgenoot is geweest. Ik wou dat mijn dochter was getrouwd met een gewone Zweed die gehaktballetjes kan braden en een luier kan verschonen. Wat mij betreft zou hij best mollig en half kaal mogen zijn. Jonge vrouwen zouden niet verliefd moeten worden op mooie mannen. Die zijn en blijven voornamelijk verliefd op zichzelf. Wanneer mijn man en ik komen, durft ze tegen hem in te gaan. Ik ben bang voor hoe ze het heeft wanneer ik er niet ben. Wanneer wij er zijn, maken ze ruzie in de slaapkamer. Hij argumenteert zoals in zijn directiekamer en zij schreeuwt zonder de juiste woorden te vinden. Daardoor vindt ze zelf ook dat hij gelijk heeft. Het is om helemaal gek van te worden. Als ik iets zeg, verdedigt ze hem. De kinderen zijn lief, maar het middelste kind is erg agressief en hij bezeert zich voortdurend. Ik heb nog nooit een kind gezien dat zo onder de sneeën, schrammen en builen zit. Ze krijgen te veel cola. Het oudste kind krijgt een slokje wijn bij het eten hoewel ze pas dertien is.

Mijn man is erg opgelucht als we weer vertrekken. Sinds hij een lichte beroerte heeft gehad ben ik degene die rijd, maar hij betaalt onderweg monter de duurste hotels en restaurants om de bevrijding te vieren. Ik vraag me af hoe dat vroeger was, toen de mensen de Atlantische Oceaan overstaken en met een paar brieven per jaar het contact onderhielden. Ik begrijp niet waarom ik dit aan U vertel. Ja, dit spookt natuurlijk voortdurend door mijn hoofd. We hadden het leuk met deze twee toen ze net verliefd waren en in Parijs woonden. Het is het leven van alledag, wanneer de karakters tot rust komen, dat het inspannend maakt. Onze oudste zoon is gescheiden en de jongste ook. Hij heeft geen kinderen, maar de oudste was verwikkeld in een voogdijgeschil waar alleen de tijd zelf een einde aan heeft kunnen maken. Zijn tweelingdochters zijn inmiddels volwassen, de een studeert in Lyon, de ander volgt een opleiding tot stuurman en loopt op dit moment stage op de Hurtigruten. De haat van hun ouders heeft hen op het gebied van de liefde beschadigd; hun moeder woont met een veel jongere man in Rapid City. Zo, nu weet U alles over mij.

Ik heb wat oude foto's waarvan ik zag dat ik die bewaard had erbij gepakt om Uw vragen over de tuin te beantwoorden. Moeder heeft hem samen met tuinman Brun uit Råby en twee van zijn medewerkers aangelegd. Het perceel is bijna vierkant en ligt erg op het zuiden. De voorbeelden haalden ze waarschijnlijk voornamelijk uit Engelse tuinboeken, of misschien was er een Zweed die in Engeland ideeën had opgepikt. Er mochten geen rechte of vierkante vormen in de tuin voorkomen, alles moest kronkelen en gebogen zijn. Vader had geen verstand van zulke dingen. Hij zag of het gezellig was, maar begreep nooit hoe je het gezellig maakt. Hij wilde alleen veel licht hebben, want hij had slechte ogen.

Waar we nu wonen, zijn we geïnstalleerd in wat een parklandschap wordt genoemd. Eerst hebben ze identieke rijtjeshuizen gebouwd, daarna zijn de mensen erin getrokken en vervolgens is er een bedrijf met Arabieren gekomen om het gebied in te richten. Je zou verwachten dat de Arabieren bang zouden zijn, omdat verscheidenen van hen hier waarschijnlijk illegaal zijn, maar ze lijken zich totaal geen zorgen te maken en laten het portier van hun auto openstaan zodat de hele buurt van hun muziek kan meegenieten. Ze hebben bijna volwassen palmbomen gepland, en pijnbomen en bloeiende rozen. Er wordt rekening mee gehouden dat niemand het geduld heeft om iets te zien opgroeien. Het moet allemaal meteen af zijn, alsof bomen en struiken meubels zijn. Uitgerolde grasmatten. Veel verdort natuurlijk en hebben ze een paar keer opnieuw moeten aanleggen.

In de tuin van mijn moeder begon alles als zaadje of stekje. Aan de voorkant hadden we voornamelijk hardhouten bomen. Langs de erfscheiding met de buren rozenperken en vaste planten. Aan de achterkant hadden we fruitbomen, bessenstruiken en wat groente. Ik weet nog dat ze de aalbessenstruiken zo snoeiden dat het net boeketten leken. De spalierbomen snoeiden ze op een manier die tegenwoordig niemand zou verzinnen. Maar het was natuurlijk een tijd waarin de vrouwen korsetten met

spiraalveren droegen, dus waarom de planten niet; ze knipten alles recht
af en lieten alleen diagonale takken zitten. De tuinman had drie mannen
die hem hielpen, twee van hen waren doofstomme broers. Dat ik me dat
nog weet te herinneren; toen ik voor het eerst naar school ging, waren ze
er al niet meer bij. Ze mochten niet hoog op een ladder of in een boom
klimmen. Er werd gezegd dat ze als kind een epileptische aandoening
hadden gehad en ook een beetje achterlijk waren. Maar ze vonden toch
werk en droegen hun steentje bij; in die tijd kwam werkkracht goed van
pas.

We hadden moeders perk met vaste planten, dat van maart tot november een zee van blauw, wit en paars was. Ik zie op Uw foto dat het
er niet meer is, de rozenpergola ook niet, en die verkaveling is helemaal
verschrikkelijk, daar hebben jullie toch de hand niet in gehad? Naaldbo-
men hadden we in die tijd totaal niet. Hier in het zuiden hebben we er
veel. Kruipende schaduw is zo gemakkelijk in het onderhoud, er groeit
geen onkruid onder. Er groeit niets onder.

Nu moet ik naar de winkel om gin te kopen voordat ze gaan sluiten.
Mijn man is een beetje aan de pimpel. De dokter beveelt dat aan. Tot
wederhoren. Schrijf als U meer op Uw hart hebt, er komt tegenwoordig
zo zelden post uit Zweden.

Met hartelijke groet,
Hedwig Langmark

Een tafelrede en een geheim

Conrad Carlsson maakte er in het lange dankwoord dat hij bij het dessert uitsprak een punt van dat hij de viering van zijn vijftigste verjaardag had opgeschort tot hij vijfenvijftig werd. Hij noemde de omstandigheden die het eigenlijke jubileum hadden verhinderd en voerde het overlijden van zijn moeder als voornaamste reden aan.

Zijn kinderen keken elkaar weer veelbetekenend aan. Ook de meeste gasten aan de lange tafel wisten dat Conrad zelf erg ziek was geweest. De artsen hadden een maagoperatie geadviseerd, maar hij was te bang geweest, zowel voor de operatie als voor wat daarmee aan het licht zou komen. Hij gaf uiting aan zijn angst door strengheid. De kinderen voelden zich daardoor op hun huid gezeten en waren blij dat hun ouders die vijftigste verjaardag meenamen naar een verblijf van een maand in een kuuroord in Zuid-Duitsland, gefinancierd met geld van grootmoeder, die toen al vier maanden begraven was.

Haar dood was op zichzelf een kuur geweest. Haar laatste levensjaar was ze drieënzeventig, seniel en agressief. Haar dienstmeisje had het niet uitgehouden. Die was halsoverkop getrouwd met een weduwnaar uit Degeberga, van wie nog nooit iemand had gehoord. Conrads ene zuster woonde met haar gezin in Chicago, de andere was de echtgenote van een landbouwer op een grote boerderij in de buurt van Landskrona, met rundvee, fokvarkens, graanteelt, huispersoneel en zes kinderen. Tevergeefs had Conrad bij de laatstgenoemde als 'meest natuurlijke oplossing' aangeklopt; zij had zich vol onbegrip opgesteld. Naast al haar andere bezigheden was ze hoofdonderwijzeres op een particuliere huishoudschool. Bij Conrad thuis bevond zich echter wel 'een vrouw zonder werk in wier levensonderhoud werd voorzien', zei Viveka Blom.

Ten slotte konden ze er niet onderuit grootmoeder in Hedda's kamer onder te brengen, terwijl Hedda naar Åkes kamer ging en Åke heen en weer verhuisde tussen de ouderslaapkamer en de zolderkamer, die het hol was van de half uitgevlogen oudste. Aan een verpleeghuis viel niet te denken, dat was te duur. Een bejaardenhuis uitgesloten. Hedda was nog steeds getekend door de treurigheid. Grootmoeder aan de eettafel. Er was geen sprake van dat ze niet allemaal samen zouden eten. Ze deed haar kunstgebit in en uit haar mond, kauwde haar eten uit en spuugde het op haar bord, overal in huis haar gescheld, urenlang gehuil en gejammer als ze bang werd voor iets wat niemand snapte. Ze leek geen pijn te voelen wanneer ze hen strafte door met haar hoofd tegen de trapleuning te slaan, waardoor haar wenkbrauw scheurde en het bloed over haar gezicht en blouse gutste. Ze sloeg. Met haar hand en met voorwerpen. Ze schopte. Ze waren genoodzaakt de deur van hun kamers op slot te draaien, als een demon stond ze op alle mogelijke uren van het etmaal op en probeerde bij je binnen te komen. Een paar keer werd ze half aangekleed aangetroffen op weg naar haar oude huis. Åke, die toen zeven was, ging drie jaar in zijn ontwikkeling achteruit en kwam van de zolderkamer naar beneden om in zijn eigen bed te slapen, bij Hedda, in het bed dat voor haar te klein was. Hij durfde niet naar binnen te gaan bij zijn ouders, die tegen hem zeiden dat hij zich moest schamen. De twee jongste kinderen hadden met hun armen om elkaar heen gelegen en waren in de kleine uurtjes gewekt door grootmoeder, die de deur probeerde te openen en gromde met een basstem. Het gebeurde steeds vaker dat ze in urine stapten die zij op de vloer had achtergelaten. Ze leek kerngezond. Gedurende deze maanden had vader veel 's avonds moeten werken en niet zelden had hij gebeld dat hij er met het eten niet bij kon zijn en buiten de deur iets at. Hedda begreep niet hoe ze zijn meedogenloze zwakte ooit moest vergeten en vroeg zich af of moeder hem die vergaf, of dat ze echt dacht wat ze vaak grapte: 'Dat stoppen we in de vergeethoek tot we doodgaan.' Omwille van het familiefeest werd de kilte tussen zus Viveka en broer Conrad ook 'vergeten' door moeder, die de aanvaringen met grootmoeder en de belediging 'onderhouden, zonder werk' had moeten slikken. Broer en zus zouden elkaars karakter nooit meer bespreken. En in hun tien kinderen was het gif verdund, zij waren geen vijanden, maar geneerden zich als het ware voor elkaar.

Ook al was Conrad Carlsson zich door grootmoeders onverwachte heengaan – ze stierf in de zon, in een tuinstoel – beter gaan voelen, de waarheid was dat zijn fragiele gezondheid alleen overeind bleef door heel voorzichtig te zijn. Fysieke inspanning veroorzaakte misselijkheid, de laatste tijd had hij de tafel tijdens de avondmaaltijd vaak vroegtijdig verlaten, ook al vond hij het eten lekker. Hij gaf eigenlijk elke dag over, ook gepland, elke ochtend en misschien nog vaker. Vaak had hij last van een opgezwollen buik. Hedda en haar broers hadden besloten daar voorlopig niet meer over te praten. Christian, bijna afgestudeerd arts, had gezegd dat het mes eraan te pas moest komen, maar daar waren ze niet op doorgegaan. Er waren zo veel andere dingen ophanden, ze stonden aan het begin van alles, hun levens waaierden uit, Hedda nog maar in de aanloop, de oudere broers dat stadium al voorbij. In die sprong wilde geen van hen zich door thuis laten binden. Dit was niet langer hun leven maar dat van hun ouders, daarom pasten ze zich aan de regel aan van niet opvallen en geen opmerkingen maken.

Terwijl de zoons de karaf bij hun vaders plaats met koud water zonder ijs gevuld hielden, schonken ze zijn vijf wijnglazen met evenveel drank bij als die van alle anderen, hoewel hij er alleen maar van nipte. Het lukte hem de zeetong bijna helemaal op te eten. Hij proefde aarzelend van een beetje venkel en legde zijn vork neer. Hedda gaf hem een flintertje eend, tamelijk veel vel – wat natuurlijk niet opgegeten hoefde te worden – en daaronder een vierkante centimeter vlees.

Mager en ingevallen – de vouwen in zijn wangen donker als baard-stoppels, het was toch weggegooid geld om zich ter ere van de dag bij een barbier te laten scheren – stond hij daar in zijn smoking met blauwe cum-merband en vlinderstrik de geschenken van het leven op te sommen. Hij beschreef zichzelf als naar omstandigheden goed geconserveerd, 'stok-loos'. Zijn levenswerk als iets wat over het geheel genomen voor iedereen rond de tafel zichtbaar was: vier kinderen en verder het materiële, dat ver-gankelijk is. Dat laatste viel misschien te bezien, omdat de tafeldecoratie bestond uit het geërfde zilver van zijn vrouw, dat er al een paar honderd jaar meer had opzitten dan enig van de aanwezigen.

Nu volgde het loflied op het leven, gezongen door de man die zijn eigen feestmaal niet kon nuttigen en het niet verdroeg met zijn gasten te toos-ten. Hedda werd neerslachtig toen ze naar hem luisterde. Zij zat in haar bloed en hoorde hem haar handen prijzen. Niets over haar hoofd; niet eens over intuïtie, die vanuit het brein de vingervaardigheid aanstuurt – vingervaardigheid is niet iets zelfstandigs. Hij vermeldde alleen haar handen, die autonome dieren. Niets over scheppen, kunnen of kunst, en natuurlijk niets over het evenwicht tussen verveling en concentratie, dat zij niet had durven formuleren. Dat liet zich niet in woorden vatten, maar kon je alleen weten, en hij wist niets over dergelijke dingen want hij was een man van cijfers en werkte niet met zijn handen.

'Vijf kinderen heeft mijn mooie Beate' (gelach her en der) ... 'ik weet dat jullie de Deense laagjescake in die formulering herkennen, maar waarheden laten zich stapelen, want van de waarheid krijg je nooit genoeg. Mijn echtgenote, die ik tot het laatst bewaar in deze kleine ... panegyriek, die dat echter niet zal zijn omdat ze correspondeert met mijn weliswaar subjectieve, maar totaal niet mooier gemaakte gevoel voor mijn gezin, heeft me vijf mooie kinderen geschonken. Onze eerstgeborene Alice mocht maar twee dagen op aarde zijn.

Hoe jij me toen, Beate van me, voor vertwijfeling behoed hebt, is me na meer dan een kwarteeuw nog steeds een raadsel. Maar ik bevroed een intelligente compassie, wat het nog geweldiger maakt omdat het in nog hogere mate jouw verlies was. Het verdriet en het overleven van dat verdriet heeft ons samengesmeed – vind jij dat ook niet? – en na anderhalf jaar kwam Christian en konden we weer zorgeloos zijn.

Onze oudste zoon, op wie we niet alleen trots zijn – zoals op al onze kinderen! – maar die ons ook verbaasd doet staan. Op een leeftijd van vijfentwintig jaar is hij zo goed als afgestudeerd arts, en inmiddels ook al aan een carrière als wetenschapper begonnen. Vanaf het allereerste begin van zijn studie heeft hij gedeeltelijk in zijn eigen onderhoud voorzien als assistent bij het Studenten Tuberculosebureau en nu heeft hij net een plek gekregen in het team van Westmans hormoonlaboratorium. Over waarmee ze zich daar bezighouden, durft een preutse bankier niet te speculeren' (weer gelach her en der), 'maar ik twijfel er niet aan of de uitkomsten zullen te zijner tijd het welbevinden van de dames verbeteren. Verder is onze Chrille, zoals de meesten wel weten, reserveluitenant bij de marine; misschien verwondert dat ons wel het meest, aangezien zijn beide ouders al nauwelijks aan zeeziekte ontsnappen wanneer ze op een bladstille dag de Sont oversteken. Beste Chrille, *you beat the odds* en wij zijn gewoon – onder de indruk.

Torsten, onze Tom, begon in de klassieke underdogpositie van de nummer twee. De ouders die zich ongerust hadden gemaakt en hadden geëxperimenteerd met de eerstgeborene, hadden het meeste van hun kruit verschoten toen nummer twee zijn donkere hoofd liet zien. Wat is hij er voor eentje? vroegen we ons toen af – en weten jullie wat? Hij houdt ons nog steeds in spanning! Hij heeft zich in belangrijke mate zelf moeten opvoeden. En we hebben met gruwend – neem me niet kwalijk! Ik las het verkeerd – gróéiend moet het zijn – enthousiasme' (bulderend gelach van iedereen) 'en verbazing kunnen gadeslaan hoe er een kunstenaar????, een kunstenaar … jawel, waarschijnlijk een kunstenaar ontstond. Dat spoor kent natuurlijk geen duidelijke stations. Wij buitenstaanders kunnen niet beoordelen hoe recht de ladder staat en op welke sport het voorwerp zich bevindt. Het is een heel ander verhaal dan een burgerlijke carrière. Maar deze zomer is Tomderpom hier op de vlakte van Skåne assistent-regisseur geweest toen er weer een van die Edvard Perssonfilms van stapel ging, en afgelopen voorjaar was hij bij een filmreis naar Moskou om de methodes in de studio's daar ter plekke te bestuderen. Misschien is hij er niet in geslaagd om de rest van de familie ervan te overtuigen dat al het goede gratis is in het grote land in het oosten, maar' (daverend gelach en applaus ontlastten vader ervan een zin af te maken waar hij geen eind voor had. Dat was zo gepland

ten kostte van zijn zoon). Iedereen aan de haltafel keek naar Tom. In de loop der jaren hadden ze meer van dergelijke speeches gehoord, altijd was Christian de gevierde man en hij de gebeten hond. Het was natuurlijk niet gemeen bedoeld, het was gewoon hun rol in de dramaturgie. Had Tom aanvankelijk meegelachen om te laten zien dat hij de beroerdste niet was en vervolgens tolerant gereageerd, tegenwoordig toonde hij geduld. Zijn rol was dezelfde gebleven, maar de middelen waren grover geworden. Vader begreep hoe zijn gezin reageerde, maar was niet in staat uit een ander vaatje te tappen. Moeder kon zijn grappen niet bekritiseren waar anderen bij waren.

Hedda zag dat vaders rolverdeling het voor Tom gemakkelijker maakte om een begin te maken met het verlaten van het gezin. Het proces was in gang gezet. Voorlopig alleen nog maar mentaal: hij begon geheim te houden wat hij dacht en deed. Hedda voelde dat geheimhouding (niet geheim maar geheimhouding) de onvoorwaardelijke gemeenschap die het gezin bedoeld was te zijn kapotmaakte. Zelfs voor haar hield Tom de meest onbenullige kleinigheden geheim: zijn afspraken, waar hij at.

Zij – ook zij hield dingen geheim.

Het waren geen kleinigheden die zij geheimhield. Ze liet aan helemaal niemand weten dat ze erachter was gekomen dat het huwelijk van haar ouders op een gebarsten fundering stond,

dat moeder haar leven erop baseerde iets geheim te houden. ('Dat stoppen we in de vergeethoek tot we doodgaan.') Hedda was erachter gekomen, maar ze hield voor hen geheim dat ze het wist. Zij zat op haar bloed. Mevrouw Björklund en haar hulp stonden tegen de muur van de dienkamer, met hun armen over elkaar om hun rug te ontlasten van het gewicht van hun borsten. Ze pauzeerden om naar de speech te luisteren en lachten net zo kleinburgerlijk als de gasten om Toms bewondering voor de Sovjet-Unie.

Zonder dat de gasten het merkten, zou het huis over een poosje weer worden omgeturnd. In de hal, waar de tafel al was afgedekt, zou koffie met cognac worden geserveerd en het was warm genoeg om de mensen in de serre en misschien buiten op het bordes even een luchtje te laten scheppen. Wanneer de deuren naar de woonkamers weer open zouden gaan, zou alles in zijn normale staat zijn hersteld: comfortabele zithoeken, een vrije ruimte om te dansen en een tafel voor de nog onuitgepakte cadeaus. Hedda maakte zich zorgen of de wc de toestroom na uren aan tafel wel kon verwerken. Na een regenachtige herfst hadden ze problemen met het riool en waarschijnlijk waren er ook plantenwortels in de pijpen gegroeid. Vandaag moesten ze in een teil afwassen en het water buiten bij de keukenstoep weggooien. Zouden de oude heren het klaarspelen om in de rij te gaan staan? Sommigen deden dat niet en gingen de struiken in, wat smerig was. Hedda moest glimlachen toen ze dacht aan de combinatie van smoking, mannelijk lid en zachte straal; die gedachte ontviel haar als een echte bloedprop in haar verband. Nu zei Conrad Carlsson met een heel andere stem:

'Onze enige nog levende dochter speelt een heel bijzondere rol in ons huis. Zij is de tweede vrouw! En jullie die verstolen glimlachen om wat je denkt dat een verspreking is, hebben natuurlijk gelijk – en ongelijk. Ze is de tweede vrouw die mijn verwondering heeft gewekt over de aanvullende kracht, over het onverwachte, tere, grillige en verhorende dat de naam "vrouw" draagt. Hedwig heb ik van dreumes naar meisje naar jonge vrouw zien opgroeien, in alle opzichten anders dan de jongens – als een nieuwe, allesveranderende wending in een bekende melodie.' Hier pauzeerde Conrad, maar het was geen kunstpauze; hij was wat geïmponeerd door hoe die laatste woorden waren uitgevallen. Als de tekst van een Cole Porterlied.

'Hedwig heeft niet voor onze zoons ondergedaan. En die ruimte heeft ze gekregen! Ook onze Hedda doet eindexamen, komend voorjaar aan de Kathedraalschool. Ook zij krijgt de concrete voorwaarden om in haar eigen onderhoud te kunnen voorzien en onafhankelijk te worden, want zo is onze tijd, al was het maar in naam. Want we weten allemaal dat afhankelijkheid – *afhankelijkheid*, vrienden – een denigrerend woord is voor een van de mooiste dingen: gebonden en toegewijd zijn aan datgene wat je lief is in het leven, je niet kunnen redden zonder dat wat je het meest na aan het hart ligt. En jullie herinneren je misschien dat ik aanvankelijk zei dat bestendigheid en vergankelijkheid met verschillende maten gemeten worden. Ja, het menselijk leven is kwetsbaar en het leven van de mens vergankelijker dan dat van een zilveren schaal. Maar van het bestaan van de mens ben je je constant bewust – de schaal pak je af en toe en vergeet je tussendoor. Dus wens ik Hedda toe dat ook zij, wanneer ze iemands eerste vrouw wordt, opgewassen zal zijn tegen een vorm van afhankelijkheid. Dat de afhankelijkheid haar zal bevallen, die van haarzelf, en die van hem, en van al diegenen die tot haar zullen behoren.'

Ze luisterde naar woorden van een vader die ze niet kon zien en die zelf niemand zag van degenen tegen en over wie hij sprak. Hij had zijn plaats in het midden van de lange tafel met moeder tegenover zich. En sprak hij niet meestal tegen hen via zo'n tussenschakel? Oog in oog met moeder, of met zijn vrienden, of de wereld, of zijn opvatting van de zeden? Hedda vond dat ze te gast was in haar vaders wereldopvatting wanneer ze met elkaar spraken. Ze was niet iemand die op zichzelf stond, maar een belichaamde goedkeuring of een afwijzing.

'Hedwigs echtgenoot zal een vrouw krijgen die niet alleen mooi en verstandig is, maar die bovendien begiftigd is met de bijzondere genialiteit van de handen. Wat dat talent moge zijn mag God weten, maar zij heeft het ten geschenke gekregen en ik heb nooit iets concreets gezien dat door deze jongedame bedorven is. Ze is zorgvuldig noch voorzichtig in haar manier van doen, maar de soufflé die aan het inzakken is, rijst gehoorzaam als Hedda er een rondje mee om de oven loopt. Nu heeft ze nooit een soufflé gemaakt, maar jullie begrijpen wat ik bedoel. En er zijn trouwens velen onder jullie die zelf hebben ervaren dat haar handen de doordeweekse dag mooier maken. Het feest ook. Hier is een afzonderlijke toost wel op zijn plaats, want het is Hedda die het wonderbaarlijke vogelgerecht heeft geschapen.'

Daarna kwam het verloren onderdeel dat ging over 'de kroon op het werk' – het jongste broertje. Conrad Carlsson had niet op hem gerekend en wist niet goed wat voor iemand Åke was. Het ventje was gekomen tijdens een moeilijke loopbaansituatie, gedurende welke de oudere kinderen veel met rust waren gelaten en er van de jongste nauwelijks notitie was genomen. Vaders blik op de jongste werd gekenmerkt door inzichtloze irritatie vanwege een slecht geweten, en sterke irritatie wanneer moeder dat compenseerde door Åke emotioneel voor te trekken. Jaloezie naar beide kanten, en die resulteerde deze avond in een al te lang, neutraal praatje over de twaalfjarige, die aan het uiteinde van de tafel in de hal gekke bekken zat te trekken.

*

Beata Carlsson noemde zichzelf Beate Sophie Søgaard Carlsson. De oudste zoons hadden die dubbele achternaam tamelijk recent ook aangenomen. Christian na een korte poging met 'C:son Carlsson' tijdens zijn militaire dienst. Beate werd door haar man Beata genoemd, omdat ze een Zweedse burger was. Maar wanneer hij officieus tegen haar sprak, zei hij Beate, hetgeen de kinderen bewust maakte van rollenspellen, en hun opvatting tekende over wat het sociale leven inhoudt.

Bij het laatste bezoek dat Hedda bracht aan haar oma van moederskant, die in haar eentje in een huis met veel trappen en opkamers woonde tegen een heuvel bij kasteel Kronborg in Helsingör, had ze iets te horen gekregen wat ze niet verder mocht vertellen. De geheimhouding. Dit was een half jaar geleden gebeurd, een maand nadat Hedda in maart achttien was geworden. Aan de viering van die achttiende verjaardag was speciale aandacht besteed, omdat de stap van zeventien naar achttien een transformatie van bakvis naar jonge vrouw is.

Het woord 'bakvis' deed haar denken aan versgevangen forel – die het lekkerst is als ovengerecht (voor zover je hem niet blauw kookt met een scheut azijn) – en daarna dacht ze aan de tekst van *Die Forelle* en daarna dat je wordt gevangen en gebakken als je mals en kwiek bent ... en zo voorts. Waar gaat een associatiestroom naartoe als je hem de vrije loop geeft? De trein kreeg zijn richting door de rails, de veerboot over de Sont gaat van pier naar pier. Die legde in Helsingör vlak bij het douanegebouw aan. Met haar overnachtingskoffertje in de hand liep ze tegen de helling op naar haar grootmoeders rode, bakstenen huis, op de gevel waarvan het stekelige houtgewas zijn duizend winterbessen in een andere tint rood nog niet had laten vallen. Grootmoeder was niet bij haar achttiende verjaardag in Lund geweest, maar had gevraagd of Hedda haar wilde bezoeken wanneer het mooi weer leek te worden. Ze gaf haar een sieraad waar een verhaal aan vastzat. Beate Sophies eerste verlovingsring. Moeder en grootmoeder waren het erover eens geweest dat Hedda die ring bij een speciale gelegenheid zou krijgen, maar dan mocht ze niet verder vertellen wat dit sieraadje ooit was geweest.

'Vrouwen praten zo veel,' zei grootmoeder, 'ze praten veel te veel over hun verwanten, het is zo vervelend om daarnaar te luisteren. Wanneer vrouwen over mannen, kinderen en kleinkinderen praten, zijn ze loyaal of ze maken het mooier dan het is. Opeens lijken zinnige mensen gek te worden en kunnen ze nergens anders meer over praten dan over hun gezin; wie wil dat nou horen? De vrouwelijke kunst', voegde ze eraan toe en ze wekte Hedda's aandacht door secondes van zwijgen, 'is de kunst van het zwijgen en de kunst van het gedachtestreepje.' Ze verloor haar aandacht. De woorden van grootmoeder waren afkomstig uit een Franse film die Hedda ook had gezien. Ze had de ring aangenomen, hield die tussen duim en wijsvinger en bewoog hem een beetje heen en weer zodat het licht brak in de grootste diamant. Het smeedwerk was te krullerig en zoetig naar haar smaak, maar de stenen waren mooi. Ze kon het wel begrijpen als moeder hem te jeugdig had gevonden om te dragen nadat ze in het huwelijk was getreden. Maar waarom bewaarde grootmoeder hem en waarom was hij een geheim?

Ze maakten een wandeling heuvelafwaarts, de steegjes en straatjes in, tussen heel oude huizen en wat nieuwere lage door, waar aardewerken poedels en gedraaide barokke kandelaars op de vensterbanken stonden. Het was een helderblauwe dag en de winterjasmijn en Japanse kers stonden in bloei, zoals zo vaak op Sjaelland wanneer het in Skåne nog grijs is en er natte sneeuw ligt. Ze dronken thee en aten scones met verse boter in grootmoeders favoriete café. Daarna liepen ze terug en draaiden de temperatuur van de oven wat hoger voor het gebraad, dat er al een paar uur in stond. Bij het aanrecht ging het fotoalbum open, met de nadrukkelijke vermaning dat ze dit aan niemand in de familie mocht vertellen – en vanzelfsprekend ook niet aan iemand buiten de familie. Eigenlijk evenmin aan moeder; ze mocht slechts met haar blik bevestigen dat ze iets wist waarvan moeder te verstaan had gegeven dat ze wilde dat alleen Hedda het zou weten. 'Kan ik op je rekenen?' vroeg grootmoeder in het Deens. Natuurlijk wist ze dat ze op haar kon rekenen, dat was immers de voorwaarde om het geheim überhaupt te onthullen. Hedda zelf was zich er maar al te goed van bewust dat haar bereidwilligheid eerder grensde aan lafheid. Ze zou ten opzichte van een volwassene geen belofte verbreken, ook al was die belofte haar al ontnomen voordat ze gelegenheid had gehad om haar zelf te doen.

Aanvankelijk was het privilege alleen maar smeüig. Grootmoeder vertelde dat moeder eerder getrouwd was geweest, met een man die Georg Phoerder heette, een rederszoon uit Rostock. De foto's toonden een heel mooie jongeman en een bijna onherkenbare jonge vrouw die haar moeder was. Eentje was genomen bij een gracht, de halve achtergrond werd in beslag genomen door een treurwilg. De mooie man keek langs de vrouw heen, schuin naar links; zij keek ook schuin, maar dan naar rechts. Er was niets tussen hen op de foto, beider gezicht was stijf van het poseren, alsof de camera toevallig gekozen vreemdelingen gedwongen had samengebracht. Het was hun verlovingsdag en daarop volgden nieuwe dagen, andere foto's – eentje waarop moeder een door het licht betoverd gezicht wendde naar de man, wiens baard en donkere achterhoofd zijn gelaatsuitdrukking verhulden. Ze lachte op een manier waardoor je kon zien dat een van haar voortanden schuin over de andere stond. Hedda had haar moeder nog nooit zo onbekommerd met deze onvolmaaktheid zien omgaan; moeders lachjes werden altijd voorbereid doordat ze probeerde de tand weg te likken, waarna er een tuitend compromis volgde van een halfgesloten *smile*. (Ze voelde zich waarschijnlijk nooit vríj.) Op een andere foto, en daarna nog een en nog een, twee jonge mensen die fysiek waren. Ja, lichamelijk. Zij had blote voeten en reed paardje op zijn rug, hij hield haar ene voet in zijn hand, zo intiem, ze stonden in de zomerzon met hun lichamen van de borst tot helemaal aan de knieën stevig tegen elkaar.

Daarna bladzijden met foto's van de bruiloft – allemaal vreemde mensen – met de datum *4 junio 1907*. 'De bruid was achttien', hoorde Hedda in haar hoofd, maar ze wist niet of ze die woorden had uitgesproken. 'Ze was heel jong,' antwoordde grootmoeder in overdreven duidelijk Zweeds, 'ik vond té jong, maar ze waren natuurlijk zo verliefd. De grote liefde van mijn leven, heeft ze een paar maanden geleden nog tegen me gezegd. Ze zei, ik had me nooit moeten laten scheiden.'

Met een vasthoudende blik hield grootmoeder nu Hedda's reacties in de gaten, hetgeen tegelijkertijd bedoeld was om de kernboodschap over te brengen. Het meisje verloor echter haar houvast en het enige wat ze wist uit te brengen was: 'En vader dan?'

'Dat komt,' was het korte antwoord, 'dat kwam daarna, te snel.'

Ondertussen wist Hedda niet of van haar verwacht werd dat ze doorvroeg, en of ze wel door dúrfde te vragen. Ze wist trouwens niet wat ze moest vragen. De term die zich om onduidelijke redenen aandiende, was 'buitenbaarmoederlijke zwangerschap', die had ze in een boek gelezen. 'In vroeger tijden liet zowel moeder als kind daarbij het leven.' Die gedachte kwam waarschijnlijk in overdrachtelijke zin tot haar, of analoog.

Terwijl Conrad Carlsson zijn rede afsloot door zich rechtstreeks tot 'Beate van me' te richten, dacht Hedda terug aan de mooie Georg (wat grootmoeder uitsprak als Jorge, op z'n Spaans) en ze vroeg zich af of haar moeder op dat moment aan hetzelfde moest denken en Beate Sophie Phoerder wilde zijn, met of zonder dochter die Hedwig heette.

'Heeft hij ook kinderen?' vroeg ze aan grootmoeder. Zacht als in een schuilplaats – het toeval moest maar bepalen of grootmoeder haar al dan niet hoorde en Hedda antwoord kreeg. Ze kon zich voorstellen dat hij de vader van Christian was, en van haar, die allebei op geen van de ouders leken. Maar tussen hen in zat Tom, die zo op vader leek. 'Er kwamen in dat huwelijk geen kinderen', antwoordde grootmoeder vermoeid in het Deens. 'Ze trouwden en er was een huwelijksnacht en er waren er nog een paar ... en een huwelijksreis naar het Gardameer en er verstreken drie weken en daarna kwamen ze thuis. Je moeder was ongelukkig. Mama was niet gelukkig. Ze probeerde gewoon te zwijgen, maar op het laatst zat ze zo vol dat ze bijna uit elkaar barstte en toen zei ze tegen mij dat er iets was gebeurd, maar dat het naderhand allemaal wel *allright* zou zijn.'

Weer wachtte ze op vragen, vonken om het vervolg van het verhaal op te wekken. Grootmoeder begreep niet dat Hedda zojuist op vreemde grond ter wereld was gekomen, zonder kompas. De elegante dame van meer dan middelbare leeftijd, met ronde, fraai verhulde vormen en een witblond opgestoken kapsel waaruit flirtlokjes op haar wangen en in haar nek vielen, onderwierp het effen gezicht van haar kleindochter aan een nauwkeurig onderzoek, legde het zwijgen van het meisje verkeerd uit en tuchtigde haar Zweeds weer.

'Ze begonnen aan het gewone leven, hij leerde nog door in Kopenhagen, ze zouden later naar Duitsland verhuizen. Ze verkeerden in het gezelschapsleven en vaak straalde Beate Sophie, maar even vaak was ze ongelukkig ...' Ze kneep haar ogen half toe en gaf met een rode wijsvingernagel een tik tegen elk van haar onyxen oorbellen. 'Hij had in Italië iemand ontmoet.'

'Op hun húwelijksreis?'

Grootmoeder legde een hand op de hare en stopte met het opdienen van kleine porties. In een snelle samenvatting vertelde ze dat de mooie Jorge in zijn oude gewoontes was vervallen. Als ze naar een minder romantische plaats waren gereisd had dat niet zo snel hoeven gebeuren. Of als de Italiaanse jongeling een tijdelijke affaire was geweest. Beate Sophie was praktisch. Als haar huwelijk tijd had gehad zich te vestigen, als zij een jaar of vijf à tien ouder was geweest, had ze gemakkelijker met Jorges biseksualiteit kunnen leven. Maar ze was nog te jong en te verliefd om hem te delen. Ze was immers nauwelijks ouder geweest dan Hedda nu was! (Grootmoeder hoopte vast dat ze op meer begrip kon rekenen vanwege deze tijdoverschrijdende gelijke leeftijd. Was het niet zo? Meisjes lazen romans en begrepen leeftijdsgenoten uit de achttiende eeuw.) Beate Sophie had een poos met de gedachte gespeeld om de jongeling in huis te nemen als manusje-van-alles, '*handyman* – stel je dat eens voor!' om het allemaal onder één dak te verzamelen.

Even praktisch was ze daarna geweest. Voor haar twintigste werd het huwelijk nietig verklaard. Ze weigerde te scheiden. Ze wilde de huwelijksmarkt niet betreden met het stigma van de gescheiden vrouw, daarom moest Jorge worden overgehaald om akkoord te gaan met nietigverklaring, op gronden die hem niet strafbaar maar belachelijk maakten. Hedda vermoedde wat er onder die formulering schuilging, maar wilde het niet weten en knikte alleen maar.

Ze knikte opnieuw. Ze knikte diverse keren. Het was zo onzinnig dat ze vanwege een verjaardag, een leeftijd, opeens ingelicht moest worden. Nu was er natuurlijk geen terugkeer meer mogelijk, er was haar iets onthuld wat ze geheim moest houden, de sterke geur van geslachtelijke omgang, angst zonder ervaring, een gevolg van de vrouwelijke erfenis waar ze niets mee kon aanvangen. En daarbij die stille aansporing om vervolgvragen te stellen. Dat deed ze. 'Bedoel je' (het was voor het eerst dat ze haar grootmoeder tutoyeerde) 'dat moeder zelfs aan vader niets heeft verteld?'

Even praktisch was Beate Sophie geweest toen ze slechts enkele maanden na de nietigverklaring een bankier uit Zweden ontmoette in kuuroord Skodsborg, waar zij voor haar apathie kwam en hij voor zijn maagklachten. Praktisch, toen ze zijn verliefdheid aanmoedigde. 'Bedoel je dat moeder zelfs aan vader niets heeft verteld?'

Ze was praktisch toen ze besloot hem de waarheid te besparen en daardoor zichzelf hem te besparen.

'Zo praktisch wordt een vrouw door het leven met een man. Ze kon niet helemaal liegen ... ze zei dat ze "een paar maanden met een jonge homoseksueel een financiële verbintenis had gehad". Om hem te helpen aan de een of andere testamentaire verplichting te voldoen, zodat hij een paar grote legaten los kon krijgen. Dat de man in Rostock woonde en zij in Helsingör. Geruststellende omstandigheden, als je begrijpt wat ik bedoel.'

Hedda dacht: maagdenvlies. Die gedachte onderdrukte ze door snel te bedenken dat het Deens waarin grootmoeder sprak beter was dan de naakte waarheid van het Zweeds. De modernisering van het Zweeds had de klanken minder omfloerst gemaakt, er de toon aan ontnomen. Vervolgens begon ze koortsachtig te bedenken aan wie ze dit zou kunnen vertellen. Ze moest van geheimhouding een geheim maken, om met iemand te délen. Van binnen giste het al bij haar; het was onmogelijk om dit voor zichzelf te houden. Word je ziek van geheimhouding, hadden moeder en grootmoeder het nodig om zich van een last te bevrijden door haar ermee op te zadelen? Ze leken totaal gezond. Voor hen leek het allemaal zo normaal te zijn. De ene normale dag volgde op de andere:

Zondag: timbaal van kalfsgehakt met peterselievulling, tomaten, groene salade, komkommer, erwtjes met boter

Maandag: gebakken wijting, gefrituurde peterselie en gebakken aardappels

Dinsdag: lever met rijst, rozijnen en vossenbessen

Woensdag: gekookte tarbot met hollandaisesaus en gekookte aardappels

Donderdag: Erwtensoep. Gevulde pannenkoeken met room

Vrijdag: Hamgehakt, aardappelpuree

Zaterdag: Gebakken makreel met een groene salade en stampaardappelen

Hedda was er zo aan gewend om te leven dat ze wist dat wat in de maand april het bestaan op zijn grondvesten doet trillen, tegen Kerstmis met een eerste laag aarde bedekt zal zijn. Ze schikte zich meestal, wende. Maar ditmaal zag ze niet in hoe ze in de toekomst haar evenwicht moest hervinden. Ze had het gevoel alsof ze het voorwerp van een kinderachtig experiment was. Moeder en grootmoeder verdedigden een leugen en wilden haar daarin betrekken omwille van de kwestie zelf.

Opeens voelde ze hoe een herinnering als rode vochtigheid naar buiten kwam, waarna die zich weer terugtrok in de beschutting van haar harige kapsel. Moeder die aan Christian had gevraagd of hij haar iets kon geven om grootmoeder van vaderskant mee te kalmeren. Iets waardoor grootmoeder goed in slaap kwam zodat ook de rest van het gezin kon slapen. Stevige doses. 'Ik bedoel stévige.'

Maagdenvliezen groeien toch niet weer aan? Het kon niet anders of vader wist het. Deed moeder het voorkomen alsof ze leed? Ze was getróúwd geweest. 'De liefde van mijn leven.' Dat was nog het ergste. Dan was zijzelf immers, dan waren zij alle vier – of vijf – op los zand gebouwd. Was moeder bij het overlijden van Alice zo opbeurend – vader had dat vaak verteld – omdat zij niet van hem hield? Deed dat af aan het gevoel voor de kinderen die zij met hem kreeg? Het was niet spannend, zoals grootmoeder haar wilde doen geloven. Grootmoeder zei dat Jorge natuurlijk alleen maar een bijzaak was in deze lange geschiedenis. Hedda vond dat als hij nog steeds moeders grote liefde was, hij de hoofdzaak was. Grootmoeder had verteld dat Jorge ook was hertrouwd en meerdere kinderen had gekregen. Dat kon hij dus. Ze had Hedda aan het ontbijt een tikje gegeven en tegen haar gezegd:

'*Cheer up!!*' Als puntje bij paaltje kwam, moest ze eigenlijk trots zijn dat haar moeder 'een verleden' had en niet haar hele leven had gewijd aan huishoudelijk en reproductief zijn en

alleen mens was geweest tijdens de korte momenten daartussenin!

Zwijg, o zwijg! Trein, boot, trein. Met haar neus in een boek, ze draaide de bladzijden regelmatig om zonder te lezen en hield af en toe een zakdoek tegen haar neus en mond, zowel om haar gezichtsuitdrukking als haar tranen te verbergen. 'Ik bedoel een verdovend middel. Ik ben wanhopig.' Ze snoot haar neus en deed net of ze verkouden was. De ring droeg ze niet. Ze beliefde hem niet.

Omgang met de buren 2

Ik had Birgitta B. mijn adres niet gegeven. Volgens mij had ze mijn achternaam niet eens gehoord, want toen ik mijn voornaam noemde, viel ze me al in de rede door te zeggen dat die weer in de mode was, dat ze verschillende kennissen had die hun dochters de laatste tijd Sigrid hadden gedoopt en dat het een leuk gevoel moest geven om dezelfde naam te hebben als jonge meiden, kleine meisjes en zo voorts.

Op de een of andere manier moest ze mijn identiteit toch hebben achterhaald, want twee dagen nadat ik de foto's bij haar in de bus had gestopt stond ze bij mij aan te bellen. Ik zag haar van achteren, half en profil. Toen ik met in mijn ene hand een hooivork en in mijn andere een uitgegraven roos de hoek om kwam, had ik het gevoel dat ik haar besloop. Eerst schrok ze dan ook, maar daarna herkende ze me nog steeds niet. Wanneer ik bij vreemdelingen op bezoek ga, kam ik mijn haar, maar wanneer ik in de tuin aan het werk ben en de luchtvochtigheid hoog is, zie ik eruit als Piet de smeerpoets.

Ik zette de roos met haar wortels in een emmer water, daarna bekeken we de blauweregen en vijf rozen van verschillende soorten die ik van onze dochter cadeau had gekregen en net op het westen had geplant. We hadden buiten geen fatsoenlijk tuinmeubel, laat staan een verwarmd terras, maar ik had helemaal geen zin om haar binnen uit te nodigen en buurterig te doen zoals in Norrland. Mijn dag was ingedeeld in twee tijdsmodules: twee uur schrijven, een uur werken in de tuin, lunch en lectuur, weer twee uur achter de computer, boodschappen doen, werken in de tuin, beetje tv-kijken enz.

Zo is het gewoonlijk wanneer je een roman schrijft en eenmaal de drempel over bent

voorafgaand waaraan je probeert níét te schrijven, en aarzelt om aan de slag te gaan. Op een dag ben je daaroverheen. Je wordt elke dag wakker in de geest van problemen die je de vorige dag niet wist op te lossen, maar waar de nacht je instructies voor heeft gegeven.

Je wilt die instructies niet kwijtraken, je wilt niet worden gestoord. Maar nu stond Birgitta B. daar van haar ene voet op de andere te wippen en het leek of ze gezelschap zocht. Dus uiteindelijk vroeg ik haar of ze iets wilde wat cafeïne- of alcoholvrij was en liet ik haar schoorvoetend binnen.

Ze leek het er helemaal mee eens te zijn dat niet alle huizen er nagelfris hoeven uit te zien, in zwart, grijs, aubergine en wit. Moeiteloos prees ze een versleten doorleefdheid waar haar gezin tot nu toe nooit ergens 'aan toegekomen was'. Ik accepteerde de lovende woorden en geloofde ze, hoewel ik zelf een paar dagen geleden leugenachtige bewondering had geuit voor haar meubilair in lood- en molshooptinten. Ik verklaarde dat Vanessa Bell mijn inrichtingsideaal is ('een sjaal over een kapotte hoek van een bank'). Zij wist wie dat was; langgeleden was ze op Charleston geweest toen ze als zomerstudent aan een kleine universiteit in Zuid-Engeland had gestudeerd. We namen tegenover elkaar plaats in de keuken. Zij legde de envelop met de foto's voor zich op tafel en schoof hem naar me toe.

Ik voelde op dat moment echter dat ik er afstand van gedaan had en ze niet terug wilde.

Dat zit zo: geschreven, gepubliceerde, gerecenseerde, verramsjte en afgedankte boeken zijn de overblijfselen van een klus. Van een plan, een idee of gewoonweg een periode in je leven. De roman met het beeld van 'de professorsvrouw' en haar gezin was over zijn houdbaarheidsdatum heen, en wilde ik nog wat exemplaren voordat ze vernietigd werden – schreef een employé – dan zou dat zo en zoveel kosten. Overdreven ongevoeligheid is aanstekelijk (ook al ben je gekwetst), een auteur stouwt afgedankte werken op zijn backlist. En van het uitgangspunt voor het boek gaat ook geen verleiding meer uit. Ik zei dat ze de foto's mocht houden, zij had er misschien meer plezier van, huishistorisch gezien?

Toen vertelde ik over de reden waarom ik überhaupt met het oude materiaal naar hen toe was gekomen: de eerste brief van Hedwig Langmark, de foto waarover ik geschreven had in mijn roman.

Eerst was Birgitta alleen maar enorm verbaasd dat ik schrijver was en dat ze nog nooit van me had gehoord. Hoe heette ik ook weer? Was dat de naam waaronder ik publiceerde? Nee, ze schudde haar hoofd. Wat voor soort boeken schreef ik? Non-fictie, romans? 'Gek dat ik nooit van je heb gehoord, ik lees ontzettend veel romans, ik lees voortdurend', zei ze. Ik antwoordde meteen dat er veel te veel boeken verschijnen, dat kan geen mens overzien. En haastte me om mijn andere klussen en opdrachten te noemen – gemakkelijker op waarde te schatten omdat de instituten goed klonken. Vervolgens ergerde ik me eraan dat ik altijd met deze excuses aankom, maar dat het blijkbaar helemaal oké is om bijna verwijtend tegen een schrijver te zeggen: ik heb verdomme nog nooit van je gehoord. Terwijl het achterlijk zou overkomen als je je schouders ophaalde over componenten van een draadloos alarmsysteem, of de ontwikkeling van het een of andere flutding dat het display van de tigste generatie koffie-automaat stylet.

De waterkoker borrelde en ik verontschuldigde me voor het feit dat ik alleen rooibos in zakjes had. Zij had theegezet in een Italiaanse zilveren kan waarvan ik in de winkel waar ik de koppen voor mijn elektrische tandenborstel koop had gezien dat die een kleine vijfduizend kronen kostte.

'Dus je bent van plan deze foto's terug te sturen naar die vrouw in Spanje?' begreep ze me verkeerd, terwijl ze haar handen aan haar kopje warmde. Ze had het koud, zag ik, ze was gekleed op hun eigen huis, niet op het onze. Maar het was een goede tekst, want die gaf me de mogelijkheid om van de envelop af te komen zonder hem aan Birgitta Bradhed te geven.

'Terug', muggenziftte ik niettemin. 'Ze weet waarschijnlijk niet eens af van het bestaan van de andere zeven, waarschijnlijk heeft ze er niet eens eentje persoonlijk in haar bezit gehad. Maar ik vind natuurlijk dat ze haar toebehoren. Je kunt ze kopiëren voor het geval je ze als aandenken aan je huis wilt. Ik heb een goed kopieerapparaat.'

Maar dat had haar Bosse al geregeld. Hij had een ding dat kopieën maakt waardoor het eruitziet als de originele foto's van vroeger. Hij had ook een paar kleurkopieën gemaakt in de verbleekte sepiatinten van die tijd. Ze liet twee goed getransformeerde afbeeldingen zien, waarvan het zwartgrijze scala discreet was omgetoverd, niet ingekleurd, maar door een slim computerprogramma serieus veranderd zodat het er echt uitzag als mijn nostalgische voorstelling van de jaren dertig. (Een andere zonnestand, aardetinten die niet zo sterk waren. Alsof de aarde een fractie van een graad uit haar as was gewrikt door de wereldoorlog – en alleen computers het vermogen hebben zich te herinneren hoe het er allemaal uitzag voordat dit gebeurde.) 'Je mag ze wel hebben en meesturen,' voegde ze eraan toe, 'wij kunnen wel nieuwe maken. Misschien zou het leuk voor haar zijn om herinneringen in kleur te hebben.'

Dat zou niet zo zijn, besloot ik zwijgend. Intuïtie is een vorm van gehoor. De gedachte om de oude dame op deze manier te updaten klonk daarom vals.

'Maar er is nog iets, iets anders', zei Birgitta. 'Toen ze het dak hebben vernieuwd en met de zolder bezig waren, hebben ze onder de glaswol kasten gevonden. Daar lagen voornamelijk spullen in die je meteen kon weggooien, maar sommige dingen hebben de werklui voor ons bewaard. Er zat een rokkostuum bij! Het hing met draden aan elkaar en het kon dan ook naar de stort. En een geplisseerde jurk die je in één hand samen kunt ballen en wanneer je hem dan loslaat, is het een jurk tot op de enkels. Ik ben geen bezoeker van vintagewinkels, maar deze was heel bijzonder; ik heb hem laten stomen en kijk er af en toe naar.'

Ik zei dat het klonk als Fortuny en ik dacht dat ze niet zou weten wat dat was, maar zij had ook gelezen over de jurken uit Venetië. Haar probleem was nu dat zij en haar man verschillend dachten over de souvenirs. Behalve de weinige kledingstukken waren er ook een paar door de wormen aangevreten dingen van gevlochten berkenbast, sieraden van geringe waarde, kruiken van Rörstrandporselein die men vroeger gebruikte om in te wecken maar tegenwoordig als vazen voor Midzomerbloemen, een paar ingelijste kindertekeningen, een herbarium dat Christian (ze sprak de naam uit alsof ze hem kende) in elkaar had gezet. 'En er was een blauwdruk van de plattegrond van het huis die we hebben laten inlijsten. Die hangt in het voorportaal van de hal. Je hebt hem waarschijnlijk wel gezien toen je binnenkwam. Bosse vindt dat dit allemaal bij het huis zat en erbij hoort. Maar ik vind dat sommige dingen misschien teruggegeven moeten worden.'

Ik vond ook dat je in grote lijnen kunt doen en laten wat je wilt met dingen die in een huis achtergelaten zijn, als het niet heel specifiek verborgen of vergeten is. Zij noemde een tuinboek uit het eind van de negentiende eeuw, waarin witte bladen zaten vol schetsen van de tuin zoals die eruitzag toen hij werd aangelegd. Daarbij had ze kunnen vaststellen dat het perceel van Carlsson niet alleen datgene wat achter de ligusterhaag lag omvatte, maar ook twee aangrenzende stukken ten noorden van het huis, die afzonderlijk verkocht waren en in de jaren veertig en vijftig bebouwd werden. Dat boek wilde ze liever houden. Er werd aangebeld. Haar jongste zoon had een briefje gevonden met instructies hoe hij haar kon vinden en nu was hij hier en had hij de poes bang gemaakt die op de deurmat had liggen slapen. Ineengedoken achter een buxushaag zat ze met grote ogen te staren. Toen de jongen zijn schoenen uittrok om naar binnen te gaan hield zijn moeder hem tegen met de woorden dat ze meteen naar huis moesten.

Omgang met de buren 3

Toen ze de zeven Carlssonfoto's in chronologische volgorde had gelegd, met de twee gekleurde er nog bij, bleef mijn herinnering haken aan hoe ik me de familie had voorgesteld toen ik destijds de korte passage voor mijn roman schreef. Ik draaide het origineel om. Op de achterkant stond: *4 mei '37, 'de dag voor het mondeling'. Alma mater Beata und ihre vier, Chris, Tom, Abiturientin Hedda und Åke — next to come. Plus 'het trimapparaat' Quatrejamb.* Op de kleurenkopie leek het of alles vanuit een geheim, onderzees zwart-wit naar de oppervlakte was gezwommen. Hetzelfde met de andere kleurenafbeelding uit de winter van 1942, toen ze niet meer zo jong waren en Hedda niet blond meer was.

'Ze vormen een kleine roman', zei Birgitta B. 'Mooie vrouwen.'

'De mannen zijn in de meerderheid', wees ik.

'Jawel, maar mannen in romans ...' ze aarzelde en keek mij aan. 'Dat worden bijfiguren. Ik weet niet. Ik las een roman van Ulf Lundell en zijn hoofdpersoon was als het ware de bijfiguur in zijn eigen roman, ik kan het niet uitleggen. Bosse is gek op Ulf. Anders leest hij nooit, maar elke roman van Lundell koopt hij. Kijk het gezicht van deze moeder eens. Het heeft een ... iets. En het haar van het meisje — iets anders. Jij zou een roman over hen kunnen schrijven. Die zou ik echt kopen!'

'Jij zou op het schutblad komen als de inspiratiebron', glimlachte ik koel. Jawel, maar

het dunne gespreksweefsel tussen ons was daarvoor al in het midden versleten. Toen er een gat in kwam, bleek hoe dun het van begin af aan geweest was, want hoe meer we praatten en van elkaar vervreemdden, hoe groter het gat werd. Zij was politicoloog, maar ze was gepromoveerd op iets wat over logistiek in de zorg ging en ze zou na haar ouderschapsverlof een geheel nieuwe, op maat gemaakte, zeer goed betaalde functie krijgen binnen de provinciale gezondheidszorg of district Skåne. Al de tweede keer dat we elkaar spraken, onthulde ze dat, met de woorden 'het is nog geheim!' En ze gaf meteen een gedetailleerde, wraaklustige beschrijving van hoe het systeem voor alle bureaucratische toestanden die zij als kleine ondernemers hadden meegemaakt, zou gaan boeten wanneer zij 'elegant' tussen een aanstelling, deeltijdverlof en ouderschapsverlof naar 'bingo' zou surfen. Ik antwoordde dat dit fantastisch klonk, vooral met zo veel geld. En dat ik zelf wat betreft de toekomst van mijn werk nooit verder dan een jaar vooruit kon kijken. Het woord 'geld' ving ze hoofdschuddend op en ze stelde me op de proef door te vragen of ik wist hoe groot het percentage contant geld in de economie was. Munten en biljetten dus. Ik peinsde alle kanten op – van één tot vijfentwintig procent. Ze antwoordde: minder dan acht. En over tien jaar zal het nog hooguit de helft daarvan zijn. Ze doceerde dat economie een systeem van communicerende vaten is (niet altijd goed communicerend). Ze had het over de winstgevendheid van schulden. Ze begon een hoge toon aan te slaan en ging maar door toen ze de belangstelling zag van iemand die onder de indruk was omdat diegene niet kon wat zij kon, maar nog wel snapte dat hier interessante informatie werd verstrekt.

Het was hierna dat ze zich aan die mooie vrouwengezichten op de foto's waagde en aan de roman die ik zou moeten schrijven. Ze had er een paar keer blijk van gegeven dat ze zich geneerde voor het feit dat ze me niet kende, terwijl we nog wel in dezelfde wijk woonden. In haar beschrijving van haar eigen cv kwam ze met terzijdes over titels van mijn 'werken' of 'projecten', maar ze had nooit over een ervan horen praten, ook al trok ze een keer veelbetekenend haar wenkbrauwen op, maar dat kwam omdat ze de naam herkende van een Engelse beroemdheid over wie ik ooit geschreven had.

Ze viste naar bevestiging door haar eigen laatste leeservaringen op te lepelen. Van mijn gezicht kon ze gewaar worden dat ik wist wie Paulo Coelho was, dat ik min of meer bekend was met de meeste andere namen en titels die ze opsomde – en dat ik uit gespeelde consideratie net deed of ik ze niet kende. Maar dat was geen punt. Het liet haar koud dat ze bij een kale rots had geprobeerd aan te leggen. Ze was toch niet van plan geweest aan land te springen. Ze zag een snob en daarmee uit.

Buiten op de stoep trok ze haar zwarte Nikes aan en hielp ze haar zoon met de zijne, die hij had uitgeschopt in de veronderstelling dat hij mocht binnenkomen. De knul siste 'kijk' en wees op een onthoofd hazenjong dat in de cadeauhoek van de kat lag. Zijn moeder – immers ook aanstaande moeder – werd misselijk en balde haar vuist tussen haar borsten terwijl ze er een 'bah. Bah!' uit perste en vervolgens: 'Er zit bloed aan zijn snorharen. Het moet gebeurd zijn toen wij in de keuken zaten.'

Kil corrigeerde ik: 'Háár snorharen.'

En ik zette een tedere stem op en prees de kleine jaagster.

Toen ze over het grindpad naar het tuinhek liep, vond ze het goed dat haar zoon met zijn mountainbike op het gazon ernaast fietste, volle vaart ontwikkelde en met de diepe profielen van zijn banden sporen trok in het gras. Hij keek om naar mij – zijn ogen vernauwden zich provocerend. Zij keek om naar hem, maar ze zei er niets van. Rijkeluiskinderen zijn de pest, ze menen dat de hele wereld van hen is. Wanneer het nieuwe kind geboren was (een meisje, wist ze, dat de naam Märta zou krijgen; ze werd vernoemd naar Birgitta's grootmoeder van moeders kant), zouden ze met zijn allen naar Isla Margarita gaan voor een welverdiende gezinsvakantie. Een intercontinentale vlucht met een open fontanel, mompelde ik haar na. De basis voor luxeconsumptie eerder gelegd dan de basis voor benul. En dan aanstoot nemen aan een kat die hazen vangt.

*

Met polletjes gras die ik langs de rand van een bloemperk weghaalde, repareerde ik het gazon. Daarna plantte ik de roos – en ik bedacht dat

sommige sociale betrekkingen beginnen met de kleine climax die er soms in zit, daarna is het allemaal vooral lastig, want tijdens het afbouwen naar het eenvoudige hallo, het knikje en de ruitenwisserzwaai die het juiste niveau van de relatie vormen, moet je frasen van weinig inhoud blijven uitwisselen.

Tuinieren houdt verveling en concentratie in evenwicht. Het is een beetje vervelend, terwijl er in de activiteit tegelijkertijd een onafgebroken toestroom van nieuwsgierigheid zit naar haar eigen vervolg. Wanneer je opkijkt, zie je wat er zo meteen gedaan moet worden, wat er morgen gedaan moet worden, wat er op een termijn van twintig jaar gepland moet worden.

Het evenwicht vormt de achtergrond om aan andere, verwante dingen te denken. Ik dacht in die tijd aan fictie, omdat ik romans schreef. Non-fictie wordt door haar onderwerp geïnspireerd. Er zijn feiten en je hebt meestal ook eerdere redeneringen om die feiten heen. Je kunt van iets concreets uitgaan en een vliegende start maken met je speculaties.

In de roman heb je geen vertrekpunt, je trappelt, kruipt stukje bij beetje. Nee, je bouwt geen fictie met nieuw geproduceerd materiaal – zoals het woord je wil doen geloven – maar hoofdzakelijk met ruïneresten. De schrijver pakt stenen van voormalige huizen, bouwt nieuwe vanaf de fundering op, maar weet nooit of hij aan één soort baksteen genoeg zal hebben, of de fantasieschepping – als die af is – half af zal zijn of een lappendeken. Of een klein geheel in plaats van een groot.

Ik was van plan onder het spitten na te denken over een voornaam in het boek dat ik op die aprildag 1996 aan het schrijven was. Tot dan toe had ik geluk gehad met het vinden van namen. Ik had de wind in dit verband de koers laten bepalen – wat de meeste dingen in het verhaal betreft, trouwens. *Serendipity*, zei een vriend jaren later, toen we in december in Londen rondliepen en voortdurend tegen dingen aanliepen die we niet hadden willen missen, hoewel we niet wisten dat we ze wilden zien of dat ze zich daar zouden voordoen, onderweg naar wat we wel hadden gepland. Zo was het ook met de namen in mijn roman. Na een ingeving heette de hoofdpersoon Perle. Ik wist niet of zo'n naam bestond, maar een paar dagen nadat ik hem had vastgelegd, stuitte ik op een *light* boek over de kabbalistiek, dat geschreven bleek door een vrouw met de voornaam Perle. De samenloop zei me dat ik die naam kon gebruiken, en mystiek of het bovennatuurlijke had daar niets mee van doen.

Nu aarzelde ik of ik de naam van een klassieke *cinéma auteur* kon nemen voor een man die aan het eind van mijn verhaal een riviertocht maakte. Het moest een schemerreis van de beschaving worden, in zekere zin een pastiche, met design uit de bioscoopfilms van de jaren dertig en veertig. Het interieur van een stoomboot met houten lamellen, kettingen van Zuidzeeparels zo groot als duiveneieren, port en clair-obscur. Maar kun je een bekende naam gebruiken als romannaam? – ook al schrijf je in de half expressionistische stijl die zijn films en zijn rollen kenmerkt? Snijdt zoiets niet door de wortel van de roman?

Maar ook daar zat ik niet met mijn gedachten. Daar zouden ze moeten zitten, maar daar zaten ze niet. Ik trok aan de roos om de wortels uit te rekken. De veredelingsplek kwam een beetje te hoog te zitten, ik deed er nog wat aarde bij en stampte die aan. Zo moest het maar. Je kunt niet van alles wat je aanvangt het resultaat bepalen. De lente was krachtig, de hemel vol geschiedenis, van het leger van Karl XI in de archeologische lagen onder mij, van de smidse, van de beek die was opgehouden met borrelen tussen de vleugels van een boerderij waarvan de naam eindigde op 'lycka', zoals zoveel andere namen van plekken in Lund. En van abituriënte Hedda met haar blondglanzende kapsel. En van Åke met zijn mitella. Beiden gevangen op een moment in hun leven waarop ze niet wisten wat hun te wachten stond. Waarschijnlijk dachten ze dat er iets heel anders zou gebeuren – zelfs het tegenovergestelde.

De minuut waarop de lantaarns in de Finngatan aangaan zweefde me voor de geest, hoewel het pas kwart over vier was. De aprilhemel hoog en schoongeboend, bij een temperatuur van vijftien graden die binnen een paar minuten alles van de sneeuwval van die ochtend had weggedooid. Je zag aan de hemel dat die om zes of zeven uur een juweel zou zijn, groen achter de kerktoren in het westen. De straatlantaarns zouden beginnen te flakkeren in de kronen van de bomen, in de naakte, zwarte essen. In kersenbomen die in minder dan een uur witte wolken waren geworden. In beuken en lindes met knoppen groot als eieren, waaruit de bladeren zouden worden uitgebroed, vochtig en mat. In het donker op straat zou een jonge vrouw fietsen met haar tweejarige in het kinderzitje en ze zou zo gelukkig zijn, gewoon met het moment, het ogenblik, de souplesse van haar kuiten en het geluid van de wielen op het asfalt. Gelukkig, omdat ze een constante factor kon zijn voor het meisje dat achteropzat, en zich gewoon heel even tegen de verantwoordelijkheid opgewassen voelde. Ze moest zingen, zo onnadrukkelijk dat het verder nauwelijks te horen was, anders zou het kind mee willen zingen en dan zou het een gebaar naar de buitenwereld worden. En ze wilde zich niet op die manier manifesteren, maar zich aan dit korte stukje van misschien honderdvijftig meter laven. De straat is donker als een rivier. Te licht om door de straatlantaarns te worden verlicht, toch asfaltdonker. De hemel is licht, tegen de achtergrond ervan een silhouet van de toren, met zijn lichte klokgat. Daar staat ook de Avondster, en zo dadelijk is ze thuis en dat is ook goed. Maar niet zo goed als deze rit in de Finngatan, een gat in de tijd van twee minuten waarin de verandering intreedt (de moeite van het noemen niet waard) en zij door een sfeer, precies tussen duisternis en licht in, wordt voortgestuwd.

Op de Skånse vlakte

'Spreekt u ook Skåns, juffrouw?'

Hedda keek om zich heen. Of ze Tom zag, die honderd meter verderop de hoek van de lange tafel op het erf aan het opmeten was. Ze keek haar vriendin Dagmar aan, die niet was aangesproken en net deed of ze het niet had gehoord.

Er zaten vlakbij enorm veel vogeltjes te kletsen in de kroon van een boom. Het geluid was net als de vorm van de boom.

'Ik weet het niet', antwoordde ze. Door de 'e' in 'weet' met een lange tweeklank uit te spreken stelde ze zich beschikbaar voor de man die haar had aangekeken en had bedacht dat hij nog een figurant nodig had die dialect sprak.

Ze hoorde zelf hoe ze het aandikte. Ze zei nooit 'weijt' wanneer ze op een natuurlijke manier sprak. Net zomin als hij 'prauten' op een andere manier dan in belachelijk Stockholms Skåns uitsprak.

Bestudeerd onverschillig liet de man zijn blik even over Dagmar gaan en verplaatste hem toen met een glinstering in zijn ogen weer naar Hedda, die twee stappen dichter bij haar vriendin was gaan staan om te benadrukken dat het hier om allebei of helemaal niemand ging. 'Kunt u zingen, juffrouw?' Hedda zei, zonder tweeklanken, dat Dagmar de tweede sopraan zong in een koor, maar 'zelf kan ik eigenlijk alleen maar brommen'.

'Brómmen kan ik me niet voorstellen', lachte de man en hij streek snel met zijn ruwe hand over haar blote bovenarm, terwijl hij peilde of hij in haar ogen een reactie zag. 'Voor zover ik kan zien is de juffrouw geen berenvrouwtje.' Dat strijken met zijn hand, die aai die ze niet tijdig had weten te voorkomen en waar hij geen verantwoordelijkheid voor nam, de keuze voor het woord 'vrouwtje'.

De avond ervoor waren ze met de trein naar Ystad gekomen en ze hadden overnacht bij de tantes van Dagmar. Om vier uur vanochtend waren ze gewekt door tante Myrra, die het raam van hun benauwde zolderkamer openzette en koffie binnenbracht. Eten konden ze niet naar binnen krijgen, maar ze dronken zwijgend hun koffie. De stilte maakte hen stil. Je past je stem aan het geluidsniveau aan. Alleen de melodie van de tuinfluiter buiten. Hedda telde minstens veertien tonen in diens cascade, ze dacht aan een waterval in een heel klein beekje.

Tom kwam hen een half uur later met de auto ophalen, de rit duurde drie kwartier, alle raampjes waren opengeklapt of naar beneden gedraaid. De hittegolf ging haar achtste dag in en de warmte van de vorige dag lag opgeslagen in de grote Ford. Toen de deuren opengingen, sloeg een wolk van warmte en geuren hun tegemoet, niet alleen van zweet, stof en leer, maar ook van vers en bedorven voedsel, smeerolie, schoenpoets en iets droogs, als ontketende elektriciteit. Ze pasten met z'n drieën op de voorbank, de achterbank lag vol spullen die mee moesten. Opvallend glimmend nepvoedsel van papier-maché, twee traditioneel Skånse piramidecakes die, als ze echt waren geweest, zouden verpulveren wanneer de auto over veeroosters hobbelde en door oneffenheden en dennenappels heen en weer werd geschud. Hedda was blij dat ze in het midden zat en als buffer diende voor iets waar Dagmar op dit moment last van had; die was zo geagiteerd door het vroege uur en het uitstapje dat ze zich gedroeg alsof ze moest plassen, ze wipte van haar ene bil op de andere, rilde en wreef haar polsen tegen elkaar.

Afgezien van een wit wolkje, met de vorm van een muts, was het volkomen wolkeloos. Ten noorden van de stad, op de grote welvingen die de vlakte vormen, bogen het koolzaad en koren oogstrijp door. Geel als citroen, licht als messing en donker als brons, daartussen toetsen van gras langs dijken en sloten. Deze aarde was al duizenden jaren in gebruik. Zwaluwen stoven laag langs de lucht, één vrolijke wat hoger. Koeien die stijf stonden van de melk lagen in weitjes te herkauwen en te wachten op mensen.

Hedda maakte een opmerking over de zwaluwen en Tom antwoordde dat er stapelwolken waren beloofd – misschien een warmteonweer vandaag. Hij sloeg een andere toon aan en doceerde dat ze allemaal met de cameraman hoopten op meer wolken, hij boog zich langs Hedda en vroeg Dagmar of ze ooit een wolkeloze hemel in een zomerfilm had gezien. Dagmar zette een rilling om in een hoofdschudden en twee snelle verplaatsingen van haar billen op de zitting. Nee, precies, stapelwolken aan de horizon. Tom begon omstandig over perfect licht, hoe je moest filmen om misvormende schaduwen te voorkomen, hoe schel, rechtstreeks licht van boven en recht van voren het beeld plat maakt en als het ware kunstmatig. Je moest denken aan natuurfotografie – dieren die in de dageraad en de avondschemering tevoorschijn komen. Onder die lichtomstandigheden haal je het beste het gevoel van een zomerdag naar voren. Op zonnige dagen waren er filters nodig om het directe licht te dimmen, het was nog het beste als je voldoende wolkenfilters als extra hulp had, niet te veel, niet te weinig. Natuurlijk is grijsbewolkt niet iets om na te streven, of regen, behalve als het regen moet zijn, hoewel het dan voor de film meestal te weinig regent. Het regent bijna nooit genoeg om de indruk van regen te wekken.

'Een hoop wachten op het weer', viel Hedda hem traag in de rede, terwijl ze naar Dagmar keek, die zo nodig leek te moeten plassen dat ze het niet meer hield. Vlak voor ze waren vertrokken, was ze naar de wc geweest, maar waarschijnlijk had ze de straal al snel afgeknepen toen Tom buiten op straat ongeduldig claxonneerde. Om hem niet op te houden, om meegaand te zijn. 'Kun je me er daarginds bij de struiken een minuutje uit laten? Ik plas in mijn broek', beval Hedda. Tom protesteerde dat ze toch zeker net naar de plee was geweest en of het niet kon wachten, over een kwartier waren ze er al. Maar hij had al vaart geminderd en Dagmar rukte aan het portier toen hij afremde. Hedda hielp haar om het te openen en stapte toen op haar gemak achter een waterwilg, waar haar vriendin haar broek nog maar amper had weten te laten zakken. Ze droeg in de hitte kousen en een gordeltje over haar onderbroek en ze had zo wanhopig aan de jarretels zitten trekken dat er op drie plekken gaten waren gevallen. Hedda overreedde haar om die onnodige kledingstukken uit te doen. Omdat Dagmar zich er erg voor geneerde dat Tom erachter zou komen dat zij degene was geweest die moest plassen, stond ze maar toe dat Hedda wuivend met de roze korsetzijde terugliep, met de doorzichtige smoes dat haar vriendin snel uit het zicht was verdwenen om zich van haar pantser te ontdoen. Toen Hedda achter de boom stapte, zag ze waarom er pantsers nodig waren. Dagmar had flinke billen die vlezig bewogen onder haar gerimpelde katoenen rok.

Een halve minuut voordat Tom toeterde, had Hedda haar naar de wc zien gaan. Toen had ze zeker niet de tijd genomen om uit te plassen voordat ze doorspoelde en naar buiten rende. En nu was haar dag verpest omdat ze wist dat hij begreep hoe het allemaal zat, hoewel Hedda dekking had gegeven. Want Hedda had aangegeven dat haar nood toch niet zo hoog was; ze was demonstratief traag in de pas geploegde voren gestapt en in de richting van de struiken gelopen, terwijl Dagmar geen tijd had gehad om te kijken waar ze liep, struikelde en bijna viel. Daarop was Hedda rechtop gaan staan, volledig zichtbaar, en had gewoon toegekeken hoe Dagmar half bukkend begon te wankelen en een lange, lijdende grimas trok toen geleidelijk de verlichting optrad. Een smadelijke positie.

Het is gewoon dom om meegaand te zijn. Niemand bedankt je wanneer je op je tenen gaat staan wiebelen om aan de verwachtingen te voldoen. Tom trapte zijn sigaret uit. Hij leunde tegen de auto en had de motor laten draaien. Toen hij de koppeling indrukte, hoestte de auto en sloeg af. Als je met vrouwen op pad was! Hedda moest hem aanslingeren. Daarna draaide Tom aan de slinger, Hedda achter het stuur, de auto sloeg weer aan.

Het laatste kwartier mocht zij rijden in de grote Ford, die zwaar stuurde. Het was een auto die aan andere chauffeurs gewend was, of beter gezegd: aan vele en onverschillige. De wielen waren niet goed uitgelijnd, ze trokken naar de sloot, zij moest naar het midden sturen of soms zelfs steil naar de verkeerde kant van de weg om koers te houden. Eén keer liet ze de boel in de richting van de sloot gaan en jubelde toen de anderen protesteerden, en ze voelde zich net een piloot toen ze de wagen in de berm weer rechttrok, omkeek en de grote stofwolk zag die ze had omgeploegd. Het landschap wierp kleuren in de triomf. De golf van tarwe voor het koelsysteem, het veepad dat na honderd jaar de grindweg was geworden waar zij nu op reed en die naar de top van de heuvel kronkelde; dichter bij de hemel kon je niet komen. De aren stonden los van elkaar, wanneer ze ernaar keek was het niet één grote massa, maar waren het op elkaar lijkende individuen. Ze fluisterden, stootten tegen elkaar door zwaarte en wind. De graanfluistering van het veld, luider dan het gebrul van een motor. Vogelzang, luider dan het gebrul van een motor. De stilte, klankvoller dan het geluid van een motor. De heerlijke geur van benzine.

Toen ze op de set kwamen, was de eerste indruk die van een verwaarloosde boerderij. Rondslingerende spullen, wagens met liggende houtplaten, halve dingen die tegen een schutting op een rij stonden. Net een boerderij van een vrijgezel. Net een vervallen boerenbedrijf, en absoluut niets wees op film. Er was een hoofdgebouw bestaande uit twee vleugels (op de film moest het eruitzien alsof het een carré was) en verderop een stal. Het rook er naar koeien noch varkens, dus de plek zou wel niet meer in gebruik zijn. Hoog op het akkerveld een authentiek graf uit het stenen tijdperk, naast een meccanoachtige toren die met staken gestut werd. In noordelijke richting stond achter de akker een pluk gemengd bos, en toen ze die kant op keek zag ze een filmcamera, een schijnwerperstatief en dergelijke, een trapje. Een paar meter daarvandaan kropen drie mensen over de grond op zoek naar iets. Anderen waren bezig, vlochten een vlecht opnieuw in, naaiden een knoop aan, stonden te kijken. Hedda had net de uitdrukking 'ad hoc' geleerd, gebruikte die vaker dan nodig en wist niet of die hier van toepassing was.

Ergens achter haar klonk aarzelend een mannenstem: of de tweede take van vanochtend 'erop stond'. Het was nog steeds vroeg in de ochtend. Ze hadden al gefilmd. Op een uur dat de dierenjonkies uit hun nest tevoorschijn komen. Ze hadden hun instrumenten opgetuigd om het licht op te roepen voor wat eruit moest zien als de tijd tussen negen en twaalf uur 's morgens. Ze hadden gewerkt terwijl Dagmar en zij nog sliepen. Ze keek links en rechts om zich heen en bevochtigde iedereen met haar glanzende ogen; hun blikken waren droog.

Ze zei tegen Dagmar dat de regisseur dat bosje erop wilde hebben om diepte aan het beeld te geven, hoewel het landschap eigenlijk een vlakte op de vlakte moest zijn. Het bosje leverde niet zozeer Skåne op als wel Zweden in zijn algemeenheid, maar bomen gaven perspectief, maken het 'episch'. Later – toen ze de film zag – herinnerde Hedda zich dat ze ook de gulden snede had genoemd. Ze had destijds geen idee waar ze het over had, maar vond dat het goed klonk.

Ze wandelden een half uur op de boerderij rond en met een grote bocht eromheen. Iets wat in een weiland zat te broeden vloog verschrikt op toen zij naderbij kwamen. Ze zagen een wolk heel kleine insecten opstijgen en allerlei kanten op vliegen, waarna hij weer terugzakte in de vegetatie. In de verte ontwaarden ze een moeras en daar zagen ze de contouren van een ooievaar. Hun zomerschoenen raakten bedekt met geel stof, Hedda droeg linnen schoenen en toen ze naar haar voeten keek, meende ze dat ze verpest waren. Ze zou ze moeten verven om ze weer wit te krijgen, maar verf zou de stof hard maken. Nu konden ze de bezittingen van de boerderij overzien. In noordelijke richting lag een groen valleitje en tegen die achtergrond, zo'n anderhalve kilometer verderop, stond een mooi kasteel met vier torens, drie ronde en een vierkante. Het stond met de zijkant naar de vallei, de meisjes zagen dat er net vlaggen werden gehesen, een Zweedse en een andere die ze niet konden thuisbrengen. De Zweedse had punten.

Ze liepen waarschijnlijk niet rond op de landerijen van de boerderij maar op die van het kasteel, de verlaten boerderij was misschien een pachterswoning. De meisjes waren dol op de adel. Er zat een meisje Barnekow bij hen in de klas, maar zij ging niet met hen om. Ze keken naar het hijsen van de vlaggen en wachtten een poosje tot een windvlaag het doek zou ontrollen, zodat ze konden turen naar de heraldische afbeelding op vlag nummer twee om te raden welk geslacht de grond waarop zij stonden in bezit had. Maar die windvlaag kwam niet, en na een poosje draaiden ze zich om en liepen ze terug.

Tom was op de akker een afstand aan het afpassen. Er was een klein vierkant uitgezet en op die schaarse ruimte stonden een hooiberg en een wagen. Aan hun kant was de wagen volgeladen met hooi en schoven. Maar op het achterste deel van de laadvloer lagen alleen wat stro en losse schoven die naar beneden waren gevallen. Niets hiervan was een vergissing of slordigheid – of armoede – zo begrepen ze, en misschien beseften ze voor het allereerst dat wat vlak buiten het kader ligt van wat je van plan bent te tonen niet fatsoenlijk hoeft te worden opgebouwd, maar alleen maar hoeft te worden aangeduid. Je kunt dat zelfs gewoon laten zitten.

Ze waren schoolmeisjes en thuiswonende meisjes. Ze leerden volledigheid, dus compleetheid. De achterkant en de voorkant. Zelfs het uitspansel was voor hen compleet, in kaart gebracht en geregistreerd. Ook het leven na de dood was beschreven en hun op vier schoolniveaus en bij catechisatie ingeprent. Nog steeds moesten ze het hele beeld begrijpen van wat hun bijgebracht werd. Voorkant en achterkant. Slordigheid was niet toegestaan, opzettelijke slordigheid als werkmethode was nooit bij hen opgekomen. Het idee om achterwege te laten wat je wel kunt voltooien was hun niet alleen vreemd, het was ondenkbaar.

In het leven maakt niemand zich druk om wat er buiten het kader van het beeld te zien is. Dat is niet eens nodig als geheugensteuntje. Op de filmrol in de bioscoop zou het er toch uitzien alsof de laadvloer vol was en de hooiberg op een ander veld stond. Het bruine paardje met zijn lichte manen was nog niet voorgespannen, maar stond te smikkelen uit een voerzak die het had gekregen om niet aan het koren te beginnen. De zak stond er vlak naast. Op de filmbeelden mocht die niet te zien zijn. Dat de werkelijkheid de illusie niet verstoorde, was de belangrijkste regel van het spel. Die gedachte droegen ze die dag als een embryo in zich. Ze dachten: zo gaat het alleen bij film. Financiën, tijdnood, gebruikmaken van het licht, snelle frames die niet nauwkeurig bekeken worden door de toeschouwer; die laat zich ertoe verleiden om zelf de handeling en het milieu in te vullen, hoewel het allemaal uit bedrog en fragmenten is ontstaan.

Het was hun laatste zomervakantie, hierna hadden ze nog negen maanden de tijd om een referentiekader te completeren dat niet tijdelijk of fragmentarisch genoemd kon worden. Alle koningen en regenten moesten ze uit hun hoofd kennen, zonder lacunes, vanaf 1560 tot de huidige koning Gustaf, Latijnse verbuigingen van presens tot vocatief en ablatief, regels en uitzonderingen, de Franse werkwoorden inclusief de passé simple, die helaas *vulgaris* wordt vervangen door imperfect of zelfs defect perfect. Uit het hoofd *Über allen Gipfeln* tot *bald ruhest auch du.* Jambe, dactylus, anapest, Korinthische zuil, maar wie won de Boerenoorlog, de Engelsen hadden toch gelijk?

Op de laadvloer acteerden twee blonde meisjes. Ze praatten en praatten maar, en daar zouden echte oogstarbeidsters de fut niet voor hebben. Ze praatten te dicht bij elkaars gezicht, met grote mondbewegingen zoals geen mens doet. Het was ook niet helemaal duidelijk of zij de schoven aannamen van de twee dikke mannelijke acteurs die op de grond bij de wagen stonden, of dat het andersom was. Logischerwijs het eerste. Maar omdat de scène vermoedelijk alleen maar gerepeteerd werd – of misschien toch op film werd opgenomen? Iemand volgde het wel met de camera – gingen de bundels beide kanten op, met hooivork en zonder. Nee, ze repeteerden, probeerden met hooivorken en schoven verschillende alternatieven uit en spraken min of meer fatsoenlijk hun teksten uit, soms een schets van een dialoog met blablabla ertussen, maar toch elke keer met nadruk. Veel gepraat en weinig werk.

Het praten wás natuurlijk het werk. Tom kwam er een keer bij om tegen een van de meisjes te zeggen dat ze haar gladde gouden ring af moest doen, die ze vergeten was. Hedda's gedachten ging van glad naar vlak. Ascetisch, middelmatig. Ring en koffie: koffie kon ook vlak zijn. En je hoefde maar twee letters toe te voegen en vlak werd vlakte.

Ze liep terug naar de auto en leunde ertegenaan. Tom had twee kerels ingeroepen die een kar van twee verdiepingen trokken en nu moest zij hen helpen om rekwisieten te lossen. Het was nog geen acht uur, maar al warm.

Al het schroot bleek een functie te hebben. Naarmate de uren verstreken, kwam het van pas, tot het kleinste plankje en een kapotte hark aan toe. En het lukrake bleek ondanks alles in uren en in de zonnestand te zijn ingedeeld. Een mannetje dat ze Lelle noemden, liep met een notitieblok rond en zei tegen de mensen waar ze moesten zijn, wat ze moesten doen en of ze koffie mochten gaan drinken. Toen hij aan de meisjes vroeg waar zij ergens meededen en hoe ze heetten, herinnerden ze zich dat ze hadden beloofd om niet in de weg te lopen. Dagmar begon zich te vervelen, Hedda vond het interessant hoe de rommeldetails in het uurwerk pasten. (Wat kunnen mensen toch verschillend zijn.) Spullen lagen verspreid op de juiste plek om te kunnen worden gepakt wanneer ze nodig waren. De verbleekte hangmat tussen twee fruitbomen zag eruit alsof hij al een decennium weer en wind had getrotseerd, maar was vandaag pas uitgepakt en voor zijn doel opgehangen.

Ze keken toe hoe Tom, een vrouw in een witte jas die Elsa heette en de man die Lelle heette, probeerden of de knoop van het ene touw het hield. Het punt was niet dat hij het moest houden, maar dat hij moest losschieten zodat de acteurs op de grond zouden ploffen. Als de twee grote acteurs erin gingen zitten, zou er steviger gewicht in de schaal worden gelegd. Dus riepen ze Lelle – klein maar groot genoeg om de kilo's van twee slanke mensen aan te vullen tot het gewicht van de twee dikzakken. Dat had het beoogde effect; aan één kant liet het touw los zodat ze alle drie op de grond belandden. De hangmat viel er achteraan, over hun hoofd. De meisjes lachten, maar nee! Zo mocht het niet gaan bij de opname.

Het werd keer op keer herhaald, met aanpassing van de knoop, de twee acteurs moesten even in de hangmat zitten voordat die losschoot. Lelle stelde één take voor waarbij ze aan het praten waren, en daarna een nieuwe, waarbij ze verliefd naar elkaar keken en de hangmat onder hen verdween. Er volgde een lang palaver over een onderbreking in één opname, zodat er iemand in kon springen om de knoop los te maken op de plek waar in het shot geknipt zou worden, maar Tom beargumenteerde dat een dergelijke knip bijna een perspectiefverschuiving veronderstelt, hetgeen een serieuzere verliefdheid betekent dan dit boerengescharrel. 'Is er geen andere goede manier te vinden om de knoop buiten beeld los te maken?' vroeg Elsa. 'Of kunnen ze iets doen om alleen in de beslissende seconde meer gewicht te produceren?' 'Ik weet het verdorie niet,' zei Lelle terwijl hij zijn schouders tot zijn oren optrok, 'zou het misschien helpen als ze een scheet lieten?' Elsa schaterde het uit; omdat het zo'n domme uitspraak was, deed ze net of hij grappig was. Daarna probeerden ze het nog een keer, 'zonder scheet!' En verder was het belangrijk om de graszoden en het stro eronder wat steviger neer te leggen. 'De tuimelonderlegger' moest zo zacht en stevig zijn dat de sterren zich niet zouden bezeren en dat het eruit zou zien alsof ze in een verenbed vielen. Je mocht ook niet aan hun gezichten zien dat ze zich op een duikeling voorbereidden, er waren misschien veel nieuwe opnames nodig …

De camera zou hen echter niet de hele weg naar de grond volgen, die zou alleen naar hun benen in de lucht kijken. Tom gaf met zijn handen de beeldbegrenzing aan en keek erdoorheen om te zien hoe de benen van Elsa en Lelle van achter de halfslappe hangmat omhoogstaken. Ze speculeerden een tijdje over de mogelijkheid een stel als stand-in te kiezen voor de feitelijke kus – waarbij de ster immers de nek naar de camera draait en het gezicht van de tegenspeler verborgen is. Maar dan had je weer de kwestie dat je daar geluid onder moest zetten. Tom zei: 'Geklets, we zitten hier gewoon onze tijd te verdoen. Alles wat niet al is voorbereid is veel te tijdrovend.' Elsa mompelde iets. Zij wist dat 'Margareta heel, heel bang is om te moeten vallen, ze heeft alleen al dit jaar zeker tien keer spit gehad'.

En daarna lieten ze zichzelf uit de aandacht van Dagmar en Hedda vervagen door met z'n drieën naast elkaar naar het met kinderkopjes geplaveide erf voor het langgerekte woonhuis te kuieren en op te kijken naar de kroon van de door de boerenbewoners ooit geplante boom – een grote eik met twee dode takken.

'Jee, wat moet je aan veel dingen denken', zei Dagmar. Opnieuw irriteerde ze Hedda, die precies hetzelfde had gedacht, maar dan zonder jee.

Inmiddels zaten ze aan een tafel in de schaduw achter de boerderij. De lunch (of het middageten, zoals het kantinepersoneel zei) werd al om half elf geserveerd. Er waren hardgekookte eieren, aardappelsoep, brood, melk, tafelbier, gerookte haring en paling, gele pruimen en aalbessen, en een opgerolde cake bij de koffie. 'Het is goed', zei Hedda, 'dat er zo veel saais nodig is om het leuk te laten worden. Ik heb nog nooit meegemaakt dat het leuk is wanneer je voor anderen iets maakt wat leuk moet zijn. Denk jij dat de acteurs echt verliefd zijn?' 'Nee, natuurlijk denk ik dat niet', antwoordde Dagmar nadrukkelijk; er was haar al genoeg wijsgemaakt. 'Wanneer ze elkaar kussen, zijn ze volgens mij verliefd op iemand anders. Of verliefd op niemand.' Tom at staande en dronk bier in plaats van melk. Het was Hedda opgevallen dat er met zakflacons werd gerommeld toen er haring en paling werd gegeten. De regisseur dronk ook bier, ze dronken uit flessen die rivierbruin blonken in de zon. In hun andere hand hadden ze broodjes waar zo veel kruim uit was geschraapt dat een gepeld ei er in zijn geheel in paste. Wanneer ze niet aan de praat waren, zag je van achteren hun kaken malen. Ze namen met de fles de maat en wezen met hun hele onderarm. Ze waren nog lang niet klaar met de scène waarbij de twee dienstmeiden woorden en schoven moesten uitwisselen met de dikke mannen,

die nu als boerenknecht waren uitgemonsterd – houten klompen, te korte broeken met nauwe pijpen die hun achterwerk nog breder maakten, korte jakken die het achterste nog verder benadrukten – de focus van hun rol lag op hun kont. Kon dit hun voor de geest hebben gestaan toen ze als Hamlet, Jean of zelfs Falstaff auditie deden bij de toneelschool? En de lieftallige Julia- en Juliegezichten van de meisjes die op de hooivracht zaten te hakketakken met de dikzakken? Iedereen moest zichzelf ooit verkopen als boerenmeid in een plattelandsklucht om haar kostje bij elkaar te scharrelen.

Hedda en Dagmar aten aan dezelfde tafel als de filmcrew. Recht tegenover hen was een van de actrices van de hooiwagen gaan zitten, degene van wie Tom de ring had afgenomen. Dat was ook degene die uitlegde dat de oogstscène niet één scène was, maar dat de handeling zich uitstrekte over meerdere dagen en dat ze op verschillende dagen ook verschillende dialogen hadden opgenomen, zodat het niet de hele tijd precies hetzelfde weer zou zijn, maar op de ene dag wat meer wind en op de andere misschien een paar wolken. Maar ze hadden natuurlijk elke keer dezelfde kleren aan, meiden en knechten trokken in werkelijkheid geen andere werkkleding aan, en dan was het belangrijk om veel aandacht te besteden aan alle kostuumdetails. Ook al hield het publiek van afwisseling, het wilde toch dat het hoofddoekje elke keer op dezelfde manier zat. Niet als een echt hoofddoekje dat de haren beschermt, maar een beetje losjes in de nek. 'En Stig, die op z'n achterste twee kussentjes heeft om er wat dikker uit te zien. Die ene kun je niet over het hoofd zien', giechelde ze.

Nee, ze giechelde niet, ze snoof. Ze zat onophoudelijk haar neus te snuiten in zakdoeken en in haar servet, en ze vertelde dat de hooikoorts als een vervelende verrassing was gekomen toen ze hier waren aangeland voor de buitenopnames. Ze was een stadsmens, misschien dat ze 's zomers naar de scherenkust ging. Net als de meeste mensen was ze weleens met de trein of de auto het boerenland op geweest, had ze Midzomer gevierd in Rimbo of Delsbo, maar ze had nog nooit van haar leven op een hooiwagen gezeten – dus hoe had ze dit moeten weten? Dagmar zei: 'U leek er zo onaangedaan onder toen ik u daarstraks zag spelen.' De actrice wierp zwijgend een blik in haar richting, maar lachte al haar tanden bloot.

Ze nam hen allebei afzonderlijk op. 'Jullie zijn zo verschillend. Verschillende types.' Ze meende dat zij bij de figuranten hoorden, of de kleine rollen in de buitenopnames deden. Zelf was ze niet zo jong als ze boven op de hooiwagen had geleken. De geschminkte ogen en wenkbrauwen accentueerden haar vermoeidheid, haar slappe huid. Met een snelle blik registreerde ze wat de meisjes zagen en een hand ging over de lijntjes rond haar ogen, de wijsvingers drukten in het pafferige eronder. 'Het is lief van u, juffrouw, om te zeggen dat je het niet merkt. Maar het ergste komt na afloop,' zei ze, 'boven op de vracht slaat het niet toe, daar heb je meer lucht om je heen dan wanneer je hier zit. Maar het is zoals jullie zien niet fraai, je neus en ogen zwellen ervan op' – abrupt verloor ze haar belangstelling voor een gesprek met hen. Haar gezicht betrok en ze begon demonstratief verveeld te kijken. Reden: de man die eraan kwam en naast haar ging zitten met een soepbord, waarvan de inhoud over de rand gulpte, en een ander bord vol brood, vis en eieren. Hij lachte onbeschroomd naar iedereen met zowel goede als slechte tanden; waar een hoektand hoorde te zitten zat zelfs een gat.

Hij zei 'hallo'. Hedda en Dagmar mompelden wat, ze zeiden geen hallo tegen vreemdelingen. De actrice bleef zitten, maar draaide haar bovenlichaam van hem weg. Met iemand die schuin tegenover haar zat, besprak ze of ze konden proberen de hooikoorts in het script op te nemen. Ze hoorde een bezwaar en antwoordde dat de resterende scènes op de hooiwagen later in de handeling voorkwamen, dus je kon het een 'cumulatief effect' laten zijn. De meisjes hadden uit hun korte gesprek met haar begrepen dat haar rol de ene helft was van 'het tweede liefdespaar', dus niet de verliefde jongelui van het landgoed die onenigheden of echte hindernissen moeten overwinnen voordat ze elkaar krijgen, maar mensen van eenvoudiger komaf, die volgens het script de liefde niet te serieus nemen, maar gewoon een partner van het andere geslacht vastleggen die toevallig voorhanden is.

De actrice vond nu dat een dergelijke liefdesgeschiedenis ruimte biedt aan enige slapstick. Waarom konden ze geen genies toevoegen en de boel verbasteren? 'De meidsj met de hooikoortsj' – dat zou toch grappig zijn?

Het antwoord ging verloren in een vraag van de man die net was gaan zitten. Hedda begon hem tot stilte te manen, want ze wilde horen of je echt een nieuw idee kunt invoeren in een script dat al geschreven is. Maar vervolgens antwoordde ze: 'Nee, zijn zuster.' 'Ben jij zijn zus? Heeft Søgaard zo'n knappe zus! Ik dacht die daar', knikte hij met zijn kin in de richting van Dagmar. Toevallig viel er net een stilte, alsof de hele tafel op die woorden had zitten wachten – en vervolgens ook daadwerkelijk hoorde: 'die daar'. Het was vreselijk. Hedda zocht naar een manier om de stilte te verbreken; het leek wel of die gehypnotiseerd was. Niemand kwam daartoe, maar onverwacht beantwoordde Dagmar zelf met vrolijke stem de belediging: 'Dus Søgaard is volgens u niet knap, meneer?' Enkele omzittenden lachten. Het was niet al te scherp, maar ze waren blij dat het meisje zich op eigen kracht hersteld had. Een oudere man met een zonnepet klopte Dagmar op de hand: 'Het is voor het eerst dat ik een mooi meisje hoor dat weet hoe je Het Zwijn moet aanpakken.' Overdreven lof. Dagmar kreeg weer het gevoel ingepeperd dat ze getroost moest worden omdat ze een bril droeg. Ze reageerde kortaf.

Ze had namelijk een man in haar leven, een vaste vriend, op wie haar ouders gesteld waren en die bij hen over de vloer kwam en met wie ze alleen mocht zijn, met de deur open. Dat had Hedda niet.

'Zoals u uit het jargon opmaakt, juffrouw, is de naam Zwijnshoofd, Gustaf Zwijnshoofd', stak het tandgat zijn hand uit naar Hedda, die net deed of ze dat niet zag en haar rechterhand, die voor haar op tafel lag, met de linker vasthield. 'Gösta Andersson Jönsson Larsson Zwijnskop heet je, geen hoofd, schooier,' lachte de man met de pet, 'en scheer je nou maar gauw weg, want de jongedames hier zijn geen juffers voor jou.'

Een pauze om een taaie haring op te eten was voldoende voor Zwijns-kop om de koude douche van de pettenman af te schudden. 'Een mooie ochtend', hernam hij met een glimlach naar Hedda, die hem met enige ongerustheid had opgenomen, want 'schooier' was zo'n kwetsend scheld-woord. Maar nee, hij leek onbewogen, eerder aangemoedigd door de blik die zij hem toewierp. Hij deed echter geen nieuwe poging om haar hand te schudden, maar begon met een professioneel serieus gezicht te vertellen over zijn taak bij de manschappen. Het kwam erop neer dat hij vandaag, en in het ergste geval een deel van morgen, mensen moest verzamelen en organiseren voor een muzikale massa- en maaltijdscène.

Amateurs en professionals moesten bijeenzitten, door elkaar, aan de lange tafel op het erf, die al was gedekt met het namaakvoedsel uit de auto, borden, pullen en drinkbekers. De amateurs zouden meezingen met het refrein bij de coupletten van de acteurs. In Stockholm hadden ze het dragende deel van de muziek ingestudeerd, maar hier hadden ze alleen bij benadering een idee over hoe het moest klinken. De figuranten hoefden niet mooi te zingen, het moest geen koorzang worden, maar 'iets echters'.

Het was op dit moment zijn werk om lacunes te dichten – een fi-gurant was ziek geworden, een stel was zonder bericht weggebleven, de mensen zouden wel wat schappelijker kunnen zijn wanneer er een film werd opgenomen en je jezelf misschien in de bioscoop kon zien zingen. Hij moest langzamerhand oplossingen regelen. De boerin van de boer-derij daar verderop, nee, die niet, die daar verder weg met de grote rode schuur en de was aan de lijn, had beloofd om half drie te komen met haar dochtertje, allebei in de groene klederdracht van Skåne, met schort en een monogram op de manchetten. Wanneer hij het benodigde aantal bij elkaar had, zou hij de nieuwe mensen naar Karina Blom sturen die zang-instructie gaf – ze hoefden zoals gezegd niet zo goed te kunnen zingen, het moest natuurlijk klinken, maar ze moesten de melodie kennen en de woorden bij benadering, moeilijk was het niet. Het refrein luidde: 'Maar iedereen wist het wel, voor hem was het maar spel.'

'Of voor het voetvolk: *maur iederejn wist ut wel, vour hem was ut maur spel*', zei hij, terwijl hij zich vooroverboog en opnieuw Hedda's netvlies kietelde met een lange blik.

Nu moest Het Zwijn de tafel verlaten omdat iemand riep dat ze hem nodig hadden. Hedda en Dagmar waren ook klaar met eten, en aangezien er geen regels waren voor wanneer en hoe je de tafel verliet, gingen ze om de hoek van het huis kijken of er iets was gebeurd bij de hooiwagen. Jawel, het paardje was voor de wagen gespannen, het schudde zijn hoofd als het vliegend ongedierte zijn neusgaten in wilde en stampte af en toe met zijn hoeven. De ene meid zat op de hooivracht te praten met een knecht die op de grond stond. Ze waren echter ver van hun rollen verwijderd. Hij liet iets aan zijn pols zien, zij likte aan haar duim- en wijsvingertop en probeerde aan te raken wat hij aanwees, een splinter, een teek. Hij was degene met de kussens op zijn achterste, die zaten niet zoals ze moesten zitten. Vooral het ene zag eruit als een reusachtige portemonnee in zijn achterzak.

'Ik vind het idioot', zei Dagmar. Zo stellig als ze dat zei. Maar voor wie was het bedoeld? Iedereen praatte met elkaar.

'Wat is er idioot?'

'Wat is er idioot?! Om van typetjes nog grotere typetjes te maken. Om karikaturen van karikaturen te maken. Die knecht is toch dik, dus die hoef je niet nog eens te beschimpen met kussens in zijn broek. Waarom moet een knecht belachelijker gemaakt worden dan hij al is gemaakt, je kunt hem toch al niets meer ontnemen?'

'Maar Dagmar, rustig aan.'

'Ik ben rustig. Maar ik lach liever om Mickey Mouse dan om botte grappen over mensen met gebreken.'

Je zou denken dat Dagmar zich beledigd voelde. Vanwege haar eigen dikke achterwerk. Hedda bedacht dat ze nooit een kaartje kocht voor films zoals deze zou worden. De enigen die er daarin 'normaal' uitzagen en normaal klonken, waren mensen die voor de open haard in de hal hun autohandschoenen uittrokken en tegen de bediende zeiden dat ze thee wilden. En ook dat waren natuurlijk typetjes – iedereen was een typetje, beperkt door het publieke register van de filmkunst. Fred Astaire was een typetje – op zichzelf waardiger, Carole Lombard – Garbo, absoluut!

Tom zou het meteen met Dagmar eens zijn geweest. Hij had maar één gedachte: breken met dat wat typerend was. Weg van Hollywood, de studio's in Råsunda konden de boom in. Hij zei dat hij niet was geboren om mallen vol te gieten met was. Hij zei Fritz Lang, hij zei Dziga Vertov. Zij, Hedda, zei:

'Tom doet dit om een voet tussen de deur te krijgen. Hij is naar Moskou geweest en …' (zij dacht aan Berlijn, maar zei dat niet). 'Hij wil echt artistieke films maken, maar wat denk je dat hij mag doen wanneer hij nog maar net twintig is?' Ze stevende op het hoofdgebouw af om door de ramen naar binnen te gluren en zag een vertrek met een gestreepte zijden bank en een heleboel kleine tafeltjes met beschadigde lak. Het was er donker en stoffig. Alle binnenopnames werden in de studio in Solna gemaakt.

Het Zwijn was zo vrij over de hele lengte van haar blote arm te aaien, maar deed net of het niets was. Hij veinsde dat het de onbetaalbare opmerking over de berin was die tot dit ondoordachte gebaar leidde – onschuldig. Maar Hedda voelde hoe haar lichaam erop reageerde. Het lukte haar om haar blos te onderdrukken en ze deed of ze niets zag. Maar de zwelling in haar onderlichaam en de eierstokvormige cascades van gewilligheid die deze hoog in haar torso teweegbracht, waren het bewijs dat welk zwijn dan ook haar zou kunnen krijgen. Het liefst in situaties die minder afschrikwekkend waren dan deze, maar ze stond in geen enkele situatie voor zichzelf in.

Dagmar had een vrijer, maar vertelde niet waar die zijn handen liet. Ze was ontwijkend, al waren ze al vanaf hun vierde jaar elkaars beste vriendin. Hedda was klaar om te beminnen maar had niemand, ze kon het niet verwezenlijken. Jawel, er waren jongens, maar nee. En Dagmars vriend zou ze nog met geen tang willen aanpakken.

Toen moeder zo oud was als Hedda nu, was ze getrouwd geweest met 'de liefde van haar leven', maar Hedda zag niet hoe ze binnen afzienbare tijd ook maar een beetje verliefd zou kunnen worden. De jongens die ze tegenkwam waren van haar stand, maar niet aanlokkelijk. Moeder moedigde haar aan om vriendelijk te zijn voor ene Lawrence, die Lars werd genoemd en wiens moeder Amerikaanse was, niet onbemiddeld. Moeder had contact met haar in de commissie voor het huis voor studentes dat gebouwd werd. 'Een heel goed persoon', zei ze, maar ze verloor zich gemakkelijk in de Amerikaanse adressen die de familie jaarlijks bezocht en waarvoor Beate Sophie nu een staande uitnodiging had ontvangen. Eentje in New York en eentje aan de Atlantische kust. Maar zou het er ooit van komen dat ze erheen ging? Moeder wilde graag familie worden van Laura, dan zouden ze er vast een keer naartoe kunnen gaan, maar er was geen fysieke chemie tussen Hedda en Lars. Ze waren 's nachts uit geweest met een groep die met een telescoop naar de hemellichamen keek. En ze hadden dicht tegen elkaar aan gezeten en elkaars warmte gevoeld. Maar zelfs toen hij zijn hand op de hare legde, sloeg de vonk niet over zoals bij de hand van Het Zwijn wel was gebeurd. Lars had het geprobeerd, de schooier had het geweten.

'U hoeft niet mooi te zingen, juffrouw, een beetje brommen is al voldoende, en de vriendin van de juffrouw mag best meedoen en "de tweede sopraan" zingen als ze haar bril afzet. Een van de vrouwelijke sterren draagt een bril, dus we kunnen er niet nog eentje hebben. Dan zou het net een parodie zijn. Zo bedoel ik het.'

Op de een of andere manier – en eigenlijk tegen hun wil – en heel bezorgd over wat hun ouders zouden zeggen – en elk met een briefje van vijf kronen als honorarium – zaten ze drie uur lang aan de lange tafel op het erf met de kinderkopjes. Het acteerbrood was opgediend, in de drinkbekers zat lauw tafelbier. Een weelderige actrice in een bijrol schuimde uit een ton achter Dagmar nog meer bier in de pullen, terwijl de camera de beelden opslokte en er haar eigen hakselstroom van maakte. Dagmar kwam veel in de film voor, vanwege haar bijziendheid leek ze een beetje scheel, en ze glimlachte even verloren als de andere figuranten toen ze steeds maar weer het refrein zong: *Maur iederejn wist ut wel, vour hem was ut maur spel.*

Het liedje was suggestief, maar aanstootgevend kon het niet zijn, dacht Hedda toen ze de grote sterren het ene couplet na het andere hoorde oplepelen.

Een knecht liep in het avondrood
te dromen langs de akkersloot,
verlangend naar zijn hartendief zo ver bij hem vandaan.

Plots trof hij toen Amanda, zo laat nog aan de wandel,
langs 'n paadje hier en 'n weggetje daar kuierden ze saâm.
En de nacht was zo heet,
en niemand die echt weet,
hoe ze verhit van lijf en leden de beek in zijn gegleden.
Maar in het licht van de maan
was het met de onschuld gedaan.

Maur iederejn wist ut wel, vour hem was ut maur spel, zong Hedda aan het andere uiteinde van de tafel, dat niet zo veel aandacht van de camera kreeg, ook al haakten ze in, deinden ze volgens de aanwijzingen heen en weer en lachten ze naar de gele zon.

Voor de laatste take moesten ze wachten op de late avond.

De regisseur was naar de trein gebracht, hij moest een paar dagen naar Kopenhagen. Tom gaf aanwijzingen. Hij regisseerde niet, hij gaf aanwijzingen. De scène was de thuiskeer aan het eind van de werkdag. Het was half tien, maar de zon stond nog aan de hemel en verspreidde een nevelig augustuslicht, hoewel het juni was.

De knechten en meiden zouden zij aan zij naar huis drentelen, met hun hark over de schouder. Tamelijk stil. De enige tekst was de reactie van de meid Kaja op het geklaag uit een eerdere scène van de knecht Brorsson over eelt op zijn handen: 'O, en met zulke juffershanden wil hij timmerman worden.' Ze probeerden drie alternatieven uit met verschillende camera-afstanden.

De eerste opname vond zoals gepland plaats van dichtbij, met de leuke meisjes – bij hun rol hoorde dat ze schoenen met wreefbandjes droegen, ook kousen. De knechten des te meer rustiek; die kwamen puffend aan met een zakdoek die een flink stuk onder de klep van hun pet vandaan stak. Hun dikke dijen schuurden langs elkaar, ook al liepen ze wijdbeens en met korte klompenpassen. Ze kwamen bijna tot aan de camera en verdeelden zich vlak voordat ze uit beeld verdwenen in de meiden links en de knechten rechts. Daarna bleven ze staan en vielen meteen uit hun rol.

Tom zei tegen hen dat ze wat verder weg moesten gaan staan en wat minder energiek moesten komen aanlopen, minder zoals in een blijspel, meer als arbeiders na een lange dag. De man met de kussens in zijn broek keek op naar de hemel, niet naar degene tegen wie hij praatte. Gegeneerd:

'Maar klopt het dan wel?' Tom begreep wat hij bedoelde: nee, het was niet bedoeld als sociale weergave, niet eens als een weergave van 'mensen'. Maar konden ze niet gewoon proberen of er zo meer uit kwam? Ze hoefden niets te doen, moesten precies op dezelfde manier lopen, alleen van wat verder weg.

Het werd een take die helemaal mislukte. De acteurs waren zich te bewust geworden van een toevoeging die afweek van hun eerdere instructie. Ze keken elkaar aan, een meid schopte speels wat hooi op met de punt van haar schoen. Toen ze in de buurt van de camera kwamen, keken ze ongemakkelijk. De aanloop was te lang geweest om helemaal tot het einde vol te houden. Ze vielen uit hun rol, een van de acteurs beging zelfs de beginnersfout dat hij in de camera keek, alsof hij goedkeuring zocht. De meid die hooi had opgeschopt, barstte in lachen uit en kon niet meer stoppen.

Tom gaf geen commentaar. Hij praatte verder: 'En als we nog verder weg beginnen.' De vermoeide actrice met de hooikoorts (die ze niet in haar rol mocht gebruiken) zei dat ze het vandaag niet meer dan hoogstens vijf minuten langer volhield, wilde ze morgen nog iets klaarspelen. 'Vijf minuten is genoeg! Dat beloof ik. Alleen dit nog. Span je in.'

Ze liepen vijftig meter weg. 'Langzaam komen,' zei Tom in een megafoon, 'jij, Stig, neem de hark op je linkerschouder zoals we hebben afgesproken. Zo, ja. Wanneer jullie beginnen te lopen, moeten jullie nergens aan denken. Denk helemaal nergens aan, niet aan hoe je je lichaam houdt of hoe je je voeten neerzet of wat voor rol jullie spelen – die zit al. Gewoon lopen. Gewoon toegeven aan je vermoeidheid, en lopen.'

De vier acteurs gingen nog een paar stappen achteruit en begonnen toen te lopen, aarzelend alsof ze allemaal simultaan de betekenis van distantie hadden begrepen. Het koren stond manshoog, ze liepen op een veepad, geen typetjes in een omgeving geplaatst, maar gestaltes in een landschap. De meid schopte weer even, maar de wolk van stro die van haar voet opsteeg, was minder een gebaar, meer toeval. Het regende licht van de hark van de knecht, de zon weerkaatste in de tanden en op het kaf dat er onder het lopen ritselend uit neerviel. Zo wandelend werden ze een geheel, niet twee dikke knechten en twee leuke meiden, maar een gemeenschappelijk lichaam dat niet lijnrecht de regieaanwijzing volgde, maar iets naar links boog en daarna naar rechts.

Het koren ving de schuine zon, die krachtig straalde, de mensen werden schaduwen van hun arbeid. Dat had bestendigheid. Ze waren de dienaren van hun arbeid. Dat was hoe de scène werd, maar in de film die op Tweede Kerstdag in bioscoop Reflex in première ging, werd natuurlijk de eerste opname gebruikt.

De vierde brief

Beste Sigrid Combüchen,

Ik word jaloers wanneer U schrijft over wat U 'het sherryuurtje' noemt. Op het terras, wanneer de zon in het gebladerte van de beroemde appelboom van Säfstaholm gaat schijnen en U de klokken van de domkerk en de Allerheiligenkerk zes uur hoort slaan, 'de zwaardere in de nagalm van de lichtere'. Dat lijkt aantrekkelijk, maar je kunt je afvragen of U niet iemand bent die de dingen een beetje mooier afschildert dan ze zijn. In elk geval hebt U er een voorkeur voor om de buitenkant van het bestaan te beschrijven, misschien om mij op afstand te houden, *keep a distance*, iets wat ik op zichzelf wel kan begrijpen. Ik vertel natuurlijk te veel over mezelf en de mijnen. In elk geval stel ik me voor dat U een montere stem hebt, misschien spreekt U Gotenburgs? Dat is een dialect met een stevige, tevreden klank. Onze dochter heeft daarvoor gekozen, zonder er zelf ooit te hebben gewoond.

Het is natuurlijk vervelend dat U de muziek van de sporthal hoort wanneer de wind uit die richting komt. Als ik het goed begrijp, is dat hetzelfde perceel waarop in mijn tijd een houten gebouw met inpandige tennisbanen stond. Hoe hebben ze daar een sporthal kwijt gekund? Iedereen was destijds ook tegen tennis, kan ik U verzekeren. Dat zou immers alleen maar een hoop geloop in de wijk geven. De studenten wilden een openbare tennisbaan, in Engeland had je tennisbanen bij de universiteiten, dat zou bij ons ook moeten komen. Dus werd er gecollecteerd en kwamen er donateurs; Wallenberg was er volgens mij ook flink bij betrokken. Eerst was het provisorisch, en de buren waren boos dat ze de slagen en de stuiterende ballen hoorden. Op sommige zomerdagen hoor je zoiets tot in de wijde omtrek. Ik vond het een fijn geluid. Als een klok die zich onthoudt van het meten van de tijd. Maar sherry dronken we anders niet! Alcohol kwam destijds alleen op feesten voor, het rantsoen was beperkt en de vruchtenwijnen die we zelf maakten waren zoet als likeur. 's Middags kregen we moeders bessensap, en wij kinderen gilden en gingen zo tekeer dat we werden vermaand, dus ik geloof niet dat we ooit kerkklokken hoorden.

Dat de moderne tijd een mens stoort, is waarschijnlijk iets waar zelfs U zich in moet schikken.

Terwijl ik dit schrijf op de twee vierkante meter die 'het terras' wordt genoemd, loopt Mahmoud net langs om 'ongevaarlijk' gif in de voegen tussen de tegels van het pad te sproeien. Het is een lieve jongeman die over zijn familie in Marokko vertelt. Van de overgrootmoeder van zijn vaderskant tot en met het jongste zusje wonen ze allemaal in hetzelfde huis. Hij zegt dat het 'pervers' is om het anders te doen. Hij vindt dat als je niet onder één dak met je familie overweg kunt, je niet met de wereld overweg kunt. Zijn vader is goudsmid, zegt hij. Alle broers wonen in het buitenland en sturen geld naar de familie thuis. Een legitieme manier om de familie te verlaten, neem ik aan. Ik ben bang dat hij hier illegaal is. Daar vraag ik natuurlijk niet naar. We begrijpen elkaar met ons beider gebrekkige Spaans toch behoorlijk goed. Met onze leeftijdsgenoten converseren we voornamelijk in het Engels en Zweeds, dus tussen mij en de taal van het land wil het maar niet echt wat worden. Mijn man heeft niet de moeite genomen om veel meer te leren dan 'tot ziens', 'goedendag' en 'nog een glas'. Mahmoud is pas acht maanden hier en beheerst de taal beter dan ik, terwijl ik hier al zes jaar woon, maar hij is natuurlijk ook maar ongeveer een kwart van mijn leeftijd. Hij laat het portier van zijn auto openstaan en speelt Arabische muziek. Ook al valt die te prefereren boven Amerikaanse of inheemse muziek, toch zou hij die voor zichzelf moeten houden. Maar ook daar kun je niet met hem over praten. Volgens mij is het de naïviteit van onze tijd om met anderen te delen wat niemand anders wil hebben. Niemand kan zich voorstellen dat een ander niet mooi vindt wat jij mooi vindt, ze moeten gewoon goed luisteren. Dat is ook geen nieuwe cultuur, maar eentje die teruggekomen is doordat de verworvenheid van 'privé' is verdwenen en tegenwoordig nog maar het privilege van weinigen is. Overal waar je komt, stinkt het naar eten, en anderen moeten jou zo nodig dwingen om naar hun muziek te luisteren.

Ik heb de foto waar ik het eerst om vroeg – die op het bordes – opnieuw bekeken. Wat was ik mooi. Ja, werkelijk. Ik ben in mijn leven anderhalve keer filmster geweest. Heb ik dat al verteld? U kunt niet zien dat ik een grapje maak. Zolang het duurde was het geweldig, maar een half jaar later was het helemaal niets meer. Het weinige dat ik op dat gebied heb uitgericht is een figurantenrol in een film met de fameuze Edvard Persson, in het jaar voor mijn eindexamen. Twee jaar later kreeg ik een bijrol als jongere zus in een film met Olof Winnerstrand en Birgit Tengroth. En diezelfde zomer de hoofdrol in een romance die zich aan de scherenkust afspeelde en die vrij kort in de bioscoop heeft gedraaid. Daarna is hij waarschijnlijk niet eens meer als matineefilm op tv vertoond.

Mijn tegenspeler heette Backlund en hij is al net zo vergeten als ik. Zo vergeten dat ik zijn voornaam niet eens meer weet. De regie had in handen moeten zijn van Hampe Faustman, dan was het misschien een fatsoenlijke film geworden. Zijn hart lag echter bij een andere filmopname, die was opgeschort maar waarvan de financiering toch rondkwam, en toen liet hij ons in de steek. Ik noemde mezelf Hedda Søgaard, de meisjesnaam van mijn moeder, maar misschien was dat te Deens. Hoewel ik mooi was en de camera van me hield, sloeg ik niet aan. Volgens mij wilde ik het niet graag genoeg. Ik was waarschijnlijk te vaag. En toen kwam de rest van mijn leven. Tegenwoordig reinig ik mijn gezicht twee keer per dag met een dure crème en haal ik die crème er weer af met een warme handdoek. Daarna smeer ik me in met een nog duurdere crème die naar gardenia's ruikt, eentje voor 's nachts en eentje voor overdag. En daarna bekijk ik in de spiegel een volslagen vreemde. Voor elke afzonderlijke mens een tragedie en voor iedereen die naar hem kijkt een spontaan feit. Hoe oud bent U? Volgens mij is een mens tussen vijfenveertig en vijfenvijftig het meest compleet. Dan zie je eruit zoals het leven het bedoeld had; in diepere zin is een mens dan op zijn mooist. Daar probeer je vervolgens zo lang mogelijk aan vast te houden. Maar de wet van de zwaartekracht is een grondwet.

Mijn echtgenoot pakt zijn koffer. Met één hand. Hij sleept met zijn voet, en zijn rechterarm doet niet goed mee. Dit is een signaal dat we de handen ineen moeten slaan bij de voorbereiding van onze reis. Morgen vertrekken we naar een kuuroord in Noord-Italië waar we in het voor- en najaar altijd twee weken naartoe gaan. Klinkt dat saai? Het doet absoluut niets voor onze gezondheid, maar het versterkt het vertrouwen in onze persoonlijke toekomst. Want ook al zijn daar wel wat jongere mensen, de meeste gasten zijn ouder dan wij. Sommigen meer dan tien jaar. Maar ze zijn zo blij om het weerzien en zo schattig. Sommige diners zijn bijna komisch, met kleine toespraakjes en bejaardengeflirt, alsof we in een andere tijd leefden. Mijn kleindochter zegt dat ik zowel Jim Morrison als Kurt Cobain heb overleefd. Sommigen zetten de klok stil, anderen laten de opdrachten van het leven ten einde tikken. In het kuuroord gedragen we ons welgemanierd, alsof we meespelen in een Miss Marplefilm. Er zijn paren, maar de meesten reizen er met vriendinnen naartoe. We kaarten en praten. Wie naar zijn kamer gaat, wordt verzocht een sjaal mee te nemen. *Would you bring my wrap when you return, there's a dear, it's a tiny bit chilly now, don't you think? No, not the woollen one, the cotton print, please.* Mijn man houdt van aquagym en is pijnlijk dol op Gaspara, de vrouw die dat geeft en die hem om de drie dagen masseert. Zelf kan ik niet tegen chloor, en van massage krijg ik blauwe plekken, dus ik wandel in een rustig tempo, het water is vulkanisch, warm, het ruikt naar zwavel. Nu roept hij me.

Adieu, wij vertrekken naar het kuuroord.

Groet,
Hedwig Langmark

Wie is zij

Toen Hedda zonder de ring aan haar vinger terugkwam, had moeder een verlegen indruk gemaakt. Ze meende dat haar onderzoekende blik op Hedda's handen onopvallend was. Hedda maakte gebruik van het overwicht dat ze had. Eerst rolde ze de ene en daarna de andere handschoen langzaam af tot op haar pols, vervolgens trok ze een voor een aan de vingers van het dunne leer, merkte toen dat ze vergeten was het knoopje van de rechterhandschoen te openen en deed dat met de vingers van haar linkerhand, die in een halfleeg omhulsel zaten. Daarna trok ze de linkerhandschoen uit en observeerde de blik van haar moeder, die als een havik op zoek was naar een uitsteeksel aan de rechterringvinger in de handschoen. Hedda ademde op de witte vingertoppen van haar linkerhand en zei iets over haar slechte bloedsomloop. Terwijl Hedda de rechterhandschoen afpelde, informeerde moeder naar grootmoeder. Ze vroeg of Hedda ook een mooi cadeau voor haar achttiende verjaardag had gekregen. Tegelijk met de handschoen viel het antwoord: 'Een echt lekker braadstuk.'

Er zijn gezichtsuitdrukkingen die zich nauwelijks laten beschrijven. Verwrongen, bevend, wanneer gevoelens die zijn weggestopt onder datgene wat iemand bereid is prijs te geven, proberen door te breken.

Hedda zag het, en voelde haar overwicht. Maar dat was bij lange na niet zo aangenaam als tijdens het afgelopen najaar, toen de winterkleding weer aanging en ze ontdekte dat ze erg veel nieuwe dingen nodig had, en het haar opviel dat ze een centimeter of drie, vier langer was dan moeder. Zij droeg lage en haar moeder hoge hakken, maar je zag het toch, en dat overwicht werd haar niet door intriges maar door de natuur zelf gegeven.

Dit andere was een samenzwering, waar ze zelf niet aan had bijgedragen en ook niet in hoefde mee te gaan. Vanaf haar iets grotere hoogte kon ze haar nek buigen om op het verwrongene van dit gezicht neer te kijken: ze zag geen enkele glimlach, geen zachtheid, het was eerder een pasgeboren kind dat niet weet dat het glimlacht. Moeder meende dat ze iets durfde, maar ze durfde het niet, en Hedda was niet van plan het geheim ter sprake te brengen. Ze was ook niet van plan de ring te dragen die moeder van haar grote liefde had gekregen. Moeder zou tot geweld moeten overgaan om hem aan haar vinger te schuiven en zou moeten uitleggen waarom. Hedda zou die uitleg graag horen –

een snee in de familie. Verse wondvlakken blootgelegd. Zo verleidelijk wanneer de onveranderlijkheid je op de zenuwen werkt.

Ze had natuurlijk begrepen dat moeder met een homofiel was getrouwd (kónden die het eigenlijk wel met vrouwen? Waren dat geen mannen in bosjes, achter schuttingen? Moest het voor hen niet voelen als dood door verdrinking?) en voor de gek was gehouden. Tot op dat punt moest je natuurlijk medelijden met haar hebben.

Maar om nu te moeten aanhoren dat moeder na al die jaren nog steeds aan die man dacht als de liefde van haar leven. Dat hij kinderen had gekregen, met een andere vrouw, gaf Hedda geestelijk of gevoelsmatig broers en zussen. Grootmoeder was onbarmhartig. Ze was te zakelijk. Of het moest zo zijn dat moeder zelf tegen haar gezegd had dat ze dit moest vertellen. Als het aan Hedda zelf lag, zou ze daar nooit achter komen. Ze wilde er niets mee te maken hebben.

En als het nu zo was, als het dus de waarheid was, was al het andere ook waardeloos: het tafelzilver, de tapijten, de tuin, het dak boven hun hoofd, vaders idiote speech over vier kinderen – vijf met de dode erbij. Ze voelde zich waardeloos wanneer ze aan Jorge Phoerder dacht. En haar broers ook, vooral Åke, die waarschijnlijk bij toeval was ontstaan. Vader en moeder waren eigenlijk niet bijzonder op elkaar gesteld. Tom had een keer tegen Hedda gezegd dat hun ouders niet eens vrienden waren, eerder snel geïrriteerde kennissen, of mensen die gedurende een lange reis noodgedwongen een treincoupé delen waarbij de een wil praten en de ander wil zwijgen, meer niet. Die beschrijving had een zaadje geplant en dat ontkiemde nu vanwege Jorge Phoerder. Alles voelde verkeerd. Het alledaagse leven schuurt. (Het wonderlijkst is nog dat je daar geleidelijk aan gewend raakt.)

Toch sorteerde moeder vaders ondergoed voor de was.

Wanneer er dingen waren, zoals vanavond het diner ter gelegenheid van zijn vijfenvijftigste verjaardag, waren ze een 'paar' en hieven ze hun glas naar elkaar met 'proost, liefste', 'proost, lieverd', 'bedankt voor alles, *darling*'. Dat had ze vaak gezien en dat zag ze ook nu ze op haar post stond als bedienend personeel. Ze speelden toneel, een stuk uit de betere kringen, hoewel ze tot de middenklasse behoorden, met eeuwig gezeur over geld. Moeder droeg een avondjurk die ze cadeau had gekregen op hun huwelijksreis naar Parijs. Een jurk van een couturier. Afgezien van de vier of vijf keer dat hij tevoorschijn was gehaald, lag hij altijd in zijdepapier in zijn doos op zolder. Een kostuum van de wittebroodsweken. Haar ouders waren niet dusdanig op elkaar gesteld dat ze elkaar bijvoorbeeld enthousiast in de rede vielen wanneer ze iets bespraken wat beider belangstelling had. Ze spraken een voor een, spraken in replieken, namen om de beurt het woord. Ze sliepen in dezelfde kamer. Als ze op zondag een autoritje maakten, was dat om anderen te bezoeken, niet om er samen tussenuit te gaan. Zo was de sfeer al sinds Hedda in staat was om te zien hoe het zat tussen twee personen en ze zelf niet een van die twee was. Wanneer je met distantie naar jezelf leert kijken, ben je niet zo klein, maar wanneer je drie jaar bent, of misschien al vroeger, kun je voelen dat je ouders elkaar niet toegenegen zijn. Hoe had daar een broertje uit kunnen ontstaan?

De eerste man had 'het gekund' omdat hij toch verliefd was op moeder, die mooi was geweest, pas achttien jaar, en Beate Sophie Søgaard heette en net als hij afkomstig was uit een redersfamilie met geld. Moeder had het daarna keer op keer gekund met vader – van wie ze niet hield – omdat ze een gezin wilde, zoals het immers hoorde. Leven. Dat was nu eenmaal de menselijke teelt, de dynastieën, een aandrang die sterker is dan de seksuele aandrang. Familie. Als de maffia. Familie. Leven. Zo was moeder overgestapt van bovenklasse naar middenklasse. Waarschijnlijk zat dat grootmoeder dwars, hoewel ze zelf was overgestapt van bovenklasse naar ... ja, naar wat – een 'jong persoon'.

In de trein onderweg naar huis kreeg Hedda al uitslag aan haar vinger. De ring was opgewreven met de een of andere chemische stof. Hij zat in elk geval in het kaartjesvak van haar handtas. Daarvandaan verplaatste ze hem niet naar haar sieradenkistje, maar naar het laatje met handschoenen, sjaals, zakdoeken en van alles en nog wat, waar hij in op kon gaan en uit haar herinnering kon verdwijnen.

Moeder leek te verwachten dat ze iets zou fluisteren of aanstippen.

Toen dat uitbleef, voelde ze zich afgescheept. Hoe kon ze zo onnozel zijn? Laf. Hedda zag haar opgeblazen, gegeneerde gezicht en begreep dat moeder zelf nooit van plan was geweest de draad op te pakken waar grootmoeder die had laten vallen. Het onderwerp moest in het schemerduister blijven.

Waarom had ze het zelf niet verteld? En zonder de onnozele dekmantel van het sieraad? Was het alleen lafheid of zat er een idee achter – van vrouw over vrouw tot vrouw? De afwezigheid van kleine potjes met grote oren in grootmoeders huis. Een hele Sont tussen de twee huizen. Het gruis van de ouderdom. Grootmoeder had zelf op jonge leeftijd haar twee kinderen gekregen, haar man was zeventien jaar ouder en overleed aan difterie toen moeder en haar broer respectievelijk vier en acht waren, ze hadden weinig herinneringen aan, maar veel geld van hem. Grootmoeder was algauw hertrouwd,

onder haar stand getrouwd met een vennoot om ondersteuning te krijgen bij de rederijbedrijven, omdat ze de bevoegdheid noch de capaciteit bezat om daar zelf leiding aan te geven. Deze Børresen was echter langgeleden al uit de fotoalbums gescheurd. Ze had gedacht dat zij de macht zou hebben, maar wanneer hij dronk sloeg hij haar, alsof dat de gewoonste zaak van de wereld was. Zowel zijn plicht als zijn recht om dronken te worden en zijn vrouw te tuchtigen. Er viel met hem niet te praten. Hij praatte op verschillende golflengtes met mensen: rationeel in het zaken-, joviaal in het gezelschapsleven. Doof voor vrouwen en kinderen. Grootmoeder zei dat ze een idioot was geweest dat ze het niet al aan zijn fysionomie had gezien. Hij kon zijn ogen niet bewegen. Hij had kleine oogjes onder het voorhoofdsbot en hij bewoog ze niet zijwaarts, maar keek recht vooruit als een varken.

Na een jaar besloot grootje dat ze beter een assistent in dienst kon nemen dan met hem te slapen. Ze had twee grote, sterke en juridische broers die Børresen aan zijn verstand peuterden dat het huwelijk overhaast was geweest. Zij regelden ook een scheiding die 'dat zwijn' niet meer dan een onbeduidende winst opleverde. De rederijen werden in besloten vennootschappen omgezet, met haar oudste broer als directievoorzitter. Haar kinderen hadden grote aandelenportefeuilles en moesten door derden vertegenwoordigd worden. Het was in die tijd voor een weduwe en gescheiden vrouw omstandig en risicovol om de verantwoordelijkheid te hebben voor zulke omvangrijke activa.

En toen was ze alleen met haar kinderen, omringd door familieleden van het mannelijk geslacht die het beter wisten en door advocaten die grenzen aangaven. Na verloop van tijd werd haar oudste zoon de grootste aandeelhouder, hij liquideerde alle dochterondernemingen in Denemarken en reorganiseerde het bedrijf tot een joint venture met een Engelse werf onder de naam Seagard/Bramstone, met het hoofdkantoor in Tilbury maar de directie in Londen, waar Hedda *uncle* Toby en zijn gezin diverse keren had bezocht. Toen ze met vader trouwde, was moeder al voor het grootste gedeelte uitgekocht, maar er was overeengekomen dat zij en haar kinderen elk een gegarandeerd aandelenpakket in particulier bezit zouden krijgen, waar ze naderhand dankbaar om mochten zijn, want vader had met moeders contante geld een heleboel waardepapieren gekocht die na het faillissement van het betreffende bedrijf niets meer waard waren. En Seagard/Bramstone had recentelijk een grote opdracht gekregen *on behalf of the naval office*; het ging om jagers, meende Hedda.

Ver daarvoor, ver voor dit alles – vlak na moeder en Jorge (begreep Hedda nu) – was ook grootmoeder getrouwd. Uit liefde, met een twaalf jaar jongere man die uit het niets kwam. Van wie zij had gehoopt dat hij haar naar het graf zou begeleiden, zei ze toen ze vertelde over Jacob met de donkere krullen, wiens portret zowel in geschilderde, gefotografeerde als gedaguerreotypte vorm aan wanden en op vensterbanken en secretaires in Helsingör te vinden was. Jacob was in de albums ruim vertegenwoordigd, in een linnen kostuum, met of zonder snor, bij de piano met een glas wijn erop, en samen met vader bij diens huwelijk met moeder; vader zag er ouder uit dan grootmoeders man.

Er was een beeld van Jacob glimlachend op een balkon in Davos en daarna eentje van Jacob dood in datzelfde sanatorium, met zijn handen gevouwen op zijn borst, op een krans van roosjes die door zijn vingers waren gevlochten. Hij was pas achtendertig jaar. Pas daarna kon ze uit liefde trouwen, ging het door Hedda's hoofd. Chronologisch klopte dat niet, maar de inhoud was juist. Wat liefde wordt genoemd, kon je alleen verenigen met niets. Wanneer er in de familie getrouwd werd, kreeg ze altijd alles te horen over financiën en vooruitzichten. Van Jacob wist ze alleen dat hij schoenen had gemaakt – 'geen schoenmaker!' – mooie schoenen, op maat gemaakte herenschoenen en laarzen. En hij was gestopt met werken toen hij de jonge echtgenoot van grootmoeder werd.

Hedda had nog maar amper haar voet over de drempel gezet en haar hoed, mantel, handschoenen en overschoenen uitgetrokken of ze moest al aan tafel voor de avondmaaltijd met de rest van de familie. Alle broers waren die dag thuis, terwijl zij het nu heel prettig had gevonden als geklets en kabaal haar bespaard waren gebleven. (Of misschien juist niet.)

Voordat ze de boot naar Malmö nam, had ze bij koffiehuis La Glace taartjes gekocht voor thuis. Die zouden bij de koffie worden geserveerd en namen al, terwijl ze haringfilets met dille en peterselie aten, de al dan niet gespeelde grote belangstelling van de jongens in beslag. Er waren vier soorten en ze snaterden maar door over wie welke wilde, ze gingen tekeer alsof het hun opdracht was om te kijven en het gezin rumoerig te laten overkomen. En jawel, kijk daar: moeder lacht met die gelukzalige matheid die alleen jongens kunnen oproepen. Zo zou ze haar echtelijk leven wel gepland hebben: rumoerige zoons. Die gemakkelijk te begrijpen waren. Hedda wisselde een blik met haar moeder en sloeg vervolgens haar ogen neer naar de haring. Een golf van met wellust vermengde walging steeg van achter uit haar oksels omhoog naar haar nek en kruin. Geen intense hitte, maar gewoon alsof de huid met netelroos bedekt was. Ze kreeg vossenbessenvlekken in haar hals, haar ergste *telltale*, zowel op school als elders. Ze vielen moeder op, maar in plaats van Hedda, die net haar blik gevangen had, te blijven aankijken, keek ze gegeneerd en liep naar de keuken om meer vis uit de pan te halen.

Grootmoeder had over dit alles gezegd dat het eigenlijk ten goede is wanneer het leven gemaakte plannen wijzigt. Kon Hedda zich de vreselijke wereld voorstellen waarin de plannen van ieder mens worden verwezenlijkt? Individuele tegenslagen behoren tot het plan van het grotere geheel.

En soort moet niet altijd soort zoeken. Ook al vond ze dat moeder, met wat meer geduld en minder paniek, een andere man had kunnen vinden die niet precies het tegenovergestelde was van het soort dat ze had gewild. (Hoorde grootmoeder wel dat ze zo over Hedda's vader sprak?) Ze was zelf heel gelukkig geweest met haar derde man. Ze hadden er al reizend een boel geld doorheen gejaagd. Hij bezat geen cent. Ze waren naar New York en Shanghai gezeild, naar Marrakech en Buenos Aires, naast al die triviale dingen als Venetië en het Parthenon en zo, die Jacob ook had willen zien. Ze *made love* in honderden steden over de halve wereldbol, maar ze hadden nooit samen een echt leven kunnen leiden, geen serieus leven. Als ze hem was tegengekomen toen ze twintig was, had ze het geluk laten schieten. Hij was 'een apart vak in de koffer' en ze waren hierin geen uitzondering. Ze kende zo veel mensen – zowel vrouwen als mannen – die zonder zich daarvan bewust te zijn koel (of *kilte*) hadden gekozen, omdat keuzes voor het leven misschien wel 'liefde' worden genoemd, maar in feite bestaan uit een samenraapsel van drijfveren.

In augustus huurden ze elk jaar een huis op Rügen, waar zij zich tegen de zon beschermde en hij in het wit rondrende, ach ja. Veel jonge vrouwen keken naar hem. Vervolgens keken ze naar haar en daarna weer naar hem, met iets wat zowel begrip als verachting of medelijden was. Ze bezaten een grote dosis atletische jeugd en namen aan dat zijn werkelijke bewondering naar hen uitging. Ze waren natuurlijk meestal zo'n tien à vijftien jaar jonger dan hij, maar een man werd nu eenmaal naar mensen van zijn eigen leeftijd getrokken. Zelf moest ze ondertussen als ze een jurk met een open kraag droeg, iets onder haar kin draperen om de mensen zand in de ogen te strooien. Het avonddecolleté was een ander verhaal. Het grote decolleté leidt de blikken immers af van halspezen en gerimpelde bovenarmen. Vooral als daar een paar acceptabele parels of gekleurde stenen rusten.

Soms voelde Hedda begrip en soms pure walging wanneer grootmoeder gedetailleerd inging op het camoufleren van het verouderingsproces. Tot welk nut? Ook de jonge man was ze aan de dood kwijtgeraakt. Grootmoeder was leuk. Koket in haar puntige handleren schoenen met een zijden bandje dat vlak onder de enkel werd gestrikt, flirterig met haar bungelende onyxen oorhangers, vingerloze handschoenen en altijd rode nagels. Ze kibbelde brutaal met de tuinjongen en gebruikte woorden die ondenkbaar waren ... kont! Ondenkbaar in de dagelijkse Zweedse spreektaal! Zweden was in vergelijking een ouderwets land, dacht Hedda monter, dat zat op zijn achterwerk terwijl Denemarken met zijn kont schudde. Niettemin was ze zelf half Deens.

Haar gedachten hadden draden opgepakt, hier, maar ook daar.

Maar ze bevond zich nog steeds op dezelfde plaats – aan de tafel voor de jongelui in de hal, waar de mist naar binnen blikte en de rozenbottels naar herfst geurden en waar de jongelui in afwachting van het teken dat ze van tafel mochten, de automatisering van het telefoonverkeer bespraken. Hun nichtjes en neven woonden in een stad waar die hervorming al was ingevoerd en hoefden de hoorn maar op te nemen om te bellen wie ze wilden.

In Lund was je nog afhankelijk van telefonistes in de centrale. Christian zei dat het nog minstens vijf jaar zou duren voordat er gemoderniseerd werd. De boerendorpen rond Lund zouden hen nog voor zijn. Voor zover hij wist, kwam dat omdat het telefoonnet in het algemeen zo laat in de stad was aangelegd en de bestuurders het daarom te duur vonden om de techniek alweer zo snel te vervangen. Aangezien niemand anders het gespreksonderwerp bijzonder interessant vond, praatte hij ongeremd door over hoe achterlijkheid allerlei belangrijke dingen belemmerde en – wat betreft privégesprekken was het vast zo dat de juffrouwen van de telefoon bijna alle mensen kenden die deze verworvenheid thuis hadden en het gespreksverkeer in de gaten hielden, als ze al niet ronduit meeluisterden naar wat er ter sprake kwam.

'Kúnnen ze dat dan?' vroeg het ene nichtje, maar ze wist zich nauwelijks verstaanbaar te maken want

Tom viel haar in de rede met 'Jij gelooft dat?' en onderbrak vervolgens meteen het antwoord dat eraan zat te komen, en toen ontspon zich de gebruikelijke discussie, waar ze samen patent op hadden, tussen

de succesvolle 'Nummer Een', die het allemaal beter wist, en

de wat carrière betreft zorgwekkende 'Nummer Twee', die zich als een das in zijn argumentatie vastbeet toen hij bewees dat Christian nooit ergens anders respect voor had dan voor de overheid, hoewel zijn hele bestaan gebaseerd was op de onverdiende loyaliteit van degenen die hij altijd 'de kleine luiden' noemde – alsof dat in werkelijkheid kaboutertjes waren die 's nachts ongemerkt al het werk deden – bijvoorbeeld slecht betaalde telefonistes, die hun erecode vast minstens net zo loyaal naleefden als de vrijmoedig kletsende, bijna afgestudeerde arts, van wie Tom bijstond dat hij iets had – of althans zou moeten hebben, namelijk … zwijgplicht.

Het was moeders idee geweest om de oudste zoons nummer een en nummer twee te noemen. Volgens Hedda raakte moeder van haar apropos zodra haar lippen voor het eerst 'Nummer Drie' wilden vormen. Niemand noemde Hedda zo. Op moeders neiging om te benadrukken dat ze de moeder van een meute was, dat ze een groot gezin had en in overvloed kinderen voortbracht, werd een domper gezet toen 'Nummer Drie' door nummer drie zelf verboden werd, zonder dat daar een woord aan vuil gemaakt hoefde te worden. Daarom ging de euforie mank wanneer ze vertelde over 'al' haar kinderen. Wanneer ze hakkelde bij nummer drie, klonk het soms alsof ze er maar twee had, zodat nummer vier daarmee als het ware ook verdween.

Christian verafschuwde het als Tom hem van loslippigheid betichtte waar andere mensen bij waren. Hij verloor zijn sangfroid. Ook hij had aanleg om vossenbessen in zijn hals te krijgen, meer aardbeien of frambozen eigenlijk, en die gloeiden boven zijn kraag uit toen hij arrogant traag uitspelde dat hij in principe het recht had om 'gevallen' te beschrijven – die eventueel een combinatie van twee of meer authentieke gevallen konden zijn – zolang hij maar geen namen, adressen of privéomstandigheden prijsgaf.

*

Het vangen van een andere tijd dan die van jezelf is een trucagejacht. Je kunt niet vertrouwen op wat algemeen bekend is. Het geheel bestaat niet uit gemiddelden, maar uit details. Die zijn talrijk en vaak verrassend, en je vindt ze gemakkelijker in weekbladen dan in dagbladen, vaker in journaalfilms en amusement dan in zo'n verhaal dat tijdperken en stijlen samenvat.

Details zijn toevallig, veldbloemen zijn geen snijbloemen, wind en wortel plannen hun aanwezigheid, grondverbetering doet dat nooit. In het toevallige vind je een inventiviteit en een authenticiteit die ontbreekt in tijdssymbolen.

Zoals zo veel mensen ben ik vagelijk in de ban van een tijd die vóór de mijne ligt. Wie in de jaren zeventig geboren is, voelt zich aangesproken door het aardewerk met bladmotief van mijn eerste, allang gebroken theekopjes uit de jaren zestig.

Ik hóór de jaren dertig. Een melodie zweeft voorbij. Het orkest trapsgewijs opgesteld op de lage, gedraaide treden in de nachtclub, instrumentengroepen achter witte muzieklessenaars met de initialen van de orkestleider in goud. Een grote groep saxofoons koert het taaie njung-njunggeluid dat in de jaren dertig voor dit instrument in de mode was.

Het optreden eindigt met het kling, pling van de triangel, dat aangeeft dat de melodie best nog materiaal had voor méér, maar een foxtrot op een glimmende dansvloer duurt nu eenmaal niet langer dan drie minuten. En de stem van de zangeres is een van de instrumenten – een keelcornet die woorden tot zijn beschikking heeft. Een duifgrijze suèdeschoen met wreefbandje verslijt de koperen klinknagels van de dansvloer.

Zat Hedda met haar vriendinnen op haar kamer naar zoiets te luisteren – of kwam dat pas later, met de transistorradio? Ook in mijn jeugd verschanste je je nog niet met je eigen muziek; je maakte van de gelegenheid gebruik wanneer de anderen er niet waren. Ik herinner me mijn zus door het raam, zij was een tiener, ik was een kind, en ze nam de gelegenheid te baat om solo te dansen bij de grammofoon toen iedereen buiten was. We zagen haar rug op de eerste verdieping toen we van de parkeerplaats kwamen. Ze *skidded and jived*, en aan haar nek, rug en hoofd kon je zien welke passen ze zette. We moesten erom lachen dat we haar betrapten zonder dat ze daar zelf een idee van had. Haar vermaak was zo onschuldig, ook al hield ze het geheim en wilde ze er in alle rust van genieten. Ze stierf heel jong en het is eigenaardig om terug te denken aan dit heimelijke inkijkje in haar levenslust, waaraan verder niemand anders meer terugdenkt.

Hedwig Carlsson staat als romanfiguur nog maar in de steigers. Hedwig Langmark heeft al wat vlees op de botten en ik scharrel door de archieven op zoek naar kleding voor haar. Elsa Schiaparelli was de modekoningin. Ze maakte blouses van organza met strakke lijfjes en bolle mouwen. Shorts met een zeemanssluiting, daarbij een mouwloze blouse en een sjaaltje op z'n Amerikaans. Slanke mantels die het winterlichaam zo discreet mogelijk omsloten, maar met details in de belijning en veterwerk in de schouderpartij, waar we nu niet meer van willen weten omdat de arme vingers die zoiets naaien niet langer toebehoren aan de modinettes op de zolderateliers van de modehuizen, maar aan kinderen die aan de andere kant van de wereld werkloze volwassenen onderhouden.

Duidelijk is dat het pronkpaleis van de Bradheds niet hetzelfde is als het ouderlijk huis van Hedda. Deels omdat het perceel een kwart beslaat van dat waar zij de paden harkte en de bessen oogstte. En verder had je in de jaren dertig geen elegante koperen drempels rond de keukenafdeling. Die doen denken aan het werk van de schilder Anders Zorn en horen nauwelijks thuis in de lichte, late jugendstilmoderniteit van het oorspronkelijke huis. De haag aan de straatkant was er nog helemaal niet, daar stond vroeger een spijlenhek met bloeiende struiken die boven het trottoir uitstaken.

In mei 1937 deed ze eindexamen, maar ze was er op dat moment nog niet zeker van of ze in Lund zou blijven en naar de universiteit zou gaan – ze had bijna net zulke goede cijfers als Christian (vertelde ze in een brief). De hoogste cijfers voor wiskunde en Latijn. Als de leraren, lectors en gecommitteerden erin hadden geloofd dat ze – behalve eindexamen-kandidaat – echt Student zou worden was ze waarschijnlijk in dezelfde beoordelingscategorie gevallen als 'Nummer Een'. Investeren in de beoordeling van een jonge vrouw was risicovoller. Zou ze die beoordelingen wel waarmaken? Of zou het verstandiger zijn het niveau aan te passen aan een leven met andere alternatieven?

Een alternatief – maar nooit een wensdroom – was om haar belangstelling voor mooie kleren te volgen. Niet dat haar smaak Hollywood- of haute-coutureachtig was, maar die geprezen handen! Die vonden het zo natuurlijk om een decolleté of de val en vorm van een rok net iets minder traditioneel te maken. Toen ze een paar keer had gezien wat voor effect dat had, werd ze driester en tekende eigen patronen voor hele kleding-stukken die ze daarna in elkaar stikte.

Ze besprak het idee met moeder, die er wel wat in zag, en toen Hedda op een andere toon ook het woord 'dokter' in de mond nam, of 'architect' of 'ingeniéúr', zei moeder dat de tijd nog geen vijand was. Ze was net ne-gentien geworden. Als ze een coupeuse- en naaiopleiding van zes of acht maanden volgde, zou ze daar altijd wat aan hebben, ook als ze daarna een theoretische opleiding koos, ze zou het zelfs kunnen gebruiken in een carrière waarbij ze hardere materialen vormgaf. 'En wie weet,' deed moeder al haar eigen wijsheid teniet, 'over een paar jaar ben je misschien wel getrouwd en heb je zelf kinderen. Dat weet je nooit.' Het had geen zin om met tegenwerpingen te komen, het zou vooral onverstandig zijn geweest om tante Viveka aan te halen, een vrouw die ondanks een groot gezin een baan had. Waarom moeder beledigen, die nooit de gelegenheid had gehad om te studeren of te werken …

Het was 1 mei en Hedda liep in de voorjaarsnacht aan het volgende te denken:

wat waren al die herhalingen in het leven toch iets armzaligs. De meeste dingen herhaal je elke dag. Ze zette bepaald haar stekels op wanneer iemand het woord 'traditie' in de mond nam. Waanzin, Kerstmis-Pasen-Pinksteren, en Allerheiligen, wanneer ze in gesloten formatie een kaars moesten aansteken op grootmoeders verafschuwde graf. Verjaardagen tegen heug en meug. Ook als iemand ziek of vertwijfeld was, in stijl blijven, de kaarsjes moeten worden uitgeblazen. Ze had op kamers gewild als ze ging studeren, maar daar was natuurlijk geen sprake van. Moeder zat in een commissie voor een huis, een gebouw – een *college* bijna – voor vrouwelijke studenten. Dat zou in het najaar klaar zijn en Hedda had schetsen gezien van hoe het zou worden, cretonne en moderne meubels van Carl Malmsten. Eigen kamers die alleen toegankelijk waren voor degenen die je uitnodigde – gemeenschappelijke ruimtes. Maar vader zei dat het te duur zou worden. Met twee zoons die de deur uit waren en voor wie kost en inwoning elders moest worden betaald. Hun de mogelijkheid van huisvesting geven alleen al kostte per persoon veertig kronen in de maand. Nee, dan was het niet meer dan redelijk dat zij thuis bleef wonen, waar nu bovendien nog zo veel plaats was ook. Hedda wilde hem corrigeren. Christian verdiende geld en betaalde al enkele jaren zelf zijn onkosten, en ook Tom had inkomsten. Maar ze wist hoe vader keek wanneer hij onvermurwbaar was en hij voegde er nu – als laatste argument – aan toe dat Hedda weleens aan moeder mocht denken, die haar hulp in huis wel kon gebruiken.

Vader was ook weer afgevallen. Op het verjaardagsfeest in november was hij al mager geweest, maar sindsdien was hij zeker nog een kilo of vijf, zes afgevallen en hij was helemaal gammel; ellendig om naar te kijken.

De ouders bespraken ook de mogelijkheid van een nieuw verblijf in een kuuroord. Moeder wilde terug naar Duitsland, maar vader vond dat te duur. Nee, hij wilde voor dat uitstapje niet aan moeders aandelenkapitaal komen, hij kon heus zijn eigen gezondheidszorg wel betalen. Ook geen Skodsborg deze keer; toen ze daar de laatste keer waren, had hij gevonden dat er meer sprake was van sociale omgang dan van zorg. In Ekebyholm hadden ze iets tegen maag-darm- en zenuwaandoeningen wat ze 'de Skodsborgkuur' noemden. Er werden moderne manieren van baden, elektriciteit en massage beloofd. Een van zijn artsen had sanatorium Hultafors bij Borås aangeraden, waar je voor gematigde prijzen terechtkon.

Geen fooien. Dat laatste sprak vader in het bijzonder aan, want hij had moeite met het berekenen van fooien, vooral omdat hij zelden vond dat iemand het geld waard was.

Moeder zei ten slotte zuchtend dat ze misschien net zoals anders naar Skräddhult konden gaan en het op strenge rust, Wodehouse en een dieet konden houden. Åke, die er ook bleek en mager uitzag en met zijn arm in het gips liep nadat hij op school op de stoep een duw had gekregen, trok gekke bekken bij het woord 'dieet'. Hij wist wel wat dat was. Pap en gekookte vis en gekookt vlees en gekookte groente, en dat moest iedereen alleen maar eten omdat vader … bij die woorden werd hij van tafel gestuurd. Wanneer het om vaders gezondheid ging, zei je niet 'alleen maar omdat'. Je moest blij zijn dat je mee mocht helpen om te zorgen dat hij gezond werd, want daar waren ze volkomen van afhankelijk.

Hedda zag haar kleine broertje wegrennen en zijn tranen van woede verbijten. Tijdens de rest van de maaltijd werd er gezwegen en zij herinnerde zich een gesprek over de levensverzekering, waarbij ze met haar rug naar vader en moeder toegekeerd had zitten naaien. Geen geheimen dus. Het ging erover dat vader in goede conditie moest zijn wanneer hij de verzekering verlengde en dat ze zich zorgen maakten dat die te wensen zou overlaten.

Hedda's beste vriendin was Dagmar. Terwijl vader en moeder de advertenties van kuuroorden bestudeerden, begonnen Dagmar en Hedda naar alternatieven te zoeken om student te worden. Dagmar zocht eigenlijk niet voor zichzelf. Ze wist dat ze heel misschien kleuteronderwijzeres wilde worden, maar ze zou zich over een paar maanden gaan verloven en in het najaar naar een praktijkgerichte huishoudschool gaan. Haar aanstaande verloofde was van vaderskant Duits, en hij wist nog niet zeker in welk land hij na zijn examen wilde werken, dus waren al Dagmars plannen op dit moment voor de korte termijn.

Maar ze vond het leuk om mee te spelen in de keuzemogelijkheden van de vrije Hedda, alsof die fictief waren. Hedda keek Dagmar aan. Een gezicht dat voor zichzelf de toekomst had uitgestippeld. Ze wilde nooit haar grenzen overschrijden. Altijd bleef ze in de beschutting van de ene ruimte staan terwijl ze het korte stukje naar een andere, waar haar nieuwe inwoning was toegezegd, in ogenschouw nam.

In een brief vertelde Hedwig Langmark hoe zij en Dagmar het gezichtsproduct The Blue Mask hadden geprobeerd om van verstopte poriën en een vette huid op de neus af te komen. De clou van Hedwigs beschrijving was dat het dodelijk gif van komende tijden destijds zijn naam mocht lenen aan de mooie beloftes van schoonheidsmiddelen: 'sterk radioactieve' bagger werd als je van het tegen puistjes beschouwd. Ze hadden de smurrie een half uur op om voor de diploma-uitreiking hun neusvleugels te reinigen. Terwijl ze zaten te lachen om elkaars Japanse theatergezichten speelden ze met plannen voor Hedwigs herfst. Vader had min of meer voorgeschreven dat ze Dagmar zou vergezellen naar de Praktijk Huishoudschool aan de Sandgatan. 'Je moeder kon amper een ei koken toen we elkaar leerden kennen.' Een van zijn personeelsleden had een dochter die meteen na de opleiding in haar onderhoud kon voorzien als kooklerares. Ze namen in augustus nieuwe leerlingen aan en dat kwam goed uit, dan kon ze hele zomer mee naar Småland.

Wonderbaarlijk genoeg was moeder toen degene die met bezwaren kwam! Alleen maar omdat zij dat durfde, gaf vader zich zoals gewoonlijk gewonnen. Moeder vond helemaal niet dat Hedda beknot moest worden en kooklerares moest worden, en vader was van mening dat zoiets ook nooit zijn bedoeling was geweest, maar het kon toch geen kwaad om de huishouding vanaf de basis te leren? 'O?' zei moeder, 'en je zoons dan?' Een repliek die zo ongehoord was dat Hedda lang twijfelde of ze haar dit werkelijk had horen zeggen.

Dagmar en Hedda waren niet intiem bevriend. Hedda begreep niet wat er zo leuk was aan de man met de twee Duitse achternamen plus een 'von' daartussen, en ook niet waarom haar vriendin zo bereidwillig was zijn leven als ijkpunt te nemen voor dat van haarzelf. Hij had helemaal geen contact met de werkelijkheid, zijn onderzoek was alles, hij leek meer verliefd op Dagmars papa de professor dan op Dagmar zelf.

Ze dacht dat Dagmar haar ook niet bijzonder interessant vond. Maar het kwam hun goed uit om vriendinnen te zijn op dit moment, in wat anderen een overgangsfase noemden. Overgang betekende opbreken. Dagmar zou niet opbreken, maar voortzetten. Hedda wilde wel op haar kop gaan staan van pure vertwijfeling hoe meer ze dat voorjaar

hoorde over familieplannen en

hoe meer het moment naderde waarop ze kussens en planten, de braadpan, de bessenplukker, regenjas en rubberlaarzen, Åkes nieuwe fiets en grote valiezen met kleding en linnengoed moesten inpakken om twee eindeloze maanden door te brengen aan een bosmeer met ringslangen en adders, met een modderige bodem en slijmerig wier – en al het andere oude gewone, de plee en piespotten, de buitenkelder en varens en vooral dat opgedrongen 'Aaaah! Eindelijk. Of niet? Waarom zeggen jullie niets? Is het niet fantastisch?' waar moeder altijd mee aankwam terwijl de anderen aan het sjouwen, outilleren en schoonmaken waren.

Je moest je op een andere manier kunnen bewegen dan in kringetjes. Wegen die je telkens weer aflegt worden steeds korter, de rondwegen steeds nauwer, je beperkt jezelf steeds meer, hoe konden mensen van middelbare leeftijd zo omgaan met alles, met het jaar, met het leven? Telkens maar opnieuw feestdagen, zomervakanties, elk jaar. Ze moest – ze moest naar Stockholm en daar blijven!

Terwijl de radioactieve bagger zijn werk op hun gezicht deed, hoorden ze op de radio thuis in de woonkamer bij Dagmar 'Bird Songs at Eventide' en 'Green Hills of Ireland'. Dagmars ouders waren naar een diner en het dienstmeisje was naar de bioscoop.

De Franse Coupeuse-academie, Drottninggatan 51, tel. 11 40 87 – klonk vertrouwenwekkend vond Dagmar. Een opleiding voor Franse coupeuse- en naaikunst. 'De cursus begint op 8 januari. Laag schoolgeld.'

Cursusatelier Margareta Lindström. Kleermakerij, knippen en passen. Een beroepsopleiding van acht maanden. Norrlandsgatan.

Cursusatelier Femina – idem dito – Smålandsgatan.

'Academie Borg-White', las Hedda. 'Opleidingen van negen maanden en het herfstsemester begint op 8 september. Telefoon 60933. Je denkt toch niet dat ik het verdraag om tot het voorjaar te wachten! Ik wou dat ik na de diploma-uitreiking meteen kon vertrekken, maar ik móét in elk geval in de herfst weg. Ik heb lucht nodig. Ik ben dit donkere stadje zo beu, het is net een graf.'

DEEL 2

Wat er overblijft

Heimelijk onderzoek

Het is een doordeweekse dag en ik loop door de oplopende straat met de grove, vierkante stenen die in de groeve van Krokstrand zijn uitgehouwen. Ze zijn ongelijk, er zit ruimte tussen en je struikelt er gemakkelijk over; ik heb zo een keer mijn vinger gebroken.

Ik loop verder door de middeleeuwse straten; in lage huizen wonen weduwes met witte pagekapsels. Hun ramen zijn afgeschermd tegen inkijk door wit linnen, bij de ene ruit een gladde stof met een kantklosrandje, bij de andere een platsteek in dezelfde tint als de stof, allebei hebben ze een monogram en andere versierselen. Ik had ooit een vriendin die zulke gordijnen maakte van de lakenuitzet van haar grootmoeder; volgens mij is dat hier ook zo.

Op de vensterbanken staat kunstnijverheid uit de jaren vijftig, hout en keramiek met erotisch getinte motieven, alsmede mooie korenblauwe glazen stukken. Nergens kun je hier op het trottoir lopen. Met een paar meter tussenruimte hebben de huiseigenaren de kinderkopjes weggehaald en kuilen gegraven waarin ze klimrozen hebben geplant, maar ze nemen zelden de moeite die langs de muren op te snoeien, en in het donker kun je dan ook een stekelige oorvijg oplopen. Ook stokrozen en weelderige lavendel nemen het trottoir in – wanneer ik van de stoep stap, zie ik beter dat er bovenlichten zitten die boven het portiek uitsteken.

Meerdere ruitjes met een plank aan de binnenkant. Sommigen hebben daar snuisterijen op gezet, maar op één plek staan er in de nis vier verschillend gekleurde gloeilampen. Die branden vooral rond Kerstmis, maar ik denk dat portieklichten vroeger, voordat er gaslicht geïnstalleerd werd, misschien gebruikelijk waren om mensen te helpen de weg te vinden. De gietijzeren gaslichtlantaarns staan er nog. Hun grote koppen moeten voorheen vrij zijn geweest, maar in de tijd van de lichtovervloed krijgt de vegetatie vrij spel om ze te overwoekeren. Het is de mooiste armatuur van de stad en het licht lijkt op gaslicht, aangezien deze buurt onder Monumentenzorg valt.

Nu volgt er een ingewikkelde kruising, een smal trottoir met stoepen die uitsteken en vijf meter fietspad dat zich verdringt met de afslag naar een ringweg om het centrum. Hier moet je maar een beetje een gooi doen met je knipperlichten, aangezien die ook betrekking hebben op een parallelweg – een doorsteek waar de fietsers doorheen stormen zonder te bellen of oogcontact te maken. Vaak zie ik voetgangers, fietsers en automobilisten rakelings langs elkaar heen scheren. Een fietsende vrouw zonder helm die moest uitwijken kwam ten val en fluisterde met stukgebeten tong en een bloedneus: 'Bel mijn man, bel mijn man.' Twee personen belden tegelijk een ambulance. Het is hier heel krap.

Wanneer ik de ringweg ben overgestoken kom ik in een gebied met gebouwen waar in de jaren tachtig nog geneeskundig onderzoek op de grove microschaal van de twintigste eeuw werd gedaan. Tegenwoordig maken ze deel uit van de humanioracampus van de universiteit, net als de vrijstaande huizen die de straat aan de noordkant omzomen. Een gebouw dat een toonbeeld van jugendstil is en een rood huis zijn onlangs door de academie ontruimd en privékantoren geworden, geen privéhuizen, wat ze oorspronkelijk waren.

Op de achtergrond van de straat zie je de kerktoren. Uit de verte is het uurwerk een lichtend gat zonder cijfers en wijzers. Een zwart-witte kat blijft op straat staan en gaat starend de krachtmeting met twee koplampen aan. De wielen houden op het asfalt te likken, het geluid van langzame wielen, de auto stopt, de overwinnaar steekt langzaam en stijfbenig over en blijft bij de forsythiahaag staan. Deze avondschemering is vol met zonomzoomde wolken in het westen, ze komen als oppers omhoog en vormen standbeelden achter de kerktoren. Het zijn grijze wolken, maar ze hebben gekleurde contouren. Ze tuimelen rond, want het waait daarboven enigszins. Op straatniveau is het rustig. En nu komt ze: de jonge vrouw zingt buiten adem wanneer ze op haar fiets in westelijke richting trapt. Het kind achterop zit er wakker bij. Uit de sporthal komen donkere gestaltes in capuchontruien en sportbroeken naar buiten geslenterd, aerobicschoenen in de tas. Het straatlicht wordt gereflecteerd in lichtblonde kapsels. Het voorovergebogen hoofd na een training.

Maandenlang kwam ik Birgitta Bradhed niet meer tegen, hun straat maakt geen deel uit van mijn dagelijkse route en ik had ook geen zin of reden om langs te sluipen. Er waren weer een paar brieven van Hedwig Langmark gekomen, maar ik had er maar eentje van beantwoord. De lange beklimming van dat voorjaar met de roman waar ik aan werkte, zou weldra haar top of kritische massa bereiken. Dat betekent dat het verhaal een zelfstandige wereld aan het worden is, dat het niet elke ochtend hoeft te worden opgespoord. Weldra bevestigt het zich in alles wat je ziet en hoort. Alleen bevestigingen vallen je op. Je overdrijft en beknot je indrukken en transformeert ze tot iets wat geschikt is voor de roman. Ik herinner me een lauwwarm bad in de sneeuw, in een bassin vlak bij hotel Saga in Reykjavik. Geen grootse belevenis, het klinkt veel hipper dan het was, maar het leidde tot associaties naar de Lady of the Lake in de Lancelotlegende. Een ochtend langs de Theems bij eb – werd in mijn hoofd verlengd tot een lange, saaie stadsstraat, volgens mij een van 's werelds langste, genoemd naar generaal Rivadavia. Een bescheiden boottocht in Tigre vormde zaad en ontkiemde tot een riviertocht diep het continent in.

Zo moest het zijn, dat was de bedoeling. Maar zeven foto's van de familie Carlsson gingen af en toe dwarsliggen en onderbraken de stroom. Vóór de eerste brief en mijn bezoek aan het huis van de Bradheds had ik nooit aan ze gedacht. Ze trokken niet speciaal de aandacht, maar ze waren er. Er zijn verschillende domme manieren waarop je het kunt beschrijven, zoals 'ze wilden dat hun verhaal verteld werd'. Dat wilden ze helemaal niet. Ze wilden met rust gelaten worden. Net als ik.

Toen ik in september op weg was naar het stembureau kwam ik Birgitta Bradhed tegen achter de kinderwagen. Ze vertelde dat ze op de Groenen had gestemd, ze zag niet in waarom je zoiets geheim zou moeten houden. Ik antwoordde dat ik altijd op splinterpartijen stem en van plan was haar voorbeeld te volgen. We grinnikten wat. De kinderwagen was heel stabiel, een grafietgrijs statief van ongepolijst metaal, de inzetbak was naar voren gericht, overal netten en vakken. Die nazomer waren er veel peren en wespen, en voor het vouwdak bewoog een muggennet in de bries. De baby lag onder een lichtgele deken die alleen maar van kasjmier kon zijn. 'Dus dit is Märta?' vroeg ik. Ze zuchtte. 'Het is Märta Cindy geworden en ze wordt Cindy genoemd. Mijn man is zo oud dat hij Märta een naam voor een oude vrouw vindt ... ik vind Cindy te Amerikaans. Maar het is natuurlijk handig als ze alle vier met een C beginnen.'

Dat was het domste naamargument dat je kon bedenken. 'Ik vind dat ze eruitziet als een Märta ...' zei ik. 'Hups.' 'Märta Hups?' We moesten lachen, het klonk als een artiestennaam. Een tekenfilmpoes. De naam van een pornoster, bedacht ik toen opeens, vrolijke porno. Birgitta kon mijn gedachte niet lezen, maar vond het wel vermakelijk dat iemand zijn kind misschien Märta Hups zou durven noemen – voor zover het kind geen pa had die verschrikt tegen de vijfenvijftig liep. Ik vertelde dat ik onlangs 's avonds op de BBC een debat had gehoord over wat voor namen je kinderen kunt geven. Iemand in Nieuw-Zeeland had na een proces het recht gekregen om zijn kind HonoluluHulahula te noemen. Birgitta zette grote ogen op en zei dat in deze tijd waarin aan kinderen meer dan ooit schallend prioriteit wordt gegeven, mensen zich gedragen alsof ze persoonlijke accessoires hebben gekocht.

Cindy was bijna drie maanden oud en haar moeder zuchtte en beschreef met haar hand een wijde cirkel rond haar buik en heupen. Twaalf jaar geleden had ze een week na de bevalling een normaal postuur gehad – of een normale vorm – maar sindsdien duurde het elke keer langer om het overgewicht kwijt te raken. 'Is dat zo?' viel ik haar midden in haar uiteenzetting over kilo's en ponden in de rede, 'ik vind dat je er ontzettend vief uitziet.' Vief is neutraal. Ik had niet gezegd 'knap' of 'slank', wat haar goed zou hebben gedaan. Nee, naar Isla Margarita waren ze nooit gegaan. De moeder van Bosse had een snel om zich heen grijpende vorm van kanker gekregen en was binnen een paar maanden overleden, en Märta Hups had geelzucht gekregen. 'Maar het is nooit verkeerd om plannen te maken', klakte ze met haar tong.

We zouden uiteengaan, ik zwaaide met mijn stembiljet. We waren het erover eens dat stemmen per post niet juist is. Je stem uitbrengen is ouderwetse ethiek en die moet op een ouderwetse manier worden beoefend, op de dag van de verkiezingen zelf. Ik keek naar de mooie nieuwe kinderwagen en de slapende zuigeling. Ze had gezegd dat de jongens in dezelfde kinderwagen hadden gelegen omdat ze zo dicht op elkaar waren gekomen. De meisjes hadden een nieuwe gekregen. Opeens realiseerde ik me dat ik tot voor kort had gedacht dat de mensen maar gewoon doorleven. Als je ongelukken, oorlogen en terrorisme waar je over leest in aanmerking nam, als je mensen in mijn eigen familie en geslacht die in hun kindertijd of jeugd waren gestorven in aanmerking nam, was het bijzonder dat de meesten die ik kende een volledig leven leefden, de decennia op elkaar stapelden, en dat ook hun kinderen leefden en gezond waren en gezonde kinderen kregen. Een chaotische wereld had gekozen voor onverbrekelijke Zweedse levenslijnen.

Zo dacht ik al decennialang, maar nu begonnen een paar generaties vóór me weg te vallen, vrouwen en mannen die veertig, vijfenveertig waren toen ik jong was – en zo energiek, mobiel en sexy dat het geen moment bij hen zou opkomen om ons jongeren te benijden. De dodelijke afgrond waarin ze vielen was plotseling, een feit; geen rots, maar toch concreet. Bij een laatste grens stapten ze allemaal over de rand. Acteurs verdwenen lang voordat ze dood waren, dat gold niet alleen voor dwaallichten als Hedda Søgaard. Een aantal van hen was naar Italië verhuisd, want daar kun je waardig oud zijn.

Op weg naar de supermarkt liep ik de volgende middag een vakwerkgebouw binnen waar oude schoolalmanakken te vinden zijn. Hedwig Carlsson vond ik in de eindexamenklas van 1937 van de Kathedraalschool. Toen kende ik haar meisjesnaam nog niet, maar ik herkende haar. De foto's van de acht meisjes waren van het laatste leerjaar, de almanaktekst presenteerde hen echter beduidend later, alsof de bundel naderhand was samengesteld of gebaseerd was op een eerdere. Je kwam dus te weten of ze huisvrouw waren geworden of ongehuwd waren en een baan hadden. Er waren een paar getrouwde vrouwen met betaald werk bij, de één dokter, de ander advocaat. Hedwig Langmark, geb. Carlsson, werd omschreven als een vroegere filmactrice, tevens kledingontwerpster. Ik keek wanneer het boek gedrukt was: 1953. Er werd vermeld dat ze getrouwd was, drie kinderen had en in Freiburg woonde, in de Bondsrepubliek Duitsland. De afbeelding was een atelierfoto van de blonde Hedwig. Zoals bijna al haar klasgenoten hield ze haar hoofd diagonaal in het vierkant van de foto, hellend naar links, en face, en met een bestudeerde glimlach, zo'n glimlach die je je spiegelbeeld toewerpt. In een klas met meisjes met lelijke kapperskapsels, krullen, kroezen en kronkels bij de oren, meisjes die lange ronde maagdelijke halzen uit kragen opstaken, had ze opvallend veel glamour. Vesten, hier en daar een parelketting, en een enorm lelijke bril die werd gedragen door advocaat Elisabeth Waldén, geb. Gren – en mevrouw Dagmar Berghoff von Oehlen, geb. Odaeus. In de meeste portretten voelde je afstand tot de camera – 'ik ben hier niet, dit ben ik niet'. Maar Hedwigs gezicht stelde zich open voor de lens. Hetzelfde gold voor een donker meisje met een Frans pagekapsel en uiteenstaande ogen. Mevrouw Hedy Lang, geb. Ida Lundberg, las ik, ovl. 1943. Dat 'ovl.' begreep ik eerst niet. Ovaal, onvolledig? Daarna maakte ik het woord op de juiste manier af en voelde me een beetje bedrukt. Dat gezicht, dat niet alleen maar mooi was. Je kunt er aan de hand van foto's geen oordeel over geven, maar ze zag er spannend uit. Op zo'n manier dat je meteen méér wilt weten. Zou ik Hedwig een brief schrijven en vragen of ze zich uit de klas een intelligente(?), mooie, uitdagende jonge vrouw kon herinneren die zowel een andere voor- als achternaam had aangenomen voor ze stierf, nog maar vierentwintig of vijfentwintig jaar oud?

Ook Christian bleek op dezelfde school eindexamen te hebben gedaan, al in 1929 stond hij op de lijst, een zeventienjarige jongeling tussen negentienjarigen. Frappant hoe onmiskenbaar het leeftijdsverschil was. Hij stond vermeld als Krister K. Carlsson, 1941 doctor in de medicijnen, 1951 professor, reserveluitenant bij de marine 1936. Terughoudend met informatie was hij niet: hij vermeldde de leerstoelen die hij in de vs had bekleed, een groot internationaal onderzoeksproject waardoor hij twee jaar in Bologna gevestigd was geweest, dat hij aan de Eriksbergsgatan in Stockholm woonde, dat hij 's zomers 'resideerde' op Falsterbohus en dat zijn hobby's zeilen en kamermuziek waren. Instrumenten: piano en viola. Op de foto had hij geen strop- maar een vlinderdas, en een rare schaduw bij zijn neus. Een Tom of Torsten Carlsson was niet te vinden binnen de jaargang waarin hij thuishoorde. Ik kreeg een ingeving en keek in de almanak van Lunds Particuliere Basisschool en daar stond Torsten Søgaard-Carlsson, 1935. Een late student dus, in tegenstelling tot de broer die haast had gehad in het leven. Ook deze almanak was jaren na het eindexamen gedrukt, maar er stond niets in over een carrière of verder levenslot. Op de foto zag hij er van zijn zus en broers het beste uit, met stralende donkerbeschaduwde ogen en een haarwervel op zijn voorhoofd.

Beste Sigrid Combüchen,

O, u houdt dus van art deco en bent daarnaar op zoek in het tijdschrift *Idun* uit de jaren dertig. Ik dacht dat retromode alweer uit de mode was, maar dit is natuurlijk een tamelijk beperkte richting, niet overvloedig vertegenwoordigd. Wij lazen *Idun* niet. Ik kan me niet herinneren dat we die ooit lazen. Maar *Vecko-Journalen* hadden we wel, waarschijnlijk was moeder daarop geabonneerd. Die exemplaren kwamen na verloop van tijd op de plee bij ons zomerhuis op het platteland terecht. Dat is toch de plek waar royalty moet verbleken.

De modepagina's hield ik goed bij. Elsa Schiaparelli was toen waarschijnlijk nog de 'goeroe'. Nauwe lijfjes en puntige kapseltjes die moesten afsteken tegen een lange hals, de oren vrij, als je die kon vertonen. Enorm exclusieve stoffen, met een weelderige val, die heb je tegenwoordig niet meer. Ik was dol op dat soort dingen. Gelooft u mij als ik zeg dat ik tegenwoordig voornamelijk denim draag? Natuurlijk geen spijkerbroeken, maar een rok, een jasje en een broek van denim. Synthetische truitjes. Ik ben lelijk geworden en heb geen mooie kleren nodig. Mijn kapsel is praktisch geknipt als dat van een vent, grijze haren, niet wit. Van achteren zie ik er vast uit als een man. Onze kennissen hier zien er van achteren uit als twee mannen, ook al zijn het gewone stellen. Ze kleden zich identiek en laten hun haar identiek knippen, voor zover de man zijn haren nog heeft. Een hoge leeftijd doet de optische geslachtskenmerken afnemen en als je die probeert op te wekken lijk je op een kraai. Vreselijk, dat ik dat zo schrijf. Zo heb ik nooit gedacht, maar opschrijven is waarschijnlijk een alternatieve manier van denken.

Toen ik jong was, was ik heel vrouwelijk. Mooie kleren waren een hobby, ik schaam me bijna: mijn grootste hobby. Nu ik het daar toch over heb: ik heb inderdaad contact met een vriendin uit Lund. Hoewel ik was vergeten dat ze een vriendin was. Haar naam is Dagmar Brunius en ze woont in de buurt van Anderstorp in Österlen. Ze zag er niet uit, maar ging in de zomer na haar eindexamen al trouwen. Haar man was Duits en een student van haar vader. In de eerste vijf jaar kregen ze twee keer een tweeling. Haar echtgenoot is later in de jaren vijftig bij een vliegtuigongeluk omgekomen en inmiddels is ze voor de tweede of derde keer weduwe. Ze zag er in die tijd echt niet uit, maar tegenwoordig is ze elegant. Ze heeft haar steile haar laten groeien en koopt alleen designer kleding. Sommige mensen zijn lelijke eendjes die mooi worden en anderen zijn zwanen die worden afgeschoten. Ze schrijft boeken over eten en het kweken van kruiden, en ze schildert, breit en weeft kunsthandwerk, dat ze thuis in de schuur tentoonstelt. Ze verkoopt behoorlijk goed tijdens kunstroutes – ze is niet duur.

Maar dat was niet waarover ik wilde schrijven, wel over dat jaartal waar u op terugkomt en naar informeert. Ik ben inderdaad in dat najaar in Stockholm aangekomen met twee koffers en paar hoedendozen, en ingetrokken bij mijn vaders nicht Blondie op de hoek van de Artilleriegatan en de Väpnargatan. Hoe zij aan haar naam was gekomen mag Joost weten. Volgens mij heette ze Gundula of iets dergelijks en wilde ze daaraan ontsnappen wanneer ze met andere kinderen omging. Ze was helemaal geen Blondie, want ze was het grootste deel van haar haren kwijtgeraakt en droeg een tulband. Zij was zo'n dame met een te groot appartement, waar u vast weleens over hebt horen praten of in romans over hebt gelezen. De meeste vertrekken verhuurde ze, ook de woonkamer en de eetkamer, ze hing draperieën op en maakte van één vertrek twee ruimtes, of misschien zelfs wel vier. De eerste weken had ik alleen maar een kleed als muur tussen mij en een mán. Dat vertelde ik thuis niet, maar volgens mij sloeg vanaf de andere kant de damp onder de zoom door wanneer we het licht hadden uitgedaan … hemeltjelief, ik hoorde hem ademen en kermen! Hij wist natuurlijk wat hij moest doen om rust te krijgen; ik had de mysteriën van het lichaam nog niet op dezelfde manier onder de knie.

Wat u schrijft, dat er destijds twee concurrerende Spaanse ambassadeurs in Stockholm waren, herinner ik me ook. Net als u vond ik het vreemd dat de Francoambassadeur er zo aardig en gewoon uitzag. De ambassadeur van de republiek was een vrouw. Het is conventioneel, maar ik was natuurlijk pas negentien en ik vond het een post voor een man. We hadden er nog één, mevrouw Kollontaj, maar dat was een ander verhaal. Die behoorde tot een andere categorie, maar deze Spaanse zag eruit alsof ze rechtstreeks uit een vrouwelijk jezuïetenklooster kwam, als die hadden bestaan. Met een middenscheiding, grimmig. Er moet ook een echtgenoot geweest zijn. Meneer de ambassadrice. En een dochter die eruitzag als het slachtoffer van haar moeder. Mijn broer Torsten had veel georeerd over wie tijdens de feitelijke burgeroorlog de vrijheid en de onderdrukking representeerden, en toen ik deze vertegenwoordigers van beide partijen zag, vond ik het eigenaardig dat de goede zaak het foute gezicht had gekregen.

Lieve deugd, ik heb sindsdien verschillende keren in Stockholm gewoond en ik heb alleen glimpen van herinneringen aan hoe het eruitzag toen ik er voor het eerst kwam. Er is een dikke jarenvijftiglaag en een dunnere jarenzeventiglaag tussengekomen. Ja, ik weet nog wel dat ik portieken binnenging en probeerde de hiel van mijn kous onder mijn voet te trekken omdat er in die dunne wollen kousen voortdurend gaten kwamen. Dan kreeg je blaren en ook een lelijk vleeskleurig ovaal vlak boven je schoen.

En ik ben het met u eens dat er helemaal boven in de torens in de Kungsgatan restaurants moeten hebben gezeten. Zowel in de jaren dertig als in de jaren vijftig waren die er. Volgens mij werd er in eentje geen alcohol geschonken, dus die was voor gezinnen. Maar in het andere heb ik gedanst. Ik vraag me af of dat restaurant niet op de een of andere manier oosters was. Omdat het u lijkt te interesseren zal ik eens kijken of ik krantenknipsels kan opscharrelen waarin ik voorkom. Er moet hier wel ergens een kopieerapparaat zijn.

Ik vind u niet opdringerig, schrijft u gerust, uw brieven zijn lief en ik heb eerder te veel dan te weinig tijd … Maar bedankt voor de mooie gedachte.

Met de beste groeten,
Hedwig L.

*

Een gedachte.

Ik had mezelf een paar keer op internet opgezocht (dit was vóór het grote sleepnet Google) en had ontdekt dat iemand een foto van mijn tweede klas had geplaatst. Ik was helemaal perplex dat je dat kon doen. Daar stonden wij, junimooie meisjes en jongens voor het bord waarop met krijt de datum was geschreven, de juffrouw, de lessenaar en bloemen in een glazen vaas. Achtjarigen (behalve ik, die zeven was, omdat ik in Duitsland op school was begonnen) met strikken en pastelkleurige jurken, sommige knapen hadden een haarspeld nodig tegen hun weerspannige haardos. Een fotoalbum is verleden – maar om jezelf met lange vlechten op het modernste medium terug te zien.

Het was zo eigenaardig. Ik ben ermee gestopt mezelf op internet op te zoeken.

Een klein spelletje op het toetsenbord. Het was het waarschijnlijkst dat Christian, die carrière leek te hebben gemaakt, hits zou opleveren. Maar ik begon met vissen in de marge.

Ida Lundberg? Hedy Lang? Nee, niets over haar. Er was een naamgenote, maar die Hedy Lang was in 1948 geboren en had in de jaren zestig een internationale tenniswedstrijd gemengd dubbel gewonnen en een paar nationale kampioenschappen single. Ik kwam diverse Deense en internationale families Soegaard, Sondgard, Søgard en Seagaard tegen in verschillende delen van de wereld en liet me daarheen trekken: een directeur Voorlichting bij een oliemaatschappij in Koeweit, een dominee in een unitaristische gemeente in South Dakota, een professor aan het MIT enzovoort, maar bijna geen vrouwen en al helemaal geen Hedwig.

Langmark leverde achtentwintig hits op, en ik kreeg geleidelijk bevestiging voor dingen die ik al wist. B.L. (Bror Lennart) Langmark was enig eigenaar van een huis in Stocksund dat in 1978 was verkocht, en van een huis in Yngsjö dat voor een afbraakprijs werd verkocht aan Ludvig en Nathalie Langmark, die het in de tweede akte – 1982 – aan Jörgen en Cecilia Lindgren verkochten voor een aanmerkelijk hoger bedrag. Ludvig was ook de schrijver van een paar boeken over plaatsnamen. Ludvig Langmark (1939-). Wat?! Raakte Hedwig zo snel na haar eindexamen zwanger? Dat was nieuw voor mij. Ludvig Langmark, linguïst aan de universiteit in East Anglia, specialist in Noord-Keltische talen, hoofdzakelijk gericht op de Schotse fjordenkust en de Orkneyeilanden. Er was een foto. Een tengere, donkere man met geprononceerde wenkbrauwen en een schippersbaardje, maar met erg weinig haar op zijn hoofd. Omhoogkrullende mondhoeken.

Overige hits op die naam betroffen Bror Lennarts lidmaatschap van golfclubs, in Djursholm en Åhus, evenals een paar bestuursrapporten die me niets zeiden.

Om 23.44 uur vond ik Åke Carlssons schoolklas. Hij was een paar jaar jonger dan op de familiefoto die ik had en kwam robuuster over. Of ik legde dat zo uit, omdat ik uit Hedwigs spaarzame informatie de conclusie had getrokken dat hij in het voorjaar van '37 al leukemie of een bottumor had gehad.

In 1935 was hij de tweede van rechts op de middelste rij. Als een verzameling luchtscouts keek de jongensklas langs het cameraobjectief, hun blik werd schuin links omhooggetrokken, waar misschien de vingers van de fotograaf wapperden. Een meester met een gesteven kraag en een hoornen bril stond achter de lessenaar. Geen bloemen, geen appels, maar 4 juni 1935 in krijt op het bord. De jongens in de klas hadden namen als Alwall, Celsius en Borelius – bekende namen in de stad, maar ik kon het niet opbrengen om door te gaan met zoeken.

Van Christian/Krister/Christer; C/K/Søgaard; Carlsson/Karlsson had je er tallozen. Het duurde een eeuwigheid om alleen al de criteria te beperken, maar om 01.22 uur had ik een story waarin alle naamalternatieven aanwezig waren. Eerst vestigde hij als C:son-Carlsson de aandacht op zich door zijn benoeming tot luitenant, maar daarvoor al had hij als uitsluitend Carlsson geassisteerd bij het Studenten Tuberculosebureau, het geesteskind van Haquin Malmros, waar studenten geneeskunde op tuberculose werden gescreend. Daarna had hij blijkbaar een tijdje hormoononderzoek gedaan. Hij behaalde zijn doctoraat in de specialisatie gynaecologie en obstetrie. Hij had in de wijk Slottsstaden in Malmö vier jaar lang een privépraktijk gehad, naast zijn onderzoekswerk, en daarna een hoogleraarschap aan het academisch ziekenhuis Karolinska gekregen. Gedurende twee jaar had hij deel uitgemaakt van een internationaal onderzoeksteam in Bologna, dat voor zover ik kon beoordelen werkte aan *stages of fertility*. Daarna lijkt hij helemaal Amerikaan te zijn geworden. Eerst Stanford, vervolgens Princeton en na zijn pensioen Florida.

Het begon in het oosten al licht te worden toen zijn website op het scherm verscheen. Die was al een hele tijd niet meer bijgewerkt. Eerste echtgenote Karin Franzén (mee geh. 1940-1952), prof. dr. in de geneeskunde. Tweede echtgenote Joanne Lieblich, *Ph D* (mee geh. 1952-1995). Kinderen: Åke (geb. '44), Solveig (geb. '46), Tove (geb. '50, ovl. '62), Elizabeth (geb. '52), George (geb. '53), Selma (geb. '58) en Conrad (geb. '64). Hij had in 1952 de naam Christian weer aangenomen en was dus in 1987 samen met Joanne verhuisd naar een mij onbekende plaats in Florida, waar hij nog steeds actief was als senior consultant en zich wijdde aan zijn levenslange hobby's: zeilen en kamermuziek. Nee, trouwens, niet meer. Hij was overleden. Nog niet zo heel lang geleden, op een leeftijd van drieëntachtig jaar:

in een afsluitende zin op een andere biografische website: *deceased through accidental drowning while sailing off the Long Island coast with some of his grandchildren. The tragedy occurred just months after the demise of Joanne (from pancreatic cancer), his wife and companion of forty-three years.*

Ik leunde achterover en keek naar het plafond. Dacht aan Christian met zijn overhemd uit zijn broek op de foto uit 1917. De houthakkersfoto uit '42. Toen was hij al getrouwd. Mijn brein trok de jaartallen en het personage in de richting van het toetsenbord – een beeldspel van clichés. Vader van twee kinderen met een privépraktijk in een appartement met uitzicht over de Sont. Meubels ontworpen door Carl Malmsten en cretonne van de hand van Arne Jacobsen. Geëmancipeerde echtgenotes met eigen carrières – maar hij moest ongelooflijk verliefd op Joanne zijn geworden: scheiding, huwelijk en hetzelfde jaar nog een kind: 1952. Het feest om zijn vijfenzeventigste verjaardag te vieren met zeven – nee, zes, eentje overleden – kinderen – een soort dynastiek imperialisme zou je kunnen zeggen – en in het centrum een kakikleurige, oude man, ook gekleed in kaki, op blote voeten. Mooie voeten. Op de foto op de website stond Christian afgebeeld aan boord van de boot Liebling. Een jonge man zat aan het roer en de oude in kaki stond stevig voor de hellende mast een schoot te bevestigen, zijn ene voet geschoeid en de andere bloot.

Joannes lelijke ziekte verraste hem meer dan haar. (Ik neem graag aan dat artsen niet begrijpen dat alles wat anderen overkomt hun ook kan overkomen.) Hij had ziekteprocessen gezien en geanalyseerd en misschien ook vertraagd, vreemdelingen verlichting geboden. Zo apart om je na decennia aan de buitenkant opeens aan de binnenkant te bevinden.

De laatste tochten aan het strand en de zee, die ook geen antwoorden te bieden hadden. De natuur houdt zich neutraal voor mensen die daadwerkelijk troost willen, ook al zijn zij in andere tijden niet blind voor de eigenwaarden van diezelfde natuur. Bovendien, zoals Nils Ferlin het in zijn gedicht verwoordt: *de sterren maakt het niet uit*. Vervolgens de gebrekkig gecamoufleerde zelfmoord – de boot werd drijvend aangetroffen – ook de meest ervaren zeiler kan het slachtoffer worden van een onvrijwillige gijp of een aanval van duizeligheid. Van verdriet, of misschien om het trage, spierzuigende kanaal dat het sterven is te trotseren, dat even nauw en verstikkend het leven uit- als invoert. Jezelf de geplande keizersnede geven.

Na dat verhaal deed ik een nieuwe poging met Hedda. Bij toeval duikelde ik haar op een *movie site* op. Ze had me een verkeerde artiesten-naam doorgegeven. Als actrice noemde Hedda zich Frohm, niet Søgaard. Toen ik de medespelers die zij had vermeld invoerde, vond ik haar al snel op de castlijst van twee films: *Stuurman Sonja* en *Wilt jullie het weten*, allebei uit 1938. Op de eerste stond haar naam ver onderaan, onder Olof Winnerstrand als 'vrije boer Oscarsson', Birgit Tengroth als 'Sonja, zijn dochter', Sture Lagerwall als 'Jan Lundström', Håkan Westergren als 'Birger Bladner', Marguerite Viby als 'Kirsten Juel': Hedda Frohm als 'Stina', zonder verdere omschrijving.

In de tweede film was ze, precies zoals ze had gezegd, een van de twee hoofdrolspelers en er was ook een poster met haar in de armen van een heer.

Ik zoomde in; het paar stond bijna in zijn geheel afgebeeld. Hij pakte haar beet en begeerde haar, maar zij was ambivalent – zat met haar ge-dachten ergens anders. Ze had weliswaar een arm om zijn nek geslagen, maar met haar andere hand op zijn bovenarm weerde ze hem af en ze hield haar hoofd afgewend en een been naar achteren gestrekt. Haar blik was zwaarmoedig en à la Zarah Leander, met valse wimpers, dun gepot-lode wenkbrauwen en een helmkapsel als van gepolijst edelmetaal. De man was in vergelijking wezenloos, non-descript Zweeds.

Achter het paar wuifde een berk in lentelicht, met pril ontbottend groen, de katjes nog aan de takken. Door de sluiers daarvan heen het glinsteren van het meer en ervoor een witte bank, waarop een andere man die een hoed droeg het paar observeerde, met zijn benen noncha-lant over elkaar en een sigaret tussen duim en middelvinger (teken van eenvoudige afkomst). De personages heetten Sandra Berling, Gunnar Öfverberg, Raul Mendez, dr. Ekbom, zuster Berta enzovoorts. Een klei-nere foto portretteerde Hedda in bed met haar handen op de deken en de gecursiveerde tekst: *Wilt jullie het weten en wilt jullie het begrijpen ...* Een korte inhoudsbeschrijving dekte alleen het begin: zij trouwt met B, maar op de achtergrond bevindt zich de schaduw van A. Ik mompelde het wijsje waarop de titel was gebaseerd om de sleutel nog wat verder om te draaien, maar vond alleen het einde: *Ik kan niet zeggen hoe mooi je bent. Ik laat je staan voor een ander.*

De feitenopsomming bevatte de nodige lacunes, maar er stond dat de film op 24 april 1939 in Stockholm in première was gegaan. Hetzelfde jaar dat Hedda haar eerste kind kreeg, als ik me niet vergiste. Was ze misschien zwanger tijdens de opnames of het toen geworden?

Er staat zo ontzettend veel foute informatie op internet.

Terwijl ik de menselijke verbanden overpeinsde, ontdekte ik in het werkoverzicht een onverwacht aanknopingspunt: Hedda Frohm (stond er in het Engels) schreef samen met <u>Luigi Santer</u> en <u>Tom Carlsson</u> het script van de voor 1940 geplande productie <u>De Piraten</u>, waarvan de realisatie door het uitbreken van de oorlog werd verhinderd. Ik klikte op de Piratenlink en ontdekte dat een voorproductie was gefinancierd door Sandrews en Corsi di Cialdo. Benaderde acteurs o.a. Arletty en Lars Hanson. Ontwerptekeningen voor het interieur van het paleis werden ondertussen vervaardigd in de filmstudio's in Råsunda. 'Het uitbreken van de oorlog gooide roet in het eten bij de realisatie van de plannen voor een dergelijk Europees grensoverschrijdend project', stond er op het eind, 'en na 1945 ontbrak het aan de financiële en ideologische voorwaarden voor een dergelijk avontuur.'

Bouwactiviteiten

Toen er ter afsluiting nog een lichte maaltijd in de keuken was opgediend, verzadigde mannen op de worst aanvielen en Hedda een poosje had gestrompeld om niet nog vaker ten dans gevraagd te worden, ging ze op een keukenstoel in de dienkamer zitten met een handdoek met ijs tegen haar enkel en luisterde naar de wegstervende muziek terwijl ze door twee deuropeningen keek als door een tunnel.

De hevige en stinkende bloedstroom was opgehouden op het moment dat het werk erop zat. Ze voelde zich lichter en slanker, haar ringen draaiden losjes om haar vingers, maar ze kon de afdrukken nog zien waar ze hadden geklemd. Het rustige verloop van de menstruatie op de derde en vierde dag is de vredigheid zelve, de beste tijd, dan was ze het vrolijkst. Aan andere vrouwen kon ze de menstruatiecyclus niet afzien, ook al beschreven die hetzelfde ongemak, dezelfde bevrijding. Ze kon bij haar vriendinnen hun periode niet raden. Het symbool daarvoor zijn de fases van de maan, maar de maan is een droge vorm, een schijf.

Het was een langzame wals, of eerder voorzichtig getrippel dat danspassen aanduidde waar op de vloer geen plek voor was. Ze waren begonnen met de grammofoon, maar toen de naalden stomp waren geworden zette Tom hem uit en wisselden de oudere broers elkaar af aan de piano. Christian kon echt spelen, maar Tom had een repertoire aan dansmuziek, kende trucs met de linkerhand om ritme aan de liedjes te geven, 'A Foggy Day', 'Ten aanval', 'After the Ball'. Toen ze een poosje gespeeld hadden, begon de muziek zichzelf als het ware te verstoren. Die verloor zijn klanken. Trommelde op hout. De geluidloosheid van de muziek; je hoort alleen beweging.

In de opening van de tunnel dansten vader en moeder twee rondjes. Een wolk van koude tabaksrook ving de blauwgrijze tinten van moeders jurk. Hedda had in een moment van scherpzinnigheid het gevoel dat vader alles wist over Phoerder uit Rostock. Over zulke dingen kun je niet liegen; in Zweden of Denemarken kun je niet liegen, maar moet je open kaart spelen, toch? Nee, wij hebben lijsten van het bevolkingsregister en registraties van kerkelijke gemeentes waarin alles moet worden opgegeven. Ze zag hoe moeder met haar hoofd achteroverleunde, maar haar borst tegen die van vader aan drukte. Moeder hield haar ene hand in zijn nek, waar de huid bloot lag en in het haar overging, en die hand bewoog een beetje strelend, met draaiende vingers, haar mond glimlachte, een gezichtsuitdrukking die kwetsbaar was, gespeeld.

In het dagelijks leven kwam tussen Beate en Conrad op die manier geen glimlach of kwetsbaarheid voor, het was spel – ze speelden niet op het publiek, maar voor zichzelf.

Voor elkaar. Ze verdwenen uit beeld, kwamen terug in beeld, verdwenen uit beeld, maar kwamen terug als torso, toen vader moeder op zo'n tangoachtige manier boog en zij niet glimlachte maar verschrikt keek, als een oude vrouw die zich afvraagt hoe ze weer overeind moet komen.

Uit beeld, terug in beeld, *'drunt in der Lobau'*. Natuurlijk wist vader het, en in de tango onderwierp hij nu de vrouw met een verleden. Had hij haar ooit gestraft voor haar verleden? Seksueel? Hedda las Schnitzler, over Fridolin, over Fräulein Else, en ze ontdekte gedachtegangen die voor haar verboden zouden zijn geweest – als haar ouders ooit dergelijke literatuur lazen. Hetgeen ze niet deden; vader las Wodehouse, Sherlock Holmes en Agatha Christie in vertaling, en moeder las nu eens dit en dan weer dat, maar ze verloor meestal na tien bladzijden haar belangstelling voor een roman als die dan nog niet op gang was gekomen en er geen vaart in zat.

Hedda had de stomme film *Fräulein Else* met Elisabeth Bergner gezien en daarna de novelle gelezen, die op een andere manier dan de film bijzonder was; de stemmen roepen 'Else, Else' – voortdurend roepen ze, ze vragen haar aandacht, om haar tot iets anders te bewegen dan ze wil. Wat wil ze? Vage dingen van een zeventienjarige, waarom moet Else weten wat ze 'wil'? Er is niemand die van mening is dat ze zelfs maar 'is' of 'inmiddels is geworden', dus waarom moet zij dan weten wat ze 'wil'?

Fräulein Else recreëert – in de novelle is het de zomerperiode, de film speelt zich af in Sankt Moritz met ski's, sleeën en sleepartijen – en Elisabeth Bergners krullerige bob mag rond haar nek en oren dansen. Ze draagt sledewanten en kijkt met glinsterende ogen naar deze en gene – dan komt er een telegram, en een telefoontje. Maar het is een stomme film – ja, hoe zouden dialogen Elses spel met het ontaarde oproepen? Gedachten kunnen geen replieken zijn. De Else in het boek heeft waarschijnlijk niet eens kohl rond haar ogen, maar stelt zich een ongetrouwde toekomst met minnaars voor. Denkt dus diametraal anders dan de gymnasiastes van het moderne Lund, die bruidskisten moeten vullen. Maar zij is dan ook een Europese. Ze is alleen in het hotel – ze heeft een oude dame om te entertainen en een mooie neef om aan te denken, maar ze beschikt over een eigen kamer en kan aan veronal komen.

De tragiek van de jonge vrouw is in de film wat vloeiender, in de novelle wat fataler. Hedda zag de film in Kopenhagen samen met Ida Lundberg, toen de rest van de klas de excursie naar de Glyptotheek afsloot met een bezoek aan Tivoli.

De palmenkas van de Glyptotheek, zwaar groen maar droog, de witte sculpturen, de meisjes liepen met de leraar en de hospitant langzaam om het complex heen, de blikken voornamelijk omhooggericht – kijken naar iets hogers, de kunst, zachte, bijna gefluisterde opmerkingen, behalve wanneer de hospitant het heeft over Griekse eilanden waar hij geweest is en het marmer gezien heeft, verweerd en nog steeds aanwezig.

Ida ging met niemand in de klas om, ze had ander gezelschap, er gingen geruchten dat ze een verhouding met een arbeider had. Hedda bekeek haar in het klaslokaal schuin van achteren, aan de rechtermiddelvinger een grote, geslepen zwarte steen, vaak droeg ze een zwart vest en witte overhemdsmouwen, wijd of strak. De donkere haarspeld die haar Franse pagekapsel afgrensde van haar wang contrasteerde ook met wit. Ze kwam zo gedefinieerd over. Anders dan Fräulein Else (en Hedda) wist ze misschien wie ze was – *hence, what she wanted.*

Ze vroeg aan Hedda of ze echt naar Tivoli wilde, en Hedda, die er tamelijk dol op was om daar in het voorjaar tussen de gekleurde lampions rond te struinen – en die er bijna traditioneel een kaartje voor kocht als een laatste respijt vóór de onvermijdelijke reis naar het zomerhuis in Skräddhult, met potten, pannen, geraniums en saai huishoudelijk werk, sap maken en wecken, de vliegen en de slangen, de kreeftenvangst in augustus en de weinig aanlokkelijke zwempartijen in het Mörksjönmeer – zei welwillend 'nee', ze wilde niet naar Tivoli. Nee. Dat was immers de enige manier om een ander voorstel te horen. Als Ida's plannen niet interessant waren, kon ze altijd nog van gedachten veranderen.

Ze gingen naar een stomme film, dat alleen al was iets bijzonders, geen andere vriendin zou erover peinzen om in zulke uitgelopen pantoffels te stappen. Die wilden de muziek horen bij de dans die ze zagen. Toen de film een poosje bezig was, merkte Hedda dat er geen pianist bij speelde. In plaats daarvan geluidssfeer: in het donker, rechts, een suizend, klinkend instrument. Ze ontwaarde een paar lange pijpen. Het klonk als glas. Het was zo modern. En de film moderner dan alle andere films die ze de laatste jaren gezien had. Deze film durfde zich in het tijdperk der zonde te wagen, de geluidsfilm was in die van de onschuld blijven steken.

De moeder van juffrouw Else probeerde haar dochter over te halen om zichzelf aan te bieden aan een man met een buikje en een portemonnee.

Hedda zat een poosje ademloos te kijken om de vertolking op het doek niet te verstoren, waar de kwelling van het meisje, gevoelig ingeleefd door Bergner, zo transparant werd, en ze moest denken aan iets van Selma Lagerlöf, was het *Het jonge vogeltje?*, waarin het kleine juffertje, dat zo verliefd was op een egoïst met Homburg en sjaal, werd voorgesteld aan diens rijke oom met de bedoeling die trol geld af te troggelen waardoor ze konden trouwen, maar toen op de oom verkikkerd raakte. De oude man keek verder dan zijn eigen belangen en dat is erotischer dan een mooie egoïst. Nee, Elisabeth Bergner wrong haar handen niet, zoals Hedda in de meeste stomme films had zien gebeuren, haar ogen wonnen aan diepte, zij liet haar gezichtstrekken vallen en trok ze weer op. Hedda zat kaarsrecht en voelde hoe haar eigen gezicht reageerde op dat van de actrice.

Ida en Hedda praatten over de weergaloze vertolkster, Ida's voornaamste reden om de film te zien: Bergner deed nooit aan overacting. Er gebeurde veel in haar gezicht en haar lichaam was zelden stil, maar het was geen illustratie, het was geen overacting. Op elk niveau verdichtte de logica in haar interpretatie zich, maar vooral datgene wat niet door logica begrepen kan worden, dingen waar nog geen woorden voor zijn – dus de gemengde gevoelens, de trek in datgene waar je geen zin aan hebt. Je toevlucht nemen tot de dood wanneer je niet wilt sterven is een voorbeeld, zei Ida voorzichtig, juffrouw Else is misschien wanhopig geweest bij het besef van de oneindigheid van de dood, ze wilde gewoon weg van de onmogelijke verplichtingen die haar werden opgelegd en stelde zich de dood als iets tijdelijks voor.

Twee bijna vreemde meisjes samen in de bioscoop in een vreemd land gaf een luxueus gevoel. Als een silhouet in het blauwe uur. Alsof je in je eentje naar Parijs was gegaan. Tivoli stond in schril contrast met een verblijf op het platteland, maar was ook een ingewortelde gewoonte. Ze hield er erg van om iets ongeplands te doen. *Fräulein Else* verruimde haar blik, vond ze. Toen ze thuiskwam, las ze het verhaal en begreep ze het beter. Else krijgt in het kuuroord een telegram dat haar vader heeft gespeculeerd met aandelen en dat alles verloren is – de eer verloren! – als hij niet een groot geldbedrag weet te bemachtigen. In het hotel logeert de burger die kan helpen. Else moet om geld vragen. Eerst alleen dat. In tweede instantie de rijke heer geven wat hij wil hebben om vader voor de gevangenis te behoeden. Haar blote lichaam. Vader is slachtoffer van zijn eigen goedbedoelde onbetamelijkheid. Else heeft in haar jeugd strikte vermaningen meegekregen om als maagd voor het altaar te verschijnen, stellen we ons voor, een onaangeraakte bruid, maar dat telde nu niet meer. In nood worden de familiewaarden in de uitverkoop gedaan.

Regels voor meisjes gelden niet echt. Wanneer alles is zoals het moet zijn, zijn ze vreselijk absoluut. Kappen, hoofddoekjes en handschoenen, krultangen, gordeltjes, bustehouders, pincetten en pijnlijke leesten, en ver het bos in lopen om een struik te vinden, zei moeder, terwijl de broers op de weg piesen omdat je 'het niet ziet'. Struisvogels. Al die regels vallen door de mand als rollenspellen, als spotten met de tijd van vrouwen. Wanneer het menens is, mag het geen tijd kosten; dan zijn vrouwelijke keurigheid, preutsheid, maagdelijkheid en decorum overbodig. Het belangrijkste staat gelijk aan het overbodigste. Zoals altijd in familiedrama's zat de dubieuze ouwe heer wijdbeens te steunen en met zijn ogen te rollen als een zak vol catastrofes, terwijl de moeder sentimenteel de maagdelijkheid en het leven van haar dochter in de onderhandelingen inbracht en de belangrijkste dingen die ze haar zelf had bijgebracht en daarnaast Elses eigen, pure instincten van de hand wees. Geschreven door een man! De piepjonge dochter

die in de novelle 's nachts door een bedauwde tuin doolde, in de woonkamer naar binnen tuurde op zoek naar andere uitwegen en in feite dacht aan toekomstige minnaars, pluralis. Kwade minnaars, geslachtelijke omgang en meedogenloosheid. Maar wel zijzelf die kiest, die soeverein zondigt, komt en gaat, naar eigen believen, en cocaïne. Er dan echter toch toe gedwongen wordt zichzelf aan te bieden aan een paar op zichzelf begrijpende ogen, in een donkerrimpelige huid, maar die niettemin uitgaan van *volledige vergoeding* voor geleverde *diensten*. Hij wil haar bloot zien. Zo simpel is het.

De zeventienjarige Else beweegt zich in een steeds hogere spiraal – tussen de telegrammen van moeder, die geen seconde aarzelt om haar in te ruilen tegen papiergeld, en de verschillende situaties die duidelijk maken dat er geen gemakkelijker redding bestaat. Iedereen in het hotel is in een vrolijke vakantiestemming, in de film gaan ze sleetje rijden, in het boek wandelen, thé dansant, bont en kleding. De novelle benadrukt de steeds hogere eisen doordat de naam dubbel wordt uitgeroepen, keer op keer, van begin tot einde. Else, Else – kom plezier maken, Else, Else – niet te laat komen! Else, Else – breng het kleine offer voor je vader die alles heeft geofferd voor zijn gezin, Else, Else … uiteindelijk bereikt de naam alleen nog het gehoor, het zintuig dat het langst overleeft.

Stervend krijgt Else spijt. Ze wil gewekt worden, maar alleen haar oor ontvangt de oproep om wakker te worden, haar lichaam is niet in staat die te beantwoorden.

Het was triest, maar het was geen huilfilm. Hij was gewoonweg te gedenkwaardig, te intens om over te grienen. Ida en Hedda gingen naar Conditori la Glace, waar de klas had afgesproken voordat ze met de boot naar huis zouden gaan. Hedda durfde Ida nauwelijks aan te kijken. Ida keek haar ook niet aan, hun blikken kruisten elkaar als antimagneten en landden nu eens hier en dan weer daar. Het vaakst bij Ida's handen, met korte, mooi gevijlde nagels en de grote git aan haar middelvinger. Een vrouw definieert zichzelf waarschijnlijk beter met één sieraad dan met een heleboel sieraden, dacht Hedda, die er een heleboel had die ze afwisselde. Opeens besefte ze dat dit vulgair was; ze zou ze allemaal weggeven, behalve de sieraden die ze moest houden omdat het erfstukken waren. Maar in dat geval moest ze met een schone lei beginnen en iets kopen wat dat ene kon zijn.

Terwijl ze over kleinigheden praatten, gleden hun blikken langs elkaar heen. Ze mochten dan door de film in een verheven stemming zijn gebracht, ze waren er ook van in de war. Principiële overeenkomsten zien tussen het leerstuk waar je getuige van bent geweest en je eigen leven is één ding. Maar als je daarover moet praten verstom je toch een beetje. Wat het waard is om te onthullen is tegelijkertijd pijnlijk. Je aarzelt. Je wilt ook niet dat alles in je ogen is af te lezen. Ze zochten beiden naar iets anders om aan te denken. Hedda – bijvoorbeeld – merkte dat ze overpeinsde of ze op Ida wilde lijken.

Ze voelde dat ze Ida opslorpte: glanzend haar, één trouw sieraad, dat meer een deel van haar karakter dan opsmuk was. Haar 'gedefinieerde' gezicht wanneer ze haar hoofd naar haar theekopje boog en haar bovenlip voorzichtig door de damp spitste. Haar pony was midden op haar voorhoofd in twee punten geknipt, die grappig over elkaar heen vielen als gevelde hoorns. Hedda moest aan Louise Brooks denken en vroeg Ida of ze in film geïnteresseerd was, dus in het algemeen, niet alleen in deze, en dat was het moment waarop Ida de woorden uitsprak die Hedda meteen overnam voor eigen gebruik: dat de stomme film 'de zonde' bereikt had terwijl de geluidsfilm niet verder dan de onschuld was gekomen. Ida zei dat dit voor veel dingen gold. Nieuwe technieken moesten altijd beginnen met het abc van het gevoel, hoe geavanceerd ze puur technisch ook waren. Zij dacht niet dat de kunst door techniek verfijnder kon worden, zij dacht niet dat die door techniek veranderd kon worden. Als je dacht dat techniek de innerlijke kracht of de substantie kon ontwikkelen was je behoorlijk naïef.

Hedda luisterde, maar dacht niet dat Ida zelf op deze gedachte was gekomen. Ook al kunnen jonge mensen dergelijke gedachten ontwikkelen. Wat je als je jong bent niet kunt, is series van dergelijke gedachten ontwikkelen, een samenhangend geheel van gedachten aaneenschakelen. Niettemin – ze benijdde Ida om haar vermogen de kwestie in een mooie, doordachte sententie uit te drukken. Maar nog veel meer dan de woorden en het gemak waarmee ze bijeen werden gebracht, slorpte Hedda de gedaante van Ida op. Het slanke vest, een herenoverhemd zonder kraag, met zwarte knopen in plaats van manchetknopen, een smal lint dat de boord bij het kuiltje van de keel bijeenhield. Een bijna bestudeerde zuiverheid, witte nagelriemen. Hedda probeerde zichzelf als Ida voor te stellen, zich voor te stellen als

schoongeboend, feminien masculien gekleed, met één ring, in een relatie met een arbeider. Ze had natuurlijk ervaren dat het ontevredenheid schept als je toegeeft aan de lust om het unieke te imiteren. Het unieke herhaal je niet. Als je daarin zou slagen zou het immers een nivellering betekenen en zou het unieke waardeloos worden. Toch zijn er weinig dingen die zo veel worden nagestreefd. Het is net een vrouwenreligie om het onbereikbare na te volgen. Alles wat anders is dan jezelf is onbereikbaar als het als voorbeeld dient.

En die domme lust in paralleliteit, die ontstane vriendinnendweperij, trok haar weg van het nu, waar ze lang wilde blijven. Ze wilde de diepere lagen van Ida doorgronden, de basis van het esthetische aan haar, maar ze had zo veel haast met denken aan haar eigen vernieuwing dat het voorbeeld er door aan het zicht werd onttrokken: ze wilde snel naar huis om haar nagels te manicuren en achterhaalde spullen uit haar lades op te ruimen. Iets met haar haren te doen. Ze deed net of ze praatte met Ida, versterkte zelfs haar rol in het gesprek, kwam met observaties over de film, maakte vergelijkingen met films die ze had gezien en waarover ze had gehoord.

Al op de boot terug over de Sont verloren ze het contact. Terwijl alle anderen aan een tafel in de salon zaten en sommigen dankbaar de flirtende blikken beantwoordden van studenten die het glas naar hen hieven, en zelfs van oudere mannen die in hun eentje biefstuk met ui zaten te eten met een biertje en een borrel erbij, leunde Ida buiten tegen de ronde houten reling met de afgesleten lak. Hedda zag hoe smal haar zitvlak was in de zwarte rok met achterzakken, als op een broek. Er stond een bries of een vaarwind, waardoor haar haren als veertjes alle kanten uit waaierden, maar ze vielen altijd terug zoals ze geknipt waren.

Ze hoefde niet aan haar kapsel te denken, dus had ze haar handen op elkaar op de reling gelegd en keek ze naar de meeuw die een wedstrijd met de boot deed wie het snelst was. Zeevogels houden soms een gelijkmatige snelheid aan, maken gebruik van de wind en de thermiek. De zon was bij Gilleleje in het noordwesten onder de horizon gezakt en het leek of de meeuw boven de zon vloog en een roodzilveren buik kreeg. Soms kostte het hem moeite gelijke snelheid te houden met het raam zelf, waardoorheen Hedda naar Ida keek, die naar de meeuw keek. Dan viel hij weg, zweefde bij de boot vandaan, die hem met de dubbele snelheid van de tegenovergestelde richting uit het zicht verloor. Maar dan dook hij weer van een andere kant op en begon opnieuw met de boot mee te vliegen.

*

Nog één keer hadden Hedda en Ida een privégesprek. In het klaslokaal was het woord 'feminisme' ter sprake gekomen. Het was de hospitant die naar de Griekse eilanden was geweest die het thema actualiseerde. Hij citeerde Marika Stiernstedt, die had geschreven dat het feminisme 'geen *doel op zichzelf* mag zijn, niet mag ontaarden in een soort goedkope opsmuk voor alles en iedereen.

Want boven het vrouwbegrip staan toch hogere en algemeen menselijke waarden die niet aan het zicht onttrokken zouden mogen worden', las hij hardop voor. Ida stak zelden haar vinger op. Nu deed ze dat op een bestudeerde manier, aarzelend, alsof ze zichzelf afvroeg of het wel de moeite waard was. Steunend op haar onderarmen kwam ze half overeind toen ze het woord kreeg: 'Kun je zeggen dat dezelfde hogere, algemeen menselijke waarden ook boven het manbegrip staan?'

De hospitant lachte om iets zo voorspelbaars, evidents, en repliceerde: 'In de eerste plaats zijn die woorden natuurlijk een citáát. Van een schrijfster die pleitbezorgster is van de vrouwenzaak en van wie ik me niet kan voorstellen dat juffrouw Lundberg het met haar oneens is. Maar kan juffrouw Lundberg aangeven wat het manbegrip zou zijn? Ik zie niet dat de man als sekse een uitzonderingspositie inneemt, zoals de vrouwenzaak die de vrouw wel toedicht. De feministen riskeren – als juffrouw Lundberg me toestaat – met deze allen-voor-één-retoriek zelf een gesimplificeerd vrouwbegrip te scheppen, dus de helft van het menselijk geslacht eendimensionaal te maken. Het universele waar mevrouw Stiernstedt het over heeft, zijn juist *specifieke dingen* – verschillen en overeenkomsten die mannen en vrouwen op dezelfde manier betreffen.'

Ida: 'Volgens mij is het waar – en conventioneel – dat elk mens uniek is. Maar emancipatie wordt toch gevormd door bewegingen die alle mensen de kans geven zo uniek te zijn als ze kunnen zijn?'

De hospitant: 'Door hen in de éérste plaats vrouw te maken?'

Ida: 'De mannen maken vrouwen toch tot uitsluitend vrouwen. Om een onjuist inzicht te corrigeren moet je uitgaan van wat er aan dat inzicht ten grondslag ligt. Als mannen vrouwen in de eerste plaats tot vrouwen maken, moeten vrouwen zich van hetzelfde uitgangspunt bedienen om te bewijzen dat ze "algemeen menselijk" en uniek zijn.

Als het door mannen gedaan wordt, is het totaal niet vreemd om vrouwen tot iets eendimensionaals te maken, lijkt het wel. Zij kunnen vrouwen tot gebruiksvoorwerpen reduceren, van hetzelfde niveau als wijn en gezang, zonder dat iemand dat een belediging van hogere, algemeen menselijke waarden vindt. Alleen de trek in wijn, vrouwen en gezang telt. Pas als vrouwen die handschoen oppakken en terugslaan, kunnen ze het recht nemen om algemeen menselijk te worden.'

Ze verhief haar stem niet en wond zich niet op, maar klonk een beetje droog en theoretisch. De hospitant deed echter net of ze een agressieve toon had aangeslagen en deinsde terug met zijn hand tegen zijn wang bij het woord 'terugslaan'. Het was zo belachelijk. Verschillende meisjes vonden het belachelijk van Ida om te kibbelen, wat had dat voor zin, dat hoefde ze niet te doen, ze was immers knap om te zien. Bovendien was de hospitant geen ongelikte beer; hij respecteerde hen, hij luisterde.

Hedda liet de hond uit. Het was een dalmatiër die Quatrejamb heette, maar Tusse werd genoemd. Hij was van de buurvrouw, die weduwe was en in het ziekenhuis lag. De vrouw zag geel en Christian zei dat ze er niet levend uit zou komen. Ze probeerden het uitlaten te verdelen, maar de oudste woonde praktisch niet meer thuis, vader had geen tijd, moeder had de hond de hele dag al om zich heen en Åke kon je de grote hond van een ander alleen voor een klein blokje om toevertrouwen.

Dus moest Hedda elke middag na schooltijd een uur met het beest lopen. Wanneer ze het tochtje waarlangs de hond haar uit gewoonte mee nam beu was, doorbrak ze het vaste patroon en liep over de akkers, langs de beek naar Höje en over de weg weer helemaal terug. Op een dag koos ze ervoor onder het spoorwegviaduct door te lopen naar de Trollebergs-vägen, waar ze niet graag kwam zonder hond.

Wanneer ze over de akkers liepen, met de molens aan de horizon, met de wallen met wilgen als een opengewerkte zoom langs de hemel (zoals ze in een beschrijving had gelezen), toonde de hond wat er leefde in de velden. Een woelmuis sprong op als een gymnast – met zijn hele lijf ge-strekt en diagonaal in de lucht bracht het beest zich in een haagbos in veiligheid. Een keer stuitten ze op een vosje dat in de zon lag te slapen. Als Hedda de hond niet aangelijnd had gehad en zelf niet groot en sterk was geweest, had de vos het niet overleefd.

Beneden bij de rivier leefden een paar nertsen waar Tusse een beetje bang voor was. Hedda vroeg zich af of hij zag dat het gezicht van de nerts 'gemeen' was. Een paar keer ging hij in volle vaart op andere honden af, het onvoorbereide meisje slingerend achter zich aan. Eén keer brak de versleten leren riem en gingen de vier poten er in galop vandoor naar een ruwharige teckel, die met zijn baasjes in elkaar stond te krimpen; ze werden alle drie kleiner terwijl ze naar de vlekken staarden die steeds groter op hen afkwamen. En dan Hedda, die er achteraanrende zodat je haar jarretels zag en haar alpino afvloog. Dat was helemaal in het begin, toen ze haar beschermeling nog niet kende. Bij de teckel aangekomen kwispelde Tusse met zijn staart, hij wilde vriendjes worden en trommelde de verschrikte mevrouw op haar benen. De teckel hernam zich meteen toen het gevaar geweken bleek en kwispelde terug, het dier werd stoer zoals kleine hondjes soms doen, blafte en gromde, ze sprongen beide heen en weer en toen begonnen ze rondjes te lopen, snuit tegen anus, snuit tegen penis en: jap jap. De echtgenote had haar arm echter in die van haar man ingehaakt en hij stond nog steeds te trillen toen Hedda ook bij hen arriveerde en zich begon te verontschuldigen. Ze knoopte de stukken van de riem aan elkaar. De dikke vrouw schold dat meisjes niet de verantwoordelijkheid moeten hebben voor dingen die ze niet aankunnen. De man zei zacht: Nou, nou – er is toch niets gebeurd.

'Juffrouw Lundberg moet niet denken dat ik ben zoals juffrouw Lundberg voorgeeft te geloven dat ik ben', had de hospitant die op eilanden in de Egeïsche Zee was geweest gezegd. 'Ik heb heus nooit uitgesproken of zelfs maar gedacht dat de mens van het vrouwelijk geslacht een drie-eenheid vormt met wijn en voedsel – of was het gezang? Ik ben verloofd met een werkende vrouw en geen van ons twee denkt iets anders dan dat het huwelijk kameraadschap betekent. En kameraadschap betekent *égalité* – al is het dan geen gelijkheid!'

Toen Hedda aan de zuidkant van de Trollebergsvägen liep, langs kleine werkplaatsen, bedacht ze dat ze wandelde waar ze anders nooit wandelde omdat ze een hond had. Dieren zijn betoverend. Ze zien andere dingen dan je zelf ziet, vluchtende woelmuizen en kleine vossen, ze hebben een ander blikveld.

Uit een smal bakstenen huis van twee etages plus een zolderverdieping met dakkapellen in het leisteendak kwam een meisje in een werkoveral en een geruit overhemd naar buiten. Al het andere was net als anders, de twee punten van haar pony die over elkaar vielen – de zon scheen recht op haar gezicht en de glimmende middenscheiding – de git die glom aan de hand die het fietsstuur beetpakte. Een herenfiets, ze zwaaide haar been eroverheen en maakte een draai om koers te zetten naar de stad. Hedda maakte haar aanwezigheid niet kenbaar, stond toe dat de hond haar een ogenblikje achter een schutting trok zodat Ida haar niet zou zien en zich betrapt zou voelen. Ze zag er jonger uit dan anders, een half kind, ze stond op de pedalen, haar smalle zitvlak hoog boven het zadel, en draaide zich om om te zien of er geen verkeer op de weg aankwam. Ze trapte in oostelijke richting naar het centrum en Hedda liep verder in westelijke richting, stak de straat over en vervolgde haar route door het volkspark, waar ze Quatrejamb vrij liet rondrennen. Eerst gooide ze takken die hij moest apporteren. Toen ze zag dat hij moe was, liet ze hem snuffelen ter-wijl ze zelf tegen een beuk leunde; het was nog te vroeg om op de grond te gaan zitten ook al was de lucht warm. Leverbloempjes, vroege narcis-jes, donkere bladkapsels, die zouden uitbotten tot scilla, maar nog geen nieuw gras. De zon stond halfhoog boven de donzige akkers, die over een maand of drie, vier een zandkleur zouden hebben, als het haar van een mooie man. De smalle huizen van twee verdiepingen met dakkapellen werden baksteenrood. In de schaduw waren ze roetrood.

Hedda liet haar speculaties uitwaaieren als bossen zeewier in de zee. Haar fantasieën over Ida aan deze kant van het spoor waren niet erg ge-grond. Maar ze hoefde natuurlijk ook niet te besluiten wat ze geloofde. Of 'de arbeider' hier misschien woonde en ze bij hem was geweest. Maar had ze dan zo kinderlijk op de pedalen kunnen staan? En zou ze dan zo jongensachtig gekleed zijn geweest? Als Hedda over Ida dacht, kwamen de woorden 'artiest' en 'vrijheid' bij haar op. Ze kende haar niet, het zou nooit bij haar opkomen Ida iets te vragen over ouders en broers en zussen, hetgeen ruilgoed en een vanzelfsprekend gespreksonderwerp was onder haar gewone vrienden. Ida gaf niets bloot, ze sprak niet lichtvaardig over zichzelf en dan vroeg je ook niets. Je kon je voorstellen dat ze helemaal alleen leefde, *an orphan*, of in de kost was bij een doof familielid dat haar met rust liet. Of dat ze misschien bij een onbekende met een grote etage aan het Bantorget woonde, iemand die haar liet uitspreken – 'Maar emancipatie wordt toch gevormd door bewegingen die alle mensen de kans geven zo uniek te zijn als ze kunnen zijn.'

Nieuwsgierigheid maakt onvoorzichtig. Of misschien was Hedda ge-woon gedachteloos. Toen ze de hond had aangelijnd aan de nieuwe riem die ze van haar eigen geld had gekocht, en op het linkertrottoir huiswaarts begon te lopen, kwam Ida op de fiets terug. Ze werd verblind door de zon; ze keek er weliswaar niet in, maar de mensen die haar tegemoetkwamen waren niet meer dan silhouetten. Ida kon het dus niet met zekerheid zeggen; zij werd van voren belicht, Hedda van achteren.

Aan het stuur hing een mand waarin allerlei zakken stonden en een zinken kan met een bos bloemen, ingepakt. Hedda was het huis al gepasseerd waar Ida uit was gekomen. Ze was iets langzamer gaan lopen, had op een messing bordje OLGA LUNDBERG gelezen en ergens uit opgemaakt – onzeker waaruit: geluid, damp – dat er een pauze zat tussen de groepen eters. Dat hier mensen in de kost waren. Dat Tom kostganger was bij Olga Lundberg. Ze had Ida nooit aan Olga gekoppeld wanneer haar broer het had over bruine bonen met krokant uitgebakken spek of kalfsvlees met dille bij Olga Lundberg in Väster. Ze bleef niet staan om goed notitie van die gedachte te nemen, maar liep snel door. Wat ging het haar aan of Ida Lundberg hier woonde en een moeder had die kostgangers hield? Had Ida zelf Tom vlees met dille geserveerd?

Spraken ze over film?

Zoals ze daar aan kwam trappen, met haar door de wind opgetilde, gekruiste ponypunten en het wanghaar achter haar oren, zag ze er jong en kinderlijk uit, een andere Ida. Niet de gedefinieerde, geen voorbeeld dat over de kunst en de zonde kon zeggen dat nieuwe vormen altijd moesten 'beginnen met het abc van het gevoel, hoe geavanceerd de techniek ook was'. Maar de Ida van Olga, de bakspek-Ida. Misschien niet zo vreemd dat ze een verhouding met een arbeider had.

Hedda zette zich schrap voor de ontmoeting en vooral voor Ida's reactie nu ze zich betrapt zag. (Je schamen voor wie je bent.) Zo snel mogelijk voorbijfietsen? Een grote bocht terug naar de stad maken? Om een ongemerkt passeren te vergemakkelijken koos Hedda ervoor nergens naar te kijken, niets te zien en Ida's blik niet te zoeken. 'Is dat Hedda niet?' De fiets stond diagonaal op het trottoir en versperde haar de weg. Niet om de weg te versperren, maar omdat Ida mikte op de poort van het erf waar de fiets door naar binnen moest. 'Een ogenblikje.' Hedda was Ida en zichzelf voor en liep terug om de poort open te houden. Het hele verloop liep een stap op zichzelf vooruit en ruimde de gêne automatisch uit de weg. 'Wat een mooie dalmatiër. Is dat jouw hond?' Ida aaide het beest om zijn kop en eindigde onder de kin zodat Quatrejamb naar haar opkeek. Toen de fiets binnenstond, waren ook Hedda en de hond op het erf en sloot de poort vanzelf door een veer. Zo gemakkelijk ging het.

Op het erf was het heel rommelig. Helemaal in een hoek, nog net bereikt door schuine zonnestralen, waren een paar bloemperken, een stellage met kruidenpotten en een kersenboompje in vroege bloei. Langs de lange kant de restanten van een afgebroken rijtje schuren, die waarschijnlijk plee, vuilnishok en gereedschapsloods waren geweest. In de andere hoek stond een huisje dat gesloopt of opgebouwd werd.

'Het is onze hond niet', antwoordde Hedda. 'Hij is van de buurvrouw, maar die ligt in het ziekenhuis en heeft geen verwanten bij wie hij in huis kan.'

'Is hij al lang bij jullie?'

'Ik liep hier omdat ik eens een keer een andere wandeling wilde maken. Ik had geen idee dat de wegen zo saai worden als je een hond uitlaat.' (Zei Hedda verontschuldigend.) 'We hebben hem nu bijna twee maanden. Ze wordt niet beter van verpleging in het ziekenhuis, de eigenaresse; moeder is een paar keer bij haar op bezoek geweest. Ze ziet geel. Ze is te zwak om geopereerd te worden.'

'Het klinkt als mijn vader; hij had een ziekte aan zijn alvleesklier. De hond blijft vast bij jullie', zei Ida terwijl ze door de keukendeur, die half openstond, naar binnen ging. Haar hoofd dook meteen weer op achter een langwerpig provisiekastraam; ze was bezig dozen op planken te zetten. Ze kwam weer naar buiten.

Een half uur later was Hedda helper geweest toen Ida spleten tussen planken met tengellatten dichtte. Dat was bij het huisje in de hoek, dat door Ida gebouwd werd. De hond kon niet tegen de hamerslagen op het kleine erf en zocht her en der een goed heenkomen. Ida liet zien hoe ze had gebouwd – op een soort houtblokfundering – ze was er verre van zeker van dat dit een goede manier was, maar het huisje stond in de luwte en had andere verankeringen. Onderop had ze grote kiezels op het zand gelegd, een beetje een amateuristische maatregel tegen vocht. Ze had niemand die haar had kunnen helpen bij het storten van een fundering.

Daarna liet ze de inpandige dwarsbalken zien waarvoor ze hout had moeten kopen; de traditioneel rode buitenmuren waren afkomstig van de schuren, die goed onderhouden waren geweest. 'We hebben namelijk pas sinds twee jaar een bad en wc binnen.' De tengellatten had ze ook gekocht. Hedda deed haar schoenen uit en liep voorzichtig over de ongeverniste houten vloer. Die was van essenhout en Ida had dat cadeau gekregen van een familielid van een familielid, iemand die een zagerij had op de heuvelrug van Linderöd. De planken waren afval, als Hedda goed keek (stelde Ida voor) zaten er behoorlijk veel naden tussen, 'maar geen enkele spijker', voegde ze er trots aan toe.

Wat Hedda aanvankelijk voor afval had gehouden, waren gereedschappen, stukken stopmateriaal, isolatie en isolatiekarton. Net als bij de filmopname op de Skånse vlakte bleek elk stuk zijn functie te hebben toen Ida het oppakte of ernaar wees. Een raamkozijn dat tegen de schutting van het naburige huis stond en dakpannen van het dak van de plee die opgestapeld waren voor hergebruik. Een vriend had Ida geholpen met het dakgebint, en met z'n vijven hadden ze dat weten op te takelen. De enige echt heel zware klus. Ze wees op het dak, dat een tamelijk eenvoudige hoek had en bedekt was met karton en latten, die Ida daktengels noemde en waarop ze de dakpannen zou vasthaken.

Als Hedda zich door Ida's hobby had laten aansteken had ze wat kunnen leren, maar ze dacht aan andere dingen, aan heel andere dingen, ze liep alleen uit hoffelijkheid mee en nam niet de moeite om te doorgronden wat haar getoond werd. De kamer in het huisje zou klein worden, zeven of acht vierkante meter. Hedda keek op naar het hoofdhuis om te zien welke van de ramen die uitkeken op het erf van Ida konden zijn.

Daarna zette ze zich een paar keer schrap om te vragen waar het huisje voor was. 'Privé?' De vraag had een slagzijde, klonk beschroomd en werd glibberig. Ida keek haar recht aan terwijl Hedda probeerde een soort directheid te vinden; waarom voelde de vraag zo gênant? 'Is het om … met rust gelaten te worden?' 'Heb je ruimte voor je boeken nodig?' Ida glimlachte.

Er was geen achterliggende gedachte voor het gebruik van het huisje. Een huisje komt echter altijd van pas. Misschien als berging, misschien als logeerkamer, misschien als bodega voor de zomernacht. Ze had gewoon zin gekregen om een huis te bouwen, ze had vroeger hutten gebouwd, houten hutten. Dit was natuurlijk ook geen echt huis, meer een keet, omdat de noordelijke en westelijke schuttingen er twee van de buitenmuren van vormden. Die hadden het ook zo veel gemakkelijker gemaakt om het huis recht te krijgen. 'Een huis met vier vrije muren vraagt meer van je. De volgende keer misschien.' Toen ze Hedda's onzekere blik over het huis zag gaan vuurde ze haar tweede glimlach af: 'L'art pour l'art?'

Nu hoefden er alleen nog maar vier korte tengellatten tegen de muur te worden gespijkerd en toen dat klaar was, zat Hedda op hete kolen omdat ze langer dan normaal van huis was weggebleven. Dat zou eigenlijk niet moeten uitmaken, aangezien vader op zijn vroegst pas over twee uur thuis zou komen, maar zelf was ze van nature punctueel en moeder zou zich afvragen waar ze bleef. Als moeder althans thuis was, als moeder überhaupt op de klok keek. Dit meisje bouwde een huis voor zichzelf en Hedda was punctueel alleen maar omdat dat van haarzelf moest. Ze bleef binnen haar eigen grenzen (om niet in de buurt te komen van de grenzen die door anderen daarbuiten bepaald werden). Ze vroeg zich af of het om echt iets te worden noodzakelijk was dat je in prikkeldraad en schrikdraadomheiningen vastliep en je huid aan bloederige flarden liet scheuren. Of dat voorzichtig zijn ook al voldoende was.

Ida kwam naar buiten met twee kleine kopjes koffie, zonder melk of suiker; Hedda nam altijd beide. Ida rolde twee sigaretten en Hedda was blij dat een neef haar had leren roken. Thuis kon ze niet roken. Rokend en van hun koffie nippend zaten ze elk op een keukenstoel onder de kersenboom. Het huisje lag nu helemaal in de schaduw. In de grijsheid daarvan was een paarse tint gekomen en in die koude kleur school ook een temperatuurdaling. Misschien daalde de barometer. Een van Hedda's meest fantastische zomerherinneringen was toen zij en Christian op een dag een boot hadden geleend, bij Grebbestad hadden gezeild en tegen vijven langzaam voor de wind naar huis waren gevaren met een onweer achter zich aan. Een enorme hemel van gestold bloed, van het zeeoppervlak tot God in de Hemel, wat wolkencurven met metalen contouren en dan vóór dat alles hun schelpje in de zon op een bijna gladde zee, de hele tijd vlak voor de snel naderbij komende rimpelingen. Het grootzeil helemaal uit zodat ze de steiger op tijd zouden bereiken, maar toen ze aanlegden vielen de eerste druppels al, enorme druppels, met een inhoud ongeveer zoals in deze koffiekopjes, en in een luchtloze atmosfeer was de barometer als kwikzilver gedaald.

Het goedkope sigarettenpapier brandde sneller dan de tabak en ze nam snel nog een paar trekjes om het gelijk te trekken en het cadeau niet te verspillen. Wat ze inademde, loste ook iets anders op dat vastzat waar de rook terechtkwam, en ze begon te hoesten: 'Eerst dacht ik dat jij daarin ging wonen, daar je nest zou hebben.' Ida glimlachte voor de derde keer 'dat begreep ik al', en toen moesten ze allebei lachen. 'A Room of One's Own', zei Hedda, maar ze zag dat die titel Ida niets zei. Daarna zag ze dat Ida het niet de moeite waard vond om aan te geven dat die haar wel iets zei. Moeilijk om hier te winnen. Ze kon vragen of Ida ook van zeilen hield en zou misschien het antwoord krijgen dat Ida zeeziek werd of niet kon zwemmen. Ze kon vragen of ze ook broers had. Zo moeilijk om hier te winnen. Als je wedijvert. Hedda vertelde over haar Engelse nichtje Daisy, dat boeken uit het Deens vertaalde, voor een heel klein lezerspubliek op dat zelfgenoegzame eiland. De schrijvers Herman Bang, Thit Jensen.

En toen ze eenmaal begon te praten won het verhaal ook aan stuur-kracht door de herinnering aan het feministendebat tussen Ida en de hospitant, en eveneens door wat ze hadden besproken na *Fräulein Else*. Je kunt het beste praten over datgene waarover je al eerder hebt gepraat. Ze vertelde dat Daisy een eigen huis had verlangd, *a house of one's own*. Ze legde uit dat Daisy had besloten dat ze Alles wilde. Werk, man, kin-deren, een huis, eigen vrienden naar wie ze toe ging zonder de kinderen. Reizen zonder man en kinderen. Net als Hedda was ze het enige meisje tussen een horde broers, ze waren twee meisjes in een kring van neven van moederskant en daarom zochten ze ondanks het leeftijdsverschil een beetje hun toevlucht bij elkaar.

Ida op haar beurt vertelde dat tien jaar geleden was gebleken dat haar vader nog een gezin had, in Finland, en dat hij daarnaartoe was verhuisd. Haar had het niet geraakt, maar haar oudere broer had zich geschaamd. Hij was van school gegaan en gaan werken als stuwadoor in de haven van Landskrona en daarna naar zee gegaan. Op dit moment was hij op weg van Vigo naar Recife. 'Mijn moeder en ik moeten het samen zien te rooien', zei Ida en, daar had ze met haar verhaal naartoe gewild: 'We zijn bondgenoten.'

Voor Daisy's huwelijk (vervolgde Hedda), dat een kleine vijf jaar eerder was voltrokken, had de bruid veel onuitgesproken wenken meegekregen, en nog meer onomwonden toespelingen, dat ze een 'metamorfose' zou ondergaan. Voor een vrouw synoniem aan rijping. Dat zou betekenen dat ze veel van wat ze vroeger als vanzelfsprekend had aangenomen zou herwaarderen. Als je je bestaan op je eigen persoonlijkheid, eigen talenten en eigen hobby's had gebaseerd, kon je er niet zeker van zijn dat iets hiervan ook na je metamorfose tot echtgenote nog belangrijk was. Wanneer je de echtgenote van een man bent geworden kijk je met andere ogen naar de persoon die je daarvoor was. Je zult zelf het maagdenvlies doorbreken om zijn kant van de zaak te benaderen, die de algemene is. Je wordt opnieuw geboren, in zekere zin door je eigen vagina! Hedda gebruikte dergelijke woorden niet, maar de beide meisjes hoorden ze; ze waren niet nieuw. Het ging erover dat het leven van mannen progressie moet zijn, en dat het leven van vrouwen uit fases moet bestaan.

Een paar dagen voor de bruiloft was het onderwerp ter sprake gekomen. Dit en een paar andere dingen die gezegd waren, zouden nooit opgetekend en als brief verzonden kunnen worden. Ze gierden van het lachen. Hedda was te jong geweest voor de vertrouwelijkheden, amper veertien, maar groot en ontwikkeld, ze hadden diverse glazen witte wijn gedronken, nou ja, Hedda maar één, maar samen een fles.

Daisy ging door met haar verklaring van de kijk van de andere kant, die van de moeders: de man doet in bed waartoe hij in staat is en bekijkt zijn schepping. Een vrouw is geboren! Het menselijk wijfje is geen vrouw voordat ze is genomen, ook al is het door een abominabele minnaar. Daarom ligt maagdelijkheid ook zo gevoelig; als iemand de vrouw al eerder heeft gepenetreerd is het immers al gedaan en wordt de rechtmatige eigenaar zijn schepping door de neus geboord. Maar als het correct is gegaan: als haar gemeenschappelijk door vrouwen geborduurde bruidsschat eenmaal in zijn kast is ondergebracht, is haar mentale ontwikkeling voorafgaand aan zijn penetratie erg weinig waard; die ontwikkeling is net een afgeschrapt ding van vorig jaar, de afgekrabde repen vacht van een schaap, de afgeworpen huid van een slang.

Dat is het verschil, had Daisy gezegd. Het huwelijk hoeft de man (die het bangst is voor het huwelijk) niet te veranderen, zijn leven is een doorgaande reeks en hij mag blijven wie hij was, hooguit gebukt gaand onder verantwoordelijkheid. Voor de vrouw wordt het als een geboorte van zichzelf beschreven. Wie wordt geboren heeft geen verleden, dat is het ideaal.

'Nou, maar hoe heeft zij zich álles verschaft? Het klinkt verwend', viel

Ida (wier mond had gekruld bij de geborduurde bruidsschat) haar in de rede, terwijl ze voor zichzelf een nieuwe sigaret rolde, alsof ze vermoedde dat Hedda's lange uitleg over de (verouderde) ideeën van haar nichtje een teken was geweest dat Hedda van één sigaret al licht in haar hoofd was geworden.

En misschien had ze gelijk. De hond sliep, Hedda voelde zich beneveld, ze leunde met haar ellebogen op haar knieën, zoals je doet wanneer je vertelt: Daisy had met haar verloofde een contract opgesteld, zonder getuigen, maar toch houdbaarder dan zomaar wat woorden in het luchtledige. Het was net een roman: ze was verliefd op een ander. Het was passie. Ze vertelde dat hij maar in de kamer hoefde te zijn of het was net of ze elkaar aanraakten, ook al stonden ze tien meter van elkaar vandaan. En hij hoefde haar maar aan te kijken of ze smolt gewoon weg. Ze lagen wel met elkaar overhoop … ze werden voortdurend razend op elkaar. Eén keer haalde hij geïrriteerd naar haar uit. Het was maar een klein tikje en hij had er veel spijt van, maar toch. Ze hadden over alles en niets onenigheid en eigenlijk konden ze het beste zwijgen. Als ze samen stil waren, zou gewenning waarschijnlijk het ergste doen slijten. Het zou misschien ook beter worden wanneer ze niet meer zo verliefd waren.

Maar. Rust en harmonie met hem …? Op dat moment een tegenstrijdigheid; misschien dat er een kans bestond dat het later zo kon worden? Wat hadden ze gemeen behalve verliefdheid? Konden ze ooit iets gemeenschappelijk krijgen als ze elkaar niet konden verdragen?

Nu leunde ook Ida met haar armen op haar knieën: 'Gaat het ook een beetje over jou? Heb jij ook zoiets meegemaakt?' Hedda wimpelde dat af: Neeneenee! Ze verstomde bijna helemaal. Ook met vertrouwelijkheden wilde ze binnen haar eigen grenzen blijven. Ze had Ida niets toe te vertrouwen. Niets. Niets is ook een geheim. Ze ging half verlegen overeind zitten. Ze moest denken aan de Auroravlinder. Die naam was haar opgevallen en ze had een grote vlinder verwacht met kleurrijke vleugels en purperen ogen, maar op de afbeelding had ze een kleine stakker gevonden, nog het meest lijkend op een kattengezicht, wit met marmeladekleurige ogen. Een lieve vlinder, maar niet geweldig. Ze praatte over de vraag heen.

'Daisy is bijna tien jaar ouder dan ik, ik zou een van de bruidsmeisjes zijn, de jongste. Om bij de kleintjes te horen die bruidsjonker en bruidsmeisje waren, was ik natuurlijk te oud, maar ik was te jong om dit allemaal te horen. Het was op het platteland, in Sussex, geen grote bruiloft, voor Zweedse begrippen redelijk groot, maar niet heel groot. Ik was amper veertien en had te horen gekregen dat dit soort passie net een lichamelijke ziekte is en dat ze er nog lang niet van genezen was. Zelfs niet nu ze op het punt stond te trouwen met een andere man, van wie ze hield, maar op wie ze helemaal niet verliefd was.

Ze zei tegen mij dat het hart alleen echt spreekt als de hersenen ook een beetje mogen meedoen. Anders is het gewoon je ruggenmerg, of iets onbenoembaars.'

De hospitant die op de Griekse eilanden was geweest, had gezegd: 'U theoretiseert, juffrouw Lundberg, wanneer u zegt dat de vrouw pas geboren wordt in de opvatting van de man en in zijn conventionele opvatting over wat een vrouw dient te zijn. Níémand bestaat – zonder gezien te worden! Het kan in het groot zijn, het kan in het klein zijn, maar we komen het al tegen bij Sappho en Catullus. Onder andere.'

Hedda mompelde iets en leegde het bezinksel in haar kopje. Ze was haar idool al aan het verliezen. Niet omdat Ida over haar vader en broer had verteld en gewoner was gebleken, maar omdat ze zelf over Daisy zat te roddelen bij een kop koffie. Het was pruttelkoffie. Olga in Väster kwam uit Norrland. Opeens wist ze weer waarom ze was gaan vertellen over Daisy die Alles wilde. Ze pakte de draad weer op en trok die door de kerk, langs de route van de bruidsstoet naar het huis van de bruidegom waar het diner zou plaatsvinden. De schoonouders hadden een groot agrarisch bedrijf en het pasgetrouwde stel zou in het oudste pachterhuis gaan wonen, bij *the river*, voor Zweedse begrippen een wat grotere beek.

Met de rug naar de beek stond een huisje, ouder dan het hoofdgebouw, met twee kamers, kachels, een keukentje en een terras op palen dat uitstak over de rand van de rivier. Dat was Daisy's *room of her own*. Haar man had er niet alleen mee ingestemd dat haar werk en privévriendenkring na de bruiloft konden blijven voortbestaan, maar had haar ook een eigen huis aangeboden. Oncomfortabel en vochtig, maar toch. Hij had ook beloofd dat hij nooit zou zeggen dat ze daar 'eigen' geld zat te verdienen (waarmee bedoeld werd speldengeld), maar gewoon geld.

Ze deden er een poosje het zwijgen toe en keken automatisch in de richting van Ida's huisje. Wat betekende het om 'alles' te willen hebben?

Gelijke delen van het gemeengoed van het leven. Meer niet. Kleine deeltjes van de massa. 'Alles' is een dom woord als het niet ook betekent geel en te ziek worden voor een operatie. Je deel van de verantwoordelijkheid nemen voor een verlaten hond, spek serveren aan de broer van je gast, duizenden en nog eens duizenden kronen op aandelen verliezen omdat ze na het faillissement van het desbetreffende bedrijf niets meer waard zijn. Niet 'alles' is aangenaam.

'Het is eigenlijk niet meer dan gewoon een roman,' zei Ida, 'zelfs als er niet bepaald met de liefde wordt gemarchandeerd.'

Ochtend

De laatste etappe vanaf Södertälje maakte ze plannen om in Stockholm op gymnastiek te gaan, of misschien weer danslessen te nemen.

Het eerste ontbijt was geserveerd, en het tweede. Zij had voor de eerste zitting gereserveerd, en een ei, een snee brood met kaas en twee beschuiten met pomeransmarmelade gegeten. Daarbij pruttelkoffie. Behalve het ei en de pomerans was het allemaal vreemd voor een dochter van een Deense, die grof brood en gezuurd brood zoals het thuis smaakte importeerde en bakte. Het kleine kopje koffie dat ze dronken, kwam uit een Frans apparaat. Vanwege vader was het echter meestal thee. Hij hield van koffie, maar kon het niet drinken; daarom mocht er thuis geen koffiegeur hangen, want die was zo verleidelijk. Hedda zat in de trein naar Stockholm naar de dageraad te kijken en hier rook het alleen naar stof en koffie. Vanaf een briefje dat op de grond terecht was gekomen lachte een Zoeloeneger haar toe.

Om geld uit te sparen had ze 's nachts geen couchette genomen. De plaats rechts van haar was leeg en daar had ze haar rugzak neergezet, waarin zachte bagage zat: een toilettas, een washandje, handdoek, wat ondergoed, een kussen, extra geld enzovoorts. Daar had ze tegenaan geleund, geprobeerd wat weg te leunen van een verlegen, mollige man links van haar. Hij had zijn hoed opgehad tot hij, al diep in slaap, tegen haar aan zakte en de hoed van zijn hoofd viel. Eerst op haar schoot, maar toen ze de vettige zweetrand zag, gaf ze hem een duwtje zodat hij op de grond viel en met zijn rand tegen de enkel van een vrouw kwam. De vrouw werd even wakker en viel weer in slaap, maar wekte daardoor toch haar man, die ook weer in slaap viel. De mollige installeerde zich tegen Hedda aan. Een paar keer wekte ze hem en hij werd slapend wakker (wat mogelijk is), zoog het speeksel naar binnen dat haar arm nog niet had bevochtigd en kwam weer terug om zich nog dichter tegen haar aan te nestelen. Ze gaf het op. Toen hij wakker werd omdat hij in Nässjö moest uitstappen voelde ze een grote, natte plek aan de zijkant van haar linker-borst en ze zag dat zijn mond daar terecht was gekomen toen ze zelf te diep in slaap was geweest om het te merken. Toen hij zijn valies uit het bagagerek haalde, keek ze naar zijn zachte achterwerk. Ze werd boos op hem. Dergelijke stille mannen zijn moordenaars in het bos. Ze kreeg een slecht geweten: een mens leeft naar zijn kunnen.

Bij een omheining vlak naast het spoor stond een paard te slapen met zijn achterbenen gekruist. Een bruin vel en blonde manen. Zijn part-ner tussen de disselbomen stond iets verderop in de wei te grazen. In het pachterboerderijtje was de kachel aangemaakt. Er kwam rook uit de schoorsteen, en je zag hoe de schaduwen van mensen door een petrole-umlamp op de keukenkastjes werden geprojecteerd; ze hadden hier geen elektriciteit, dat kon je zien aan de kleur van het licht.

Hedda hield van dergelijke kennis – zoals de lichtkleur van petroleum, iets wat ze had ervaren, niet geleerd.

Op school had ze onderricht gekregen over de temperatuur van kleu-ren en de wegen van elektriciteit. Ze wist dat Lenin had gezegd dat het communisme Sovjetmacht plus elektrificatie is – als hij dat tenminste gezegd had – het klonk natuurlijk goed. Ze kende nog meer maximen van Lenin: dat een revolutie geen theevisite is, en dat je geen omelet kunt maken zonder eieren te breken, maar anderen hadden gezegd dat deze uitspraken al eerder gemunt waren en dat Lenin ze had geciteerd, en dat de meeste geestigheden die de aandacht trekken al een lange traditie hebben. In theorie had Hedda ook geleerd het jonge en het oude van de sterrenhemel met behulp van het kleurenspectrum te interpreteren. Zo-wel de maximen van Lenin als de beweringen van de astronomie waren haar gepresenteerd en opgelegd. Kennis die in wezen niet ter discussie kon worden gesteld omdat niemand tegeninformatie bood die even zwaar woog, hoogstens een tegenstrijdige mening.

Maar toen de pachtervrouw de keukenlamp aanstak en het glas om de vlam zette, toen ze de houtkachel aanmaakte, werd haar schaduw in de kamer sprookjesachtig op een manier die welbekend was, net als het gele licht rond de schaduw; de samenstelling wekte herinneringen tot leven waarvan Hedda eigenlijk blij was dat ze die achter zich had gelaten: de nazomer, het oncomfortabele huis. Ze had vaders bloederige braaksel naar buiten gebracht. In de stad had hij op het watercloset zijn toestand verborgen kunnen houden, maar toen ze op het platteland kwamen, was het net of hij dat niet langer wilde. Hier, ver van hulp, kon hij de verantwoordelijkheid aan anderen overlaten. In een treincoupé die in de ochtend naar zweet, vuil en lege magen rook, wilde Hedda daar niet aan denken. Midden juli had vader zich wat beter gevoeld, de maaltijden waren helemaal op hem aangepast. Er kwamen bijna geen bessen en dergelijke op tafel. Uiteindelijk was het vader zelf die in een moment van goedmoedigheid had voorgesteld dat de gezonden aardbeien, rabarber, frambozen en aalbessen zouden eten. Al was het maar om ervoor te zorgen dat de vogels niet het alleenrecht hadden. En Åke werd te spits om zijn neus en kin.

Met zulke opvallende trekken in zijn zongebruinde gezicht zag hij er opeens heel goed uit. Hij ging de hele zomer niet naar de kapper, maar liet zijn haar tot krullen uitgroeien en begon op moeder te lijken. Zijn nieuwe magerte (moeder zei: 'Etherisch, hij begint volwassen te worden, een echte dichter, hij zal een hartenbreker worden') was de aanleiding dat vader groen licht gaf voor fruit, hetgeen geleidelijk ook gevarieerdere hoofdgerechten met zich meebracht. Een jonge knul kon niet op dieetvoedsel leven. Åkes gebroken arm genas niet naar behoren; hij zat weliswaar niet meer in het gips, maar Åke had pijn, droeg vaak een verband en had soms een mitella nodig. De dokter zei dat het groeipijnen waren en dat de breukplek tijdens het herstelproces vernam dat het bot sterker werd. Alleen maar nuttig. Hij moest zijn spieren trainen, anders zou hij mogelijk stijf worden en zouden ze hem misschien met fysiotherapie moeten gaan behandelen. Een lichte training, dus Åke hoefde niet te roeien, zwemmen was het beste medicijn, ook op koude en regenachtige dagen moest hij het meer in. Hedda zwom met hem mee om hem gezelschap te houden. Hij was haar lievelingetje. Niet bepaald spraakzaam.

Ze rekte zich uit in het water, strekte haar torso en liet haar spieren haar lever, maag, haar wegens de bessen reutelende dunne darm en baarmoeder beroeren. En toen ze daar op haar rug lag, een beetje zwemmend om in het zoete water te blijven drijven, ging er een grote angst door haar heen. De zelfmassage wekte het innerlijk leven, wat door niemand zo genoemd wordt – de organen – en die brachten een scherpzinnigheid voort waardoor ze helder zicht kreeg op de lichamen van anderen. Toen het bloed snel circuleerde, zag ze een waarheid die niet genoemd mocht worden – broosheid, sterfelijkheid. Ze wist dat moeder dacht dat vader doodziek was. In de loop van augustus ging hij weer achteruit, ondanks de griesmeel- en andere pap en alles wat ontleed en in melk gekookt werd. De oudere broers, die met de auto kwamen en een paar dagen bleven, vonden dat ook. Ze lieten Hedda het bloederige braaksel naar buiten brengen en spraken met moeder over het kuurhotel bij Borås; deze ellende moest het huis uit en worden overgelaten aan mensen die aan dagelijkse ellende gewend waren en daar na werktijd van konden bijkomen.

Moeder reageerde door te zwijgen en boog het hoofd. Het was haar taak om vaders lijden tot het laatst te dulden. Omdat ze geen seconde van hem had gehouden, dacht Hedda. Degenen die je hebt bemind, kun je in de steek laten. Dan weet je dat ze bemind kunnen worden, je bent niet alleen verantwoordelijk voor hen.

You are so easy to love, so easy to idolize ... klonk het in haar hoofd, en gedurende enkele seconden waren Skräddhult, de toenemende augustus-duisternis en het dennenbos dat, zo leek het wel, naderbij kwam als in *Macbeth*, uitgewist. Moeder dacht dat ze buiten gehoorsafstand waren toen ze het met vader over zijn gezondheid had, maar Hedda en Åke waren aan het dammen in het vertrek ernaast en de muren bestonden slechts uit planken met behang. 'Als ik bang was voor kanker zoals jij, zou ik ze laten opereren. Hoe kun je zo eigenwijs je kop in het zand blijven steken? Het zou mij niets verbazen als jouw bange vermoedens verantwoordelijk zijn voor het merendeel van je symptomen. En zelfs als het zo is, zouden ze de kanker kunnen weghalen en je leven in elk geval kunnen verlengen. Niemand van ons kan op meer hopen dan op een verlénging van het leven. Of denk jij dat je hier voor eeuwig bent?'

Het leek wel of ze voor eeuwig in Skräddhult waren. Moeder en Hedda zouden met vader op het platteland blijven tot de medicijnen die Christian had laten voorschrijven begonnen te werken. Toen de broers naar Lund terugkeerden, namen ze Åke mee, die weer naar school moest. Ze namen ook potplanten en wat keukengerei mee dat moeder niet nodig had. Hedda wilde ook mee. Ze was voor het najaarssemester van 1937 en het voorjaarssemester van 1938 aangenomen op de Academie Borg-White aan de Birger Jarlsgatan in de hoofdstad, en de introductie begon al op 18 augustus, ook al ging de cursus een week later pas echt van start.

Op het platteland hadden ze radio noch grammofoon. De buren, ook zomergasten, vertrokken. Het meer lag er metalig bij en koelde af onder steeds wittere ochtendnevels, en Hedda had helemaal geen zin meer om erin te zwemmen nu de planten op de oever verrotten en een groenzwarte smurrie vormden tot aan het zwemtrapje aan toe. Was ze hiervoor nou met hoge cijfers voor haar eindexamen geslaagd? Om gezelschapsdame te zijn in een koud zomerhuis en het leven te laten verstrijken?

Moeder irriteerde zowel vader als haar door te propageren dat je van het leven moest genieten zoals het daar en op dat moment was – appels, paddenstoelen, bramen, de morgendauw, de nevel boven het meer die opalen tinten aannam, de sterrenhemel met vallende sterren – in plaats van te dromen over een toekomst die toch wel kwam, en snel genoeg – ze zouden immers niet blijven tot de winter! Haar dochter had haar leven voor zich, haar wanhoop dat ze een week of twee langer dan gepland op deze fantastische plek moest blijven was in feite onbeschaamd. Moeder had het over de schoonheid van de herfst. Hedda zag die ook wel, de spiegeling van de sparren eerst als een schaduw in de nevel, en dan nog een tweede keer in het water. Het gele petroleumlicht in het pachterhuis aan de overkant van het meer, dat je niet zag of niet hoefde te zien wanneer de nachten licht waren. Maar zien was niet hetzelfde als voelen; ze weigerde een schoonheid te vernemen waarvan ze voor dit jaar al afscheid genomen had, waarvan ze trouwens jaren geleden al afscheid genomen had; ze had hier deze zomer immers niet eens naartoe gewild. Ook de vorige zomer niet. Ze wilde wat nieuws.

De mensen van het pachterhuisje zagen ze nooit, bijna nooit. Hun kinderen zwommen in het meer en in eerdere jaren hadden Åke en groepjes van hen elkaar op vier, vijf meter afstand staan opnemen, zoals kinderen doen voordat ze bij toeval (een onvoorzichtige beweging) vijanden of speelkameraadjes worden. Hedda had hun bedorven melkgebit gezien, de voortanden waren net bruine appelklokhuizen. Verder waren ze heel en schoon, vooral de kleine meisjes in hun pastelgeruite jurkjes, maar ze hadden iets in hun mond gekregen wat hun tanden opvrat. De kinderen Carlsson hadden tegen de kiespijn altijd een in brandewijn gedrenkte prop watten gekregen, maar hoe moest dat met zo veel bloot zenuwoppervlak als deze lachende kinderen lieten zien?

Hedda liep met langzame passen, elke ochtend dezelfde weg, de dagen verstreken, de post ging naar Lund. Niets mocht ze zeggen, ze was nodig. 'Als ik bang was voor kanker zoals jij zou ik ze laten opereren.' Ze hadden dit jaar ook geen gebruikgemaakt van hun recht om kreeft te vangen, waarschijnlijk alleen omdat dat beest anders te veel aan de ziekte herinnerde. Toen Åke op de treeplank van de auto stond die Tom had kunnen lenen, en groetend enigszins zijn kin optilde voordat hij instapte voor het vertrek waar hij zo naar had uitgekeken, was hij zo mooi! Deze zomer was hij niet zo dramatisch gegroeid als vorig jaar, maar volwassener geworden, dertien jaar oud, zijn haren lang en krullend – vaders afscheidswoorden tegen hem waren dat hij zich onmiddellijk moest laten knippen, 'en flink' – en zijn gezicht zo smal, en vol met de mooiste details, misschien nog wat uitdrukkingsloos, met die krans van donkere krullen, net moeder toen ze met Phoerder verloofd was. Was Hedda de enige die zich weemoedig voelde toen ze van hem scheidden? Ze had zich nog nooit zo verlaten gevoeld als toen ze afscheid van Åke nam en in haar eentje achterbleef.

En nu de trein langs Flen reed, waar Sörmland op Småland leek en het bomengordijn openging en meren onthulde die in de ochtendkou half naar boven waren komen zweven, zodat je de poten en de kop van de reiger zag terwijl zijn lijf verborgen bleef, schoten de beelden van bloedig, naar gal stinkend maagsecreet en Åkes groetende gebaar met zijn kin toen hij op de treeplank van de auto stond weer door Hedda's hoofd. Ze schudde ermee om zich van een verband tussen haar zintuiglijke gewaarwordingen te ontdoen. Haar ouders waren nu in Lund aan het pakken. Over een week zouden ze naar een kuurinrichting gaan. De keuze was niet gevallen op die bij Borås, maar op een kleinere plek in Bergslagen, in Östergötland, waar ze zouden kunnen wandelen in een mooie natuur en waar het verblijf voor een tweetal ook wat goedkoper was. De bank was ditmaal genereus voor vader; hij kreeg vrij, en een bonus voor het overwerk dat hij in het voorjaar had verricht.

Grootmoeder had aangeboden om te komen en voor Åke te zorgen. Een dergelijk voorstel had ze nog nooit gedaan, en het zou voor het eerst in vijftien jaar zijn dat ze haar voet in hun huis zette. Vader vond het niet prettig. Hij wilde dat Hedda thuisbleef, maar omdat dan het schoolgeld voor een heel semester verloren zou gaan, wogen de financiële argumenten in Hedda's voordeel. Weliswaar was grootmoeder degene die ook dat schoolgeld betaalde en toen ze met tegenzin haar spullen inpakte om een maand voor haar jongste kleinkind te gaan koken beschermde ze dan ook een investering. Vader had het erover gehad om de school er moreel toe te verplichten het geld terug te betalen, want 'in een familie ben je er voor elkaar', maar dit was nu na een conflict toch zo afgesproken.

Het ene conflict volgde trouwens op het andere. Vaders mentale kracht was onbegrijpelijk; hij begon een furieuze ruzie die overging in een beladen zwijgen toen Tom vertelde dat hij dat najaar ook naar Stockholm verhuisde. Men had opnieuw vertrouwen in hem uitgesproken. Hij had contacten gelegd en zou bij de filmstudio's in Råsunda aan het werk gaan, ditmaal met een veel serieuzer project, gebaseerd op een novelle van Pirandello. Tom had in de zomer meegewerkt aan het schrijven aan het script en een aanstelling voor drie maanden gekregen, eerst als rekwisiteur en daarna als regieassistent. De vraag over geld kon hij beantwoorden. Het was karig, maar voldoende. Het filmbudget was minimaal, vandaar Toms dubbele functies die in elk geval zorgden voor brood op de plank. De vraag over huisvesting leidde tot een uitbarsting. Een 'collega' had onderdak voor hem; het was duidelijk dat hierin iets onuitgesprokens meespeelde, het verlangen naar oprechtheid. Tom wilde choqueren en blies zich op voor de strijd toen vader de opmerking maakte: 'Assisterend assistent, bedoel je dat soms? Een veelbelovende assistentencarrière, hoor ik.' Moeder probeerde het vervolg lachend af te wenden, maar de olie die zij op de golven gooide werd door vader in brand gestoken en hij ging door. Dat was precies Toms bedoeling en nu kregen ze allemaal te horen dat zijn 'minnares' Elsa Diamond heette, dat ze zeven jaar ouder was, moeder van een vierjarig dochtertje, en dat ze niet van plan waren te gaan trouwen, want 'geen van beiden geloven we in het delen van een tafel, een bed is voldoende'.

Vader wist niet meteen iets terug te zeggen op het ergste in deze informatie. Hij was perplex, maar omdat hij niet graag wilde zwijgen zoals de anderen in de kamer, begon hij maar meteen te schelden: 'Diamond? Ja, dan zal ze wel niemand nodig hebben. Wat is dat voor een naam, heeft ze soms een artiestennaam?' Tom lichtte hem in dat ze weduwe was en de naam van haar echtgenoot droeg, en hij legde de etnische achtergrond van de juwelennaam uit. Toen deed vader er het zwijgen toe, alsof hij door een wesp was gestoken. Hedda maakte de zaak nog erger door opgewekt de Elsa van de vorige zomer in herinnering te roepen, het meisje dat samen met Tom de hangmat had getest voor de Perssonfilm, ze was aardig en flink. Tom bedankte haar niet, hij was op vader gefixeerd. En Hedda's kneuterige onnozelheid werkte natuurlijk ook niet dempend, maar werd de druppel die zorgde voor de ontlading waar iedereen op gewacht had.

Laf sloeg vader zijn ogen neer voor Toms waakzame blik en nu viel hij Hedda aan. Hij werd zo luidruchtig dat ze de woorden nauwelijks kon verstaan; ze zag vaders mond alleen in allerlei richtingen opengaan toen hij zich hees schreeuwde. 'O, dus als ze flink is en gezellig, is het wel goed? Waar ze zo flink in is, kun je alleen maar gissen ... Waarom hebben we, voordat ze je broer zo gezellig in het onechtelijke bed uitnodigde, geen woord, geen lettergreep gehoord over deze flinke vrouw? Ik veroordeel niemand ongezien, maar iemand die zich niet vertoont mag je met permissie veroordelen. Maar nu heb je de zegen van je zuster, hoor ik' (waarmee hij zich eindelijk tot Tom wendde). 'Persoonlijke ondersteuning, kan ik me zo voorstellen; binnenkort heb je haar in Stockholm en kun je haar inwijden in hetzelfde soort gedrag.'

'Conrad', waarschuwde moeder. Vijf zinnen later kon ze het niet meer verdragen en vlak daarna ging ook Hedda de kamer uit. Maar het gevloek en getier ging door deuren, muren en zolderingen. Hedda liep naar haar kamer en begon de twee valiezen leeg te halen die ze al had ingepakt voor haar vertrek van overmorgen. Het had geen zin om een poging te doen. Ze kon het niet opbrengen te huilen, haat is droog. Dat vader zo'n preutse zonderling was, moest hij zelf weten, maar waarom had Tom hier niet mee kunnen wachten tot zij vertrokken was?

Ze hing haar kleren weer in de kast, zette haar schoenen terug en legde ondergoed, handschoenen en kousen in de lades. Het was een tweederangs idee geweest om naar de coupeuseopleiding te gaan, haar leven was niet gemaakt om kleren te naaien, ze had uitmuntende cijfers voor wiskunde, Latijn, natuurkunde, scheikunde, Duits, Zweeds, literatuur en aardrijkskunde. Nu wilde vader haar op de huishoudschool zien, en moeder en grootmoeder hadden het halfhartige compromis geregeld haar voor een naaicursus naar Stockholm te sturen om haar ademruimte te geven. Er was haar in het vooruitzicht gesteld dat ze ging tekenen, knippen en naaien, maar nu ging dat ook niet door. Het was uitgesloten dat zij over twee dagen in een trein naar Stockholm kon gaan zitten nu haar broer met zijn vrije leven te koop had gelopen. Dagmar was weliswaar begin augustus discreet in het huwelijk getreden en was dus in verwachting, maar daarover hadden haar ouders alleen romantisch gesmiespeld. Impliciet betekende dat: Dagmar was zelf meegegaan in wat ze had gedaan, of had toegestaan. Die had haar straf aanvaard.

Nog voordat ze twintig was, zat Dagmar al vast voor de rest van haar leven en was daarmee tevreden. Hoe meer Hedda van de bruidegom zag, hoe meer ze begreep dat hij echt verliefd was op zijn schoonvader, op een wetenschappelijke carrière; Dagmar was geen doel maar middel, dat was overduidelijk en dat werd getolereerd, want het huwelijk was misschien wel helemaal niet in het leven geroepen om een doel te bereiken, maar om een middel te verschaffen?

Tom had gelijk, of ze was het met hem eens. Toen Hedda uiteindelijk dwars over haar smalle bed lag, maar er niet in slaagde te huilen en haar gevoel van machteloosheid met allerlei aanstellerige geluiden uitte, kwam hij echter niet naar haar kamer. Er had iemand naar haar kamer moeten komen. Moeder had moeten komen om zich ervan te vergewissen dat er wat haar betrof niets veranderd was. Tom had Hedda op de een of andere manier schadeloos moeten stellen. Het maakte niet uit wie er was gekomen. Åke had kunnen komen om zijn hoofd in haar nek te vlijen, zoals hij altijd deed toen hij kleiner was en haar tranen hoger zaten. Maar er kwam niemand. Op de begane grond ging de storm liggen. Er volgde een stilte waarin vader het monopolie had om zich uit te spreken, maar razend werd toen niemand reageerde. Met luide stem beschreef hij zijn slachtofferrol in de familie, en hoe begrijpelijk het is dat je een maagzweer krijgt wanneer ze allemaal tegen je zijn, net doen of ze horen wat je zegt, maar vervolgens toch hun eigen gang gaan, en waarom was Åke nog niet naar de kapper geweest wat ik al honderd keer heb gezegd. Wíl hij er als een meisje bijlopen! Wil hij dat, nou, nou, nou?!

Toen ook vader zweeg, werd de stilte pap, slijk.

In die stilte stond ze uren later weer op, toen Tom het huis had verlaten en de anderen naar bed waren gegaan. Na een poosje haalde ze alles wat ze vlak daarvoor in de kast had gehangen en in lades had gelegd weer tevoorschijn om het voor de tweede keer in te pakken. Toen ze drie paar handschoenen tevoorschijn haalde – zwarte, bruine en lichtgrijze – viel haar oog op de verlovingsring van Phoerder, die rondslingerde tussen

oude zakdoeken. In een opwelling stopte ze hem samen met een ansichtkaart, een pasteltekening van de oude Globe van Shakespeare – ring en
theater – in een envelop die ze aan moeder adresseerde. Ze frankeerde het
geheel en stopte de envelop voor het ontbijt in de brievenbus, vastbesloten
zichzelf geen tijd te geven om er spijt van te krijgen. *Yours, I believe*, had
ze op de kaart geschreven, zonder handtekening, zonder afzender. Ze had
hem vanuit Stockholm kunnen versturen, maar dan zou haar woede over
deze dubbele moraal zijn weggezakt. Dan zou ze het misschien achterwege hebben gelaten.

Toen ze de envelop in de bus had laten vallen en thuiskwam, liep
ze op het tuinpad moeder tegen het lijf die de hond wilde uitlaten. Ze
wisselden geen woord toen Hedda de riem overnam. Tom had na de
ruzie het huis voorgoed verlaten; hij zou dezelfde dag nog met de auto
naar Stockholm rijden, maar had Hedda geen lift aangeboden. Zij liep
haar gewone ochtendlijke blokje om met Quatrejamb. De hond rukte
in noordelijke richting, naar een straat waar loopse teefjes waren, en hij
draaide verwonderd, gekwetst zijn kop om toen er ruw aan de riem werd
getrokken. Vader lachte 'zozo' en bevrijdde zich vriendelijk wanneer de
hond tegen zijn benen stond op te rijden. Moeder lachte wanneer het beest
zijn voorpoten op haar schouders legde en zijn roze hondenlid ontblootte.
Maar Hedda rukte in zuidelijke richting, met vier hondenpoten die zich
in zestig graden schrap zetten. 'Kom nou! Zij zit achter de schutting en
jij bent aangelijnd', mompelde ze, gegeneerd dat ze zo theatraal klonk.
'Kom nou!'

's Avonds zou er voor Hedda een afscheidsdiner worden gehouden, met
wijn en gasten. Dagmar en haar man waren uitgenodigd, en een aantal
van Hedda's neven en nichten die van haar leeftijd waren. Na het gedrag
van gisteren had ze eigenlijk alleen maar zin om het af te gelasten, maar er
was geen sprake van voldoende force majeure om dat zo kort van tevoren
te doen. Toen ze na het uitlaten van de hond thuiskwam, openbaarde
zich echter een andere force majeure. Åke was wakker geworden met
koorts, en binnen een uur was die tot boven de negenendertig graden
opgelopen. Hij had ook uitslag op zijn keel en armen. De oudste broers
hadden de kinderziektes gehad, maar Hedda en Åke hadden geen van
beiden mazelen, roodvonk of waterpokken gehad. Als het rodehond was,
kon Dagmar niet komen, dan zou haar kind blind worden. Het diner

werd afgelast en moeder zei met spijt: 'De afreis zit voor jou niet mee, Hedda. Als het iets besmettelijks is, kun je onmogelijk vertrekken.'

Tegen de middag was Åke koortsvrij en had hij ook geen uitslag meer. De dokter, die eerder die dag was gewaarschuwd, was visites aan het afleggen en kon niet worden bereikt met het bericht dat Åke weer was opgeknapt. Hij kwam tegen vieren en keek in de ogen, naar de tong, in de oren, luisterde naar hart en longen, beklopte Åkes nek en zei iets over kappers. Vervolgens verzocht hij hem om de mouw van zijn overhemd op te rollen, zodat hij aan de nog niet geheel bruikbare arm kon voelen. Åke moest zijn overhemd nog een keer uittrekken en beide armen werden grondig onderzocht, met een opmerkzame blik. De dokter voelde aan de sleutelbeenderen en aan de zijkant van de keel, onder de kaak. De sokken gingen uit en de dokter werkte zich met zijn vingertoppen langs de benen omhoog. Toen hij klaar was, zei hij tegen moeder: 'Hij had afgelopen zomer al helemaal genezen moeten zijn. Het was geen gecompliceerde breuk, de stand was goed vanaf het begin, het was meer een barst. Ik begrijp niet waarom dit zo veel hinder veroorzaakt, maar dat zullen we moeten uitzoeken. Kom morgen naar mijn praktijk voordat u met uw man vertrekt, dan kunnen we wat tests doen, misschien dat ik in de kliniek ook een nieuwe röntgenfoto laat maken. Zo kan het natuurlijk niet blijven doorgaan. Jij houdt van voetballen, weet ik. Maar ik schrijf een briefje dat hij zes weken niet aan gymnastiek en sport mag doen. Verbind de arm elke dag en haal het verband er af en toe een paar uur af om je hand te bewegen – op deze manier – om de spieren te versterken. Ik schrijf ook een versterkend middel voor. Hij heeft natuurlijk ook de leeftijd voor groeipijnen. Dan is het vast wel weer in orde voordat je vader en moeder terugkeren. De koorts en de uitslag kan ik niet verklaren – die heb ik natuurlijk niet gezien, dat is weer overgegaan. Maar Åke is op een leeftijd dat zenuwen kunnen opspelen. Eergisteren heb ik een visite afgelegd bij een meisje dat een temperatuur van 41,8 had, haha, ze had de thermometer een tijdje tegen de lamp gehouden omdat ze de school al beu was. Laat hem een poosje naar buiten gaan, het is immers prachtig weer en de Åkerö-appels zijn rijp, ik heb er net eentje gepikt.'

Een uur later trof Hedda haar moeder tranen met tuiten huilend in de oude meidenkamer aan. In haar normale doen was moeder beheerst, tegen het onverschillige aan. Als anderen het moeilijk hadden, was ze tegemoetkomend, maar niet altijd met gevoel voor de gevoelens van anderen, eerder clichématig, als een vangnet voor wie er ook maar valt. Ze gaf antwoord op niet-gestelde vragen, mensen kregen zelden de gelegenheid het belangrijkste van wat ze kwijt wilden ook te uiten, omdat zij van het begin af aan al klaarstond met een parallel of analoog verhaal, om het gevoel van de ander dat hij de enige was die dit meemaakte tegen te gaan. Nadien herinnerde je je misschien een hand op je arm, een open en opmerkzame blik, maar je kon je niet herinneren dat er naar je geluisterd was of dat je je troosteres geraakt had.

Als je zelf anders was dan moeder kon je haar die rol niet ontnemen, en kon je vooral de rollen niet 'omdraaien'. Dan zou het namelijk net zijn of je een gemakzuchtig medeleven imiteerde, dat heel misschien voor moeder zelf waarachtig was, het meest waarachtige waartoe ze in staat was. Hedda zou dat alleen maar parodiëren. Ze bleef op de drempel staan en zei: 'Ik zoek mijn mintgroene naaizijde. Wat is er?'

Moeder snotterde, ze probeerde te praten, probeerde zich in te houden en hield met de rug van haar hand onder haar neus het snot tegen, er ontstonden glimmende slakkensporen, ze droeg diamanten, de ene glinsterde en de andere glom. Wanneer je dat registreerde, stelde je je kil op. 'Wat is er?' herhaalde Hedda na weer een paar minuten, waarin moeder haar tranen onderdrukte en alleen maar bleef zitten, haar blik in een donkere hoek gericht. Hedda voelde zich gedwongen nog een paar keer aan te dringen en kreeg uiteindelijk het antwoord: 'Ik ben gewoon zo moe', wat niets anders was dan een uitvlucht.

Hedda begon vals te vragen hoe moeder nou moe kon zijn na vierenzeventig dagen (Hedda had ze stuk voor stuk geteld) in haar geliefde Skräddhult? Maar moeder viel haar in de rede en barstte uit: 'Weet je wat deze zomer gekost heeft, met vader meer dan twee maanden niet op zijn werk en nou ook nog een kuur? Denk je daar weleens aan? Alles valt uit elkaar. En dan dat met Tom. Wat komt er van onze familie terecht?'

Na een poosje antwoordde Hedda: 'De familie beweegt zich in verschillende richtingen. We zijn immers volwassen. Moeten we ons hele leven dan hier blijven? In mijn geval lijkt het wel of er een bijbedoeling van de inwonende dochter achter zit, en ik ben het echt beu om te horen dat ik mijn hele leven nog voor me heb en voorlopig hier wel hulpje kan spelen. Ik snap niet waarom ik mijn best heb moeten doen om goede cijfers voor mijn eindexamen te halen wanneer ik toch een soort dienst … een soort dienstmeid moet worden.'

'Ach, hou je mond.' Moeder wendde zich om met een hatelijke blik, gemakkelijk te zien, te classificeren: die haat had daar al lang, heel lang liggen gisten. Hedda had het gevoeld. Nu brak de haat die uitsluitend voor de dochter gereserveerd was door. 'Ik vraag me af of jouw chagrijnige gezicht en jouw gejammer vanaf de maand juni niet het ergste zijn geweest. Verdwijn jij maar naar Stockholm en leef er maar op los, niemand houdt je tegen, zonder jou zal het rustiger zijn hier in huis.' Nieuwe tranen, ze waren bijna aanstekelijk. Hedda draaide zich abrupt om en wilde weggaan, maar werd tegengehouden door de laffe verzoeningsgezindheid van moeder, een kreet vanaf de keukenstoel, waarop ze was gaan zitten om te huilen. 'Begrijp je dan niet hoe het zit, Hedda … Als vader iets gevaarlijks heeft, is dat al vergevorderd. Jij weet net zo goed als ik hoelang hij er al slecht aan toe is.'

Het was te verleidelijk om niet in debat te gaan. 'En als u niet zo bang voor hem was en zo meegaand zodra hij zijn stem ook maar even verheft, dan had u ervoor gezorgd dat hij zich langgeleden al had laten opereren.' Het bleef een poosje stil, zodat Hedda er nog een schepje bovenop kon doen. 'En als hij zich niet overal over opwond, dan zou hij dat ook hebben laten doen. Zoals hij tekeergaat, heeft hij er toch zelf schuld aan dat zijn maagzweren gaan bloeden.' Het bleef nog steeds stil,

een stilte om gedweeër in te worden, iets kalmerends in te zeggen: 'Tom gaat vast over een paar jaar met iemand trouwen. Hij is toch nog nauwelijks droog achter zijn oren.'

Of: 'Christian zit in Åhus immers niet zo ver weg.' De oudste broer zou vanaf midden september districtsarts worden. En als laatste concessie: 'Ik kom toch naar huis als het nodig is. Er gaat elke dag een trein.'

Moeders stem was iel; hij kroop onder die van Hedda vandaan tevoorschijn: 'Ik maak me zorgen om Åke, daar ben ik verdrietig om. Ik wil hem echt niet alleen laten.' Nu was Hedda op haar hoede; ze stapte verder de kamer in en ging op de vensterbank zitten. Ze vroeg niets, ze wachtte, moeder mocht zo vaak ze wilde in- en uitademen. Daarna zei ze slechts: 'Ik maak me zorgen. Hij is mager, volgens mij is hij afgevallen. Overmorgen wordt hij gewogen en gemeten.'

Hedda dacht na. 'Ik heb mijn been gebroken toen ik op zijn leeftijd was en het duurde drie maanden voordat ik er weer goed op kon steunen.'

'Maar dat was een gecompliceerde breuk vlak onder je knie. Ik weet dat het slecht had kunnen aflopen, je had mank kunnen worden, maar het was toch als het ware iets mechanisch, je had er een gebrek aan over kunnen houden, maar niet iets levensbedreigends.' 'Wat bedoelt u met "levensbedreigend", moeder?' Weer een stilte. 'Ik weet nog dat het tijd kostte voor het genezen was, mijn been, maar daar hebt u niet om gehuild. Wat is dit voor bangmakerij met "levensbedreigend"? Toch niet vanwege die koortsaanval? Iedereen kan ziek worden van zulke ruzies zoals hier nu. Ik ben niet van plan te blijven om die reden!'

'Ik wil niet dat jíj blijft. Ik wil zelf blijven. Ik weet dat jij goed voor Åke zorgt, jij hebt immers over hem gemoederd toen ik die miskraam had en vervolgens nog maanden van de wereld was.' Het is voor het eerst dat Hedda hierover hoort, ze kan het zich ook niet herinneren. Een miskraam is haar niet bijgebleven. 'Nu wil ik over hem moederen en dan moet ik naar een kuuroord zonder dat ik zelf ziek ben.'

'Blijf dan hier', zei Hedda zachtjes, en even zacht was ook het antwoord, een lange blik waarin ze zich deerlijk van de situatie bewust waren. De onmogelijkheid van het voorstel werkte ontnuchterend.

Alles was weer bij het oude, moeder hielp zelf mee om daarvoor te zorgen. 'Die scène heeft mij ook niet onberoerd gelaten,' zuchtte ze, 'en vaders eeuwige problemen en dat jullie allemaal tegelijk verdwijnen. Het spijt me dat ik je bang heb gemaakt. Maar het is de leeftijd die Åke heeft. Ik had in Denemarken een familielid dat een bijzondere vorm van tuberculose kreeg, niet in de longen, ze moesten een stuk van zijn arm amputeren. Later is hij getrouwd en heeft hij zes kinderen gekregen. En het leek helemaal niet op Åkes aandoening, maar ik moest aan hem denken en toen werd ik zo bang. Wil je me even omhelzen?' O, wat onaangenaam haar nu te omhelzen.

De twee torens van de Högalidkerk in Stockholm staken af tegen de ochtendhemel, die niet vanuit het oosten, maar vanuit het westen leek te worden belicht. Hedda bekeek ze en had nog steeds het onwennige gevoel van moeder in haar armen, een onaangenaam gevoel. Moeder sprak weloverwogen toen ze vertelde waar ze bang voor was, de natrillingen van het huilen waren heel zwakke rillingen die niet te onderdrukken vielen. Hedda keek over haar moeders schouder neer op een tas die bij de Skånse klederdracht hoorde, zo'n tas die je met een metalen clip aan de boord van de rok vastzet. Ze had lang geprobeerd die te conserveren, maar het juiste garen niet kunnen vinden. Nu wist ze dat moeder zich ongerust maakte dat Åke een ziekte onder de leden had, maar geen tuberculose.

Wanneer ze hem zag dacht ze daar niet aan, of kon ze het ter zijde schuiven als iets abstracts. Hij was er, hij draaide voor haar de bladmuziek om toen ze de laatste avond een paar standaardnummers speelde op de ongestemde piano. Hij ging mee naar het station en hielp haar met de bagage, ook de arm die in het verband zat werd gebruikt, die zag er buitengewoon bruikbaar uit, misschien had de ommekeer nu ingezet. Hedda had het gevoel dat hij haar absolutie gaf door er zo gezond uit te zien en te lachen. Hij lachte en zijn zeer blozende wangen bolden zich. Vader stond helemaal aan het uiteinde van het perron, hij keek haar niet aan. Moeder hield haar handen op de rug en riep iets wat je door het sissende geluid van de locomotief niet kon horen. Ze had met de ochtendpost de ring gekregen, maar niets gezegd.

Op het centraal station in Stockholm was Hedda op zichzelf aangewezen. Tom had gezegd dat hij mogelijk zou komen, maar hij was er niet. Het was een warme dag, toch moest ze het jasje van haar mantelpakje dichtknopen. Het speeksel van haar medepassagier had op de zijde van haar blouse een verkleuring en een bobbelige misvorming achtergelaten. Zo kon een mens zich niet vertonen. De conducteur hielp haar met de zware valiezen; ze pakten allebei een uiteinde beet. Toen stond ze op het perron en probeerde de aandacht van de kruiers te trekken.

De achttiende brief

Beste Sigrid,

Als je me toestaat, pas ik me aan jouw schrijfstijl aan, met 'je' met kleine letter. Ik vind dat ook gemakkelijker. Maar als een mens de discipline van het op een traditionele manier brieven schrijven ooit ingeprent gekregen heeft, is gemakkelijk soms toch moeilijk aan te leren.

Traditie wil trouwens niet zeggen minder persoonlijk of oprecht. Het is gewoon een ander tijdperk. Misschien komt er zowel 'Je' als 'U' te staan als ik mezelf vergeet.

Tegenwoordig schrijf ik maar zelden brieven. Dat zul je wel niet geloven, want je hebt er van mij meer gehad dan omgekeerd. Vroeger schreef een mens op zondag, tussen de lunch en de avondmaaltijd. Ik had altijd verschillende soorten briefpapier, met gevoerde enveloppen. Dat was een goed cadeau om te geven, niemand was er bijzonder blij mee, maar ook niet teleurgesteld over. Ik weet niet of je het tegenwoordig nog kunt kopen; ik had op het laatst altijd hetzelfde, een geparfumeerd oudroze. Ik koesterde er geen speciale gevoelens voor, maar anderen dachten dat ik er dol op was, dus kreeg ik het voor verjaardagen, Moederdag en andere onnodige gedenkdagen.

De eerste brieven die ik schreef, waren bedankjes na kinderpartijtjes, aan de moeders, bedankjes als je een kam of een gummetje als verjaarscadeautje had gekregen. Ik heb ook een keer een excuusbrief geschreven, aan de ouders van een vriendinnetje dat vlak achter mij was gaan staan toen we kastie speelden en ik met het slaghout zwaaide om een opgeworpen bal te raken. Ik vernam iets wat vreemd kraakte, maar raakte de bal behoorlijk. Degene die hem moest vangen had zonder meer een vangbal kunnen maken, dat zag ik, maar dat liet ze na toen ze het tumult achter me zag. Daar stond Britt, voorovergebogen, terwijl het bloed uit haar neus gutste. Het was natuurlijk helemaal niet mijn schuld, maar ik werd als de schuldige aangemerkt en moest die brief schrijven. Een onrecht dat me, nu ik er opeens aan denk, heden ten dage nog irriteert. Waarom heb ik die naam onthouden? Ik heb sinds mijn dertiende niet meer aan Britt gedacht. En nu ik er eenmaal aan terugdenk, schieten me ook haar ouders te binnen, die nooit een woord wisselden. Volgens mij spraken ze ook thuis niet met elkaar, en deden ze dat al zo lang niet dat ze eraan gewend waren geraakt en er niet bij stilstonden dat het anderen opviel. Ze woonden in een krap appartementje en konden het zich waarschijnlijk niet veroorloven om te scheiden.

Een jaar of tien, vijftien geleden begonnen er brieven te komen van 'goede vriendinnen' die gepensioneerd waren. Zijzelf of hun echtgenoot waren met pensioen gegaan en nu was het tijd om de banden aan te halen, ook al hadden ze veertig jaar niets van zich laten horen. Ze waren zo druk geweest, hadden in Rome of Amerika gewoond en nooit tijd gehad. Maar nu waren ze terug bij hun 'roots' en vonden ze dat oude vrienden het belangrijkste zijn wat een mens heeft en daarom stuurden ze handgeschreven brieven. Die nostalgici krijgen van mij nooit een reactie, ik kan niet tegen bon vivants die pas wat van zich laten horen wanneer ze zich beginnen te vervelen in hun eigen gezelschap.

Op de een of andere manier is het op dit ding gemakkelijker om 'je' te schrijven. Mijn schoonzoon heeft ons deze computer cadeau gedaan omdat we zestig jaar getrouwd waren. Dat hebben we overigens niet gevierd, dat hebben we stilgehouden. Mijn man heeft drie gin-tonics gekregen in plaats van één. Ik heb een kasjmier trui gekregen die ik zelf ben gaan kopen. Onze zoons hadden niet aan onze trouwdag gedacht, maar van onze dochter kwam dus die doos, dat wil zeggen: van onze schoonzoon. Zij was zo blij dat het zijn cadeau was; ze wil dat hij attent is, zelf stuurde ze lelietjes-van-dalen uit de kas. Het doet haar verdriet wanneer we onze verjaardagen of jubilea niet willen vieren. Je hebt natuurlijk gezien dat de brieven de laatste tijd uit een printer komen, dat ik ze niet langer tik.

Je vraagt hoelang de trein tussen Stockholm en Lund er in de jaren dertig over deed en of je in de nachttrein verplicht was een couchette te nemen. En of het een 'boemeltreintje' was of een elektrische locomotief.

Weet ik dat nog? Nou ja, mij staat bij dat het waarschijnlijk een stoomlocomotief was. In Europa heb ik in de loop der jaren dieseltreinen meegemaakt en de rook daarvan was anders, en ze waren groter. Stoomlocomotieven waren tamelijk laag en ze dampten. Die zul je zelf ook wel hebben meegemaakt. Ik denk dat men laat in de middag uit Lund vertrok en de volgende morgen in Stockholm aankwam, maar dat weet ik niet zeker. Er waren in die tijd restauratiewagons, met twee of drie zittingen voor elke maaltijd, maar veel passagiers met een zitplaats namen zelf proviand mee. Ik zal altijd wel zittend door de nacht hebben gereisd om geld uit te sparen.

En nu is het weer tijd voor dat saaie jeu de boules. De volgende keer zal ik iets leuks vertellen.

Groeten,
Hedwig

Rook

Warm brakwater ontmoet koud binnenwater in een sluis, damp slaat omhoog naar de winterhemel. Armen om zichzelf heen geslagen om kou te verdrijven, liefde eerder tegenspoed dan overvloed, de geest komt zichtbaar uit de mond, met elk woord, elke lach en elke zucht. Het luik van de kelderschacht wordt opgetild, een kolenlevering – een wolk van kolenstof naar de man die geniet van deze stort vanaf straatniveau en meteen ziet hoe die zijn last verlicht, hij neemt een paar puffende trekken van zijn neuswarmertje, uit mondhoek en pijpenkop schiet de rook omhoog, deels longgrijs, deels wit van tabakverbranding. Drie witte puffen pijprook gaan door het dunne kolenstof de lucht in, vanaf Åsöbacken zie je de hele stad stoken, geelgrijze kolenwarmte, van haardvuren komt lichtere en vuriger rook. Sommigen ruiken verschil tussen varkensmest en koeienmest. Anderen zien of er berkenhout rookt, of houtsoorten die in de schoorsteenpijn roeten en hoesten. Olie het minst zichtbaar: soms slechts als een vertekende transparantie. Verder ovenrook van de bakkerij bij de Koninklijke Stallen en de grote Vrouw Hollewolk van kookwarmte en persstoom van de wasserijen. En Agafornuizen, die vanuit de grote keukens in appartementen en villa's vele kubieke meters verwarmen.

Stoombootjes trekken houtaken door de binnenarchipel, de trekhulpen kunnen de vracht als brandstof gebruiken en rooksignalen uitpuffen naar de winterhemel, als de uitgeademde lucht van het paard toen het de boomstammen door het bos trok. Boeggolven tillen tere ijsschotsen op. Op de kade van Nybroviken stoppen twee fietsers die elkaar kennen. Praatwolken zonder tekst, er wordt een sociale sigaret opgestoken en tussen de replieken ontstaat richtingsrook. Een snel saluut vanaf Kastellholmen – losse schoten en blauwgrijze wolken die boven het water drijven en oplossen. Op Södermalm is een gebouw gesloopt om een bioscoop te bouwen, dampende gaten in de grond. Wat is het dat daar dampt?

Wanneer er koelwater wordt gebruikt bij het smeden is dat immers boven de nul graden. Niet alle riolen zijn tunnels, door afvoeren stroomt lauwe morgenmassa. In dichtbebouwde gebieden is alle grond een soort groeve, een mergelgroeve, daarbeneden zit archeologische warmte. Oude mannetjes staan aan de rand van die groeve te roken. Ze kijken neer op de arbeiders en roken sigaretten, of de peuken van de sigaretten van anderen die ze van de grond hebben opgeraapt, ontdaan van geaccumuleerde stimulantia en opnieuw gerold in krantenpapier, het liefst alleen de kantlijn, maar het kan zijn dat er wat letters bij zitten die lood toevoegen aan het lekkere gif. Tijdens een scheikundeles op een school aan het Norra Bantorget spelen dertienjarige knapen met kwikzilver,

wat een leuk, zich opdelend kogeltjesmetaal, ze willen van geen ophouden weten. Het volgende uur staat er voor het jaarlijkse onderzoek door de schoolarts echter hygiëne op het programma. Sauna, inzepen, en afspoelen met de koude slang. Met handdoeken van thuis wordt de schaamte bedekt, dat deden ze vorig jaar niet, maar sommigen zijn nog kinderen, anderen halfvolwassen kerels met beginnende haargroei rond de geslachtsorganen en in de oksels. De ene groep schaamt zich alleen maar, de andere ervaart gemengde gevoelens bij de zichtbare verandering, de eersten zijn onveranderd, maar allemaal schamen ze zich dat het leven zo treurig is als het alleen maar zijn kan in een kale schoolsauna, door vrouwen met vuilgrijze lappen geboend, zo oud, de tegels vergeeld en gebarsten, de betongeur is gewoonweg een armoedegeur en ze moeten de door blinden gebonden borstels delen om er zich mee te boenen. Dat is niet voldoende, zegt de saunameester en hij wroet met de borstel tussen de billen, waar ze zich zelden goed afdrogen. Omhoog met die voeten, en de borstel gaat tussen de tenen door, waar het niet geheel schoon is, waar vuilproppen als miereneieren worden afgerold en roze vel ontbloten. Enkelen van de haarloze jongens moeten hun tranen verbijten, dit doet pijn, en ze vermoeden dat het nog maar een voorproefje is van de wellustig uitgedeelde difterie-injectie in je rug, waarvan je niet eens kunt wegkijken, omdat die naderbij sluipt en erger is dan verwacht, aangezien je op het ergste bent voorbereid. Het kuipbad voorafgaand aan de sauna vindt plaats bij open raam,

fatsoenshalve een klapraam in het dak, de stoom wappert als vlaggen en wimpels in de lucht. Wie hier passeert herinnert zich iets onaangenaams. De sauna is niet warm genoeg, legionairsziektelauw, ze hoeven niet lang te blijven, nee, ze worden in ganzenpas de betegelde ruimte in gedreven waar de saunameester hen met de koude slang afspoelt en hun verbiedt hun hand ervoor te houden. Enkele blokken verder in oostelijke richting, in de Drottninggatan, klinkt uit een radiotoestel de ochtend-gymnastiek met majoor Sverre. Zijn stem is niet Pruisisch, maar rank en slank, zoals hij zegt dat lichamen moeten zijn, en achter in zijn keel rolt langgerekt zijn r.

Het is een hoekkamer met een ronde erker op de hoek zelf, van waaruit je de Observatoriumheuvel kunt zien. Op de vensterbank, naast een grote sanseveria, zit de tijdelijke huurder Luigi S. zijn nog tijdelijker gast Milla D. te bestuderen, die in een zalmkleurige combinatie de commando's van majoor Sverre opvolgt. Luigi rookt een sigaret die hij uit een doosje van ingelegd hout zonder lijst heeft gehaald, ingelegd hout in ingelegd hout, zo lijkt het. Je trekt een messinghendeltje uit en er komen drie diagonale vakken boven met gleuven voor rookwaar, cigarillo's, Turkse sigaretten en virginia's. Hij heeft zijn linkerhand met de sigaret op de vensterbank gelegd, hij ademt met zijn mond op de windwerende ruit, die hij op een kier heeft gezet om de dampende nacht naar buiten te laten. Hij is niet van plan haar een ontbijt aan te bieden. Hij heeft niets in huis. Hij kijkt met een donkere blik naar de plek van zijn adem op het glas en naar de kringelende virginiarook buiten. Naar de glimp van een spiegelbeeld. Hij is niet helemaal gekleed, hij draagt niets onder de trui die zijn groot-moeder heeft gebreid van de dunste wol. Hij is warm van de radiator. En van zichzelf. Het meisje doet meer dan majoor Sverre begeerd. Ze buigt zich als de Kariatide op de voet van de lamp. Er ontbreekt alleen een pijl aan deze boog. Ze draagt er niets onder. Het niemendalletje dat meer toont dan verbergt, is immers haar 'ondergoed'. Een charmekiltje met getwijnde schouderbandjes en kant aan de wijde broekspijpjes. Wan-neer ze zich met geheven armen uitstrekt, hoog op haar tenen, wordt het kledingstuk te kort en spant het van haar schoot tot haar schouders. Het verbergt niets, er valt hier niets te verbergen – bijna niets te zien – de borsten zijn klein en stevig, de taille buigt tussen de ribbenboog en het heupbot onberispelijk naar binnen, als bij een etalagepop. Ze showt kle-ren in maat 34 aan de vaste clientèle van een duur warenhuis. Wanneer ze majoor Sverres verzoek om met gestrekt been een hoge cirkelbeweging te maken overdrijft, ziet Luigi S. dat er geen knoopjes in het kruis van de luchtige onderste helft zitten. Hoe doet ze dat met urine en fecaliën? Kleedt ze zich helemaal uit wanneer ze naar de wc moet? Of maakt ze wanneer ze moet plassen gewoon een spleet bij het ene pijpje, dat tijdens het gymmen haar roodblonde schaamhaar ontbloot? Het idee van de spleet is opwindend. Hij steekt zijn rookvrije hand in zijn zak en legt zijn halfstijve lid op zijn dijbeen, streelt met zijn duim de voorhuid die nog niet terug over de eikel is gegaan. Opening, denkt hij, mond. Ze hebben de hele nacht geneukt en hij biedt haar géén ontbijt aan, hij neemt een grote trek van zijn sigaret, steekt zijn hoofd door het raam en kijkt neer op de Observatoriumheuvel, de houten trappen tegen de heuvel op, laat de rook naar buiten, klapt de witte haak terug naar binnen, vult zijn longen tot op de bodem en blaast voor het laatst uit door neus en mond, de rook zweeft naar beneden langs de Drottninggatan, waar een vishandel zijn watergordijn voor de ramen in werking heeft gezet. Het ijs dampt nog in de bakken, waar

zalmforel en rode forel gefileerd liggen, maar de makreel van de west-kust nog in zijn geheel. Daar leeft paling onder celluloid met gaatjes, en zeekreeft met een scharenklem. Een taxi met een uitlaatmankement komt omhooggereden, zwart walmend en lawaaiig. Maar de rit moet gemaakt, een retourtje Djurgården, het is de huishoudster van de Italiaanse ambassadeur die de bestelde zeekreeft en paling komt ophalen. De kantoormeisjes, op het trottoir onderweg heuvelopwaarts, springen opzij om geen roet op hun lichte kousen te krijgen en hun mantels niet te laten impregneren met verontreinigde autobrandstof. De kantoorklerken, op het andere trottoir op weg heuvelafwaarts, met stropdas, lange jas, hoed en virginia of Turkse sigaret, wijken mopperend uit, hoewel zij er minder door geraakt worden. Op de hoek van de Kungsgatan wordt een stevige oorvijg uitgedeeld.

Rond Bengan Bengtssons haardos stuiven de waterdruppels in het rond. De vrouw die hem geslagen heeft loopt op een drafje weg in de richting van de Sveavägen, terwijl hij zijn hand op zijn wang houdt en knipoogt naar een andere jonge vrouw die met grote ogen passeert, terwijl haar vriendin Lill-Inger haar verder trekt en te verstaan geeft dat je niet moet kijken. Lill-Inger, die in Stockholm is geboren, aan de Stigbergsgatan is opgegroeid, vindt ook dat er geen reden is om te kijken naar de man die enigszins zwaaiend op zijn benen ijs loswrikt van het trottoir. Proost, wat een neus, maar heeft hij die melancholieke kleur te danken aan de kou, een verkoudheid of aan te vaak toosten? Hij heeft ook geen knopen meer aan zijn broek; die wordt van voren dichtgehouden met een stoffen riem, geknoopt als een stropdas. Hij draagt halve wanten, rood-bevroren vingertoppen in een grip om ijshouweel en hamer, gevoel kan er niet meer in zitten. Een reu piest een paar druppels op de sneeuwhoop achter hem en snuffelt dan verder, een zweem verdampte lichaamswarmte achterlatend.

De geslagen man steekt een sigaret op (virginia of Turks maakt hem niet uit, het moet rond zijn en Zweeds en een Amerikaanse naam dragen) en trekt zijn handschoen aan nadat hij aan de huid van zijn gezicht heeft gevoeld. Nee, godzijdank heeft zij haar handschoen aangehouden. Hij heeft smalle, schrijnende strepen op zijn rug gehad van de ring die te groot is, zodat de steen naar binnen draait. Hij heeft die, goedkoop, voor haar gekocht, van een ploegmakker die hem terug had gekregen van een andere boze vriendin. Het ziet er nu niet naar uit dat zij van plan is hem terug te geven. Ze snelt lukraak richting de Sveavägen, maar wanneer ze daar is weet ze niet goed waar ze is of hoe ze het snelst op haar bestemming moet komen. Ze heeft nog nooit een man geslagen, heeft ze ooit weleens iemand geslagen? (Een vechtpartij tussen broers en zussen telt ze niet mee, die verloor ze toch altijd als er niemand ingreep.) Aan de binnenkant van haar handschoen voelt het alsof haar hand gescheurd is. Hij is heel; wat kan een mens veel verdragen! Ze kijkt naar de ring. Hij is te groot, hij is verguld – vulgair doublé, hij was al beschadigd toen ze hem kreeg. En het is geen robijn, zoals Bengan dacht. Vlak nadat ze hem heeft laten vallen haalt een man haar rennend in, hij heeft de ring in zijn hand en wil hem teruggeven.

Ze antwoordt dat hij niet van haar is, nee hoor, dat ding heeft ze nog nooit gezien, laat staan in haar bezit gehad. Hij blijft volhouden dat hij haar de ring zag verliezen toen ze haar handschoen uittrok. Ze stampt een beetje, zij weet het toch zeker beter dan hij, misschien heeft ze onder het lopen tegen dat prul geschopt en hoorde je daarom gerinkel. Toen ze stampte, was het alsof ze een stoomexplosie uit een kelderventiel teweeg-bracht. Opeens staan ze ingesponnen in vocht en zeeplucht. De wolk verenigt hen, brengt hen samen. Wanneer die optrekt, ziet ze dat er zich krullen uit zijn gepommadeerde haar hebben losgemaakt en zij schiet met haar hand naar haar eigen hoedenrand en voelt dat alles verwrongen en verdraaid is, en dat haar glanzend geborstelde golven steil zijn geworden. Dan ontdekt ze dat haar kousen onaangenaam vochtig zijn, en ze laat hem staan met zijn lokken en een valse robijn die hij niet hebben wil. Aan de overkant van de Sveavägen verkoopt een man kastanjes die hij roostert op een rooster in een blikken ton. Hij verjaagt de jochies die met hun hoepelstokken op de ton proberen te spelen, hoepels van andere tonnen, van hout. Dan verkoopt hij, bijna met een saluut, een puntzak kastanjes aan een jonge vrouw in een kamelenharen jas, met een bruine alpino en een slangenleren tas. De ringloze probeert haar aandacht te trekken, want ze moeten dezelfde kant op, maar het draait erop uit dat ze een optocht vormen van twee snelle wandelaars, waarbij de een de ander nooit inhaalt. Zij die achterop loopt, geneert zich opeens voor de omweg die ze meent te hebben genomen. Was het over Brunkebergsåsen niet korter geweest? Ze is nog steeds te nieuw in Stockholm, ze neemt altijd te lange wegen. De ander voert hen nu aan, de Tegnérgatan in, rechtsaf. De zon, die al op was, maar onzichtbaar,

vertoont zich opeens en tóónt. Het meisje in de kamelenharen jas blijft wachtend staan, kijkt zoekend om zich heen of zich een kandidaat meldt voor de gedeelde bevestiging. Ze ziet haar achtervolger en wijst naar een binnenplaats. De poort staat slechts op een kier, ze moeten hun hoofden bij elkaar steken om hetzelfde te zien. Een alpino en een zacht hoedje van indigo met een smalle rand. Een boom die is gaan bloeien. Een ochtend in de voorjaarswinter, wanneer de zonnewarmte het vaste vluchtig maakt en van de krakende ijsschotsen in Nybroviken damp doet oprijzen, brengt ook het lange voorwerk aan het licht van kleine witte bloempjes aan een naakte boom. Die heeft beschut op de binnenplaats gestaan en is nu trots op zijn vroegrijpheid, wat niet automatisch hetzelfde is als een rooskleurige toekomst. 'Is het een kersenboom?' vraagt de een. 'Nee, nee,' antwoordt de ander, 'het is in feite de een of andere winterbloeier. Ik weet alleen niet meer hoe die heet, maar mijn oom in Engeland heeft ze, ze ruiken als wasbloemen.'

'Je ziet ze letterlijk uitkomen', merkt de eerste op, fluisterend alsof ze bang is het proces te verstoren. De kroon is gesnoeid als een liggend ovaal!

De oude broers

Het kwam meer door mijn eigen gevoel dan door een teken van Hedwig Langmark dat ik ophield leidende vragen aan haar te stellen.

Ze leek het leuk te vinden dat we elkaar af en toe schreven, maar het liefst over het heden, niet zo veel over vroeger. En als correspondentie-vrienden; dat was wel voldoende, ze zette nooit een stap in de richting van verdere intimiteit. Ze bleef schrijven naar mijn zogenaamde werkka-meradres, dus mijn echte woonadres, en ze leek nooit de moeite te willen nemen om te controleren of ik werkelijk in haar eerste huis woonde. Die botte leugen werd met de jaren wat afgestompt. Door de vijf minuten kleurenspel wanneer in de Finngatan de lantaarns aangaan, was ik ech-ter nog even betoverd, elke keer weer. Ik koesterde nog steeds het idee om daar een roman op te baseren, maar Hedwig was als inspiratiebron uitgewerkt. Ze had geen zin meer om het Lund van de jaren dertig te beschrijven, wat er bloeide in de tuinen, het zomerlicht in de straten, moeder, vier kinderen en Quatrejamb, wat er later van hen geworden was.

Niettemin sukkelde de briefwisseling verder, eerder op haar initiatief dan op dat van mij. En ook al ontleenden we de onderwerpen voorname-lijk aan onze eigen tijd, in het voorbijgaan bood ze toch voorproefjes die dingen bevestigden die ik zelf over de familie Carlsson had opgesnuffeld. Wanneer er weer zo'n brief kwam, ging ik op internet zoeken. Google ontstond, maakte het internet nog wijdlopiger en fijnmaziger, en toen kwam er ook meer informatie over de Carlssons. Ik wist dat geen van hen aan genealogie deed, want dat had ze verteld.

Eén keer lokte ik bewust haar verhaal uit. De verdrinkingsdood van haar oudste broer wekte mijn nieuwsgierigheid (of dat hyena-achtige: het meten van het ongeluk van geslaagde mensen, hetgeen je moet proberen te vermijden).

Het lokaas: in een zomerbrief liet ik doorschemeren dat ik laf ben waar het zeilen betreft, en ik bouwde de kwestie uit met bootongelukken in mijn kennissenkring. Of eigenlijk deed ik daar een zeer royale schep bovenop.

Toen kreeg ik meer te horen over wat ik al op de website van Christian had gezien: hij en zijn kleinzoon Paul

(vertelde ze)

waren ten noorden van Philadelphia in een jachthaven, waar de boot door andere familieleden vanuit de thuishaven in West-Florida naartoe was gevaren, aan boord gegaan van de s/y Liebling. Daarna hadden ze een mooie tocht gemaakt naar de noordoostpunt van Long Island, waar de familie sinds ze daar een zomerhuis hadden vele malen had deelgenomen aan een lokale *sea race* voor plezierjachten. Paul en Christian vonden het leuk om samen op zee te zijn, het zeilen was iets wat ze deelden. Het was de tweede wedstrijd waaraan ze met z'n tweeën meededen, maar Christian zelf was de nestor van het evenement; hij was al minstens twintig keer deelnemer geweest, met twee boten, de eerste was de Baltic Sophie.

In een kleine jachthaven, in het hoefijzer van een gehucht met een paar stenen huizen uit de zeventiende eeuw en vele witte houten huizen met daken van leisteen, vervoegde de rest van de bemanning zich bij hen: drie 'jongelui' (tussen de achtentwintig en vierendertig), die zouden meedoen om de familietraditie hoog te houden. De boot ging daarna naar de werf en zou waarschijnlijk worden verkocht; de oude man had tegenwoordig alleen nog belangstelling voor het maken van dagtochten en wilde meer dan een roeiboot, maar veel minder dan een *sailing yacht*. Thuis had hij een tweemansjol waar hij vroeger mee gespeeld had, maar die lag voornamelijk aan wal, daar werd je te nat in, dan kon je net zo goed gaan windsurfen. Dus gaf hij in jachthavens en tijdschriften zijn ogen de kost. Dit tochtje met wedstrijd was waarschijnlijk een afscheid van de Liebling, een vaarwel. Niemand van de jongere generaties had tijd, geld of zin om haar te houden. Een aantal had zelf een boot, en trouwens: boten die sterk het stempel van traditie en verlies dragen, kunnen beter overgaan in andere handen, niet de zeebeleving van de erfgenamen uithollen.

Na de wedstrijd zouden grootvader en kleinzoon een paar dagen in New York doorbrengen; ze hadden kaartjes voor een Mahlerconcert in het Lincoln Center, de derde symfonie en *Lieder eines fahrenden Gesellen*, en een avond later voor een voorstelling van *Eugen Onegin* in de Met. Daarna moest Paul weer aan het werk als junior consultant bij een deelstaatsenator in Albany en reisde Christian naar San Diego voor een congres.

Toen het allemaal onherroepelijk was geworden zei de jongeman dat hij zich voor de gek had laten houden door het feit dat opa voor het eerst sinds de dood van oma een vrolijke indruk had gemaakt en minder had gedronken, en alleen 's avonds – overdag werd er gezeild. Opa keek er ook naar uit om even de grote stad in te gaan – muziek – en naar het congres, het eerste in twee jaar tijd waarvoor hij een uitnodiging had aanvaard, na een lange periode van gevoelens van vergane glorie die met kruiswoordpuzzels en patience waren verdoofd, twee elementen in het gepensioneerdenbestaan die Hedwig Langmark bestempelde als 'het begin van het einde'.

Feit is dat de bemanning van de Liebling, een vrouw en drie mannen, van wie de jongste het kleinkind van Christian was en de andere twee kleinkinderen van de zuster van zijn echtgenote, zo vrolijk werd van zijn goede humeur tijdens het diner dat ze het er daarna, in de eerste uren van zijn afwezigheid, over gehad hadden dat *the old guy* eigenlijk een nieuwe vriendin moest nemen, dat ze dat hoopten, voor hem, maar zeker ook voor zichzelf. Ze spraken over hem als over een eik die door de bliksem gespleten is – hetgeen 'iets zegt over een patriarchaal imago', constateerde Hedwig.

Terwijl ze die plannen zaten te maken en overpeinsden wat voor soort dame het zou moeten zijn (niet boven de zeventig! Hij zag er immers nog goed uit), wandelde de oude man naar de haven voor een kort tochtje met de boot, gewoon even de haven uit, zei hij, om het roer te controleren; hij had onderweg hiernaartoe een paar keer gemeend dat het haperde. Paul klonk dat vreemd in de oren, het was zo'n eenvoudig mechaniek, en zelf had hij niets gemerkt hoewel hij driekwart van de afstand 'gestuurd' had. Maar Christian wilde zich er absoluut een laatste keer van vergewissen dat alles in orde was.

Hij had niet meer dan een glas rioja gedronken en dat had hij niet eens leeggemaakt, maar hij leek een beetje gespannen voor de wedstrijd. Dus lieten ze hem alleen gaan, het was die avond stil, te rustig om het zeil te hijsen, er stond alleen een beetje hoge wind en er waren kleine golfjes. De duisternis viel snel in, maar hij ging immers alleen maar even de haven uit en zou meteen omkeren.

Hij had al eerder een ander plan gewijzigd en gezegd dat hij aan boord wilde gaan slapen. Hij had daar alles wat hij nodig had: pyjama, tandenborstel en Conrads essay *The Mirror of the Sea*, de meest vredige lectuur voor een droomloze slaap. (Wat kregen ze een symbolische waarde, die laatste woorden, ze lazen op de begrafenis uit het boek voor.) Gewijzigde plannen op de avond voor het startschot … hm, hij had zelf de kamers voor hen allemaal geboekt, maar hij was *the skipper* en kon doen wat hij wilde. De jongelui verlangden ernaar gebruik te maken van hun comfortabele hotelkamers, maar ze herhaalden hardnekkig: *'Are you sure?'* Niemand had zin om hem gezelschap te houden, er was een jacuzzi in het hotel. Daar zaten ze eerst samen in en ze lieten zich een uur lang licht masseren. En daar bleven ze plannen smeden voor zijn volgende liefdesrelatie.

Het nichtje zei dat je op hun leeftijd niet kunt voldoen aan de behoefte van oude mensen aan intimiteit. Wanneer je niet aan de behoeftes van kinderen kunt voldoen is dat helemaal niet zo pijnlijk, want die halen je wat vitaliteit betreft snel in. Niettemin zitten kinderen die nog aan het leven gaan beginnen en oude mensen die al hebben geleefd in hun taal, hun gedachten op dezelfde golflengte. Je vergeet je kindertijd niet, maar je vergeet hoe je als kind *continu ervaringen opdoet.* Existentiële vergeetachtigheid is een van de grote mysteriën van het leven. Die bestaat opdat je vergissingen herhaalt; als die er niet waren, zou het leven dynamiek missen. Met de gedachtegolflengte van oude mensen heb je nog geen ervaring. Die kun je niet zien aankomen. Je stelt je die voor als verlies van massa en variatie. Maar dan 'vergeet' je dat je continu ervaringen opdoet wanneer je oud bent. (Isabel was zowel psycholoog als filosoof van beroep.) Daarom is het pijnlijk om jezelf in clichés en op een kinderachtige manier te horen praten met oude mensen, die al verder denken en de triviale aanmoediging voorbij zijn, hetgeen het enige is wat ze krijgen. Alsof ze kinderen zijn. Daarmee wees ze ook het gepraat af over *a new girlfriend for the old guy*, wat ze overigens zelf had aangezwengeld. Vervolgens gingen ze slapen, ieder in een eigen kamer, die allemaal voorzien waren van een stevig, kingsize tweepersoonsbed, en keken ze tv tot ze in slaap vielen.

Paul werd om drie uur wakker omdat de telefoon ging. Hij dacht eerst dat hij gepord werd voor de race. Het was donker, maar je kon de sterren zien toen hij naar het receptiegebouw liep. Daar trof hij een officier van de kustwacht aan die meedeelde dat de Liebling drijvend in de vaarroute was aangetroffen, met gedoofde lantaarns. Toen ze aan boord waren gegaan hadden ze geen tekens van leven aangetroffen of iets wat op een fataal ongeluk duidde. De jol zat waar ze moest zitten, de boot was nog niet zo ver dat ze in de buurt gekomen was van de zware deining wat verderop, die herinnerde aan de eerdere straffe wind. Paul kreeg algauw de vraag of zijn *grandfather* depressief was geweest. Het zwemtrapje was uitgeklapt. Dat hoefde niets te betekenen.

Het zwemtrapje was uitgeklapt. Tegen de politie zei hij dat grandfather aan boord was gegaan om de stuurinrichting te controleren en misschien had geprobeerd vanaf het zwemtrapje het roer te onderzoeken. Zelf klonk hem dat erg vergezocht in de oren, zei hij, in de nacht, met alleen een zaklamp en met deze roerconstructie.

Hij dacht: hij heeft zich er dus niet in gegooid, maar is erin gestapt.

Hij dacht: hij was dus de hele weg hiernaartoe vrolijk omdat hij een besluit had genomen. De plannen voor de wedstrijd, de opera, het congres, alleen maar afleidingsmanoeuvres. Het diner zijn laatste avondmaal.

Paul en zijn nichtje en neven beschreven op het politiebureau diverse keren hoe de avond was verlopen. Wat ze hadden gegeten. Iedereen had visgerechten gegeten. Wat ze hadden gedronken. De neven en nicht hadden één fles champagne uit Californië plus water gedronken, Dominic had een wodka-martini als aperitief genomen, de oude man had het gehouden bij een bodempje rood in een groot tulpenglas en dat niet leeggedronken. De kustwacht bleef zoeken. Isabel vertelde dat Christian zeebaars en crème brûlée had gegeten, en naast zijn wijn een fles mineraalwater had gehad. Paul verklaarde dat er geen alcohol of drugs aan boord van de Liebling waren. De verdwenen man was arts en slikte geen medicijnen, hij gebruikte zelfs nooit paracetamol of acetylsalicylzuur, ook al waren deze middelen wel aan boord voor het geval iemand koorts of hoofdpijn kreeg. Toen het licht werd, begon een helikopter aan een vlucht over de vaarroute en werden er duikers ingezet. De jongelui verklaarden naar waarheid dat ze niets meer van de oude man hadden vernomen nadat ze hem hadden uitgezwaaid; hij was de haven uitgevaren op de motor en met half gehesen grootzeil, dat hij meteen buiten de pier had neergehaald. Paul was nog van plan geweest naar zijn mobiel te bellen om naar het roer te informeren, maar hij wilde niet bemoeizuchtig zijn. Ze hadden wel aangedrongen dat hij een reddingsvest zou aantrekken en dat had hij beloofd, met borstplaten, zonder kraag. Maar hij had niet gedronken, en hij werd normaal nooit duizelig. Hij had nog steeds een bloeddruk van 125 over 80. De vrouw die hen verhoorde, voerde een poosje een telefoongesprek. Daarna zei ze heel ernstig dat het reddingsvest netjes op een plank lag in wat zij 'de kuip' noemde. Zeven andere vesten lagen op hun eigen plek, deze lag in de kuip. Met uitzondering van de regenpakken van de bemanning hadden ze geen kledingstukken aangetroffen, zelfs geen schoenen.

Paul stond van zijn stoel op en liep een paar rondjes door de kamer. Dat mocht, hij wilde huilen zonder dat het opviel. Geen huiltheater voor mensen die hun deelneming betuigden, alleen voor zichzelf. Ondertussen dacht hij eraan hoe Christian zo ver mogelijk het korte zwemtrapje afging, met het onderste deel van zijn chino plakkend rond de kuiten, boven de knieën, hoe hij, zich hier en daar vasthoudend om plonsgeluiden te vermijden, zo ver mogelijk verder naar beneden gleed, met een paar slagen het zwart doorkliefde en daarna een vervolg gaf aan zijn besluit. De gedachte aan de passage door de duisternis bezorgde Paul hartkloppingen. Hij moest snel gaan zitten. Het frappeerde hem dat hij Christian altijd als een Amerikaan had beschouwd, ondanks het nog steeds aanwezige accent, maar nu riep hij zich in herinnering dat opa in een Europees stadje was geboren, daar meer dan vijfentwintig jaar had gewoond, en bijna zijn halve leven in zijn geboorteland had doorgebracht. Grotendeels voor de Tweede Wereldoorlog. Pauls moeder zei altijd dat je katten moet begraven op de plek waar ze zijn geboren. Het was zomaar een losse gedachte die opkwam.

Het zoeken ging een week lang onverminderd door, de boot werd uit het water gehaald, er werd niets in het water of aan de wal gevonden en niets in de boot. De bank in de thuisstad opende een kluis en haalde er een testament uit, waarin stond dat Christian naast zijn echtgenote wilde worden begraven. Een van zijn kinderen, de vrouw die zich tot het katholieke geloof had bekeerd, zag hierin het bewijs dat zijn verdwijning onvrijwillig was, hoewel het testament ruim tien jaar eerder door beide echtgenoten was ondertekend. Ze weigerde aan de uitvaart deel te nemen omdat zijn lichaam er niet bij was. Ze kon zijn dood niet accepteren omdat hij alleen maar in zijn afwezigheid doodverklaard kon worden, en ze bleef daar maar mee bezig en was diep ongelukkig, terwijl de andere kinderen zich met de gebeurtenis verzoenden en er minder vaak aan dachten. Het lichaam dook nooit op een verlaten oever op, de stroming had het meegevoerd en er zijn 'ergere dingen dan door de natuur te worden teruggenomen', schreef Hedwig, 'hij wist het altijd goed voor zichzelf te regelen. Ik ben bang dat het me nauwelijks lukte om hem te rouwen, onze levens gingen verschillende kanten op en afgezien van kerstkaarten hadden we na moeders overlijden bijna geen contact.'

De accolades van de tussenzin gaan elk hun eigen kant op, ook al komen ze elkaar tegen. Christian vond ik zelf op internet en Hedwig vulde de lacunes. Bij de volgende broer was dat omgekeerd.

Ze schreef een keer dat 'Tom een beetje een rare druif was geworden, nu is hij natuurlijk oud en staat hij alleen in zijn opvattingen en gepraat over paradigma's. Hij is ontevreden over de val van de Berlijnse Muur en er is niemand die dat wil horen. Maar er is nu natuurlijk die nieuwe manier om in het luchtledige te prediken.'

We zaten intussen een heel aantal jaren verder in onze briefwisseling. Haar man, twee jaar ouder en toen we begonnen 'een beetje een belasting, puur fysiek, zwáár!' was inmiddels door fysiotherapie en een soort zelfgenezing veel kwieker en beweeglijker, en hij was weer gaan golfen, 'oudemannengolf natuurlijk, maar *a whole different ballgame* vergeleken met *bloody* boules!' Ze had veel meer vrijheid. Anderzijds was ik net als de meeste anderen idioot verknocht aan mijn computer geraakt. Met de dag werd het werktuig 'computer' verder aangevuld met meer 'interactieve' en communicatieve afleiding. Wanneer mijn gedachten en formuleringsvermogen opdroogden, zat ik niet langer te kijken naar vallende bladeren, roeken met speersnavels op de nok van het dak van de buren en mensen wier paraplu door de wind binnenstebuiten werd gekeerd, maar las ik artikelen op internet, zat ik een beetje sloom te lezen, was ik aan het *window shoppen* en shoppen, kocht ik kaartjes voor reizen en voorstellingen, betaalde ik rekeningen, deed ik spelletjes, bezocht ik veilingen, communiceerde ik, las ik roddels over Noorse en Deense prinsessen en verspilde ik mijn tijd en mijn leven. Ondertussen meende ik deze illusie van prikkels en efficiency wel te doorzien.

Gericht zoeken ging natuurlijk snel en goed. Je kon ook citaten en kleine feitjes oppikken die, wanneer je ze omzette in eigen formuleringen, andere mensen de indruk gaven dat je kennis had van de huidige tijd en ouderwets onderwijs had genoten. Maar er zat geen systematiek in het ziften, het was geen jacht op het uitgekozene, maar op de massa zelf, het nevelige in de kennis en het verhaal.

Dezelfde avond dat Hedwig haar rare druif van een broer had vermeld, begon ik te googlen, met Jämtland/Härjedalen als tweede zoekterm, want ze had geschreven dat hij in die contreien woonde. De zoekmachine leverde weinig hits op die de naam van haar broer met de provincienamen combineerden. Er verborg zich vast een Jämtland of Härjedalen of land of dal in de met kleine letters gedrukte broodtekst of vergezochte links onder de hits, maar ik kwam nergens de juiste persoon bij de juiste naam tegen. Torsten (Tom) Carlsson, Carlson, Karlsson, Sögaard-Carlsson voerden niet eens naar het filmportaal waar ik Hedda had gevonden en waar ik destijds zijn naam had gezien.

Een latere poging leverde opeens wel een stortvloed aan hits op. Vijf kwartier lang maakte ik een selectie uit een bouwbedrijf met contracten in Dubai, een professor in gewasfysiologie, niet minder dan drie voetballers (als je een Tom Carlsen van FC København meerekende), een necrologie van een lokale voorzitter in de gemeente, een controversiële deken in Linköping, Tom Charlson jr. van een escortservice, beschreven als 'bs' en met de veelbelovende maten 187/84/18-34, twee artsen aan het academisch ziekenhuis van Huddinge, een plastisch chirurg in een privékliniek, alsmede een schrijver en cineast van wie ik het een minuut lang warm kreeg, totdat ik zag dat hij in 1967 was geboren.

Een aantal maanden later was er een echte hit, op een manier die onwerkelijker klinkt dan het was. Ik zocht naar 'zelfinterviews'.

De boekenwereld was een beetje voorpaginanieuws geworden. Om het jaar krijgt ze haar mediakoorts, wanneer het klinkt alsof een roman even belangrijk zou zijn als wat dan ook. In Strindbergs tijd en tachtig jaar daarvoor en daarna werd dat een sleutelroman genoemd, dan deden schrijvers ingewikkeld door mensen die ze wilden hekelen een transparante vermomming aan te meten. In plaats van dergelijke rollenspellen te spelen had men nu in de naam van openheid en/of commercie het genre in de ik- en de dagboekvorm gegoten en het zou wel de bedoeling zijn dat je dan ging gelóven in de leugens omdat ze authentiek waren. (God, wat naïef ...)

Op een dag kwam ik op het idee dat het interview met mezelf – dus het zelfinterview, het auto-interview – kon illustreren hoe gereserveerd je in wezen toch blijft, ook wanneer je onverbloemd bent. Hoe open ben je eigenlijk wanneer je open bent? Ben je zelfs tegenover jezelf wel open? O, er zijn hier duizenden ontsnappingsmogelijkheden. Hoe eerlijk wanneer je eerlijk bent? Nog erger!

Om aanschouwelijk te maken hoe moeilijk het is om eerlijk te zijn tegenover jezelf (je spiegelbeeld onder ogen te komen zonder eerst een gezicht op te zetten waarvan je weet dat je het herkent) las ik een reeks zelfinterviews op internet door. Waarom publiceert een mens zulke interviews? Om jezelf recht te doen, of om jezelf te beminnen als degene als wie je bemind wilt worden, maar zoals anderen je niet weten te beminnen? Misschien.

In andere gevallen om standvastigheid te tonen in je steun aan een door je eigen tijd verworpen wereldbeeld. Of om uitvoerig intellectuele legitimiteit te verlenen aan echt walgelijke meningen. Tot mijn verwondering was ik naderhand verrukt van Sofia-Maria, die zichzelf toevertrouwde dat ze altijd 'een beetje gek' was geweest. Op drieënzestigjarige leeftijd voorzag zij in haar onderhoud als 'engelenmaakster' in Österlen – dat wil zeggen: zij maakte engelen van allerlei materialen, stro, keramiek en brood. Haar echte engelen waren echter zeven kinderen, 'vijf van twee echtgenoten en twee in het wild', en negentien kleinkinderen. We moesten niet denken dat ze daar als een broedkip bovenop zat, ze gaf één keer per jaar een feest, op haar verjaardag, 8 augustus. Verder moesten ze zichzelf maar redden, want zij had haar honden, katten en geiten om voor te zorgen.

Toen ze zichzelf over zichzelf bevroeg, de diepte inging, min al die andere attributen rondom die belangrijk voor haar waren en haar beïnvloedden maar waardoor ze niet wezenlijk bepááld werd, antwoordde ze dat je jezelf niet op een permanente manier kent. Het innerlijk van de mens flakkert zoals het licht verschiet door de natuur. Je maakt deel uit van de natuur en als zodanig ben je voor het grootste deel ondoorgrondelijk voor geschoolde kennis. Je weet niet wie je bent, omdat je jezelf niet op een objectieve manier met iets anders kunt vergelijken – schreef ze. Anderen zien je beter dan je jezelf ziet. Het is moeilijk om te begrijpen waarom je dingen kiest en nog moeilijker om te begrijpen waarom je eraan vasthoudt.

'Ik ben twee keer gescheiden, want ik vond de persoon die ik werd toen ik samen met die mannen was niet prettig. En ik houd niet van al mijn kinderen. Tegenover enkelen verontschuldig ik me voortdurend en bij hen durf ik geen gebreken vast te stellen, want dan is het hek misschien van de dam en komt de waarheid aan het licht. Verschillende kleinkinderen zitten zo ver weg dat het me niet lukt belangstelling voor hen op te brengen. Ik geef meer om mijn geiten.' Wat een zelfonderzoek!

In tegenstelling tot het pseudoniem Jacob, die zichzelf elegant en retorisch interviewde over zijn grote belangstelling voor geschiedenis, vooral voor de Franse geschiedenis van de achttiende eeuw, vooral voor 'de gepassioneerd elegante verschijning' Lafayette. Jacob schetste zijn achtergrond als enig kind van een leraar aan een lyceum in een kleine stad. Zijn vader had een herenkamer gehad, waar Jacob na zijn belijdenis ook mocht komen en sigaretten aangeboden kreeg. Zijn moeder was een hysterica. Op een middag toen er niemand thuis was, viel ze op mysterieuze wijze van de keldertrap en raakte verlamd vanaf haar borst. 'Na twee maanden kreeg ze een bloedprop in haar longen, vervolgens longontsteking, waarna ze overleed. Een zegen voor alle partijen. R.I.P.' Na nog weer het een en ander over Franse politieke achttiende-eeuwse filosofie, snobistisch verwoord, kwam Jacob nu hij het er toch over had terug op zichzelf. Na zijn eindexamen van de middelbare school, 'met de hoogste cijfers' en een 'dito' doctoraal examen, keerde hij terug naar zijn thuisstad om als ambtenaar te gaan werken bij een socialeverzekeringsinstantie. Na twee jaar was hij bureaudirecteur.

Vraag: Huwelijk 1?

Antwoord: Een blank huwelijk. Helaas bleef dat zo. Twee kinderen. Scheiding. (Natuurlijk kun je een huwelijk dat tot twee kinderen leidt 'blank' noemen.)

Vraag: Huwelijk 2?

Antwoord: Voltrokken in de Zweedse Kerk in Londen. Of beter gezegd: in de pastorie, want er was dat weekeinde een kerstmarkt aan de gang. We zagen prinses Margaretha. Mijn echtgenote menstrueerde *extra cyclum*. Helaas bleef dat zo. Een dochter. Scheiding.

Met zijn gefrustreerde seksualiteit kwam het beduidend later toch nog goed, op populaire Aziatische vakantiebestemmingen.

Vraag: Zit er een grond van waarheid in dat die meisjes het tegen hun wil doen, met tegenzin, dat ze worden uitgebuit, ontmenselijkt, tot een ding worden gereduceerd, zoals Zweedse betweters beweren?

Antwoord: Ik beschik niet over theorieën, alleen over ervaring. Ik ben tijdens twee huwelijken, het ene zevenjarig, nooit zo'n toewijding, zachtheid en intuïtie tegengekomen. Zo'n wellust, zulk lachen, zo'n bereidheid om zich te laten bevredigen en dat ook te laten horen. In die cultuur bestaat geen foei, een tik staat gelijk aan een uitnodiging, en voor een man is de Aziatische kut een reis voor smulpapen; niet gradueel maar wezenlijk verschillend van onze inheemse haringsalade. Triest, maar het moet gezegd en ik weet niet hoe dit genetisch onrecht op een behoedzamer manier kan worden uitgedrukt dan met: 'Sorry, meiden.'

Jacob voelde zich niet primitief. Hij had de meeste dingen immers summa cum laude afgerond en wist zinnen zonder referentiefouten te schrijven. Maar toen ik hem las kwam er bij mij wel iets primitiefs naar boven en ik dacht aan gloeiende katheters. Snel scrolde ik door enkele tientallen hits en ik bleef steken bij mijn eigen naam. Die stond niet in een kopje, ik werd hem in het voorbijgaan gewaar en ik moest een paar keer over de pagina op en neer om hem terug te vinden. In een dungedrukte, lichtgrijze voorproeftekst stond: *herinner me deze Combüchen als een van die narcistische betweters van beroep uit de jaren negentig. Een keer vond ze ironisch genoeg (hahahiha) dat we mensen weer in de adelstand zouden moeten gaan verheffen en weer onderscheidingen zouden moeten gaan verlenen. Haar ironie was niet tegen de bovenklasse gericht. Het was de sociaaldemocratie waar ze ...* Voor verdere citaten was geen ruimte. Ik verwonderde me over het woord 'narcisme'. Het is een indruk die iemand heeft, je kunt niet protesteren. Dat die persoon dat van die onderscheidingen verkeerd had begrepen, had ik hem of haar echter wel kunnen vertellen. Mijn punt was geweest dat je zand in de ogen wordt gestrooid wanneer regeringen te 'democratisch' zijn om onderscheidingen en barontitels uit te delen en in plaats daarvan iets anders voornaams, de professorstitel, stelen om die te verlenen, ook al heeft die een substantiële inhoud in het echte beroepsleven.

(Omdat de soep van het bestaan graag samenklontert, stuitte ik een paar dagen later op soortgelijke wijze alweer op mezelf. Ik las op internet een bewonderend, vijftien jaar oud tijdschriftinterview met de schrijver Willy Kyrklund. De man hield zich natuurlijk wezenlijk bezig met zichzelf en zijn bijzondere vernuftigheid, maar was vriendelijk genoeg om mij te kiezen om zich tegen af te zetten, dat wil zeggen: om te beschrijven hoe ik in tegenstelling tot hem de taal niet als vorminstrument gebruikte, maar een oppervlakte uitdacht om te 'schitteren'. Ik kon maar niet begrijpen hoe hij deze mening over een jongere collega, die op dat moment toevallig een klein succesje had, nou precies motiveerde. Hij vónd dit gewoon. Dat hij zich daar niet te goed voor vond ...)

Via deze weg kwam ik op de website van Tom Carlsson terecht. Laat ik bij voorbaat zeggen dat het niet bijzonder toevallig was dat ik daarop figureerde. Zijn zus had verteld over onze briefwisseling en in een van zijn laatste 'commentaren' (dat werd toen nog geen blog genoemd) vermeldde hij me kort en afwijzend.

Hij was nu zesentachtig en woonde op zijn boerderij Snucksjö in het westen van Jämtland, in een hoek die grenst aan Härjedalen en Noorwegen. Hij had een eigen website en de startpagina bestond uit een kaart van de streek, door hemzelf in een rustieke Tolkienstijl getekend en ingekleurd. Een landschap met heuvels en velden, drie naburige boerderijen, een kleine kudde schapen, de lapjes grond van de hobbyboer. Als je op 'Tom en Aina' klikte, kwam er een goed geconserveerd oud paar tevoorschijn, bloot. Als John en Yoko hielden ze elkaars hand vast voor de camera met zelfontspanner. De achtergrond bestond uit een grote open haard met een hoog vuur.

Aina – van wie ik even later wist dat ze negenenzeventig was – had een verbijsterend elegant figuur. Wat de wet van de zwaartekracht bij mensen na verloop van tijd naar beneden duwt, hield zich bij haar nog overeind; ik bedoel het skelet. Eén borst zat ook hoog, de andere ontbrak. Haar lange, grijze, lage vlecht had ze over die plek hangen – niet om hem te verhullen, volgens mij. Tom had al zijn haar nog, nog steeds donker, borstelig vanuit de haarwervel op zijn voorhoofd, zoals ik het me van de schoolfoto herinnerde. Hij was nog net zo knap als vroeger, maar had een in zekere zin dwaze, te koppige uitdrukking op zijn gezicht gekregen. Zijn wenkbrauwen moesten nodig worden bijgeknipt en hij leek wel een sater met zijn lange, harige zak; verder zag hij er twintig jaar jonger uit dan hij was.

De bedoeling van het blote stel was natuurlijk openheid, of naturisme, in elk geval vrijgevochtenheid, maar je kon hen ook functioneel aankleden door met de muis verder te klikken. De feestkleding was een klederdracht. Er stond dat Aina die van haar zelf gemaakt had, en het was een fantastische rok met breed bloemborduurwerk rond de zoom en een wit-geel gestreept schort. Tom was een beetje zeemleerachtig. Je kon zien dat er niet steeds nieuwe kleren werden 'opgeplakt', maar dat het nieuwe foto's waren; het was echter wel perfect uitgevoerd. Nog niet de geringste verandering van de houding van hun hoofd ten opzichte van de achtergrond wanneer ze van kleding hadden gewisseld. Er was ook werkkleding voor allerlei verschillende soorten klussen; zomer in een hutje op de bergweide, hetgeen gewoon betekende zomer in shorts en korte mouwen. 'Ons doordeweekse leven' was uniseks: allebei in een ribbroek, een spijkerbloes en een leren vest, dat van hem zwart, dat van haar een suède met een voering van schapenvacht. Tussen de doordeweekse accessoires poseerden ook de samojeed Jäkel en de boskatten Gaupe en Lo.

Er stond dat Aina en Tom werkende mensen waren. 'We werken elke dag, de mens is geschapen om te werken en kent zijn eigen waarde niet wanneer de rust niet verdiend is.' Dat waren Aina's woorden, maar het hadden die van Tom kunnen zijn, want onder tussenkopjes in zijn auto-interview drukte hij zich in dezelfde teneur uit. 'We willen in zonde leven, ook wanneer het vlees zwak is', antwoordde hij op de vraag waarom ze nooit getrouwd waren. Op de vraag of hij voorbeelden had, noemde hij er slechts één. In de Noorse documentaire *Onstuimig en enthousiast*, over een mannenkoor in Berlevåg aan de ijszee, is een man te zien die weigert zijn idealen op te geven. Tijdens een uitstapje met een bus naar Moermansk steekt hij bij een monument huilend een gebalde communistische vuist in de lucht. 'Je mag het naïef, sentimenteel en argeloos noemen, maar in deze context gaat het om de kleine man in oppositie tegen één wereldomvattende opinie en één alom dominerend belang. Hulde aan dergelijke sabotage!'

De kleine vrijheid

'Je broer heeft getelefoneerd over een epileptische aanval, Hedda. Hij had immers zullen komen om met de bagage te helpen.' Het was eerder zo dat tante Blondie stilviel dan dat ze de zin afmaakte, toen ze in het duister van de hal twee grote valiezen, twee hoedendozen, de rugzak en de kleine tas goed in ogenschouw nam.

Ook daarna werden de vragen en antwoorden er niet gestructureerder op:

Epilepsie! Tom? – Lieve kind wat een hoop spullen. – Er stond toch eigen linnengoed ...? – Nee, het was op zijn werk, binnen een minuut ziek. – Dus het ene valies bevat lakens en handdoeken, moeder heeft er monogrammen op geborduurd. – Je moet zelf je was wegbrengen, Hedda, er zit een wasserij achter de bakkerij, ze zijn daar niet duur. – Komt hij later? – Heb je dit zelf alle trappen op gesleept, Hedda? – Wat een groot appartement. – Je hebt natuurlijk nog een jonge rug, zijn je ouders onderweg naar hun verblijf? Hopelijk komt het in orde met Conrad. – Komt Tom later, zei hij? – Omdat je op je liet wachten is de kamer die ik voor jou in gedachten had, Hedda, naar juffrouw Eklundh gegaan. Een heel lief meisje. Over een paar weken krijg je een andere kamer met eigen wastafel, voorlopig moet je die delen. Het is een noodmaatregel. De kamer is afgescheiden, dus je hebt praktisch je eigen kamer, met elk je eigen deur; degene die er het eerst is ingetrokken heeft het deel met ramen gekregen, dus jij hebt er geen. Voor die periode betaal je vijf kronen minder huur, je bent natuurlijk hele dagen op school, Hedda. – Ze vertrekken overmorgen naar Bergslagen. Het geeft niet, voor twee weken ... Wat een groot appartement. – Het zijn acht vertrekken, ik heb zelf de twee kleine. En de keuken, die is van mij alleen. Twee jongedames en een heer hebben elk een eenpersoonskamer. Jij krijgt de kamer van meneer, Hedda; hij gaat begin volgende maand misschien naar Finland verhuizen. De andere kamers worden gedeeld; jij krijgt de helft van een afgescheiden kamer, bijna een eigen kamer.

Tante Blondie was druk met haar gepraat over het delen van kamers. Ze ratelde nu aan één stuk door. Herhaalde alles wat Hedda al wist:

de keuken was privé! Maar wel twee kookplaten in de dienkamer die de huurders mochten gebruiken;

de badkamer moesten ze met z'n allen delen, tien personen, ook Blondie, er hing een schema voor 's ochtends en 's avonds en daar moest je je aan houden. Op warm water moest je besparen. 'Dat is vanzelfsprekend', met zo veel mensen.

De kamer die Hedda later zou krijgen was de enige met warm en koud stromend water, maar voor die tijd stelde Blondie koud wassen in de badkamer voor. Ze noemde badinrichtingen in de buurt waar je voor een schappelijk bedrag terechtkon – het Centraalbad, Sturebad – als Hedda een wekelijkse badbeurt nodig had; Blondie had liever niet dat de badkuip hier gebruikt werd.

Er was nog een extra wc op de overloop van de zolderverdieping en eentje in de kelder, maar die werden door alle mogelijke mensen gedeeld en waren 'niet prettig'.

Hedda deed haar tasje open en overhandigde een cadeau van moeder, een zijden sjaal die wel wat leek op de sjaal die Blondie op dat moment als tulband droeg. De tante, die geen zuster van haar vader was, maar een jongere zuster van vaders moeder, maakte het pakje open en liet met een verlegen blik de stof over haar handen glijden. Een paar vingers streken als het ware onbewust over haar schedel, die schuilging onder een hoofddoek met een Mondriaanpatroon. 'Betoverend', zei ze.

Hakken in de gang. Algauw leerde Hedda herkennen wie er op de gang rondliepen, hoewel ze de mensen niet gezien had en hun naam niet kende. Een mens moet zich op de een of andere manier oriënteren, een mens doet dat ook. Thuis hadden ze gezegd dat Blondie een pension voor meisjes had, dat ze aan het ontbijt andere jonge meisjes zou ontmoeten en dat er een gemeenschappelijk vertrek met een radio zou zijn. Met die huur moesten er faciliteiten zijn! Zoals zo vaak ontdekte ze dat ze in feite niets hadden uitgezocht, maar er gewoon van waren uitgegaan dat … Dat zij als familielid voorrang zou krijgen! Haar ouders hadden Blondie weleens bezocht, maar de huurders nooit gezien en nu hadden ze met haar getelefoneerd zonder te luisteren naar wat er gezegd werd en hadden ze vervolgens iets verzonnen. Van binnen voelde Hedda een gematigd optimisme, maar ze had nooit verwacht dat ze de eerste tijd een kamer moest delen met een vreemdeling. Stel je voor dat die de hele tijd praatte. En dat je geen raam had. 'Zijn er ook bepaalde regels?' had ze moeder gevraagd, en het antwoord was geweest dat de keuken privé was, net als de badkuip. 'En ze wil ook niet weten van herenbezoek op de kamer, maar dat is natuurlijk duidelijk ...' en moeder had een beetje geglimlacht bij het bizarre idee van een man op Hedda's kamer.

De aarzelende melodie van haar hoge hakken op de houten vloer van de overloop volgde Blondies sloffende pantoffels een meter voor haar als een zacht weerwoord. Die avond zat Hedda in haar afgescheiden kamer. Ze zat op het onopgemaakte bed met haar onuitgepakte valiezen op de grond voor haar en fixeerde de jutestof die aan een spiraallijn hing. Niet van plafond tot vloer; er zat een spleet tussen de zoom en de vloer, en een nog bredere tussenruimte tussen het plafond en de lijn met de gordijn-ringen.

'Iedereen is natuurlijk verantwoordelijk voor het schoonmaken van zijn eigen kamer. Alles wat je nodig hebt, staat hier in de kast. Dat is de bezemkast.'

Ze hoorde mensen thuiskomen, hoorde iemand een uur later de voor-deur achter zich dichtdoen, na twintig minuten of misschien na vier uur terugkomen. Het gerammel van kleerhangers wanneer jassen van de kap-stok werden gehaald, ze hoorde hakken op de gang, heen en weer tus-sen de kamers en de badkamer. Haar eigen kamer lag het dichtst bij de badkamer, en een uur lang werd de wc onophoudelijk doorgespoeld. Ze hoorde snelle stappen die van twee personen bleken te zijn. Er kwamen stemmen bij; de ene zei 'aardappels' toen die langs haar deur ging, en daarna verdwenen ze zo ver weg dat ze begreep dat de kookplaten in de dienkamer het doel waren. Zou ze ooit naar die plek durven gaan? Later hoorde ze mannenstappen, met brede hielen, brede hakken. De man in haar echte kamer, hij die 'misschien' naar Finland ging.

Aan de andere kant van de jutestof was het nog donker. In haar stuk ook. Ze had het licht niet aangedaan. Ze had de kamer niet meer verlaten sinds Blondie haar alles had laten zien, op welk haakje in de badkamer Hedda's handdoek moest hangen, welke kookplaat het snelst warm werd, glazen, aardewerk (losse stukken) en bestek mocht je pakken en, met een afwerend gebaar naar het tafeltje met twee stoelen in een hoekje van de dienkamer: 'De meesten eten natuurlijk op hun kamer, dat is het gezelligst.'

Toen ze Hedda als allerlaatste liet zien wat haar kamer zou worden, een vertrek dat met grijsbruine jutestof was afgescheiden en dat geen ander daglicht had dan dat wat via de spleten bij vloer en plafond en met minieme zonnestraaltjes door de gaten in de stof naar binnen viel, kon ze waarschijnlijk wel iets van haar gezicht aflezen. Ze deed toen het plafondlicht aan om de smalle kleerkast te laten zien, waarin geen plek was om kleren 'languit' op te hangen; twee korte stangetjes van de achterkant van de kast naar de deur boden elk plek aan twee kleerhangers. Helemaal onderin waren ondiepe lades voor liggende kledingstukken, de geur van kamferballen steeg eruit op. De kamerverdeler verspreidde een andere geur: stof, koude aardappels. Hedda had een smal bed, hoogstens tachtig centimeter breed, de sprei was gebloemd, het matras vertoonde een kuil in het midden. Een tafeltje op twee poten, waarschijnlijk de helft van een ronde tafel die doormidden was gezaagd, steunde tegen de muur. Ervoor een mooi leunstoeltje en op de tafel een lampenvoet in de vorm van een gazelle met schildpadvlekken, met een langwerpige, geplisseerde kap op de hoorns. Inclusief brandvlek. Naast het bed een nachtkastje, een po achter het onderste deurtje. Met een schelmse glimlach werd Hedda op de po geattendeerd, en ze besloot het deurtje dicht te houden en plakband te kopen om het mee te verzegelen. Ze dacht: ongelooflijk. En niet eens een werklamp, geen bedlamp, geen leeslamp. Blondie zei dat de plafondverlichting via knopjes 'in beide kamers' bediend kon worden en ze deed het voorkomen alsof dat een voordeel was.

De onvoorspelbaarheid van het licht deed de beker overlopen, in Hedda vond een aardverschuiving plaats; er is maar een kleine druppel extra nodig, dan komt de aardverschuiving. Ze had die nacht niet geslapen, ze was niet met de auto afgehaald zoals haar was beloofd, ze had zelf een kruier en een taxi moeten regelen en om geen biljet te hoeven aanbreken had ze te weinig fooi gegeven. Daarom had ze ook nauwelijks hulp gekregen toen de koffers uit de wagen moesten worden gehaald. Vervolgens had ze die grote, zware dingen een voor een de vier trappen op gedragen, de lift was kapot en stond tussen twee verdiepingen in te wachten op een monteur.

Blondie wierp een verstolen blik op Hedda's gezicht, waaraan te zien was dat ze het nu moeilijk had, en ze haastte zich om te herhalen dat dit een tijdelijke oplossing was en vroeg aan Hedda of ze haar 'echte kamer' wilde zien. Ze liepen de hele gang door, langs de dienkamer, bijna helemaal tot aan Blondies heiligdom met de keuken en de vertrekken die niet mochten worden betreden. Blondie klopte aan bij een grote dubbele deur. Toen er niemand reageerde, deed ze de deur van het slot om de kamer te laten zien, die drie ramen en uitzicht op de Koninklijke Stallen en de oude bakkerij had. En veel meer. Het bed was breed en had vier palen. Er waren twee bedlampjes en een grote kleerkast. Er was een eettafeltje met een tafellamp. Een leesfauteuil stond met de rugleuning naar de ramen toe en een lampenkap met brede rand stak boven de lange, royale ronding van de rotanwervels uit. In de hoek was een wastafel, met op de vergulde kranen 'hot' en 'cold'. Het lichte tapijt dat Hedda bewonderde, was echter van meneer Petréus zelf en dat zou hij meenemen.

Hedda kon zelf niet zeggen of ze zich versprak of gewoon tactisch ontactisch was toen ze aangaf dat het huis thuis te klein zou zijn als haar ouders wisten dat ze hier met een mán woonde. Blondie reageerde er niet op, en zeker niet met beloftes. Toen ze de deur sloot en op slot draaide en Hedda weer voorging naar haar eigen hok, beschreef ze de woonsituatie voor de jeugd in Stockholm. Daarna gaf ze te verstaan dat ze haar gasten op basis van karakter en referenties met zorg uitkoos – heren en jongedames – met uitzondering van Hedda, wier nieuwe onderkomen een dienst was waar haar ouders haar om hadden verzocht.

Moeder was ervan uitgegaan dat Blondie haar de eerste dag met een maaltijd zou verwelkomen, maar nadat het doornemen van de praktische gang van zaken was afgesloten met het geven van een kwitantie voor een maand huur vooraf, maakte Blondie onder haar schildersjak een kokette beweging met haar heup en zei dat ze die avond gasten verwachtte, boodschappen moest doen en Mitzi moest uitlaten – ze maakte van de gelegenheid gebruik om te suggereren dat haar huurders het graag op zich namen om zowel 's avonds als 's ochtends de hond uit te laten.

Uit angst dat ze het niet zou kunnen opbrengen er terug te keren durfde Hedda in de loop van de dag haar kamer niet te verlaten.

Ze had zich in haar leven vele malen niet prettig gevoeld, maar wanneer ze op een plek een nacht had kunnen uitslapen, werd ze meestal wakker voor een dag waarin eerder de doener dan de piekeraar in haar werd aangesproken. Haar lichaam was een overlevingskunstenaar, ook al voelde de ziel zich doodellendig. Haar vingervaardigheid wekte een vonk op die iets van het vermogen om te leven opnieuw ontstak.

In de ochtend die volgde op deze dag en de tussenliggende nacht kwam ze dan ook op het idee dat ze de kamerafscheiding kon accentueren door de twee valiezen open met de rug naar de jutestof neer te zetten en kledingstukken over de rand te draperen met de mooiste sjaals bovenop. Ze verplaatste ook het kastje met de po daarheen, maar pas nadat ze de po uit het zicht had gezet in de bezemkast. Daar kwam ze een melkglazen vaas tegen die op het kastje kon staan, met een bos pauwenveren die gebroken en afgedankt op een plank hadden gelegen. Het afgezaagde tafeltje werd haar nieuwe nachtkastje, met enige moeite was de lamp goed genoeg om bij te lezen. Toen ze naar bed wilde gaan, was ze echter gedwongen het matras op de grond te leggen; in het bed kon je onmogelijk slapen.

's Avonds zat ze in de leunstoel het voedsel te eten dat ze op haar kamer kon bewaren. Toen had ze de gazellelamp aan en keek ze naar haar bed, met de nieuwe kussens en een lapje zijde dat ze met spelden tegen de muur had bevestigd. De plafondverlichting liet ze uit. Een enkele keer ging die vanaf de andere kant aan. Zo weinig mogelijk licht wilde Hedda. Ze wilde geen silhouet zijn dat van de andere kant zichtbaar was.

Toen het op de eerste dag tegen tweeën liep en ze nog steeds niet was opgestaan uit het bed, waarop ze met haar schoenen aan op haar zij was gaan liggen, waarop ze een poosje had gehuild, een poosje had geslapen, wakker was geworden doordat Blondie naar buiten ging, weer wakker was geworden doordat Blondie met de keffende hond van de markthal terugkwam, bleef ze er verder ook maar in. Als een zombie bleef ze met haar bagage ongeopend, in haar reismantelpakje met de onder gekwijlde blouse en haar schoenen aan liggen. Alle normale behoeftes werden als door een windhoos opgezogen. Ze ging de hele dag niet naar de wc, ze at en dronk niet. Ze wachtte op een boodschap, een telefoontje, maar de telefoon was Blondies privételefoon, ze stond gesprekken van huurders niet toe, Toms afmelding had de grens al overschreden.

Na het invallen van de duisternis, toen ze een paar uur lang door de muur heen stemmen had gehoord – uit een kamer bevolkt met heldere

vrouwenstemmen – maar daar geen woord van had kunnen verstaan
– en ook als een glimp van hoop de bekende aankondiging 'Stockholm-
Motala, Stockholm-Motala' had gehoord; er stond in dat vertrek een
radiotoestel – ging er achter de jutestof een lampje aan. Daar was de hele
tijd een sóórt licht geweest, eerst de schemering, daarna straatverlichting,
maar nu kwam er iets intens engs. Hedda was zo in beslag genomen geweest door de radio en de stemmen en stappen in de aangrenzende kamer
dat ze de discrete beweging in haar eigen sfeer niet had opgemerkt. De
deur die openging en de eerste stappen voordat het licht aanging. Toen
werd het ook daar volkomen stil, de ander leek abrupt te zijn gestopt toen
ze licht achter het doek zag en begreep dat er in het stuk van Hedda nu
iemand verbleef. Zo irritant, het was tot een kwartier geleden donker geweest. Ze had het licht aangedaan om op haar polshorloge te kijken toen
ze Stockholm-Motala had gehoord. Daarna had ze het gele lichtkringetje
laten branden, want ze was gewaargeworden dat dit het gezichtsveld beperkte, de jutestof, de ruimte en de lelijkheid een beetje wegtoverde. En
op hetzelfde moment dat zij zich daardoor beschermd begon te voelen
werd er aan de deur gebeld en arriveerden Blondies dinergasten in formatie, twee vrouwen en een man met een doordringende stem, die ruim
de tijd namen om hun jassen en dergelijke op te hangen.

Toen ze het andere licht zag aangaan en de onmiddellijke verstarring
aan de andere kant vernam, versteende ook zij. En zoals water uit steen
wordt gewrongen begon ze te zweten. Haar lichaam ontwaakte uit zijn
toestand van verdoving en onbehagen, ze ging open, en ze smakte met
haar droge mond, ze wilde vlees, haar eerder zo sloom rustende urine-
blaas stond opeens op knappen. Ze lag doodstil op haar zakdoek te kauwen die ze de hele middag beurtelings met tranen en snot gevuld had.
Zou ze … groeten? Toen hoorde ze een kuchje en iets wat ze al een hele
tijd intuïtief had aangevoeld werd bevestigd. Blondies agressief verontschuldigende praat en al deze lelijkheid, dit genoegen-nemen-met, het
werd allemaal verklaard door een kuchje van een man. Ze lag doodstil te
wachten op iets wat dit zou kunnen ontkennen, een geluid dat verklaarde
dat het kuchje een stoel was geweest die over de grond schraapte, een koffer die openging. Na een minuut van stappen in de kamer, een raam dat
openging zodat de straat kon bijdragen met achtergrondgeluiden, begon
hij wat te neuriën. Hedda kon eigenlijk niet pianospelen, ze had maar een

paar stukken geleerd, eentje daarvan uit haar hoofd. Ze wist niet eens meer hoe het heette, het was een salonstuk. Dat zong hij. Het was een spookverhaal. De eerste twee maten keer op keer. Hij stopte wanneer hij niet wist hoe het verder ging en begon weer van voren af aan.

Stockholm, 14 september 1937

Lieve vader en moeder,

Het is vroeg in de ochtend, heel vroeg in feite, te vroeg om op te staan en anderen te storen, dus lig ik in mijn bed deze eerste brief te schrijven. Vooral om eens te horen of vader en moeder geïnstalleerd zijn en of het echt goed met vader gaat en hij zijn voordeel doet met de behandeling. Dat is immers het belangrijkste van alles.

Zelf ben ik daarentegen helemaal nieuw in de grote stad en vader en moeder moeten begrijpen dat ik me deze eerste dag wat verloren voelde. Ik kwam twintig uur geleden aan op het centraal station van Stockholm, zo kort geleden nog maar. De reis was tamelijk rustig, je kon wat wegdommelen, hoewel er in Nässjö, Mjölby en Linköping natuurlijk mensen uit moesten en daar werd je wakker van. Tom kon me niet van het station ophalen. Er had blijkbaar iemand epilepsie gekregen, hij kon niet weg, dus heb ik zelf maar een taxi genomen en voelde ik me nog 'wereldwijs' op de koop toe.

Tante Blondie heeft me in een provisorische kamer geïnstalleerd. Ze had me immers op een ander tijdstip verwacht en toen moest ze de kamer wel verhuren die ik anders had gekregen, maar ik krijg gauw de beste van het appartement, met drie ramen en *hot and cold running* water. Op dit moment moet ik een kamer delen met een ander meisje. Dat wil zeggen: een grote kamer die met een soort tussenwand in tweeën is gesplitst. We delen alleen de plafondlamp en die wordt nauwelijks gebruikt. Maar tante wil niet de volledige huur nemen voor de tijd dat ik op deze manier woon, omdat de afspraak voor een eigen kamer geldt. Dat komt goed van pas nu ik voor het eerst de huishouding voor mezelf moet doen. Wanneer het echt ochtend is geworden zal ik naar buiten gaan om vers brood te kopen, waarvan ik de geur al meer dan uur ruik. Het is zo warm dat het raam de hele nacht op een kier heeft gestaan en er moet hier een bakkerij om de hoek liggen, zegt tante. Ze kon niet

Nee, verdorie.

Wat troosteloos om dit te schrijven. Het was kwart over vijf en Hedda lag al een uur wakker met pijn in haar onderrug. Eén keer vannacht had ze de slappe lach gekregen bij de gedachte 'geen heren op de kamer'. Haar kamergenoot snurkte. Het was geen gezonde lach, het was een krankzinnige lach om iets wat misschien te krankzinnig was, ze huilde en snurkte van het lachen, haar buik pompte nerveus toen ze zich niet kon inhouden, en één keer trok ze de po tevoorschijn omdat ze het gevoel had dat ze moest overgeven.

Wanneer ze op haar rug lag, zat ze half in het doorgezakte bed. Als ze op haar buik ging liggen werd ze zo doorgebogen dat de pijn intens werd. Op haar zij, met gebogen knieën, was het uit te houden als ze vaak van houding veranderde, maar de bedbodem kraakte en een paar keer was het gesnurk aan de andere kant van het weefsel toen opgehouden.

Tom,

Blondie is amoreel, ze is niet goed bij haar hoofd. Ze laat me een kamer delen met een vreemde vent. Met alleen een doek ertussen. Zoek me op wanneer je tijd hebt, ik heb behoefte ...

Ach.

Hedda kende hem en wist dat hij het briefje zou lezen, het zou vergeten en over een week of wat misschien verbaasd van zich zou laten horen. Door het raam dat open was gelaten zonder dat zij daarover geconsulteerd was, hoorde ze een stoomboot, het motorgeluid en het hartritme dat helemaal tot hier doordrong wanneer de geluidsgolven door de oostenwind vanuit de archipel werden voortgestuwd. De tram hoorde ze ook af en toe. Daar zou zij mee reizen.

Lieve vader en moeder,

... tante Blondie zit me wel op mijn huid, hoor; al de eerste dag moest ik gaan kennismaken op de academie. Ze hebben me daar goed ontvangen! Ze hadden enorm veel haast met een bestelling. Ik moest het eerste uur al beginnen met twee rijen miniem opengewerkte zomen bij een linnen blouse ...

Wat bewoog haar ertoe dit te doen – het leuk voor hen te willen houden? Die laatste zinnen waren een volslagen leugen. (Waren leuk en leugen soms verwante woorden?) Deed ze dit als een verzekering dat de investering gegarandeerd was? Ze had de hele dag en de hele nacht op een bed gelegen en wist niet hoe ze over een paar uur op school moest komen. Naar het westen of naar het zuiden? Te voet of met de tram? Ze stond als nummer drie op het badkamerschema. Tussen 7.10 en 7.20 uur had ze het recht over die ruimte te beschikken, en midden in de nacht, toen ze overpeinsde of ze eerst haar lichaam of haar haren zou wassen, stond ze op om dingen te pakken om de tijd zo goed mogelijk te kunnen gebruiken. Zeep, spons, washandje, shampoo, een grote handdoek. Thuis was het ook dringen rond het bad, maar vader en moeder hadden een wastafel in hun slaapkamer en in een verborgen hoekje achter de linnenkamer was er ook een *cabinet de réflexion,* zoals vader het noemde. O, wat wenste ze dat de man in haar kamer gauw naar Finland zou vertrekken. Hij stond vlak voor haar ingeroosterd, maar hij kon toch niet de volle tien minuten nodig hebben. Ze besloot vanaf zeven uur haar deur op een kier te laten om te kijken of de badkamer eerder vrijkwam. Ze sliep nog wat.

Lieve Dagmar,

Nee. Het mevrouwtje zou het nooit begrijpen. Zij sliep haar onveranderlijke leven.

Dearest Daisy,

Help. Ik zeg help me. Schrijf een regeltje zodra je tijd hebt. Ik heb iemand nodig die weet hoe het voor me is. Ik heb gewoon troost nodig. Of ik moet misschien gewoon horen of jij ook weleens in het bestaan bent geworpen zonder iemand die je kent. Moet dat als een gevangenis zijn?

Mijn ouders zijn naar een kuuroord omdat vader zoals gewoonlijk 'ziek' is. Grootje is bij ons thuis om voor Åke te zorgen, Christian is verliefd, ik denk dat hij zich gaat verloven, Tom leeft met een gescheiden vrouw en ze gaan níét trouwen. Je kunt je voorstellen hoe er thuis tekeer werd gegaan. Hij is hier in Stockholm. Ja, ik ben in Stockholm om aan een naaicursus te beginnen. Dat is wat ze in hun grootmoedigheid bereid zijn voor mij te financieren. Ik ben vanochtend aangekomen – dat wil zeggen: het is nu bijna weer morgen, maar het bed is een foltering, ik kan er niet in slapen. De huisbazin is een tante van mijn vader. Ze is een tante van de duivel. Ik betaal toch de volle prijs. Hoewel we verre familie van elkaar zijn, bood ze me niet eens een kopje thee aan toen ik arriveerde, ze somde alleen alle beperkingen op van het leven hier. Ik had nog een paar droge kaasbroodjes van de reis en dat is het enige wat ik de hele dag gegeten heb. Ze heeft me een gedeelde kamer gegeven, het gedeelte zonder ramen, een doek scheidt het ene stuk van het andere. Ze had me niet verteld dat de kamergenoot een mán is. Hoor je dat? Maar ze staat geen herenbezoek op de kamers toe! Hier zit ik dan en ik vind het heel onredelijk om geld voor deze kamer neer te tellen, een bed waar je niet in kunt liggen, geen leeslampje, een tafel met twee poten, het enige aardewerk is een oude po met bruine randen, en dan wordt het avond en komt er een man binnen die zich lekker installeert in dezelfde kamer!

Wat kan de tijd eindeloos duren! Hij loopt naar de kookplaat in de dienkamer om iets voor zichzelf te bereiden. Wanneer ik geteld heb tot achttienhonderd is hij terug met een bord dat naar bruine saus ruikt. Dan klinkt er gesis en ruikt het naar tafelbier. Zo klein is de afstand tussen ons. Dan ritselt de krant, dan laat hij een wind. Na een poosje zet hij het raam open. Het staat de hele nacht open en het enige wat ik heb, is een deken, één deken dus. Hij zal het ook wel koud hebben gehad, want hij heeft de po twee keer gebruikt; hij denkt misschien dat hij het discreet deed, maar je hoort het toch.

Tante is kaal en draagt een tulband, ze woont met haar hond in twee kleine vertrekken. Er is geen minuut geweest waarin ik kon klagen, want ze heeft ervoor gezorgd dat ze gisteravond gasten had. Verder heeft ze zich ingedekt door te vertellen hoe moeilijk het is om in Stockholm een kamer te vinden. Als vader hierachter komt, is zij niet degene die op haar kop krijgt maar ik. Dan is het: Wat heb ik gezegd, en dan moet ik meteen naar huis komen en naar de huishoudschool.

Hedda verkreukelde ook die brief en gooide de prop bij de andere in een zak; een prullenbak was er niet. Verder dan dit kwam ze op dit moment niet.

Het werk – of gewoon de handbeweging van het schrijven van woorden – zinnen, had

haar verontwaardiging bovendien in banen geleid. In haar woede mengden zich berekenende impulsen toen ze zag dat ze het voor haar ouders fraai formuleerde, maar aan haar nichtje in Engeland spontane gevoelens overbracht. Haar ogen brandden en waren nu bijna eeltig van het huilen, maar toen ze ze gebruikte om te lezen wat ze had geschreven zat er iets systematisch in de rust waarmee haar blik de regels volgde, iets taxerends. Dat ze überhaupt woorden en zinnen vormde was een verdienste. Hedda begon weer te schrijven, aan niemand:

Het is toch typisch dat ik een kamer met een man deel en me onzichtbaar probeer te maken terwijl hij het zich goed laat smaken.

Vijf jaar geleden was er een depressie en nu is het hoogconjunctuur. In 1932 was er niemand die zich kon voorstellen dat er in 1937 een hoogconjunctuur zou zijn. En nu is er niemand die zich kan voorstellen dat er in 1942 misschien een depressie is.

Nu ga ik een stap verder in mijn denken. Ik zal vooruitdenken. Ik zou een lichtgrijze avondjurk willen naaien met een nauwe rok die zes, zeven parapluvouwen in nog lichter (of donkerder) grijs heeft, een ongelooflijk wijde rok dus die speelt dat hij nauw is, nauw is wanneer de mannequin stilstaat. Het lijfje bij een dergelijke rok zou niet nauw zijn, maar horizontale draperingen hebben.

De tweede verdieping

Hedda meende dat een coupeuse- en naaiacademie onder grote schuine dakramen moest liggen. Boven in een gebouw, het laatste trapportaal, zonder personenlift, alleen een nauw warenliftje voor de zware balen stof. Binnen, onder de nok van het dak, gebogen ruggen, de spijlen van de ramen als een dunne rasterschaduw op de vloer. Bij zon en maan. Zo was het in de film.

Maar de Academie Borg-White lag op de tweede verdieping – midden in het gebouw – met een rij ramen naar de Birger Jarlsgatan. In de middelste kamer, die de woonkamer was geweest toen dit nog een patriciërswoning was, hing een enorme, onverplaatsbare kroonluchter. Die zou sinds het huis voor het eerst werd ingericht ook wel niet van zijn plaats zijn geweest, en die was nu belangrijk om licht over de werktafels te laten stromen. Elk daarvan was ook voorzien van werklampen, en zelfs van vergrootglazen met gericht licht.

Aan de straatkant lagen drie grote kamers en suite, alsmede een kleiner vertrek waarin de rector, mevrouw Borg-White, haar kantoor had. Aan de kant van de binnenplaats had je een keuken en drie kleinere vertrekken waarin de leerlingen in twee- of drietallen detailwerk uitvoerden waarvoor geen werkoppervlak nodig was.

Toen Hedda werd rondgeleid, gingen de vertrekken open als de vakjes van een adventskalender, lampen van gemarmerd olieleer met franje aan de kappen verspreidden licht over de kruinen van de meisjes, de botstructuur, de zachte schedels en de haarlokken die aan weerskanten langs de oorschelpen vielen. In twee van de vertrekken werd druk gepraat, in het derde heerste een stilte die abrupt en onverzoenlijk overkwam. Toen ze in de deuropening stond, draaiden de gezichten zich naar haar toe. In totaal acht rechterhanden namen losjes die van haar aan. De twee kemphanen in het derde vertrek zeiden goedendag, aangenaam, de andere meisjes heetten haar vrolijk welkom. Een van hen had een neef die bij Hedda op school had gezeten, hij had twee jaar eerder dan zij eindexamen gedaan, ze herkende de naam. In totaal waren er eenentwintig leerlingen, met haar erbij tweeëntwintig. Iedereen droeg witte stoffen handschoenen en stoffen mouwbeschermers tot aan de ellebogen, om het materiaal te beschermen en om hun kleren te beschermen tegen het materiaal. Ze droegen ook grote witte schorten. Onderweg terug naar huis bedacht Hedda hoe ze eerst op elkaar geleken hadden omdat ze een uniform droegen, ook al bestond dat slechts uit manchetten en een schort. De donkerharigen droegen ook een kapje op hun hoofd; dat hoefde Hedda niet.

Mevrouw Borg-White zelf was fin de siècle, met haar witte haarwrong boven op haar voorhoofd en de schildpadspeld aan de achterkant. Maar wat haar kleding betrof, was ze hypermodern. Een slanke rok, donkere tinten die de indruk van strepen wekten wanneer potlooddunne taft contrasteerde met banen van zomerwol, daarbij een crèmegele zijden blouse met dubbele kraag, een zichtbare knoop van onyx en ivoor halverwege op de verder verborgen sluiting, alsmede een spaarzaam geometrisch patroon van zwarte strepen en punten. Ze stond op. Het viel Hedda op dat ze aan de linkerhand, die de hare niet pakte, drie gladde ringen van platina droeg. Een paar dagen later werd haar bevestigd dat mevrouw Borg-White sinds vier jaar weduwe was, dat ze de academie was begonnen met de nalatenschap van haar man en dat ze nu goed verdiende en nooit twee dagen achter elkaar dezelfde kleren droeg.

'Ziet ze er niet ook uit alsof ze in melk baadt?' zei Hedda een beetje mat tegen Anna-Britta Skogholm, die haar dit allemaal, hoorbaar alleen voor het dichtstbijzijnde oor, had verteld, terwijl ze met blinde steken de zijden voering in de mouwen van hun jassen naaiden, eentje van alpaca, eentje van wol met kasjmier. Ze zaten slechts met z'n tweeën in een van de kleine vertrekken. Toch spraken ze met gedempte stem. Hedda's opmerking was een armzalige bijdrage aan het gesprek, dat verder bestond uit Anna-Britta's gefluisterde verhaal over extravagantie en over hoe slim de rector haar activiteiten financierde! Met cursusgeld plús een elegante klantenkring (verschillende ambassadrices, een koninklijke hoogheid met vriendinnen van adellijke en niet-adellijke afkomst) die de dure modellen kóchten waarvoor de leerlingen betáálden om ze te mogen naaien. Mevrouw Borg-White had een heel reine, bleke huid zonder zichtbare poriën, ook al was ze al op leeftijd. Ze stond op en heette Hedda welkom met een ondertoon waarin kritiek zat op het feit dat ze verlaat in het semester acte de présence gaf. De opleiding duurde immers slechts acht maanden en in het eerste semester, dat juffrouw Carlsson nu deels verzuimd had, werd een belangrijke basis gelegd.

'Het kwam door mijn vader die ziek werd', legde Hedda opnieuw uit. Ze vond dat ze de reden voor haar legitieme afwezigheid al zo vaak herhaald had dat het klonk alsof het niet waar was. 'Nou goed,' antwoordde mevrouw Borg-White sussend, tevreden dat ze haar autoriteit had getoond, 'uitleg is verder niet nodig.'

Haar bureau stond midden in de kamer, het was van licht essenhout en er stond een hoge, witte telefoon op van het merk Taxen. Hij ging over. Ze nam op met haar naam, maar kreeg geen verbinding, ze zei weer haar naam en zat achterovergeleund te luisteren, haar ene elleboog in haar andere hand. 'Natuurlijk', zei ze glimlachend tegen niemand in de kamer. 'We hebben zowel het tweed als het English Rose Chiffon binnengekregen die we speciaal besteld hebben. Het jasje van het mantelpakje is zo goed als klaar om gepast te worden als u een dezer dagen langskomt, mevrouw Wiklund. Ik heb een voorstel voor een heel mooie voering met bijvoorbeeld een heidepatroon, die een heidekleurige draad in het tweed ophaalt. (Pauze) De rok is klaar en daarvan hoeft alleen de lengte nog te worden afgemeten. (Pauze) Maar de jurk van chiffon zal nog een paar weken op zich laten wachten – die zal, als ik het goed begrepen heb, pas in de zomer worden gebruikt ... (Pauze) o, is dat zo, mevrouw Wiklund, mag ik u feliciteren! Dat schijnt een fantastisch feest te zijn. Maar het duurt nog een paar maanden voor het zover is en er zitten natuurlijk veel verfijnde details aan, en voor de knoopsgatbiezen en naaldplooitjes zijn goede ogen en gezonde vingers nodig – zonder dat iemand zich prikt omdat ze zit te jachten en te jagen! (Pauze, ongeduldig) ... helemáál niet voor onszelf, maar voor de tevredenheid van de klant. (Pauze) Dat is dan afgesproken. Dan verwacht ik u op vrijdag, mevrouw Wiklund. Om elf uur. U ook bedankt. Tot ziens.'

Hedda maakte gebruik van het omstandige gesprek vol pauzes – waarin het haar opviel dat mevrouw Borg-White ondanks een aantal formuleringen als een winkelbediende toch meer *von oben* dan *von unten* klonk – om stiekem de rijen foto's op de vensterbanken te bekijken. Er waren er verschillende bij van een opgroeiende jongen-jongeling-jongeman die bepaalde trekken gemeen had met de vrouw achter het bureau. De laatste foto toonde hem in uniform. Hedda kon niet vaststellen wat voor soort, het was donker, met een rijbroek. Er stonden hier geen planten, maar aan dunne draden aan het plafond hing een intens blauwe bloem, die zijn wortelsprieten uitzond alsof hij in de lucht naar water zocht. Diverse foto's toonden ook mevrouw Borg-White privé, met een skigezelschap voor een lage blokhut, eentje waarop ze in avondjurk danste met een oudere man die een gouden tand liet zien, eentje waarop ze in avond-cape poseerde in een foyer, samen met onder anderen Hermann Göring. 'Tamara de Lempicka', legde ze uit toen Hedda's blik bleef hangen bij een reproductie van een vrouw achter een stuur; wat had die auto een heerlijke kleur! Mistblauwe ogen en … wat was het woord dat ze zocht? Snelheidscontrole. 'Nee, maar kijk eens, juffrouw Carlsson heeft wel wat weg van een dergelijke heldin!' merkte mevrouw Borg-White op, met een nu duidelijk opgewekter en belangstellender stem. 'De gezichtsvorm, de vlakverhoudingen, de blonde tint. Dat moet het geweest zijn wat ik vaag meende te herkennen … nou ja, dat wil zeggen, als u een doorzetter bent, juffrouw Carlsson.'

Hedda moest opstaan en met haar armen omhoog ronddraaien. Daarna mocht ze naar de grote werktafel achter mevrouw Borg-White kijken, waarop catalogi, stofmonsters en schetsen door elkaar heen lagen, ontzaglijk in de ware zin van het woord. Zo veel moois. Het English Rose Chiffon waar net over gesproken was, lag in een patroon van een halve meter en had een lichte, matte theekleur met in elkaar overlopende bloempatronen in roze, lichtrood en donkergeel. Hedda durfde de stof niet aan te raken, maar boog zich voorover om de schets te bekijken die de signatuur IB-W droeg. Van voren een glad lijfje met lange mouwen en een opstaand kraagje. De rok lang, maar met een schaduw van een schoenpunt aan de voorkant. Aan de achterkant kwam de decoratie: on-telbare kleine stoffen knoopjes van de nek tot de taille, ook de manchet-ten aan de mouwen hadden elk vijf knoopjes, een detailtekening toonde de sluiting – als Möbiusringen met dubbele ogen voor twee knoopjes tegelijk. Mevrouw Borg-White raadde Hedda's gedachte en zei: 'U zult nog veel van dergelijke knoopjes naaien, juffrouw Carlsson. Het is een moderne sluiting, die heel goed past bij de zwarte crêpe de Chine en de dunne wol die iedereen deze winter wil hebben.' En ze vertrouwde Hedda toe: 'Mevrouw Wiklund wilde deze eigenlijk pas voor haar dochters bruiloft begin juni. Maar nu doet zich een eerdere gelegenheid voor, een winterfeest waar dit absoluut niet geschikt voor kan zijn. Ik begrijp niet dat ze hem niet bewaart. Hopelijk heeft ze een lichte stola.'

Hoewel ze Hedda's blik op de rij foto's zag, was het nog te vroeg om iets te zeggen over de afgebeelde personen (als dat ooit zou gebeuren), maar over de hangende bloem vertelde ze dat het een orchidee was, die haar zwager die zeekapitein was uit Azië had meegenomen, en die hoefde je inderdaad geen water te geven, want die dronk zich ondorstig aan lucht. Af en toe verstoof je er met een sproeifles wat vocht overheen. Of liever nog alleen stoom.

Na een maand begon Hedda 's ochtends, vlak nadat ze op school was gearriveerd, misselijk te worden. Soms kon ze die misselijkheid onderdrukken door zich sterk op het werk te concentreren. Het was in een periode waarin ze al haar 'vingertijd' (twee uur in de ochtend) besteedde aan het borduren van een harlekijnpatroon onder de ene schoudernaad van een mantel van heel dure, marineblauwe wol. De stof had een sprookjesachtige glans en zwaarte, het borduurwerk moest de aflopende vorm van de schouder accentueren en meelopen onder de revers aan de kant waar de mantel naar links dichtgeslagen werd. De vrouw die de mantel zou dragen wilde niet meer dan een miniem, rechtopstaand kraagje in de nek, dat doorliep in afgeronde revers, en als sluiting wilde ze slechts twee verborgen knopen, waarmee het kledingstuk iets boven de taille werd gesloten. Mevrouw Borg-White had dagen besteed aan het ontwerpen van een patroon dat aan die eisen voldeed. Ze had het zelf gesneden, alle leerlingen hadden toegekeken. Een ander meisje werkte aan harlekijnborduurwerk op een lange sjaal met franjes die het kledingstuk zou completeren. De borduurzijde was in ton sur ton met de stof, en het was heel moeilijk om geen kleine foutjes te maken, het werk was zowel lastig als saai.

In de herfstduisternis ontwaakte wanhoop, de vrees om iets duurs en kostbaars te laten mislukken, en soms gingen Hedda en Karla in een vertrek zitten waarin ze de lamp en het vergrootglas op hun werk konden richten. Maar daarvan werd je hand onaangenaam warm. De stof werd ook warm, of talkachtig als van het zweet van het schaap, en de gedachte aan lichaamssappen en deze pretentieuze stof maakte dat Hedda snel het licht uitdeed en een hoekje probeerde te vinden met voldoende plafondlicht. Karla bleef zitten omdat de sjaal, in puur financieel opzicht, minder fataal was.

Hedda bedacht dat ze elke dag te lang kromgebogen zat, dat ze er duizelig van werd haar blik monotoon op vier vingers te richten. Ze dacht aan wandelingen met de hond en aan koken, skiën onder het noorderlicht en zelfs aan zwemmen in het donkere zomermeer. Maar na een week boden haar fantasieën geen troost meer en waren ze verwaterd. Buiten op straat reden de trams rammelend voorbij en het geluid veroorzaakte duizelingen in haar gehoor, een echo in haar maagstreek. De andere meisjes merkten dat ze begon over te geven, ook al deed ze dat nog zo stil.

Zij van haar kant merkte dat ze hun hoofden bij elkaar staken. Twee van hen waren getrouwd, die namen haar van het hoofd tot de voeten op, ze liepen in hun geestelijke ontwikkeling misschien een paar stappen voor op de rest. Een van hen vroeg hoe het met haar gesteld was, of ze zich niet ziek moest melden en in bed moest blijven tot ze beter was. Ze antwoordde dat haar gevoelige maag erfelijk was bepaald; haar vader was net voor de tweede of derde keer naar een kuuroord geweest. Ze moesten het haar maar niet kwalijk nemen. Het zou wel overgaan als ze eenmaal gewend was aan haar nieuwe leven.

De waarheid was dat ze niet wende. Ze sliep in korte pozen en at tegenwoordig nooit meer een warme maaltijd. Toen ze op een avond bij het ontoereikende licht van de hertenlamp probeerde te lezen tekende zich tegen het juteweefsel opeens een gedaante af. Ze kon zijn precieze lengte zien, hij was lang. Ze kreeg ook een indruk van zijn verdere lichaamsmaten en stelde zich voor dat hij stevig was. In elk geval herkende ze waar zijn neus zat, want die stak een beetje uit in het weefsel en de in- en uitademing was zichtbaar. De neusgaten. Ze stond op het punt het op een gillen te zetten, maar Hedda was niet iemand die gilde; in plaats daarvan hapte ze naar adem en het zwol op rond haar hart en tussen haar ribben, maar ze was dood- en doodstil.

'U hoeft niet bang voor me te zijn, juffrouw', zei een stem die een beetje hees klonk, misschien ook van nervositeit. Dialect. Een ö zoals die in Örebro of Linköping werd uitgesproken. 'U hoeft zich geen zorgen te maken, juffrouw, deze muur is een muur voor me, een gesloten deur. Ik ben een christen en ik ben een man van vrede.'

De ballon in Hedda liet kermend zijn lucht ontsnappen, ze wrong haar boek tussen haar handen, wat voor boek het was kon ze zich later niet meer herinneren. 'Het geeft niet', zei haar stem hoffelijk, zonder te weten waarop ze antwoord gaf. De gedaante bleef nog een poosje staan wachten. Toen er verder niets meer kwam, draaide hij zich log om, slofte in een paar stappen naar een stoel en ging zitten. Hedda meende dat ze de fauteuil kon horen kraken, zuchten.

'We kunnen maar beter niet praten', zei hij na een poosje.

'Nee', antwoordde ze. 'Ja.'

Hierna deed ze nog meer haar best om de andere huurders te ontlopen, omdat ze vreesde hem of de man die nog steeds in de eenpersoonskamer met hot and cold woonde die zij eigenlijk zou krijgen, tegen het lijf te lopen. (Van een vertrek naar Finland leek niets terecht te komen.) Want ze wilde niet weten wie van hen wie was, ze wilde het risico niet lopen de man te zien met wie ze een kamer deelde. Ze had het badkamerschema losgelaten en stond een half uur voor de eerste naam op de lijst op om te voorkomen dat ze iemand tegenkwam. Omdat ze zo dicht bij de voordeur woonde, kon ze zowel bij vertrek als bij thuiskomst luisteren hoe de situatie was. In het geval zich iemand in het voorportaal bevond, wachtte ze. Blondie was ze in een hele maand maar één keer tegengekomen, toen de huurbazin bij haar aanklopte om het tweede voorschot aan huur op te halen. 'En bevalt het Hedda?' vroeg ze mechanisch. 'Hedda ziet een beetje bleek, ze is toch 's avonds niet op pad? Het is financieel het voordeligst om thuis te eten.'

Ze at helemaal geen warme maaltijden. Ze durfde niet eens in haar eentje naar een eetgelegenheid te gaan en ze kende nog steeds niemand die haar zou kunnen begeleiden, aangezien ze geen kennis wilde maken met de andere huurders in het appartement. Ze schaamde zich dat ze zo armoedig woonde en wilde niet dat de anderen medelijden met haar zouden hebben. De meisjes op school waren aardig en je kon meestal vlot met hen praten, maar ze hadden allemaal een echt thuis; de meesten woonden nog bij hun ouders, en verder waren er twee getrouwd. Zij hadden een plek om zich naartoe te haasten, zij moesten ergens heen en dus van tevoren nog noodzakelijke inkopen doen. Hedda deed die van haar bij de melkwinkel, de broodwinkel en bij een vleeswarenhandel en een handelaar in koloniale waren. Haar kost bestond uit brood, kaas en vleeswaren. Soms sardientjes. Appels vermeed ze, om niet door het doek heen te horen te zijn. Af en toe een sinaasappel, maar toen ze begreep dat de geur daarvan vast ook door het weefsel drong, ontnam dat haar de lust.

Tom had niets van zich laten horen sinds ze in Stockholm was aangekomen. Vanaf diverse plekken had ze geprobeerd hem te telefoneren, maar ze had hem niet kunnen bereiken. Ze was aan een paar brieven begonnen, maar die werden zo erbarmelijk en verwijtend dat ze ze in de prullenbak gooide.

'Hedda is toch niet in positie?' Anna-Britta was degene met wie ze tot nu toe het meest had samengewerkt en zij was een van de twee gehuwden, en het was dan ook gemakkelijk te begrijpen dat zij er met deze vraag op uit was gestuurd. Het had geen zin om net te doen of ze het niet begreep. Onverwacht sprongen de tranen haar in de ogen toen ze antwoordde: 'O nee, ik ben maagd.' Ze had niet voelen aankomen dat ze zou gaan huilen, integendeel, ze had willen zeggen: En wie wil dat weten? of iets dergelijks. Toch waren tranen gemakkelijker dan de waarheid die naar buiten wilde, over kost en inwoning en eenzaamheid.

'Is Hedda dan ziek?' Enkelen, die stiekem stonden mee te luisteren hadden dat laatste woord opgepikt, Signhild Persson en Sylvia. Ze waren bezorgd, 'maar lieve Hedda toch', en vroegen of ze het niet naar haar zin had, of ze vitamines nodig had. At ze wel naar behoren? Je moest minstens één warme maaltijd per dag eten. Hierop waagde Hedda het haar hoofd te schudden en met een paar woorden te zeggen dat ze het eten verwaarloosd had. Een 'aha' van mevrouw Borg-White, die net met haar mantel aan en hoed op was binnengekomen en was ingelicht door Kirsti Láruson, die zelf voorzichtig om de hoek van een deur had gekeken, 'juffrouw Carlsson mag het eten niet verwaarlozen, anders krijg je dit. Scènes en misverstanden. Dat hebben we vaker gezien. Juffrouw Carlsson is deze maand afgevallen. Ook al is er sprake van heimwee, u mag uzelf niet toestaan om af te glijden. Zorg dat u uw eetgewoontes op orde brengt, anders zie ik me genoodzaakt contact op te nemen met uw ouders.'

Hedda stond in het kantoor te zonnen, ze draaide rond om te zonnen in de rode, late herfstzon. Als er iets was waarom ze van Stockholm was gaan houden, dan was het vanwege de zonsondergangen hier. De brug tussen Gamla Stan en Helgeandsholmen, het volgende korte stukje tussen dit eilandje en het volgende, hoe het ook heette. De Riddarholmkerk en de Högalidkerk in silhouet, een rode zonnebaan in het Mälarenmeer. Na deze rel had ze opdracht gekregen naar buiten te gaan, een flinke wandeling te maken, een echt middagmaal te nuttigen en daarna terug te komen, wanneer vijf van hen twee lange broeken van camelkleurige wol moesten snijden, met ingezette zijzakken, een hoge tailleband, lusjes voor een riem, zes kleine uitsparingen, en omslagen aan de pijpen. Hedda had de dag daarvoor de blouse afgemaakt die bij de ene broek hoorde. Katoen met een Tattersallpatroon in een haast toevallig perfecte basistint (waarvoor mevrouw Borg-White niets aan het toeval had overgelaten), met lange mouwen en zonder de conventionele diagonaal op de manchetten die je meestal zag op sportblouses. Die had ze ook zelf gesneden en uitgeprobeerd op een paspop die de naam Magnhild Andrée droeg. En nu liep ze te zoeken naar een eetgelegenheid waar ze helemaal alleen naar binnen zou durven.

De koffiehuizen in de omgeving kende ze al, daar was ze geweest, er kwamen bijna alleen maar dames en de bediening was ook van het vrouwelijk geslacht. Niemand stoorde zich eraan dat je daar in je eentje zat. De blikken die je kreeg, hoefden niets te betekenen. Je at koekjes, taartjes en kleine sandwiches; dat waren de dingen waarmee ze zich had gevoed. Ze had waarschijnlijk in geen maand een aardappel gegeten! Het begon een beetje te regenen, maar ze had geen paraplu bij zich. Twee keer deinsde ze op de stoep terug nadat ze bij een eenvoudiger eethuis binnen had gekeken. Er stonden mannen achter en voor het buffet, bij één gelegenheid ook een vrouw, maar het waren de mannen die haar zwijgend en met een kritische blik van haar hoed tot haar schoenen opnamen toen ze in de deuropening stond. En er zaten alleen mannen aan de onhandige tafeltjes. Die draaiden zich om toen de waard stilviel bij de aanblik van een onbekende gestalte. Als ze niet zo hadden gekeken was ze naar binnen gegaan. Als ze aan een van de tafels had kunnen gaan zitten zonder al die ogen die op haar gericht waren, had ze iets besteld, het maakte niet uit wat, de geuren maakten dat ze tegelijk trek kreeg en misselijk werd. Er werd aan een tafeltje worst gegeten.

Toen ze de laatste eetgelegenheid verliet, hoorde ze voetstappen achter zich op de stoep en daarna op het trottoir. Ze begon zelf sneller te lopen, de voetstappen achter haar zetten het toen op een holletje, maar dat kon ze natuurlijk niet zelf ook doen. Dat zou belachelijk zijn. Op klaarlichte dag. 'Juffrouw', zeiden de rennende stappen. Het was een vrouwenstem die haperde vanwege de looppas. Ze draaide zich om, het was de vrouw van het restaurant en de gedachte dat ze nu geprest zou worden om naar binnen te gaan maakte dat ze een paar passen achteruitdeinsde, ook al wilde een deel van haar graag geprest, ja, gedwongen worden om die eet-kwestie maar achter de rug te hebben. 'Juffrouw,' hijgde de vrouw, 'neem me niet kwalijk als ik alleen maar dom ben, maar u keek alsof u naar een eetgelegenheid zocht. Die van ons is goed, hoor, wij zijn goedkoop en goed, maar er komen voornamelijk mannen. Als u een gelegenheid met voornamelijk dames zoekt, kunt u verderop bij Brända Tomten terecht, juffrouw. U hoeft alleen maar terug te lopen, de Birger Jarlsgatan in, en dan richting Stureplan, daar is het. Een heel prettig restaurant.'

Aha, Hedda slikte. De vrouw bleef staan en wachtte op een bevestiging of een bedankje. Hedda had het liefst ontkend dat ze honger had, maar ze vroeg: 'Is het erg duur bij Brända Tomten?' De vrouw monsterde haar, bekeek eerst het hoedje met de kleine rand. Daarna de tamelijk donker-blauwe handtas, de lichtgrijze mantel en de handgemaakte schoenen met lipsluiting die ze van haar nichtje Daisy had gekregen, toen die vond dat ze geen twee paar dezelfde nodig had – maar dat kon de vrouw niet weten. Zij keek naar Hedda's handschoenen van glanzend grijs leer. De moederlijke intimiteit, die was ontstaan toen ze Hedda had ingehaald om haar te helpen, verdampte. Hoe langer ze elkaar stonden op te ne-men, hoe duidelijker ze vreemdelingen werden. De impuls was warm en overbruggend geweest, maar in haar volle lengte herstelde de tijd elke af-stand. De vrouw mompelde: 'Dat weet ik natuurlijk niet, ik ben er nooit geweest.' Ze draaide zich abrupt om en liep terug. 'Dank u', zei Hedda zachtjes tegen de rug met de gekruiste schortbanden.

Het was niet moeilijk om het restaurant te vinden, zelfs niet met zo weinig aanwijzingen. Ze zag een dame trippelend naar buiten komen. Ze kwam Hedda tegemoet in een donkerrood mantelpak met een kraag van vossenbont. Een fluwelen hoed met een erg klein klepje aan de voorkant, de korte krullen vormden een krans. Ze had intens blauwe ogen en toen ze daarmee Hedda een minuut lang aankeek, leek het of de lens glimmend boven op het oog rustte.

Afgeschrikt, maar zonder alternatief zette ze de eerste stappen naar binnen in het restaurant, dat aangenaam verlicht was en ingericht met oud meubilair dat niet bij elkaar hoorde. Een serveerster hielp haar uit haar jas en sprak enkele vriendelijke woorden. Ze kreeg een tafel die niet zo achteraf stond als ze gewild had, maar hij was voor een klein gezelschap. Ze moest een beetje lachen toen ze aan haar afzonderlijke zelf dacht als aan een klein gezelschap. Een 'zelfschap'.

Het was duurder dan ze verwacht had, maar ze had de opdracht gekregen om te eten, en terwijl ze haar kotelet met champignonsaus, geroosterde aardappel en erwten at, dacht ze veel na over hoe ze in de toekomst aan die opdracht gevolg moest geven, want Brända Tomten zou ze zich niet direct als stamkroeg kunnen veroorloven. Het is zo weemoedig om te leven, je toont je capabel maar bent dat niet. Aan de andere kant van paarse wolken is niets. Waarom die gedachten? De verzadiging maakte haar verdrietig, die ontnam haar een kracht die ze had bezeten sinds ze zich in Stockholm geïnstalleerd had. Het laatste beetje saus en gelei depte ze schaamteloos en hongerig op met een stukje brood; ze at al het brood op. Daarna bestelde ze appelschuimcake met vanillesaus en koffie, en ze at het allemaal op, rekende af en vertrok met een enorm gevoel van schaamte dat ze zich zo had volgepropt. Ze voelde zich ook een beetje dronken, hoewel ze alleen maar water uit een karaf had gedronken. Ze schaamde zich alsof ze zichzelf gedegradeerd had, en morgen zou ze net zo goed naar een van de gelegenheden kunnen gaan waar ze nu voor was teruggedeinsd; erger kon het nauwelijks worden.

Diezelfde middag de gebruikelijke blauwe envelop met de voering van zijdepapier en de lavendelgeur:

Lund, 18 oktober 1937

Allerliefste Hedda,

Al onze brieven lijken in het ongerede te raken en zouden wel een gebitsbeugel kunnen gebruiken! Heb Jij mijn brief van twee weken geleden ooit gekregen? Er kwam immers geen reactie op het goede nieuws, dus het is onwaarschijnlijk dat Je hem gelezen hebt. Bedankt in elk geval voor Jouw brief van de tiende. Leuk om te horen dat Je omgaat met Tom en zijn gezinnetje en wandelingen met hen maakt op Djurgården in herfstkleuren. Je gaf een mooie beschrijving van het blauw van het water en de vele tinten van de vegetatie. Tom had niets gezegd over dat uitstapje, maar toen het lukte een telefonische reactie te krijgen antwoordde hij ook dat Jij het naar je zin lijkt te hebben op de academie en bij Blondie. Daar hadden we natuurlijk ook op gerekend. Je wilde het immers zo graag. Hij schrijft nog steeds alleen maar naar mij en vooral over Jou en alleen maar omdat ik hem dat verzocht had. De meeste (ik zeg niet alle, maar vele) kemphanen vragen zich na een tijdje af waar de ruzie eigenlijk over ging. Dan is het sop de kool niet meer waard. In elk geval hebben wij ons bij zijn manier van leven neergelegd en misschien dat hij er zich weldra mee kan verzoenen dat wij niet zo modern denken als hij?

Aangezien Je dat deel niet beantwoord hebt, herhaal ik dus *the good news*! Vaders gezondheid is verbeterd. Ja, ook sinds we thuisgekomen zijn, blijft hij vooruitgaan. Hij voelt zich echt, echt goed en hij verslindt onze appels, zie Je het voor je?

Het wonder? Dat heet dokter Hoocht, een dokter uit Nederland die in Sörmland de liefde heeft gevonden; zijn echtgenote heeft het ouderlijk landgoed een kilometer of twintig buiten Nyköping geërfd en hij was kuurarts op Flintgården. Zijn idee om vader op een melkvrij dieet te zetten heeft binnen een paar weken fantastisch resultaat opgeleverd. Vader wilde er eerst niet in geloven. Melk is immers heilig. Zoals Je weet is hij altijd gekant geweest tegen al mijn pogingen om de melk te verminderen. We hebben allemaal te veel zuivelproducten gebruikt. In Denemarken drinken de kinderen niet eens melk bij het eten. Dokter Hoocht vindt om te beginnen dat volwassenen over het geheel genomen geen melk hoeven te drinken en geen boter hoeven te eten. En ten tweede is drinkmelk voor sommige magen een knagend gif. Al het gekuch en keelgeschraap van vader schreef hij ook toe aan melk, en het is een feit dat dit van de weeromstuit is afgenomen. Nu is vader als een blad aan de boom omgedraaid en mijdt hij zelfs kaas, waarvan de dokter heeft gezegd dat hij die met mate mag eten. Maar doordat hij koffie mag drinken is hij in een zo veel beter humeur dat hij gul de tafel laat dekken met alles wat de rest van ons mag eten. Een dieet dat werkt en dat hem in feite laat genieten van dingen die jarenlang verboden zijn geweest, is zo veel gemakkelijker te volgen. Hoewel hij namens de melk nog steeds beledigd is. Het huis is veel vrolijker sinds vader biefstuk met uien eet en bier drinkt, en ik kijk dit jaar echt, echt uit naar een Kerstmis met het hele gezin, en hopelijk draag Jij ook Je steentje bij om Tom ervan te overtuigen dat het ons allemaal zo veel goed zou doen om bijeen te komen. Chrille heeft helaas geen verkering meer met Marianne. Zij wilde zich absoluut nu verloven en volgend jaar trouwen. Ze wil kinderen. Hij zegt dat toen de zaak op de spits werd gedreven, hij het spel niet meer wilde meespelen. Want hij heeft een paar jaar nodig om zich te vestigen. Marianne is natuurlijk vijf jaar ouder, dus misschien is het goed dat het zo gelopen is. Maar hij heeft al een ander aardig meisje ontmoet – ook een aankomend arts. Ze komt met Kerstmis mee hiernaartoe, dus het loopt toch volgens plan. O, probeer Tom alsjeblieft over te halen! Ik wil dat het allemaal goed komt.

En trouwens: ik doe Je de groeten van Dagmar, die is zo rond als een ton. Ze verwacht een tweeling! Dat is iets wat bij haar man in de familie zit, maar hij was vergeten het te zeggen.

Met Åke lijkt het ook vooruit te gaan. Grootje heeft hem warempel volgestopt met lekkernijen, en nu is hij kieskeurig. Met zijn arm is het nog niet helemaal goed. De dokters zeggen dat hij in het ergste geval geopereerd moet worden. Hoe opereer je een arm? Maar daar kijk ik nu ook optimistisch tegenaan. Het komt vast wel goed.

Lieve Hedda, antwoord gauw op deze brief, dan weet ik dat Je op de hoogte bent. Ik kan niet helemaal blij zijn als ik denk dat Jij Je nog steeds zorgen maakt. Hopelijk laat Je Je niet te veel beïnvloeden door het grotestadsleven. Je weet nog wel hoe vader was toen Je met blond haar thuiskwam. Als Jullie al op 4 december kerstvakantie krijgen, ga ik er niet echt van uit dat ik Je voordien al zie. Maar misschien naai Je een mooi kerstcadeautje voor me? Het hoeft maar van een couponnetje te zijn, want het 'gaat immers om de gedachte'.

Nu hoop ik voor Jou op een mooie en verder ook vlijtige herfst en dat Je aan Tom verteld wat ik heb geschreven.

Met de liefste groeten,

Moeder

(vader en Åke sluiten zich hierbij aan)

De zoo

Op een nacht droomde Hedda dat ze zich bekeerde tot het Jodendom. Ze begreep niet waarom, of waar die religie op neerkwam. Ook al deed ze haar best, ze kwam er niet op wat bepalend was voor religies, voor geen enkele, en daar stond nu een bleke man met een hoed op een kwitantie uit te schrijven. Hoe moest ze nu van haar geloftes afkomen en haar geld terugkrijgen?

Een paar nachten later droomde ze dat een trein stopte in een tunnel. Het was pikdonker, maar zij was de enige die gilde, de anderen wisten iets en verdwenen. Daarop zette de trein zich weer in beweging. Toen die uit de tunnel kwam, was zij de enige passagier en werd ze door diep water getrokken, waar verdronkenen in groene vlekken lachten. Het was verschrikkelijk om de enige overlevende te zijn. Het was de kern van eenzaamheid. Mocht je tenminste maar samen met de anderen dood zijn. De trein kwam weer aan land, stil reed hij een wolk tegemoet, waarachter niets was. Ze voelde een enorme verwachting, maar kwam niet aan.

Dan een jammerend geluid, als van een duimnagel over taft. Nu wist ze dat ze sliep, maar ze wilde niet wakker worden, probeerde de droom te voeden met herinneringsbeelden. Een jammerend geluid. Een nagel over taft, een bevochtigde vinger langs de rand van een glas. *(Fräulein Else.)* Een boze leren mantel die zich door een halfgesloten coupédeur naar binnen wringt. Zeehonden op een talud van cement!

Ze liep op een plank over bassins, er waren lage relingen en daaronder dicht bamboe. Ook kleine korte kinderen konden erbij om de vrolijke zeehonden te zien zonder dat ze door volwassenen opgetild hoefden te worden. Over een kwartier zouden ze haring krijgen, de dieren keken op de klok en kwamen via omwegen bij het voedingsbassin. Hun water bestond uit machinaal aangedreven stromen die vijf vijvers met elkaar verbonden. Ze kenden het uit hun hoofd, het was een kleinigheid om dat te leren, de mannetjes Helmuth en Jacko loerden onder de oppervlakte, wiebelden met hun staartvin en landden *hop!* zeehondenlachend op de rand van het bassin en roetsjten er langs zodat het piepte, applaudisseerden met hun poten voor het applaudisserende publiek.

Dit was de laatste zomer dat Hedda kniekousen droeg, en die waren van celwol en afwisselend glad en met een gaatjespatroon. Aan de bovenkant zat geen elastiek, dat verloor toch zijn elasticiteit wanneer je ze zo heet waste om ze schoon te krijgen. In plaats daarvan een omgevouwen rand met een kantpatroon, door kleine gaatjes werd een koordje van roze, rood en groen garen gehaald dat aan de zijkant tot een strikje geknoopt werd. Aan het uiteinde van het koordje zaten kwastjes die onder het lopen tegen haar kuiten sloegen. In de dierentuin liepen de kastanjes en platanen groen uit. In een kooi zat een bosuil bijna onzichtbaar op een tak met zijn ogen te knipperen, om hem heen kwekten allerlei vogeltjes. De kleintjes waren door het traliewerk naar binnen gekomen, ze hadden de vrijheid de kooi te kiezen. Toen ze langs een visbekken liep en dacht dat het voor karpers, snoeken en eenden bedoeld was, zag ze diep in het modderige water de schaduw van een nijlpaard lopen/zwemmen. Als de schaduw van een schaduw, een speeltje, een rond, eenvoudig lijf, in elkaar geflanst door een kleinekinderengod die nog niet de vingervaardigheid bezat gedetailleerder wezens te scheppen.

Er waren meerdere nijlpaarden en ze bewogen zich als badend rubber, zwartgrijs vergroot door troebel water, ze waadden in slijk en kwamen nergens, maar verplaatsten zich snel: ze waadden en holden en zwommen tegelijkertijd, af en toe omhoog naar de oppervlakte met de neusgaten eerst, daarna de beweeglijke oren. Op de rots schikten de eenden in. Iedereen weet wel ongeveer hoeveel afstand hij van een ander moet houden. Zoals de inktvis en het diertje in een ander bekken. Het was een elegant weekdiertje, schildpadgevlekt met een groot, oplettend oog. Niettemin een koppoter; hij zat op zijn kop en grabbelde met een van zijn armen naar krabbetjes en vis. Die gleden intuïtief uit de weg. Ze bleef lang staan, het weekdier bleef het proberen en de krabbetjes en de vis bleven ontsnappen, en dat was al zo geweest voordat ze kwam en zou doorgaan wanneer ze vertrokken was.

Beste Sigrid,

Mijn eerste echte reis naar het buitenland maakte ik in het voorjaar van 1932, als veertienjarige, naar Berlijn. De tweede volgde een maand later al. Ze waren met elkaar verbonden. Tijdens nummer twee was ik bruidsmeisje in Sussex. Mijn oom van moederskant die in Engeland woonde, moest op zakenreis naar Berlijn en nam zijn vrouw en dochter mee. Omdat hij de beschikking had over een groot appartement konden mijn ouders overkomen en mij meenemen. Het was de enige keer dat ik alleen met hen vakantie vierde, maar ik trok eigenlijk vooral op met mijn nichtje. We waren op zijn zachtst gezegd een paar apart! Zij was acht jaar ouder, verloofd en ze zou een maand later gaan trouwen. Het was misschien niet het meest geschikte gezelschap voor mij; ik was bepaald niet vroegrijp. En zij was voortdurend in een half boos humeur. Maar tegen mij was ze wel aardig; we deelden een kamer. Zij liet me kennismaken met schoonheidsmiddelen. Heb jij dat ook meegemaakt? Dat je met hulp van een veel ouder meisje gaat beseffen hoe lelijk je eigenlijk bent? Welke mogelijkheden er zijn? Ze gebruikte haar eigen pommade (geloof ik dat het was) om mijn kroeshaar glad te krijgen en er grote krullen in te maken. Ze vermaakte zich ten koste van mij toen ze me helemaal opmaakte, hetgeen ik geweldig vond. Mijn ogen, die ik tot dan toe alleen maar had gebruikt om mee te kijken, werden omgeturnd tot enorme sterrenogen. Wimpers als de franjes van een vloerkleed. En poeder, rouge, lippenstift. Ik wilde het natuurlijk zelf zo, maar was oud genoeg om ook te beseffen dat dit een clown was. Haar moeder zei: 'Maar Daisy ...' Mijn moeder zei: 'Maar Hedda ...' Dat ging in verschillende talen; we spraken Zweeds, Deens en Engels met elkaar. De vaders zeiden helemaal niets, die keken met afkeer toen ik geschminkt, maar in een kort katoenen rokje met een bloemenprint, kniekousen en sandalen, tentoongesteld werd. Ze leken allemaal min of meer van mijn aanblik te walgen. Ik was groot voor mijn leeftijd en tamelijk ontwikkeld, en dat moet het moment geweest zijn dat moeder besefte dat die kinderkleren me net zo afschuwelijk stonden als de make-up. Ik zag er gewoon krankzinnig uit.

De panda at een krakeling buiten voor zijn huis. Door dezelfde babygod in elkaar geflanst als de nijlpaarden en olifanten zat hij in het gras met zijn ongelede achterpoten recht vooruit en de krakeling in zijn voorpoot.

Die verkruimelde terwijl hij aan het eten was en om hem heen lagen resten van wortels en sla die hij al gegeten had. Die roze hoop was geen rododendron, maar een vijver van flamingo's die hun halzen neerkringelden naar het lokaas, dicht opeen, zodat ze één rugpantser vormden. De zebra's onverwacht vlezig, hun ronde billen helemaal niet paardachtig. In het kattenhuis: een korte blikwisseling met het jachtluipaard! Eten? De leeuw lag te slapen op zijn zij, de twee wakkere leeuwinnen staarden aandachtig naar de verzorger die een emmer bij zich had, maar nog een heel eind bij hen vandaan bezig was.

'Waarom ben ik zo veel vergeten?' vroeg Hedda in de droom, 'ik weet zo weinig meer van mijn kindertijd. Ik herinner me een wedstrijd touwtrekken bij de rivier, zestien studenten, elk bij een knoop in het touw. Met hun hielen maakten ze van het gras op de oever glimmende modder. Bij een middelpunt stond de scheidsrechter met een sigaar en al een paar borrels achter de kiezen. Ik keek van enige afstand toe. De rol van toeschouwer heeft mijn leven opgeslokt. En daarmee alles wat ik me niet herinner.' Stilte, niemand reageert.

Maar vanuit een andere tijdhoek zegt moeder: 'Dat stoppen we in de vergeethoek tot we doodgaan.' Wat betekent dat? Moeder herhaalt het en door dit inprenten begrijpt Hedda dat moeder zichzelf als een fatalist beschouwt en bedoelt:

Waarom de steen waarover je gestruikeld bent een blik waardig keuren, waarom aandacht besteden aan een belediging, waarom wachten op een verklaring, een betere waarheid? Ten slotte word je opgeveegd in dezelfde opgewaaide hoop zand als de anderen; op een gemeenschappelijke hoop prestaties. Want nee, ze worden niet gescheiden ingezameld, worden niet in een vergulde vuilniswagen naar de velden der gelukzaligen getransporteerd. Het einde is hetzelfde voor wie iets volbrengen en voor wie de draad kwijtraken en hun tijd verspillen. Waarom het verspilde niet waarderen, genieten van wat je tot stand weet te brengen en het andere onder het tapijt vegen? De dood komt eerder dan de dag des oordeels.

Ze waren in Berlijn, haar eerste buitenlandse reis afgezien van Denemarken. Ze was veertien jaar. Haar oom en tante vierden een trouwdag die geen kroonjaar was. Dat werd met een zakelijke afspraak gecombineerd en er stond oom Toby een groot appartement ter beschikking. Hij en *aunt* Emily en Daisy kwamen met het vliegtuig uit Engeland, maar vader en moeder en Hedda, die waren uitgenodigd, kwamen per boot en per trein. Het was juni, de Oostzee lag er rustig bij, gerimpeld door een zwakke wind. Op de heenweg genoot Hedda van alles, ook van de traagheid aan boord. Vader maakte opmerkingen bij elke rimpeling en voorspelde deining, die niet kwam. In het appartement waren veel kamers, maar Daisy en zij zouden de kamer met het grote ontbijtbalkon aan de kant van de kastanjeallee delen. Even voelde ze zich gekwetst omdat Daisy niet leek te willen; ze aarzelde in elk geval en keek van onder geverfde wimpers op Hedda néér voordat ze 'd'accord' zei. Ze keek op haar neer, hoewel Hedda langer was. Zo lang, dat iedereen zich zorgen maakte hoe ver ze nog zou doorschieten, niet goed voor een meisje. Maar Daisy was verloofd, ze zou binnenkort gaan trouwen. Zij was ervaren.

(de brief)

Ach, mijn oudere nichtje lachte het allemaal weg. Zij moest erom lachen dat ze ontdekt hadden wat ik was geworden zonder dat iemand dat had willen begrijpen. Zij had immers een karikatuur gemaakt van mijn verleidelijke jeugd. Die zat er al een tijdje, veilig verborgen in kinderlijkheid. Het duurde daarna een poos voordat die jeugd zich weer volledig naar buiten waagde. En veel later, misschien pas nu ik dit aan jou vertel, kan ik de afkeer op de gezichten van de mannen verklaren. Er waren immers bloedbanden.

Ik huilde niet. Hoewel moeder de onzichtbare tranen wel zag toen iedereen moest lachen of met walging keek. Ik kon er niets aan doen. De volgende dag gingen we naar een warenhuis en kochten we een lichtgroene zomerjurk die tot over mijn kuiten viel en een paar linnen schoenen waar ik sokken in kon dragen. Van blote benen wilde moeder niets weten. Dan zou ik blaren krijgen, zei ze, maar ik denk dat ze het te bloot vond. Ik kreeg ook een roze lippenstift, maar ik moest terughoudend zijn bij het gebruik. Moeder zei in het Deens dat ze haar 'kleine meid' graag voor altijd had willen behouden, maar dat 'de meeste dingen hun ideale vorm vaarwel zeggen'.

Ze hadden me niet in dezelfde kamer moeten onderbrengen als Daisy. Maar die was immers gewoon verloofd, dachten ze, en ze zagen haar als 'een jonge vrouw' en mij als 'een jong meisje', dat was bijna hetzelfde. Daisy choqueerde me, of je kunt eigenlijk wel zeggen dat ze werkelijk mijn onschuld schond door te vertellen over haar ervaringen met mannen. Zonder omhaal, als tegen iemand die even oud was als zijzelf. Dat halfboze kwam voort uit verwarring, de ellende van de dubbele moraal en dat verschrikkelijke van een tot in detail geplande bruiloft waar ze inmiddels haar twijfels over had. Haar ouders zagen haar het liefst getrouwd voordat ze zich onbetamelijk zou kunnen gaan gedragen, zei ze, en zoiets leidt altijd tot achterbaksheid. Ze had een verhouding gehad met een andere man dan haar verloofde, en het was trouwens nog niet voorbij, want ze hadden over twee weken een afspraak. Ik moest het haar maar vergeven als ze me wakker hield. Waar het hart vol van is ... Jawel, haar verloofde was in orde, hem waardeerde ze natuurlijk. Met die ander kon je niet praten, hij was irritant, van hem werd ze prikkelbaar. En de onschuld van haar verloofde irriteerde haar. Hij had haar op de mond gekust terwijl hij zijn handen gevouwen achter haar middel had gehouden. Tot wat bad hij? Hij was vast nog maagd. Eigenlijk had hij een oogje op jongens. Dat maakte haar niet uit. Maar hij wist het zelf niet, en als hij het wist, dan wilde hij het niet weten. Maar het kwam beslist daardoor dat hij zo aardig was en leuk om mee te praten en te wandelen, en op het meer te gaan roeien. Ze hadden een geheim vrijheidscontract ondertekend, niet bindend in *a court of law*; er waren natuurlijk geen getuigen bij geweest. Haar initiatief. Er stond in dat ze elk afzonderlijk mochten werken, hobby's beoefenen en vriendschappen onderhouden, en dat ze geen 'paar' zouden zijn in een andere context dan waar dat natuurlijk was. Ze vertelde over vroege communes – meer dan honderd jaar geleden in Engeland – waar dichters en filosofen hadden samengeleefd zonder eigendomsrecht – en vooral zonder hun vrouwen en kinderen te bezitten. Weer was ik de clown die dit in haar gezicht kreeg gesmeerd. Wat kon ik anders doen dan luisteren? Ze sprak grof over de man, mannen, het geslacht – 'zij zijn degenen die *The Sex* zijn, niet wij' – over haar vader en diens vriendin, en hoe uncle Toby in een halflange onderbroek met zijn uitgezakte kont voor de spiegel koket zijn neushaar stond te knippen, terwijl Daisy toekeek en wist dat hij naar zijn maîtresse ging.

De tweede avond gingen wij vrouwen naar de bioscoop, waar we *Der Kongress tanzt* zagen. Daisy zorgde voor opschudding toen ze mijn aandacht vestigde op de bobbels achter de kleppen van de broeken van de heren. Vooral van een Oostenrijkse *Schrammelsänger*. We baarden opzien. Ze was op dat punt echt afgrijselijk kinderlijk, gefixeerd.

Daisy, moeder, Hedda en aunt Emily gingen op pad voor de vroege avondvoorstelling van de grote productie die al bijna een jaar draaide. De mensen bleven naar de bioscoop komen voor de Wienerkomedie over een handschoenenverkoopster die verliefd wordt op de tsaar. Hij was in Zweden zeker een half jaar geleden al in première gegaan, maar daar hadden ze hem gemist en ze zagen hem ook liever hier. Hedda droeg witte stoffen handschoentjes die Daisy aan haar had uitgeleend voor bij haar nieuwe jurk, alsmede een verdwijnende glimp van de nieuwe lippenstift. Ze identificeerde zich met de hoofdrolspeelster. Het meisje van de handschoenenwinkel was zo gretig verliefd dat het aan domheid grensde. Onschuldig, ook al was ze aanhalig met de tsaar en liet ze zich door hem in een huis op het platteland installeren. Waar hij haar anderzijds nooit bezocht. Dat was een geluk, want daardoor was de film ook voor kinderen toegankelijk en was de verliefdheid van de heldin rein en melancholiek. Het verhaal kwam er immers in feite op neer dat ze zich aan bezoekende potentaten vertoonde – of aanbood. Een cocotte. Zo klonk de gesproken tekst, maar de actrice veranderde die indruk door het karakter met heerlijk onbegrip voor haar eigen gedrag uit te rusten. Hedda zag alleen haar duidelijk; al het andere stond in dienst van deze rol.

Ze zaten in het midden van de rij, Daisy links van Hedda, daarna moeder en aunt Emily. Toen de tsaar en het handschoenenmeisje wang aan wang in de herberg zaten te luisteren naar de dialectzanger, drukte Daisy haar bovenarm tegen die van Hedda en fluisterde in het Deens: 'Wat heeft hij toch in zijn broek zitten?' Hedda wendde haar blik naar Daisy, die met een gemeen lachje een beweging met haar kin in de richting van het witte doek maakte. De broek van de tsaar was onder de tafel onzichtbaar. Nu kwam echter de zanger terug in beeld, rustig door zijn optreden kuierend, en in zijn ene broekspijp hing vanaf het kruis een grote, bobbelige zak. Hedda proestte het meteen uit, Daisy knipoogde. Moeder draaide langzaam haar hoofd om, maar bleef naar het doek kijken. Hedda hield haar adem in en kneep haar ogen dicht, het lied ging verder. Daisy giechelde, de zanger bleef zingen, de cafégasten zongen en toen fluisterde Daisy dingen. Hedda proestte het uit en moest hard lachen. Met Daisy's helderder stem erbij werd het tweestemmig. Storend: mensen draaiden zich om, steunden op de rugleuning, klopten op hun schouder, zeiden 'empörend', 'Blödsinn' en 'doch raus mit den Gören!' Maar ze zaten natuurlijk in het midden van de rij gevangen. Moeder voelde zich te schande gemaakt toen ze de reden van dit spektakel begreep. Hedda!! (Hoe kon iemand dit níét zien? Alleen maar omdat je het niet mócht zien.) Maar moeder werd gegrepen door een kleine zijarm van de rivier die door Hedda heen kolkte. In haar keel parelde een donkere weerstand, aunt Emily riep: 'What, what?' Hedda en Daisy slaagden er daarna bijna in om stil te zijn; hun ontviel alleen nog wat varkensgeknor toen ze moeder hoorden parelen.

(de brief)
Berlijn was voor de oorlog natuurlijk ook al geen mooie stad. Ze heeft iets anders – gelijkwaardig aan schoonheid. Ik ben er sindsdien natuurlijk vele malen terug geweest. In de jaren vijftig en zestig hebben we verscheidene jaren in West-Duitsland gewoond en we reisden naar Berlijn om met de kinderen naar de dierentuin te gaan. Later zijn we daar na de val van de Muur met de oudste kleinkinderen geweest. Ik reis er eens in de twee jaar naartoe om kleren te kopen. Ze hebben mooie kleren voor ons vrouwen die hun taille hebben opgegeven, maar toch snit en kleur willen. Ik keer dikwijls naar de dierentuin terug, hoewel ik er eigenlijk een hekel aan heb als dieren gevangen worden gehouden. Ik schaam me bijna om te vertellen dat ik heel bedroefd werd toen ik hoorde dat er tijdens de bombardementen veel dieren waren omgekomen. Het is natuurlijk raar om dat gevoel te hebben wanneer er miljoenen en nog eens miljoenen mensen zijn omgekomen. Maar dieren hebben niet eens een nationaliteit, vooral dieren in de dierentuin niet. Ze stonden boven en onder al dat soort dingen, zelfs nog meer dan de kinderen, meer dan het gehele menselijk ras, en zo is het in het algemeen met menselijke conflicten – alle vogels en dassen, eekhoorns en tamme dieren die eraan gaan worden niet geteld. Schilderijencollecties kunnen wat mij betreft naar de bliksem gaan; er zijn al veel en veel te veel stillevens, Maria en Jezussen, veldslagen en portretten geschilderd. En dan al dat marmer overal. Maar dierentuinbeesten zijn levende, onvrijwillige collecties, en daar zaten ze nu, opgesloten, niemand gaf ze te eten en ze konden niet eens een poging

doen om zichzelf te redden. Vind je dat ik me moet schamen dat ik zo denk? Nee, natuurlijk schaam ik me niet.

De volgende dag gaf Daisy haar donkerblauwe lange broek van ruwe zijde weg, en een blouse die daarbij paste. De pijpen van de broek leken te kort, maar omdat Hedda smallere heupen had dan haar nichtje viel de broek lager en was de lengte goed. De blouse had witte bolletjes op de pas en de broek witte paspels op de zakken. Vader verafschuwde lange broeken bij vrouwen, behalve dan (hoogstens) wanneer ze gingen skiën. Hedda begon te blozen toen Daisy constateerde dat de pasvorm van de broek flatteuzer is voor de anatomie van vrouwen dan voor mannen. 'Maar', zei ze spottend tegen vader, die ook begon te blozen, 'wat moeten de heren ánders dragen? Wat blijft er over wanneer vrouwen zowel rok als broek dragen? Mannen in andere culturen hebben natuurlijk een kaftan die losjes en mooi hangt. Maar ik denk niet dat jij' (ze zei jij!) 'je kunt voorstellen om gekleed te gaan als mannen in andere culturen? Voor jou zou dat natuurlijk een nachthemd zijn.'

(de brief)

Achteraf valt waarschijnlijk niet goed te begrijpen hoe naïef we waren. We maakten avondwandelingen, mijn nichtje en ik. Ik wist dat er van werkloosheid, depressie en van naweeën van de valutacrisis sprake was geweest en nog was, maar wij bewogen ons echt niet in dat deel van de wereld! In elk geval niet in die delen van Berlijn waar de mensen wel gedwongen waren hun armoede te tonen. Wij hadden het over haar bruiloft, waarop ik bruidsmeisje zou zijn, hoewel ik eigenlijk te jong was. Een jurk in mijn maten hing op de paspop bij de kleermaker in Londen, die ook de bruidsjurk en de jurken van de andere bruidsmeisjes had genaaid. Die van mij was lichtgeel, de andere drie bruidsmeisjes hadden ook elk een pastelkleur. Daisy zelf zou niet in het wit trouwen, maar in het crème. Ze trad immers niet als maagd in het huwelijk. Behalve zijzelf wist niemand dat. Het moest een geheim blijven tussen haar en de jurk. (En mij.) We wandelden over het trekpad langs een kanaal, misschien was het 't Landwehrkanal. Een restaurant aan de oever ontstak zijn lantaarns. Het was zo romantisch toen het spiegelbeeld daarvan uitvloeide in het donkere water. Toen kwamen ons jonge mannen tegemoet. Ze droegen bruine hemden en koppels, dus we wisten wie het waren. Hoffelijk stapten ze voor ons opzij, maar ik wist natuurlijk wat voor figuren het waren, dus ik probeerde hun ook uit de weg te gaan. Mijn hak gleed echter weg toen de bovenlaag van het gras op de oeverhelling meegaf. Er ontstond een lang modderspoor en ik slaagde er niet in mijn evenwicht te hervinden, maar gleed een flink stuk naar beneden en viel op mijn achterwerk. Ik bezeerde me natuurlijk helemaal niet, maar het leek wel of ik niet weer op de been en terug op het pad kon komen zonder in het water te vallen. Ik probeerde me achterwaarts op mijn billen omhoog te werken, maar toen pakten twee paar handen me bij mijn beide bovenarmen beet om me omhoog te trekken en te tillen zodat ik weer stevig op mijn benen kwam te staan.

Op de derde avond zou de trouwdag van uncle en auntie in een beroemd hotel-restaurant aan de Pariserplatz met een diner worden gevierd. De meisjes zouden erbij zijn, maar vlak van tevoren werden de plannen omgegooid. Hedda had geen kleren voor een dergelijke gelegenheid. Aangezien ze zo onverwacht binnen een paar dagen met de make-up en de nieuwe jurk een leeftijdsstap had gemaakt, zou ze er in de feestjurk die ze bij zich had te eigenaardig hebben uitgezien. Daisy zei chagrijnig: *a pleasure, I'm sure*, toen er excuses kwamen dat zij ook thuis zou moeten blijven om Hedda gezelschap te houden. Maar in feite was ze helemaal tevreden dat ze het familiefeest kon overslaan. Toen de dames al in hun toiletten en stola's naar beneden naar de taxi waren gegaan nam zij een stapeltje bankbiljetten van haar vader aan; misschien waren het dollars. Ze propte ze in haar handtasje en slaakte een zucht van verlichting dat ze niet mee hoefde om zich met gepraat over koetjes en kalfjes door een dinerritueel heen te slepen, dat na een uur of drie, vier door dans zou worden afgelost. Dan zou ze met haar vader en haar oom hebben gedanst en nee hebben gezegd tegen onbekende heren die zich alleen heel misschien naar hun tafel zouden hebben gewaagd, nee, waarschijnlijk toch niet.

In plaats daarvan gingen de meisjes naar een terras onder een luifel bij een kanaal om kalfskoteletten met gebakken aardappels en erwtjes te eten. Het was een warme avond, benauwd. Daisy liet een karafje witte wijn komen en serveerde Hedda een glas met een kwart wijn en driekwart mineraalwater.

Ze keken in verschillende richtingen en luisterden naar de andere restaurantgasten, die veel te bepraten hadden. Aan de vier dichtstbijzijnde tafels zaten elk vier gasten, en deze zestien waren druk aan het praten en lachen. Hun gedachtewisseling leek vruchtbaar en de tafels waren simultaan aan de praat, dus hadden ze geen aandacht voor elkaar. Soms – in een korte pauze – wanneer iemand de tranen van het lachen wegwiste of zich uitrekte om het zich wat comfortabeler te maken door zijn overhemd een centimeter hoger uit de broekband te trekken, kon het gebeuren dat zijn blik naar de meisjes ging die hen zwijgend zaten te observeren. En dat die blik meteen terugging naar waar hij vandaan kwam, aangezien hij het onaangenaam vond dat zijn eigen centrum, het viermanschap, zwijgend gemonsterd werd door ogen die daar geen deel van uitmaakten.

Daisy had drie dagen lang de toon aangegeven. Hedda wist dat zij niet veel had ingebracht. Ze had geen 'verhoudingen', zij kon niet onthullen dat vader zijn neushaar knipte. Bovendien had ze op de openhartigheden uitdrukkingsloos of meegaand gereageerd. Ze was niet alleen niet in staat om te geven, ze wist ook niet hoe ze iets op een interessante manier moest opnemen. Daisy was vast geraffineerder geweest toen ze zelf veertien was, en ze zou Hedda wel saai vinden. Anderzijds vermoedde Hedda dat Daisy's verveling niet noodzakelijkerwijs door haar hoefde te komen, maar deel uitmaakte van de cycli die haar aard waren. Ze had donkerbruine ogen, soms met goudvissen erin, maar vaak ook levenloos, alsof ze helemaal niet zagen.

Hedda wierp haar een verstolen blik toe. Haar haren waren wat te lang geworden, haar lokken bogen uit bij het brede gedeelte van haar kinpartij; daar ontstond vet dat optisch bedrog was. Er ontstond leegte. Bijna een vacuüm. Daisy kauwde op één schijfje aardappel, alsof je daar alleen op kon kauwen, het niet kon doorslikken. De verveling op haar gezicht, de mondbeweging. Als een gat dat zich opent onder zand dat wordt ondermijnd en dat naar beneden stroomt in een duizendvoud waarvan de loop door niets kan worden veranderd.

Ze wandelden langs het water, op een pad waar vroeger paarden hadden gestampt die schuiten trokken. Voor leren zolen was het er glad van de regen. Terwijl ze zaten te eten was er een onweer gepasseerd, drie, vier bliksemschichten op korte afstand en daarna gerommel dat in het kanaal echode. Er ontstond onrust in de lucht; de natte, smeltende kleuren die het spiegelbeeld waren van de lantaarns braken in bonte splinters. Vervolgens stormde de regen over de luifel. Na een paar minuten was het voorbij en was het weer net zo warm en windstil als daarvoor – een warmteonweer.

Daisy had haar arm genomen toen ze merkte hoe verraderlijk de natte grond weggleed wanneer je je hak neerzette. Vier benen gaven de voeten meer stevigheid. De straatlantaarns boven de wal toonden de schaduw van Hedda en Daisy, ze liepen heel uniform bij elkaar, een bijna gezamenlijke lichaamsbeweging, en het fascineerde Hedda diverse keren hoe de schaduw groeide en kromp en groeide wanneer ze door de lichtvelden liepen. Ze zag niet helemaal hoe dat bij hun eigen schaduw ging, omdat ze zich niet omdraaide, maar zo was het bij een stel dat voor hen liep. Lang werden ze door het licht vastgehouden, krompen tot niets en – floep – het draaide weer om wanneer ze onder de lantaarn door waren gelopen en opnieuw begonnen te groeien. Ze hoorde hun stemmen, soms lachten ze, verder was het gedempt, als de eenden op het kanaal. Opeens stapte het paar tegen de wal op naar de straat, ze liepen daar verder en verdwenen over de rijbaan naar het andere trottoir. In de verte, meer dan honderd meter van hen vandaan, kwam een groep jonge mannen Hedda en Daisy tegemoet.

(de brief)
Door de oorlog stopte mijn nichtje met al haar artistieke werkzaamheden. Ze zei dat het voornamelijk de illusies van een meisje uit de betere kringen waren geweest. Aan meisjes wordt artisticiteit en/of schoonheid toegeschreven totdat het voor hen te laat is om zich op iets behoorlijks toe te leggen. Er waren een paar vertalingen uit het Deens in het Engels van haar hand verschenen. Iets van Herman Bang. Ze schreef poëzie die niemand wilde publiceren en ze schilderde – ze had namelijk op een schilderschool gezeten. Ik heb nog een portret dat ze van me gemaakt heeft naar een fotografisch voorbeeld. Wij waren de enige meisjes in de Deense tak van de familie. Het was haar cadeau voor mijn twintigste verjaardag en ze wist heel goed naar voren te halen wat voor kind ik was, hoewel ik toen toch volwassen was. Feit is dat ze depressies kreeg nadat haar kinderen waren geboren, twee stuks; haar man wilde er meer, veel meer, maar na nummer twee kreeg ze een aandoening die daar een halt

aan toeriep. En toen kwam de oorlog. Omdat de familie een groot landbouwbedrijf had, namen ze via de werkverschaffing vrouwelijke arbeiders in dienst en een paar pacifisten, die meehielpen met zaaien en oogsten en met de dieren. Daisy had op hun terrein een huisje gehad waar ze zat om te schilderen en te schrijven. Daar werden nu de pacifisten ingekwartierd. Zelf werd ze luva. Ik weet niet precies waarmee ze zich bezighield, het was natuurlijk *hush hush*, maar in de buurt van hun boerderij was een vliegbasis. In 1943 kwamen daar Amerikanen, die maakten deel uit van de voorbereidingen voor de invasie in Normandië. Maar dat hoorden we nadien pas. Een van haar broers verdween tijdens het bombardement op Hamburg in juli '43. Die zal wel in rook zijn opgegaan. Hij was *tail gunner* bij een squadron van de RAF. Hamburg ging ook in rook op, de vlammen waren twee kilometer hoog en zogen de zuurstof naar beneden tot een vuurorkaan die grote delen van de stad in een woestijn veranderde. De mensen versmolten met het asfalt. Zij waren een schuldige natie en uitzonderingen werden er niet gemaakt, niet voor mensen en niet voor de dieren in de dierentuin.

In de eerste lichtvlek zag Hedda de groep goed. Het was een kliek SA-mannen, enkelen met petten, anderen blootshoofds, met gladde hoofden, het neergekamde haar bij de slapen door de schaar getrimd. Eentje had roodblonde krullen. Hedda wilde niet op het pad omkeren, maar ze trok aan Daisy, zodat zij met z'n tweeën ook op de straat zouden gaan lopen. Ze had over vechtpartijen en geweld gehoord. De afgelopen dagen hadden ze een paar keer gezien hoe SA'ers zich lieten gelden. Niet echt iets gewelddadigs. Drie jonge knullen in geelachtig bruin dat geen kaki was, voerden hardhandig een protesterende oude man af die in hun kastanje-allee altijd de kranten van gisteren verkocht. Hij was waarschijnlijk een beetje ziek in zijn hoofd, maar de mensen kochten zijn kranten wel. Ook in de krant van gisteren staat immers wat. Je zag paramilitaire groepen op straat, vaak zonder dat ze iets bijzonders van plan leken. Ze hoorden bij het straatbeeld, net als andere groepen, maar ze hadden altijd een houding alsof alles van hen was. Hun strijdlied bevatte een sequentie die het bevel gaf: de straat vrij voor bruine bataljons. Toen ze haar nichtje tegen de wal op probeerde mee te trekken, herinnerde ze haar aan die woorden en Daisy antwoordde dat het klonk als de beschrijving van een lawaaiig diarree, hetgeen die figuren daar ook waren. [Het lied werd pas het jaar daarop gecomponeerd. Dichterlijke vrijheid.]

Hoe dan ook, dit kleine bataljon marcheerde niet, het liep niet in de maat. Het leek even vrijaf te hebben. Vlak voordat ze elkaar op het pad tegenkwamen, strekte het bataljon zich uit tot een rij, ze stapten zelfs half opzij om 'de dames' door te laten. Hedda ontmoette de lachende blik onder een van de petten en sloeg haar ogen neer. Wanneer de tijd gekomen was, zou zij op de sociaal-democraten stemmen. Hoewel ze eigenlijk andere partijen wenste dan die er waren. Ze wilde ver weg van het rechts van haar ouders, maar niet ver naar links, niet meteen in elk geval. Om de afstand tussen zichzelf en de nazi's te vergroten zette ze een extra stap in het gras.

De korte onweersbui was niet de enige regen die deze dagen gevallen was. In een echte toeristendroom regent het elke nacht en zingen 's ochtends de vogels naar een zon die de waterplassen gebruikt om de slaap uit de ogen te wissen. Zo was het nu, er zat altijd iets dauwfris in het stadsgeluid van de ochtend, iets van de resonantie van de vochtige ruimte, en de Berlijnse lucht bezat een verrassende zoetheid.

Van de nachtregen voorafgaand aan de onweersbui was de wal echter zompig geworden onder het gras en Hedda's hak gleed weg. Het lukte haar niet haar gewicht op haar andere been over te brengen en moest dat wel meenemen toen ze bleef wegglijden. Onwillekeurig slaakte ze een gil, ze kon die niet onderdrukken, ze zei niets, maar stootte geluid uit terwijl ze langzaam viel. Ze verstuikte niets, ze bezeerde niets, de modder ving haar op met lange, gewillige voren. Ten slotte zat er niets anders op dan languit te gaan liggen, en ze dacht aan de achterkant van haar broek en de blauwe zijde en keek neer in het donkere kanaalwater waarin ze Rosa Luxemburg hadden gegooid – die naam kwam op uit het niets. Ze wist daar eigenlijk niets van, maar de namen stond in haar hoofd genoteerd.

Haar gedachten liepen uiteen en kwamen weer samen toen ze bij de landing de terugstoot in haar nek en hoofd voelde, ook al was ze erg langzaam en zacht gevallen. Ondertussen merkte ze dat rechts en links van haar laarzen zich schuin in de modder vastbeten. Toen ze opkeek, waren er twee gezichten, het ene overschaduwd door de klep van een pet, het andere was hij met het roodblonde, krullerige haar, en toen hij zich inspande, kreeg hij lachkuiltjes, zonder te lachen. Hedda zag het en voelde zich log, ze probeerde zich met haar zolen tegen de grond lichter te maken, maar ze gleed weer weg en werd zwaarder. De nazi's zeiden iets, ze spraken door elkaar heen, en zij accepteerde haar passieve rol en liet zich door hen omhoogtrekken naar waar ze kon staan.

Ze verontschuldigde zich. De roodblonde probeerde haar schouders af te borstelen, waar de minste modder was blijven zitten. Daisy kwam tussenbeide en klopte haar rug af, maar dat hielp niet tegen vochtige modder. Daisy was de hele tijd aan het praten. Ze waren omringd door hemden die echt een diarreekleur hadden. Je hoefde niet eens tegen hun opvattingen te zijn om dat te vinden. En Hedda was van haar stuitje tot haar schouderbladen nat. Een knul die een hoge baas leek te zijn sprak een paar samenhangende woorden en keek Hedda kort en ongeïnteresseerd aan. Die begreep dat er iets ontbrak: *'Danke sehr'*, zei ze. *'Vielen Dank.'*

(de brief)

Het eindigde allemaal met de inkoop van meer linnengoed voor Daisy's uitzet. Haar moeder was op de een of andere manier half adellijk en deftig, en wilde dat het volgens alle regelen der kunst toeging, maar Daisy ging dwarsliggen en weigerde gedecideerd kantwerk en monogrammen. Gewoon rechttoe, rechtaan en wit, geen glad satijn en geen stroef linnen, maar eenvoudige katoen. Het liefst had ze gewoon wat gepakt uit de overvloed in haar moeders linnenkast – 'Wat móét ik met al die spullen? Wat moet jij met al je spullen? Zeventig procent wordt niet gebruikt' – maar het kwam tot compromissen in een magazijn in Berlijn, waar alles goedkoop en eenvoudig was, en waar ze blij waren met zo'n grote deal.

In juli was het toen tijd voor de bruiloft met Engelse hymnen en foto's buiten bij de kerk, die in een vallei lag. Het gras op het kerkhof stond hoog, de grafstenen werden met rust gelaten. De avond ervoor moesten er bij het bustegedeelte van mijn jurk een paar naden worden uitgelegd. Ik was uit de paspop gegroeid … Maar ik was blij met mijn pastelkleur. De andere bruidsmeisjes hadden mintgroen, abrikoos en lichtblauw, maar het waren bleke meisjes en deze kleuren flatteerden hun niet, vooral het meisje in het abrikoos zag eruit als een spook. Ik had toch al het gevoel dat het deftige Engelse meisjes niet past om erg mooi te zijn. Hun uiterlijk moet iets anders bezitten, iets impliciets dat hun klasse benadrukt.

De kleur van de bruidsjurk verschilde maar een tint van mijn jurk, iets grijzer dan geel, en Daisy zelf was grijs onder haar sluier, die over haar voorhoofd naar beneden viel. Na de huwelijksvoltrekking stond ze met haar armen om zichzelf heen geslagen rillend op de stoep voor de kerk, terwijl haar man zijn arm om haar heen sloeg. Het was kil en het miezerde. De bruidsstoet liep onder zwarte paraplu's en de bruid omarmde zichzelf zodat haar handen en boeket onder de sluier kwamen te zitten. Die sluier was van oude kant uit de familie van haar moeder. Je vroeg of ik in de kerk getrouwd ben en of het in dat geval in de domkerk van Lund was. Nee, ik ben heel informeel in de kerk van Vomb getrouwd.

Van dat gebeuren herinner ik me niet veel meer. Tja, nou heb ik opeens over twee bruiloften geschreven. Van beide herinner ik me niet veel meer. Maar die van mij vond 's middags plaats en werd afgesloten met een diner in een herberg, met hoogstens tien gasten, en daarvandaan ging iedereen weer terug naar zijn eigen huis. De bruiloft van Daisy was 's ochtends met honderd gasten en na de lunch verkleedde het bruidspaar zich voor de huwelijksreis. Daisy heette nu Mrs. Drummond en ik benijdde haar totaal niet.

Het badhuis

Hij had haar op zijn borst. Een tapijt vanaf zijn adamsappel, met open plekken rond de tepels. Hij had haar nog niet gezien. Of haar met haar badmuts niet herkend, omdat hij niet verwachtte haar te zullen zien. Hij was haar eerst ook nauwelijks opgevallen. Het was jaren geleden dat ze samen in het meer hadden gezwommen, en thuis zag ze hem altijd in badjas. Christians haarloze borst had ze gezien wanneer hij aan het zonnen was en achter het huis het gras maaide, maar Tom was een beetje verlegen.

Hedda zat op de rand van het bassin; na twaalf baantjes was ze van plan er nog twaalf te trekken. Er liepen warm aangeklede mensen buiten in het park. Eigenlijk bestond het uit niet meer dan een paar bloemperken, een pergola en fonteinen tussen de huizen, maar het werd een park genoemd. Nu zat er geen blad meer aan de bomen, en de planten die in de winter groen bleven, gaven met hun leerachtigheid niet bepaald een gevoel van leven en daardoor ook niet bepaald het gevoel van park. De mannen droegen hoeden en donkere overjassen, de vrouwen vossenbontkragen en overschoenen, het was blubberig na de regen. De kinderen hadden wanten die aan een koordje uit hun mouwen hingen wanneer ze ze uittrokken. Ze vonden het leuk om ze uit te trekken en met hun armen te zwaaien om de wanten te laten flapperen. Ze hadden zo gauw pret en ze vonden allemaal hetzelfde leuk. Alles was zoals het zijn moest. Sommigen waren op weg naar de kassa, waardoor het bad nog voller zou worden en er weinig ruimte meer zou zijn, maar zij had haar vierentwintig keer vijfentwintig yards nodig. In een zwembad kon ze zich laten gelden. Het was zaterdagmiddag.

Van acht tot twaalf uur was Hedda in de Birger Jarlsgatan geweest en had ze heel voorzichtig een avondjurk op maat gesneden. Het lijfje was niet moeilijk. Mouwen van driekwart lengte en een boothals. De rok daarentegen had een rond gesneden vorm, en detail voor detail moest het naar de taille toe smaller worden, er moesten gedraaide diagonalen van chiffon gesneden worden in herfstkleuren, variërend van hetzelfde roestrood als in het lijfje tot mosgroen, diepgroen, bruin, oker, ossenbloed, vermiljoen en een streepje oranje. Sommige banen liepen wat hoger op het lijfje uit in punten die in elkaar overvloeiden – aan de voorkant hoger dan aan de achterkant – om de suggestie van bladerpunten te wekken. Het was gestileerd, het was verfijnd. De tekening van mevrouw Borg-White wekte de indruk van een elegante herfststorm die vallende bladeren doet opwervelen. Het model heette 'New England' en was besteld door een vriendin van de directrice die in Skåne woonde, waar ze fokstieren grootbracht en koolraap verbouwde. Ze was zelf naar Stockholm gekomen om te vragen of exact deze jurk gemaakt kon worden voor het Hubertusbal. Aan haar pink droeg ze een zegelring. Het was Hedda ingeprent, maar ze had ook zelf begrepen, dat ze al bij het snijden de verschillende diagonale banen nauwkeurig moest samenvoegen en dat ze sommige iets omhoog moest draaien om ervoor te zorgen dat de *niet absolute* symmetrie in de punten boven de taille bereikt zou worden zoals mevrouw Borg-White had geschetst. Het snijden was een kwestie van millimeterwerk, anders zouden er bij het naaien rimpels ontstaan. Als geraamte waren er onderrokken van vele meters chiffon. 'Het mag niet gedraaid gaan zitten. Een meesterproef voor een leerling,' zei mevrouw Borg-White, 'maar u hebt ogen en goede handen, juffrouw Carlsson. Ik vertrouw op u.' En ze pakte haar witte kalfsleren koffertje met messing hoekjes en ging naar beneden naar de taxi die ze had laten komen om haar naar Station Noord te brengen voor een weekeinde op het platteland van Roslagen.

Hoewel Hedda voorovergebogen zat, kroop het zweet van haar voorhoofd omhoog op haar schedel, ze voelde de nervositeit in haar oksels, ze droeg sousbras in haar blouse die het zweet opvingen, en ze droeg ook nog katoenen handschoenen om de stof te beschermen. Ze droegen altijd handschoenen bij het snijden. Wanneer ze aan het naaien en borduren waren, was het voldoende om hun handen vaak te wassen, en hun nagels moesten kort en netjes gevijld zijn. Ze werden geacht een vingerhoed te gebruiken, maar het lukte Hedda maar niet om het zilveren vingerhoedje met zijn top van kornalijn dat haar toebedeeld was te gebruiken. Ze had nooit eerder een vingerhoed gebruikt en zoog altijd de bloeddruppels weg als het oogeinde van de naald door haar huid ging. En ze drukte nog steeds de naald aan met haar blote vinger – wijsvinger of ringvinger – en bloedde, terwijl ze onwillekeurig haar middelvinger met zijn bescherming weghield. Om elf uur was ze klaar met de diagonalen en toen had ze het zweet flink op haar rug staan. Het was net of ze aan het hollen was geweest om op tijd te komen. Vervolgens had ze de onderdelen binnenstebuiten vastgespeld op de paspop, die een taillemaat van vierenzestig centimeter had, en de stukken voorzichtig vastgeregen om te zien hoe het viel. Eén keer steeg het bloed haar naar de wangen, totdat ze begreep dat ze per ongeluk een van de banen met de binnenkant naar buiten had gedraaid.

Haar spullen had ze in een rugzak. Het zag er niet fraai uit om daar op straat mee rond te lopen, dus ze probeerde hem onder haar arm te houden, met een gezicht van 'is er wat?' Het was de enige tas die ze had die zonder enorm veel ruimte in te nemen plek bood voor haar badpak, badjas, badmuts, schoon ondergoed, kousen en een schone blouse. De eerste keer dat ze naar het badhuis ging, had ze zeep en een handdoek bij zich gehad, maar dat zat bij de prijs inbegrepen, ook als je derdeklasse ging baden. De situatie bij Blondie was ongewijzigd. Hij die naar Finland ging, zou 'misschien' nog twee maanden blijven. Hedda had geen hot and cold, maar meestal alleen koud water in de wasbak van de badkamer. Om de avond ging Blondie in bad en dan leegde ze de hele boiler. Het duurde lang voordat het water weer warm was. Hij werd op gas gestookt en vaak merkte je dat hij afgesloten was nadat Blondie in bad was geweest. Je kreeg de zeep niet van je lichaam als je alleen koud water had. Hoe je ook boende en spoelde met je washandje – zelfs als je in de badkuip stapte en de gieter met water over je heen goot – altijd bleef er een zeeplucht hangen die snel ranzig werd.

Op zaterdagmiddagen ging Hedda naar het badhuis aan de Drottninggatan en genoot ze ervan zich te reinigen. Ze zeepte zich in en spoelde zich af in de badkuip, ze ging naar de sauna en zeepte zich opnieuw in onder een douche, waste twee keer heur haar en borstelde het naar voren en naar achteren en van links naar rechts, en ze schudde het tot het droog genoeg was om er een scheiding in te leggen, het in elkaar te draaien en onder haar badmuts te stoppen. Daarna ging ze naar het zwembassin en dook met gestrekte voeten het water in, zoals ze geleerd had.

In deze herfstmaanden was er een verbouwing gaande van de op de eerste verdieping gelegen damesafdeling, die boogramen naar de tuin had en ladylike gedecoreerd was, maar slechts een bad van tien meter bezat. Daarom mochten nu ook vrouwen gebruikmaken van het vijfentwintig yard lange herenbassin dat in een zaal met donkere houtsoorten, palmen en aspidistra's van het badgebouw lag. Hedda's grootmoeder van moederskant had verteld over een hotelzwembad in Boedapest met kroonluchters en gouden kranen in de vorm van leeuwenkoppen. Daar had zij met Jacob in de warme bronnen gezeten tijdens hun eerste reis samen, voordat ze getrouwd waren, toen hij haar minnaar was. Hedda stuurde haar een ansichtkaart met een afbeelding van het bad in Stockholm.

Ze was nieuw in Stockholm en voelde de onuitroeibare herencultuur van de stad nog niet aan, maar ze had wel een paar ingezonden brieven van stamgasten gelezen aan 'Meneer de redacteur!' met koppen als 'Nu is ons geduld op' en 'Onze laatst overgebleven oase', waarin de kwestie gehekeld werd: 'Er zijn toch andere baden waar de nimfen terechtkunnen' en 'Het gezonde natuurbad dat wij heren *unter uns* konden genieten in het 25-yardbassin is nu door de aanwezigheid van vrouwen tot schande gemaakt. De meest drieste reactie op een dergelijke verslechtering zou zijn om ook onder de huidige omstandigheden onze traditie weer op te pakken, hetgeen de rechtmatige bezitters niet zou hinderen, maar de dames die inbreuk plegen des te meer.' Hedda moest lachen onder het zwemmen en dacht: kom maar op, harige buideldiertjes. Niettemin hadden zich maar weinig vrouwen hierheen gewaagd, op dat moment waren het er niet meer dan misschien een stuk of vijf.

De meeste zaterdaggasten stapten of klauterden in het bassinwater, dat kouder aanvoelde wanneer je wist dat het buiten koud was. Het zag er schoon uit, groen, en het rook naar chloor. Ze zwom achter elkaar twaalf baantjes, rustte daarna even uit met haar armen op de rand van het bassin, waarna ze nog eens twaalf baantjes zwom. Ze was begonnen met twee keer zes banen en had dat elke week opgevoerd.

Na het negende baantje van de eerste helft zag ze ditmaal een gezelschap van drie volwassenen en een meisje de zwemhal betreden. De mannen in badjas, de vrouw en het meisje in een zwart badpak. Toen ze na haar tiende baantje omkeerde, waren ze in een hoek van het bassin, waar de volwassenen een driehoek vormden waar het kind tussenin zwom. Toen een van de mannen het meisje lachend doorstuurde naar de volgende persoon terwijl zij net bij hem probeerde uit te rusten, opende ze met een huilend gezicht haar mond, maar ze zwom toch ijverig door, steeds rechter op. Toen ze ontdekte dat ze niet vooruitkwam, zonk ze tot aan haar neus in het water en zwaaide met haar armen, en de andere man moest zich naar haar uitstrekken om haar in veiligheid te brengen. Hedda hoorde haar hoesten en daarna haar verwijtende stem, maar ze kon niet verstaan wat er gezegd werd. Ze verstond ook de gedempte drie-stemmigheid niet die het uitlegde – wat je moet doen om steeds verder te durven zwemmen. Hedda zag de drie gezichten als feeën rond het boze meisje, dat zelf geen van de drie zag omdat ze met een betraande blik begrip zocht buiten de kring. Even kruisten de blikken van het meisje en Hedda elkaar. De vrouw zwom met haar bril op, een zwarte ronde. Ze hield haar hoofd hoog en zwom als een zwaan weg van de consternatie.

Een van de mannen was Tom, de andere was ook een beetje zo'n type, maar had een smaller hoofd.

Met op haar netvlies het beeld van dat smalle hoofd, de blauwige slapen, dook ze grinnikend weg om aan haar elfde baantje te beginnen. Ze verheugde zich er bij voorbaat op om het Tom betaald te zetten, hem een welverdiend slecht geweten te bezorgen. Twee maanden wachtte ze er nu al op dat ze hem op straat zou zien, niet dat hij zou komen of bellen of haar zou redden, maar gewoon dat ze elkaar tegen het lijf zouden lopen, zodat hij zich zou realiseren dat hij zich niet bepaald aan zijn belofte had gehouden.

Ze hield op met grinniken en huilde een beetje, ook onder water. Misschien wilde ze zich helemaal niet aan hem bekendmaken. Het zwijn. Goed om te weten wie je nooit meer moet vertrouwen. In haar pauze na het twaalfde baantje keek ze toe hoe hij en de andere man doorgingen met de zwemles aan het meisje. Tom werd het natuurlijk algauw beu en hij ging het water uit. Leunend tegen reling keek hij toe hoe de twee samen zwommen, de vader(?) met korte, pedagogische slagen, het meisje schokkerig. Hedda liet zich dieper in het water zakken zodat hij haar niet zag. Ze zwom twee baantjes borstslag. Bij het derde begon ze weer te crawlen en ze dacht: tien weken in dezelfde kamer met een 'christelijke man' die ze nooit had gezien,

voor wie ze het vermeed de kookplaten te gebruiken om niet het risico te lopen dat ze hem zag. De koekjes en de broodjes waar ze in het begin op had geleefd en de saaie maaltijdregeling die ze had aanvaard toen haar medeleerling Bodil tegen haar zei dat ze 'haar wel in de kost konden nemen'.

Bodil en haar moeder, die als naaister thuis werkte, woonden samen in een achterhuis aan de Kammakargatan. Daarvoor had Bodil als telefoniste in een centrale gewerkt, maar zij en haar moeder hadden gespaard om haar een opleiding in een atelier te laten volgen. Na het behalen van haar diploma zouden ze gaan samenwerken als naaisters van het fijnere werk voor een deftige clientèle. Tot het zover was, kwam elke cent van pas, en was Hedda's aandeel aan het voedselbudget een welkome (zij het niet erkende) bijdrage.

Hedda was niet dol op Bodil. Ze was de oudste van de leerlingen, tweeëndertig, en ze had geen talent, geen smaak; als je met haar samenwerkte, moest je zelf altijd het initiatief nemen en het grootste deel van het handwerk doen, ze had geen belangstelling voor het concept van de opleiding, verlangde er alleen maar naar dat het afgelopen zou zijn zodat ze haar diploma zou krijgen. Niettemin was ze haar moeder al gaan bekritiseren, die, hoewel ze met slechter materiaal moest werken, wel bedreven in het handwerk was. Zij kon mantels en jassen keren, hetgeen je niet doet voor de welgestelden. Ze had klanten die in het krijt stonden, klanten die afbetaalden, maar ze zette haar dochter op een voetstuk en noemde haar 'kleine Bodil' en soms Bodilletje. (Pijnlijk om dingen te horen die niet voor je oren bestemd zijn.) De vrouw leek nog jong om zo'n oude dochter te hebben.

Iets zei Hedda dat Bodil een buitenechtelijk kind was. Er stonden familiefoto's, maar die leken uit de vorige eeuw of van rond de eeuwwisseling te zijn. De enige van later datum was een trouwfoto van Bodils moeder met een onderofficier, maar toen ze daar iets over zei, was het korte antwoord dat dit de tweelingzuster van moeder was met haar echtgenoot. Het enige wat ze toen wist uit te brengen was: 'O, hebt u een tweelingzuster, mevrouw Lindgren?' Relikwieën van een vader waren nergens te bekennen, en verder had het huishouden iets van zelfkastijding. Bij de moeder uitte zich dat in een verontschuldigende, lijdzame houding, bij Bodil in een chagrijn dat haar lelijk maakte, hoewel ze mooi had kunnen zijn. Die mondhoeken … verwennerij in de armoede.

Voedsel maakte ook deel uit van de zelfkastijding, wat voedsel kan zijn, wat dagelijks voedsel kan zijn. De regeling was dat Hedda een bedrag per week betaalde, maar meestal maar vijf dagen bij hen at. Ze dacht niet dat ze haar misten, en ze voerde als excuus aan dat ze op zaterdagavond en op zondag familieleden bezocht. Niemand maakte een opmerking over het feit dat ze vijf dagen at maar voor zeven dagen betaalde, en zelf vond ze het pijnlijk om dat te doen. Het eten was slecht. Natuurlijk beter dan brood en koekjes, en voordeliger dan eten in een restaurant, maar eentonig en smakeloos. Het was vreselijk voedsel. Elke week ongeveer hetzelfde menu. Op maandag aardappelpannenkoekjes of in het beste geval aardappelpannenkoekjes met vossenbessen, op dinsdag gebakken haring (het enige lekkere), op woensdag gehaktballetjes die gerold waren uit een snippertje gehakt en oud roggebrood, en gekookt in bouillon of zout water, dus surrogaatballen (een 'specialiteit uit de provincie Närke'), op donderdag erwtensoep en op vrijdag visballetjes. Op zaterdag gingen ze zich te buiten aan gebakken spek met uiensaus, worst of koolpudding. Op zondag aten ze bloedworst of bloedbeuling of bloedpudding om zich te verkwikken voor de komende week. Bijna geen groentes, geen rauwkost, geen salade of fruit. De warme maaltijd werd door de moeder bereid. Meestal de avond van tevoren en dan werd het opgewarmd.

Op een vrijdag was Bodil jarig geweest. Hedda had gevraagd of zij die avond geen maaltijd mocht aanbieden; dan zou ze alle boodschappen doen en bij hen koken. Dat kon ze, verzekerde ze. Bodil had weifelend gekeken, een dergelijke verstoring van het schema zou de boel maar overhoopgooien. Maar vervolgens stemde ze ermee in dat het eten van vrijdag naar zaterdag kon worden doorgeschoven en de worst naar zondag. Dit soort onzin moest Hedda *aanhoren*! 'Hedda verwent ons', zei Bodil verbitterd toen ze aan tafel waren gegaan en proefden van de varkenskotelletjes met gebakken aardappel en sla, komkommersalade en aalbessengelei. 'Aan zoiets deftigs moeten we hier thuis maar niet wennen.'

Als nagerecht waren er drie kruipbraamtaartjes van de banketbakker. Het huilen leek hun nader te staan dan het lachen toen ze die aten, alsof Hedda hun leven probeerde te verpesten door op alternatieven te wijzen. Ze wisselden onderling snelle blikken uit die aangaven dat Hedda bekritiseerd noch aangemoedigd mocht worden. (Jaren later las Hedda *Babettes Gæstebud* en dacht ze terug aan de herfst van 1937.) De moeder zei dat je luxe voor heel speciale gelegenheden moet bewaren om die volledig op waarde te kunnen schatten wanneer die komt. Ze zei het met tegenzin. En hoe zouden ze iets terug kunnen doen voor Hedda? Hedda wilde niet reageren door te zeggen dat een varkenskotelletje per persoon, met sla uit de kas erbij, niet bepaald luxueus is. Dat het geen luxe is om in november aardappels te bakken. Jeetje, als ze nou kalf of lam had gekozen ...! Maar Hedda snapte natuurlijk wel dat ze het als kritiek opvatten dat zij iets had gekookt wat lekker smaakte. En dat ze nu probeerden hun ongerustheid te onderdrukken over het feit dat zij met haar smaak hun huishoudkas in de steek zou laten zodra ze de kans kreeg.

Ze loog dat haar verjaardag pas na hun diploma-uitreiking viel, en herhaalde diverse keren dat dit toch niets was om haar voor te bedanken, vergeleken met de gastvrijheid blablabla. Nee, ze zou zich nooit van haar leven door die twee laten trakteren. – Nee, Hedda was niet van plan zich bekend te maken aan die harige klootzak, die het niets kon schelen of zijn enige zus leefde of dood was. Ze verborg haar gezicht onder de rand van het bassin voordat ze aan haar volgende baantje begon. Maar Tom had haar herkend,

'aan haar stijl', zei hij toen ze op de rand van het bassin stonden, nu vier volwassenen en een kind. Midden in haar crawl, midden in het bad, had hij haar bij haar rechterarm gepakt. Zij had op de schaduw gereageerd en daardoor weten te voorkomen dat ze water inslikte, maar ze rukte zich los en haar ogen schoten vuur toen ze uitbarstte: 'Jij bent niet goed snik!'

Dezelfde woorden, een nieuwe plek. Zijn ondoordachte acties. Er moest een schroefje bij hem loszitten: toen hij zestien was, had hij voor de grap iemands voet gehaakt met de handgreep van een paraplu en daardoor twee gebroken vingers veroorzaakt, en vorig jaar nog had hij voor de lol de kat bij haar staart gegrepen toen die achter een prooi aanzat en het beest vervolgens losgelaten zodat het pardoes op de stoep viel. 'Wat doe je? Wil je me nou tot overmaat van ramp ook nog verdrinken!'

Die zaterdag bleef het bij achttien baantjes.

De anderen in het gezelschap stonden wat ter zijde, ook het kind was stil, terwijl Hedda hem met een woedend gezicht (maar niet kijvend) aan de parapluhandgreep en de kat herinnerde, en ten slotte opmerkte: 'Aan jou heb je totaal niets, je hebt niet eens iets van je laten horen of geïnformeerd hoe het met me gaat sinds ik in Stockholm ben gekomen, dus waarom blijf je dan ook niet gewoon weg, dan verwond je me tenminste ook niet!'

Terwijl zij tekeerging, stond hij te grijnzen, misschien dacht hij dat hij kalmerend glimlachte. Privéopmerkingen mochten bij Tom niet zo groot uitvallen. 'Verwonden? Nee, maar schat …' Ze was meteen naar de kant gezwommen, dwars door andere baantjestrekkers heen, en had zich met één woeste armzwaai uit het bassin gehesen. Ze had hem het water uit geroepen op zo'n toon dat andere mensen met grote ogen keken. Hij stond er passief glimlachend of grijnzend bij terwijl zij hem het jak uitveegde en beschreef hoe ze in haar eentje op het centraal station had gestaan, haar bagage de trappen op had moeten slepen, haar kamer deelde met een 'christelijke man', geen eten durfde te koken, op de opleiding had moeten overgeven en iedereen dat in de gaten kreeg, haar rug verpestte in het bed en haar ogen bij de leeslamp – sommige dingen waren zijn fout, andere niet: gehaktballetjes gebakken van in bloed gekookt roggebrood dat oud was, maar toch opgegeten moest worden.

Tom krabde in zijn stoppelbaard en lachte wat bij haar beschrijving. Hij leek vooral geamuseerd door haar *hardships*. Zoiets moest iedereen minstens één keer meemaken, vond hij, in het niemandsland leer je zelfstandig te worden: 'Je bent wel een gansje, zeg, ik dacht dat jij iemand was die goed op zichzelf kon passen. Ben je nu je tong verloren?' Hij draaide zijn hoofd om en keek naar zijn metgezellen, zijn adamsappel bewoog op en neer. Ze zag hem afwegingen maken,

hij sloeg zijn armen om haar heen. Dit was heel vreemd, zoiets deed je niet in hun familie, en liet haar armen langs haar lichaam bungelen. Hij deed het voor de andere man, de vrouw en het kind.

Maar twee natte, halfnaakte jonge mensen zo dicht bij elkaar in het herenzwembad … Het werd stil. De stemmen in de zwemhal verstoven als suiker uit een strooilepel, er bleef slechts een laatste restje over. Hij merkte het ook, genoot echter niet van de aandacht, liet haar los en zei iets waarin de woorden 'kleine zus' duidelijk verstaanbaar waren. Het stationaire zwijgen was voorbij en de mensen gingen zich weer met hun eigen dingen bezighouden.

En toen had hij haar voorgesteld: 'Elsa, Luigi, dit is mijn zus die net naar Stockholm is verhuisd.' De man knikte 'aangenaam' en de vrouw zette haar badmuts af. Haar haren waren gevlochten en ze begon die nu los te maken. 'We hebben elkaar vorige zomer ontmoet', zei Hedda, die zich de vlechten herinnerde. Toen Elsa niet reageerde, voegde ze eraan toe: 'Bij de filmopnames. Ten noorden van Ystad? Ik was er bij en heb met het refrein meegezongen.' De ogen van Elsa schoten achter het zwarte brilmontuur heen en weer en gingen ten slotte naar die van Tom. Hij legde het uit. Toen hij dat deed, praatte hij in steno, wat kan tussen twee mensen die een gemeenschappelijke geschiedenis hebben, om de uitleg-tijd te verkorten.

Diezelfde korte tijd was voor Hedda lang. Het was vast alleen in retro-spectief, later, nadien, dat ze de verdwijnende seconde van de werkelijk-heid kon uitrekken. Toen ze Luigi in de werkelijke tijd zag, keek ze hem aan, glimlachte vriendelijk en wendde haar blik af. Haar oren hoorden Tom, die Elsa herinnerde aan *maur iederejn wist ut wel, vour hem was ut maur spel*. Ze zag Luigi voor het eerst. Er was waarschijnlijk niemand die merkte hoe ze hem zag. Ook hij niet, die terugkeek. Hoe ze in één lange haal dingen opnam die zich in een individu bundelen en hem tot hem maken. Het gewone en het bijzondere. Dat wat harmonieert en dat wat niet harmonieert. Dingen die je nooit ziet bij iemand door wie je niet betoverd wordt, en later bij hem ook niet meer, wanneer je hem hebt leren kennen. Ze was betoverd.

Door het vocht, het watermilieu, de kou en het rillen moest ze denken aan wat ze vaak uit het zand had opgepakt. Levende oesters en mosselen in zeewier en wat blaaswier verstrengeld, gekoloniseerd door zeepokken. Ze had dergelijke sculpturen, die door een straffe wind aan land waren gespoeld, zwaar door de inhoud van de schaal, terug naar de zee gedragen en daar zo ver mogelijk in gesmeten. Het was geen beeld voor wat ze nu zag, maar haar eigen rijkdom, een verweer tegen haar betovering.

Ze staarde niet, ze gluurde niet eens, ze was nu in een conversatie verwikkeld over hoe je iemand de zwemkunst bijbrengt, maar haar rech-terkant, die het dichtst bij hem was, had duizenden haarvaten in de huid. Die kriebelden niet, wisten alleen dat ze leefden.

Onder haar betovering zat ook een ervaring. Dat ze vaak bij de eerste aanblik iets had gedacht, maar dan later toch meer in haar twijfel had moeten geloven. Te oud worden voor de liefde zou wel zijn dat je al-leen nog in de twijfel kon geloven. Veel in het leven zou beter zijn als je gewoon meteen en zonder nadenken je doel bereikte. Stap voor stap de hele weg afleggen naar waar je vanaf het begin al wilde zijn, was zo'n verspilling. Hedda zag al snel dat zijn slapen niet ingevallen waren zoals het van een afstand geleken had, maar dat hij pas naar de kapper was geweest en dat zijn haar al begon op te drogen. Een witte moedervlek onder zijn mondhoek, nee, een litteken, drie hechtingen. Tom zei vijfentwintig woorden tegen Elsa en die zei: 'O ja, inderdaad, die twee meisjes die met je meekwamen. Sorry, Hedda, dat ik je niet herkende, maar er gebeurde die dag veel en nu heb je een badmuts op.'

Het op een na laatste woord viel, Hedda knoopte meteen haar badmuts los en schudde haar haren uit, graag bereid haar blondheid te tonen. Hoffelijk verplaatste ze haar blik een meter naar beneden om het kind voor het eerst op te nemen. Het meisje heette Pia, ze had donkere ogen en een kritische blik.

Het badpak dat zojuist nog vochtig had gekriebeld was vergeten, het verlangen om het uit te trekken eveneens. Pia leunde tegen de heup van de man, ze was misschien vijf jaar, of zeven. Hedda's kennis van kinderen was niet groot, maar het meisje maakte zich totaal niet druk over het geslachtelijke. Ze hield zich vast aan een van de pijpen van zijn zwembroek en draaide aan de stof ervan, zonder dat iemand tegen haar zei dat ze daarmee moest ophouden. Nadat ze Hedda getaxeerd had, veranderde haar gelaatsuitdrukking. Toen hun blikken elkaar kruisten en Hedda haar een hand gaf, koos ze ervoor verlegen te doen. Toen ze haar verlegenheid wilde tonen, draaide ze haar gezicht in zijn lies en Hedda kon niet voorkomen dat ze naar adem hapte. Door haar reactie pakte de man het meisje bij het natte achterhoofd en verplaatste haar hoofd wat naar zijn heup toe, maar aangezien haar ogen bleven hangen bij een constellatie waarvan ook zijn geslacht deel uitmaakte, liet hij zijn handdoek, die over zijn schouder hing, naar beneden glijden om de plek te verhullen. Toen ze opkeek, ontmoette ze een vage verstandhouding die niet ironisch was, en zonder haar blik in feite los te laten wist hij op zijn beurt haar schoot met zijn aandacht te beroeren. Ze raakte van streek, wendde zich af en mompelde iets over kou en omkleden. Ze rende de provisorische trap naar de damesafdeling op. Na een paar minuten sloten Elsa en Pia zich bij haar aan. Hedda was toen al in de inloopdouche geweest om weer warm te worden. Ze was uit haar kleedhokje gekomen in haar rok en schoenen, maar van boven droeg ze alleen haar onderjurk. Ze wilde eerst voor de spiegel haar haren borstelen voordat ze haar blouse aantrok. Ze glimlachte verontschuldigend terwijl ze haar haren bewerkte. Ze had een kapper gevonden die haar hielp met haar uitgroei; niemand kon bij de eerste aanblik in twijfel trekken of ze wel blond was, ook al was het ditmaal te zilverachtig uitgevallen. Ze had zich door de kapper ook een pasta laten aansmeren die krullen temt. Daar had ze het haar op haar schedel mee glad gestreken, en dat had ze met lange klemmen bij de oren vastgezet; de krullen daaronder borstelde ze nu een beetje. Dat deed ze terwijl Elsa zich ongegeneerd helemaal uitkleedde en Pia hielp bij het uittrekken van haar badpak. Er waren zes personen in de kleedruimte.

'Je had ook zelf contact op kunnen nemen', zei Elsa zachtjes terwijl ze haar dochter afdroogde, die op één toonhoogte zong. Een toon die door het afdrogen getremuleerd werd. 'Tom werkt vaak tot in de avond. En onder ons gezegd, hij weet niet hoe zijn positie in de familie is na de scène toen hij vertrok.' Ze keek Hedda niet eens aan.

'Contact opnemen?' reageerde Hedda geprovoceerd. 'Hoezo? Ik ken u niet. Ik weet het adres niet. U herkende mij immers niet eens.'

Elsa: 'Je had misschien een brief kunnen schrijven?' Alsof Hedda niet net had gezegd dat ze het adres niet wist. 'Dan had hij me die laten zien en dan had ik hem gevraagd jou thuis uit te nodigen. Hij zegt dat jullie tante je een kamer laat delen met een vreemde man!? Wij zijn niet preuts, maar dat lijkt totaal geschift. Ik kan je verzekeren dat hij daar wat aan had gedaan als hij het had geweten. Waarom heb je het niet aan je ouders verteld?'

Hedda nam haar 'schoonzuster' op. Ze droeg niets behalve een zilveren ring. Haar bril had ze in haar haren geschoven. Ze had een groot litteken van haar navel naar beneden. Wanneer je elkaar niet kent, lijken de alternatieven van een ander bijna vanzelfsprekend eenvoudig. Doe dit, dan gebeurt dat. Tegelijkertijd ervaar je elke dag dat niets de wetten der logica volgt wanneer de logica van verschillende mensen in conflict is. De belangen van anderen verschuiven zonder dat ze er ook maar op de geringste manier notitie van nemen dat het wel mijn leven is waarin ze rondstampen.

En die Elsa, die stond daar en vond dat Hedda's ouders, die van haar zelf niets wilden weten, van haar kind niets wilden weten, en die om die reden onenigheid met Tom hadden gekregen, op de hoogte gebracht konden worden van het feit dat Hedda had gezien hoe de neus van een man zich aftekende tegen de jutestof die hun ruimte in twee kamerhelften verdeelde. Hoe kon het haar ontgaan dat Hedda er onmiddellijk de schuld van zou krijgen dat ze zich in die situatie had gemanoeuvreerd? Dat haar zou worden opgedragen meteen terug naar huis te komen, punt uit?

Toen ze elkaar vervolgens wat beter leerden kennen, hoorde ze dat ze – terwijl ze dit dacht – dromerig langs Elsa heen had staan kijken en met korte haaltjes de uiteinden van haar haren had staan borstelen. Het had geleken alsof ze helemaal niet dacht, maar ook niet alsof Elsa's woorden van een glanzende, zijdeblonde indolentie afgleden. 'Wil je nog even in de sauna?' vroeg Elsa aan haar dochter, die zich tegen haar aan schurkte. Het meisje schudde haar hoofd en kneep haar moeder in de borst. Zonder dat haar dat verboden werd. Ze giechelde vuil toen ze Hedda's blik zag en antwoordde met heel harde stem in de verder door naaktheid gedempte kleedruimte: 'Nee, ik wil naar huis, naar Uggel, om een movie te zien.'

Op dat moment dacht Hedda dat ze Luigi voor het laatst had gezien en daar had ze toch hoofdzakelijk vrede mee.

In de tijd die zij erover deed om de achttien knoopjes van haar blouse dicht te knopen en te zorgen dat de kraag daarvan over de kraag van haar jasje kwam, trok Elsa een te grote jumper over haar hoofd, gespte de ceintuur van haar te wijde lange broek dicht, stapte in haar schoenen en sloeg een groot wollen vest om zich heen. Ze droeg geen vrouwelijke onderkleding. Pia kleedde zich al even gehaast aan; ze had alleen hulp nodig bij de schouderknoopjes van haar trui. Daarna vroeg Elsa: 'Wat gaan we nu doen?'

'Doen?' Hedda trok de riempjes van haar rugzak aan. Ze wilde absoluut niemand tot last zijn. 'Doen? Ik red me wel. Dat was toch wat hij wilde! Ik heb me tot nu toe ook gered, het is binnenkort kerstvakantie en dan is het nog maar vijf maanden. Daarna probeer ik Kopenhagen, denk ik. Daar ken ik mensen. Daar hebben we familie wonen.'

'We hebben picknickspullen bij ons', interrumpeerde Elsa. Haar 'doen' had betrekking op het nu gehad. 'We hebben eten bij Luigi neergezet, die hier op de heuvel bij het Observatorium woont. Hij heeft twee films die we gaan bekijken. We hebben ze al eens gezien. Heb jij *Erotikon* gezien? Je bent van harte welkom.'

Hedda voelde zich ertoe aangetrokken, maar was moeilijk over te halen. Wilden ze haar er wel bij hebben? In de uitnodiging zat iets van fatsoenshalve, de hele weg langs de Drottninggatan had ze dat gevoel. Maar het zou dommer zijn geweest om nee te zeggen. Ze waren immers gewoon broer en zus, en ze kon weggaan wanneer ze wilde, zonder meer, zo bijzonder was dat niet. Niettemin voelde ze zich als haar rugzak toen ze een halve pas achter de anderen liep – plomp, misplaatst.

Toen ze in het trappenhuis kwamen, bood Luigi aan haar rugzak te nemen, want ze moesten drie trappen op en er was geen lift. Door de rugzak met twee vingers over haar schouder te gooien, demonstreerde ze dat hij heel licht was, hoewel hij zwaarder was.

Het waren de eerste woorden die ze wisselden. Over een jaar zou ze een kind verwachten. Welopgevoed ging hij haar voor naar boven en hij haalde haar pas in op de overloop toen hij de sleutel tevoorschijn haalde om de deur van het slot te doen. De hal was rommelig, alle kleerhangers waren bezet en er stonden ongepoetste schoenen langs de muur. Toen ze die van henzelf hadden uitgetrokken waren het er nog meer. Hedda had twee gaten in haar ene kous. Luigi zag ze toen ze haar schoenen uittrok, hun blikken kruisten elkaar en hij zag dat ze haar tenen introk. Hij zei dat ze haar schoenen even kon vegen in de keuken en ze kon aanhouden, want het was koud op de vloer, de anderen liepen op dikke sokken, het was bijna winter. Hedda liet de ijzers aan haar hakken zien en Elsa zei: 'Geef haar dan zolang een paar sokken.'

In de rechtersok van hem zat bij de grote teen ook een gat, een veel groter gat, maar haar gat werd door zijn sok verborgen. Toen ze de sokken in de vroege avond uittrok om naar huis te gaan was ze koppig. Ze wilde zijn sokken meenemen om ze na het gebruik te wassen, 'en voordat ik ze teruggeef, stop ik dit gat misschien ook. Als dank voor het lenen', en ze stak haar vinger door het gat. Hij zei een paar keer dat dat niet nodig was, hij was toch al van plan ze weg te gooien. Maar ze stond erop, ze was al verliefd en merkte niet hoe ze zichzelf verried door van een punt een komma te maken.

Twee kamers en suite aan de kant van de Drottninggatan, een ervan met een ondiepe, ronde erker van waaruit je de heuvel van het Observatorium kon zien, waar de late stralen van de zon rotsblokken en hobbels openbaarden en de gebouwen een schuchtere tint gaven, alsof ze wangen hadden. De grote tafel in die kamer was gedekt met borden en bestek.

Elsa begon schotels uit de keuken naar binnen te brengen. Hedda bood niet aan om mee te helpen, ze vermoedde dat Elsa onverschillig stond tegenover dergelijke vrouwelijke gebaren van saamhorigheid. Elsa vertelde over de etage, alsof die wat bijzonders was. Deze charmante woning was niet van hun vriend maar van zijn tante, die in het buitenland zat en haar ter beschikking stelde van al haar neven en nichten. Luigi had zelf een half modern kamertje aan de Hornsgatan, dat hij momenteel aan zijn jongere broer uitleende. 'Zo gaan die dingen in Stockholm. Je verhuist in oktober. Wij zijn ongeveer in dezelfde tijd van mijn tweekamerwoning in Gröndal naar een driekamerwoning op Kungsholmen verhuisd. Tijdrovend. Boeken. Maar bij ons is het nog niet helemaal klaar. In de woonkamer moet het plafond nog worden geschilderd en de vloer geschuurd, dat is de reden dat we dit doen en een picknick meenemen naar onze vrienden.

Er is eten in overvloed, Hedda.' Ze haalde de theedoek van een schaal met gekookte groente die ze naar binnen had gedragen. Er waren eieren, sardientjes, gehaktballetjes, ingemaakte makreel en iets in aspic. 'Niet huilen!' grapte ze. Hedda droogde haar ene wang. De mierikswortel had een geurspoor naar het gevoeligste deel van haar neus gestuurd en haar tot tranen gebracht. Maar ze had sowieso kunnen huilen bij de aanblik van vers bereid, lekker eten in een huis. Ze was helemaal uitgehongerd, ze zou zichzelf moeten bedwingen. Ze zou moeten slikken om niet te gaan kwijlen.

De mannen waren bezig de kamer aan de andere kant van de dubbele deuren te verduisteren. Er was een trap nodig om dekens en spreien aan twee grote ramen te bevestigen. Terwijl Tom het bovenraam opende en donkere stof vastklemde door het raam weer te sluiten, zette Luigi zijn projectiescherm vlak voor het raam en de projector wat verder weg, in de tegenoverliggende deuropening, om de juiste afstand te krijgen. Hedda ging naar binnen en keek toe hoe hij een filmrol op de projector legde, en ze zag door de deuropening met de projector een andere open deur en daarachter zijn bed. De slaapkamer aan de binnenplaats, het was een beetje schemerig en het bed was onopgemaakt, zijn groene pyjamabroek hing over de rand, het jasje was op de grond gevallen, de gulp was niet dichtgeknoopt, de broekspijpen hingen wijd uit elkaar.

Hij zette de projector aan om hem even te testen. Vanaf de eettafel, waar ze naartoe was teruggekeerd, zag Hedda het doek noch de projector, alleen de lange, wijder wordende lichtkegel die zonder enige bedoeling het stof betrapt dat zich in een ruimte beweegt. Hij zette het apparaat weer uit. Toen was het stof weer geheim.

Dansers die elkaars lichaam niet kennen. Zo begint het wanneer een onbekende factor zich tussen vrienden nestelt en het gesprek verstoort. Ze was zich ervan bewust dat ze het vijfde wiel aan de wagen was. Des te erger dat ze niet met haar vingers van de schotels kon afblijven. De wortels waren kort gekookt en vol smaak. Ze beperkte zich vooral tot de wortels en de sperziebonen om niet gulzig over te komen. Als je groente eet, kom je niet zo gretig over. Toen Hedda en Luigi een poosje waren blijven steken in cryptisch afstandelijke aanspreekvormen ging iedereen elkaar algauw tutoyeren. 'Laten we verdorie gewoon doen en over dat ingewikkelde aanspreekgedoe heen stappen', zei Tom mondig. Hedda dacht aan leeftijden. Ze had een stukje stokbrood met boter in haar mond. In vergelijking met Tom had Elsa een poreuze gezichtshuid en ze moest een aantal jaren ouder zijn dan hij, misschien was ze al wel dertig. Luigi ook. Ze noemden hem Uggel omdat dit Pia's mond was bevallen en toen was dat een naam geworden. Eigenlijk werd hij Ugly genoemd, omdat hij te knap was voor zijn eigen bestwil. Elsa streelde hem zacht over zijn achterhoofd toen ze dit uitlegde en Hedda voelde toen hoe haar eigen gezicht in papier-maché veranderde. – Het was begonnen.

Nee, hij was geen Italiaan. Zijn grootmoeder van moederskant was wel een Italiaanse, zijn grootvader was een dokter uit Östersund. Zijn vader was een Hongaar, met een naam die niemand kon uitspreken, dus die had zijn voornaam Szandor in de achternaam Santer veranderd. 'Maar dan heeft hij toch geen voornaam meer', barstte Hedda uit, bedwelmd door het eten.

Hedda: 'Van waar in Hongarije?'

Luigi: 'Niet uit Hongarije, maar uit Kroatië. Maar daar hebben ze geen nationale staten. Behalve in hun dromen. In het beste geval zeg je kosmopolitisch, een eeuwig gekijf over plaats en land. Mijn vader is een Hongaar. Uit Kroatië. Uit een stadje dat Venetiaans is geweest. Vandaar mijn naam. Ik ben de oudste zoon. Mijn broer heet Magnus en mijn zussen heten Astrid en Maja.'

Toen hij haar vragen beantwoord had, draaide hij het spel om. Was het de bedoeling van haar opleiding dat ze –

'... wat word je? Kledingontwerpster, costum... – nog wat, modiste? Kleermaakster?' Tijdens de woordenwisseling tot nu toe had Tom gesouffleerd met samenvattende opmerkingen. Te simpel om helemaal overeen te komen met de waarheid van degene aan wie de vraag was gesteld, vergemakkelijkend voor degene die het antwoord kreeg. Nu nam hij het over: 'Nee, ze gaat zich niet met onnozele dingen bezighouden en mondaine mensen van dienst zijn.' Hedda was verbaasd dat hij überhaupt wist wat ze deed. En niet minder verbaasd over het vervolg! 'Als ze gaat naaien, dan zal het lichaamsweefsel zijn. Ze wordt arts of zoiets, ze gaat haar leven toch in vredesnaam niet verdoen met dit soort juffersstompzinnigheden. In wat voor eeuw leven we! Die "opleiding" waar jij naartoe gaat, is ronduit tijdverspilling. Door pure domheid en gierigheid van thuis. Het is net of wij van een fideï-commis komen. Alle middelen naar één persoon van een generatie. Geen kwaad woord over hem; hij kan er ook niets aan doen.'

Het werd even stil. Elsa stelde voor dat ze bij een passender gelegenheid op de familiezaken zouden terugkomen. Ze wierp een veelbetekenende blik op haar dochter, die met haar vingers worst zat te eten. 'Natuurlijk,' zei Tom, 'je moet aan de kinderen denken ...

Maar ik stoor toch niemand als ik zeg dat zij hier' (hij legde onpersoonlijk zijn hand op de schouder van Hedda, die naast hem zat) 'in ons gezin de meest getalenteerde is. Ze had geweldige cijfers voor haar eindexamen, ze heeft hart voor anderen en ze is handig. Maar wat doen ze? Ze sturen haar naar een soort nazistische naai-juffrouw, omdat mama, die zelf nog nooit een stuiver heeft verdiend, vindt dat haar dochter niet beter hoeft te zijn dan zij. En dan brengen ze haar onder bij een erftante die ze te vriend willen houden, zonder zelfs maar uit te zoeken of die wel een kamer voor haar heeft.'

Hedda begreep niet waar hij dat had opgepikt en wilde alles weerspreken, maar wist er alleen tussen te komen met een flauw protest dat mevrouw Borg-White helemaal niet als een nazi optrad. (Ze wist het niet, wilde het in elk geval niet weten.) Mevrouw ging om met de hogere standen en had één groepsfoto waarop ze samen met Göring stond afgebeeld, maar dat kon net zo goed te maken hebben gehad met diens Zweedse familie. Daarna dacht ze aan de foto's van de zoon. Adrian Borg-White, naar ze vernomen had enig kind, zat op de universiteit van München. Hij droeg een heel donker uniform. Daarna dacht ze aan de blauwe orchidee die boven de foto's van Adrian hing en toen zei ze gelaten:

'Ik weet niet waarom Tom zulke mooie dingen over me zegt. Zoiets heb ik nog nooit gehoord. Echt nog nooit.' Ze lachte om haar woorden te verzachten. Toen dacht ze er weer aan dat mevrouw Borg-White een hoog cursusgeld vroeg om hen creaties te laten maken waar ze vervolgens veel geld voor vroeg. Unieke modelkleding, waarover ze haar klanten voorhield dat die in relatie tot de kwaliteit en de finesse voordelig was, omdat het het werk van leerlingen was. De omzet van mevrouw Borg-White bestond *uitsluitend* uit inkomsten. Mogen zulke levenswijzen wel bestaan?

Om kwart over drie begon het te schemeren. Ze besloten naar de verduisterde kamer te gaan, waar het enige licht kwam van de peervormige plekken van de straatlantaarns die door de verduistering heen drongen. Het gezin ging dicht bij het doek op de bank zitten, de volwassenen waren bijziend en het meisje was rozig en zou over een poosje op hun knieën in slaap vallen. Hedda zei dat ze afstand nodig had. Vanwege haar ogen, die dagelijks worstelden met priegelwerk in het naaiatelier. Ze wilde achter de projector zitten, waar Luigi's stoel stond. Om een scheve lichtbron in de gang te vermijden ging ze niet aan de andere kant zitten, maar schuin voor hem, zodat hij zijn warme handpalm tussen haar schouderbladen kon leggen als hij dat wilde. Zijn aanwezigheid zo dicht achter haar omsloot haar. Zij ontving, ook al wist hij niet dat hij gaf.

Een stomme film zonder muziek, alleen het spinnende en ratelende geluid van de projector. Vooraan werd luidruchtig commentaar gegeven, achteraan een beetje voor zichzelf. De eerste film was *Terje Vigen* van Victor Sjöström.

Er woonde een zonderlinge grijsaard
in de scheren op een ver eiland;
Hij deed er geen mens kwaad
Op zee noch langs de kustrand.
Maar af en toe fonkelden zijn ogen boos, –

begon het. Het meer spoelde schuimend in een rotsspleet, die zich naar de zee toe opende. In het huisje de man over wie het ging. Met een witte baard en weelderig haar, en vanaf de eerste rij hoorde je de kinderstem: 'Hij heeft zulke witte ogen.' Ja, het oogwit was in het beeld naar voren gehaald, een oplettende blik. Hedda zei: 'Je let bij mensen zelden op het oogwit. Je vraagt je af hoe ze hier het accent op weten te leggen.' Luigi beantwoordde een andere vraag dan die zij had gesteld: 'Het moet de open zee voorstellen, maar het is op het eiland Landsort in de scheren opgenomen.'

Toen begon de terugblik, Terje Vigen als jongeman, gespeeld door Victor Sjöström, te wereldwijs, te veel de acteur – te groot voor de rol. Dit soort reus met krullend haar past niet, hij is te doorvoed om een zeeman te zijn. Zeelieden zijn droge mannen – tanige mannen – wanneer ze in het werkelijke leven de touwladder grijpen en over de ra glijden. Daar keuvelden ze over bij de projector. Tom en Elsa hadden het over andere effecten, waarbij Tom af en toe wat naar achteren brulde. Zoals toen kleine bootjes in harde wind en bij zeegang vanaf de zijkant van een schip probeerden af te stoten: 'Hier zie je ze als gekken de schoot aanhalen terwijl ze in aanschietende zee weg moeten sturen. Dan zijn de acteurs geen acteurs meer, maar gewoon *mensen in boten!*'

Hedda zag zijn hoofd, of misschien slechts een paar haartjes, schaduw in het beeld, en ze schoof haar stoel naar achteren. Ze vroeg zich af waarom die niet schraapte en keek naar beneden: er zaten gebreide sokken om de poten. Luigi legde zijn hand tussen haar schouderbladen: 'Stop.' Ze keken naar de filmkopie met zijn zwart-witte en sepia sequenties, met vervloeiende middellijnen, zigzag, regen en geelbruine gaten. Het beeld toonde een man die gekheid aan het maken was met zijn dochtertje. Hij roeide over de Noordzee naar Skagen om voedsel te halen voor de mensen in het dorp die honger leden vanwege een blokkade door Engelsen. Vervolgens wordt hij ingerekend, wordt zijn lading tot zinken gebracht, wordt hij in de gevangenis gegooid en treft hij bij thuiskomst de zijnen dood aan. Hij krijgt de kans zich te wreken op de lord die de oorzaak is van zijn ellende, maar kiest ervoor de kwade cirkel te doorbreken. Als de wereld toch eens zo was ...

Ze praatten voortdurend. In plaats van de pianobegeleiding bij de stomme film waren er nu stemmen die maalden en mompelden, maar niet vrij over van alles en nog wat, alleen hierover. Hedda viel de discipline op, zelfs het kind hield zich daaraan.

Luigi: Stomme film is misschien niet zo interessant voor jou, Hedda. Er is immers ook *Ginger en Fred.*

Hedda: Het is goed dat er geluid is in hun films.

Luigi: Sorry, ik klonk neerbuigend. Ik houd zelf ook van Ginger en Fred.

Hedda: Ze verzadigen het zwart en het wit in de films. Zij wordt poeder en hij wordt lak.

Luigi: Mm-mm.

Hedda: Maar het mooie aan stomme film is, vind ik, dat ze werken met wat ze hebben. Beeld. En met het acteerwerk. Wanneer ze optreden zoals op de bühne maar dan op film, rollen met de ogen en zich op de borst slaan, is het soms verschrikkelijk, maar als ze de juiste toon weten te treffen ...

Daarna kon Hedda het niet laten woorden in de mond te nemen die haar klasgenootje ooit ongeveer zo had uitgesproken. Dat nieuwe technieken de kunst niet inhoudelijk verbeteren, maar die kinderlijk maken, omdat enthousiasme voor techniek kinderlijk is.

Luigi: Wat zoek je? Het avant-gardisme misschien? Dat zoekt de techniek, maar wordt pas genietbaar als het die beheerst.

Hedda: Ik heb de laatste tijd niet zo veel stomme films gezien, maar ik heb vorig voorjaar *Fräulein Else* gezien.

Luigi: Wat jij daar zegt, dat de stomme film de zonde heeft bereikt terwijl de geluidsfilm niet verder is gekomen dan de onschuld, is best behoorlijk interessant.

Hedda: 'Best behoorlijk'?

Luigi: Nou deed ik weer neerbuigend! Maar jij bent nog zo jong en dan zeg je zulke dingen. Heb je een film als voorbeeld?

Hedda: Vorig voorjaar heb ik *Fräulein Else* gezien. Geen geluidsfilm die ik heb gezien kan zich daarmee meten.

Luigi: Maar dat komt door Elisabeth Bergner.

Hedda draaide zich om: 'Heb jij hem gezien?' (Heb je hem begrepen?) Door haar toedoen zat hij nu dicht achter haar, hun gezichten niet meer dan dertig centimeter van elkaar, de zwakke belichting van zijn halve gezicht maakte hem nog markanter. Ze zag hem weer als nieuw. Zijn slaap was niet ingezonken, zoals ze in het zwembad gedacht had, maar schaduwachtig kort geknipt. Zijn oog was wit met een gewelfde lens, hij keek langs haar heen naar de film. 'Ik heb hem heel vaak gezien; ik heb de tekst vertaald.' Hij verdraaide zijn hoofd een beetje om haar aan te kijken. Met een gereserveerd gezicht, alsof hij juist dit al eerder had meegemaakt en dat niet nog eens wilde. 'Ik heb Elisabeth Bergner tien jaar geleden ook gezien in de Rijksdag in Berlijn. Samen met Schnitzler – die de novelle schreef. Ze las de hele novelle voor. Ze is erg gekunsteld, maar niet zodanig dat het gênant wordt. Ze verandert voortdurend haar stijl, zodat je je afvraagt wat er daarna gaat gebeuren. *That is the árt of mannerism.* Wanneer ze optreedt, verlengt ze haar vocalen en snoert ze de consonanten samen. Je kunt het niet nadoen. Soms is het irritant.

Ze woont nu in Engeland, ze is joods, maar ik zag haar toen. Ze zal een jaar of dertig geweest zijn, ik was eenentwintig. En ze was zo zelfbewust. Zelfs wanneer ze zich verloor in wat ze deed, wist ze wat elke gezichts-spier aan het doen was. Acteren kan pijnlijk zijn wanneer het te goed is. Daar zie je sporen van terug in de film. Sommigen van de acteurs zijn goed – anderen niet – maar Bergner is van een andere entiteit, als een bubbel in een stroom of hoe moet je dat zeggen. Niet dat ze de anderen wegspeelt. Begrijp je?' viel hij zichzelf in de rede, voornamelijk omdat zijn uitleg stokte. Hedda bestudeerde zijn gezicht, hij dat van haar. Ze wilde iets zeggen, maar kreeg geen woord uit haar mond, dus pakte hij met vijf vingers haar schedel om haar hoofd naar voren te draaien, waar Victor Sjöström in de golven vocht terwijl de Engelse zeelieden van de blokkade er hun kogels op afvuurden.

Tom pakte de filmrollen in en Luigi liep naar de keuken om drankjes te maken. Hedda had sinds mei geen alcohol meer geproefd. Hij kwam terug met een porseleinen kan die een aromatische geur verspreidde, en hij zei dat er geen ingrediënten in huis waren voor iets anders dan Broken Leg, maar wie dat wilde kon zijn whisky drinken met gewoon water. Hedda koos voor de drank, die warm was en naar appel en rum smaakte. Ze dronken. Achter Hedda dronk Luigi twee, drie of misschien vier gla-zen whisky met water. Op de bank sliep de kleine en soms zaten Tom en Elsa te fluisteren en te zoenen. Tijdens *Erotikon* werd er minder gepraat dan tijdens de eerste film. Hedda voelde de beweging wanneer Luigi zijn benen heen en weer of op en neer verplaatste, ze steunde met haar ellebogen op haar knieën en leunde naar voren terwijl ze de mok tussen haar handen liet afkoelen. Van achteren klonk het 'wil je nog wat? ...' maar ze schudde haar hoofd. Ze vond het echter prettig dat hij dronk, al was het misschien te veel. Door de onbedekte ramen in de andere kamer viel er geen daglicht meer naar binnen; afgezien van het schijnsel van de projector en de gele perenvlekken van de straatlantaarns door het verduisteringskleed was het appartement donker.

Ze vond het prettig dat hij dronk en dat ze zelf zo nuchter was dat ze beroepsmatige observaties kon doen. Het gebreide bovenstuk van het nichtje, waarin het pied-de-poule ruitje van de elastische heupband als harlekijnruit in de uitsnede van de halskraag terugkwam. De avondjurk van Tora Teje, de armsgaten zo losjes dat je de aanzet van de blote borsten zag. De actrice vertoonde ook wat sprieterig okselhaar; een ongelooflijk gebaar. Afgezet tegen al het couturierwerk en het gevoerde zo 'fantastisch' brutaal, zo *'unfinished'*. Ze droeg een mantel met een verrukkelijke voering en op het allerlaatst een mantelpakje van ofwel heel dun bont, eekhoorn of konijn – of dik, geplet fluweel. Omdat de anderen niet veel zeiden, zat Hedda nu als het ware in zichzelf te praten toen ze een opname bewonderde: als mevrouw op de achterbank van haar vierkante sedan met chauffeur zit te keuvelen met baron Felix, die in zijn metallic cabriolet, in de vorm van een geweerkogel, naast haar is gegleden. Of als baron Felix dicht boven de toren van Prebens kunstenaarshuis overvliegt. Een sprookjesachtig hemelbeeld met menselijke silhouetten, bouwwerken uit de vorige eeuw en dan die futuristische vogel met dubbele vleugels.

En de trage begeerte tussen Tora Teje en Lars Hanson, op een spaarvlammetje, flakkerend, laag, gasblauw. Die stralende blikken op het doek en die kussende lippen in de kamer, vlak boven de rugleuning van de bank, waren zowel prikkelend als pijnlijk. De film bouwde een begeerte op die iets wonderbaarlijks vereiste, en de twee op de bank waren gewoontjes, klef. Hedda kon het niet verdragen, ze stond abrupt op en gaf als reden op dat haar been sliep. Luigi reageerde door het licht aan te doen. De film ratelde verder op het doek, twee hoofden draaiden zich om, slaapdronken van het zitten in het donker, van het zitten met toegeknepen ogen.

'Veel meer is er niet te zien, behalve dat de juiste paren elkaar krijgen', mompelde Luigi kortaf. 'Als ze althans de juisten zijn.' Toen Hedda de gang in liep op zoek naar de badkamer zag ze de ochtendjas van een vrouw aan de kledingkast in zijn slaapkamer hangen. Toen ze haar handen waste, zag ze in de open badkamerkastjes lippenstift, een poederdoos, een pot coldcream en meer van dergelijke dingen. Toen zij uit de badkamer kwam en hij naar het berghok wilde om de filmcassettes op te ruimen, schuurden ze bijna langs elkaar heen in het nauwe gedeelte van de gang.

Het was inmiddels laat in de middag. De eerste sneeuw van het jaar was beginnen te vallen. Dat ontdekten ze een poosje nadat Tom het verduisteringskleed had weggehaald en hun filmverwarde ogen aan de duisternis buiten gewend raakten. 'Wat mooi', zei Elsa. Ze tilde haar dochtertje op zodat die op straat kon kijken, waar de sneeuw niet smolt. Die bleef liggen en algauw was er een dek ontstaan. Er vielen grote, kalme, windstille vlokken, de koude, mooiste sneeuw, geen natte sneeuw, de voetsporen op het trottoir behielden hun vorm. Aan de overkant van de Drottninggatan kwamen twee zwarte paraplu's tegen de helling omhoog.

Toen Hedda die avond bij haar hertenlamp een brief naar Engeland zat te schrijven, waarvan ze al wist dat ze die in heel kleine stukjes zou scheuren, in een zakje zou doen en de volgende ochtend onder stof- en draadresten in een afvalbak aan de Birger Jarlsgatan zou stoppen (maar toch moest ze het schrijven, ze moest het geformuleerd zien!), werd er aan de deur geklopt. Dat was pas twee keer eerder gebeurd, toen Blondie de huur voor oktober en november kwam innen. Maar het duurde nog meer dan een week voordat de huur voor december betaald moest worden.

Een halve tel dacht ze dat Luigi het was. Toen ze buiten voor de deur uiteen waren gegaan was ze erin geslaagd te verbergen dat ze erg aangedaan was. Het was zo onnatuurlijk om van elkaar te scheiden. Ze dacht dat hij het niet gemerkt had. Ze had de man aan de andere kant van de jutestof vervloekt, omdat hij haar de toegang tot het raam blokkeerde, van waaruit ze stiekem Luigi had willen zien weggaan, of in elk geval de sporen van zijn voeten had willen zien.

En op hetzelfde moment realiseerde ze zich opeens dat ze moed genoeg had om dat toch wel te doen. Jawel, ze had door de scheidingswand heen kunnen gaan om te vragen of ze naar buiten mocht kijken. Ze was niet bang, niet zoals gisteravond, vanochtend. Haar angst was nu zo verdund dat ze zich nauwelijks kon herinneren hoe die daarvoor was geweest. Het was ongemerkt gebeurd. Beschermd door een andere man die ze in haar gedachten had. Behoed doordat ze vervuld was van L en het feit dat ze arm in arm met hem langs de Rådmansgatan had mogen lopen,

over de Sveavägen, door de Luntmakargatan, naar de Birger Jarlsgatan, en dat ze daar hadden besloten dat ze net zo goed de hele weg te voet konden afleggen in plaats van dat zij het laatste stuk de tram nam. Het werd een hele wandeling en die maakte dat ze niet bang was en dat grote problemen die ze de laatste tijd uit de weg was gegaan en die het leven zo ingewikkeld hadden gemaakt, kleinigheden werden. Ze kon haar eetafspraak verbreken. Ze kon toch vragen of 's nachts het raam dicht mocht. Ze kon hardop hoesten als ze wilde. Zich naar de kookplaten wagen.

Hij hoefde haar helemaal niet te 'beminnen'. Ze was mooi genoeg opdat hij misschien begeerte zou gaan voelen, maar dat hoefde niet. Zo was het al voldoende. Alleen al dit gevoel voor hem (wat het ook was) gaf haar levensmoed.

Zo dacht Hedda, zo ontleedde ze wat er was gebeurd en schreef dat in de brief die ze zou verscheuren. Ze zou hem verscheuren, maar eerst moest ze het allemaal opschrijven om het zwart op wit te zien.

De manier waarop hij met haar rugzak over zijn ene schouder liep, zijn wollen sokken over de rand van zijn stevige schoenen gerold, de totaal onweerstaanbare, optimistische rode pet die hij op zijn hoofd had, met de klep in het midden geknikt, zodat die als een kleine boeg boven zijn voorhoofd uitstak. Zijn neiging om niet te muggenziften. De dingen te laten.

Toen ze het geklop voor het eerst hoorde, ging ze zo op in haar beschrijving, in het doorlezen, doorhalen, herformuleren om te verbeteren, dat ze dacht dat er iemand bij haar buurman aan de deur was. Hetzelfde geluid nog een keer, zonder op een opdracht van haar hersenen te wachten verkreukelde de hand die schreef toen instinctief het papier en ze stopte het onder haar hoofdkussen. Ze zette de deur op een kier, maakte hem open. Op de gang stond een jonge vrouw. Haar ogen tastten het schemerdonker af dat Hedda's kamerhelft was en gingen toen terug naar Hedda. 'Goedenavond, neem me niet kwalijk dat ik stoor.'

Lill-Inger Mandal was de huurder die de eigenaresse was van de radio aan de andere kant van de muur. Toen Hedda nog diezelfde avond haar bezittingen daarnaartoe had verhuisd, was ze niet zo opgelucht als ze een avond eerder geweest zou zijn. Hij (ze durfde de naam niet te denken in het bijzijn van een ander) had de gewichtsverdeling veranderd. Al het andere kwam op de tweede plaats. Zelfs dat ze van de man achter de jutestof verlost was, was nu alleen nog maar objectief goed.

Hoewel ze toch niet het gevóél had dat ze op een uitgemaakte, beschrijfbare manier verliefd was. Ze wist niet wat ze voelde. Het was eerder als een zwijgen voor de pijn. Al het andere werd erdoor beïnvloed. Stiekem liep ze naar haar nieuwe raam, niet om zich te verheugen over het feit dat ze een raam had, maar om naar beneden te kijken. De sneeuw op het trottoir was nu echter zo platgetrapt dat het eenzame paarspoor van hem en haar uitgewist was. Lill-Inger en zij zetten thee en droegen een blad met de theepot en kopjes naar binnen. Ze repte er met geen woord over dat het de eerste keer was dat ze de kookplaat gebruikte. Lill-Inger had planten, in haar nieuwe bed zou Hedda goed kunnen slapen, ze ging er op proef even op liggen, het was een echt lekker bed, er was een bedlampje waar ze bij kon lezen, maar het beste van alles was een wastafel met stromend koud water en een houten stelling met gevouwen stof als scherm voor de wasplek. Lill-Inger had dat zelf gemaakt. Erachter verborg zich een ketel met een elektrische waterkoker, waar de huurbazin niet van wist. 'Niet goed schoon kunnen worden, alleen maar omdat het mens gierig is', zei Lill-Inger toen ze een opgerolde lijn liet zien voor handwas, en papillotten voor na het haren wassen, weggeborgen in een hoekkastje met een zinken teil waar je in kon staan wanneer je je achter het scherm waste. Een eenvoudige houten stelling voor het gordijn dat hen 's nachts voor elkaar afschermde, had Lill-Inger ook zelf vervaardigd. De bedden stonden in een rechthoek en vormden overdag een hoekbank. Toen Hedda dit alles bewonderde, antwoordde juffrouw Mandal, zoals Hedda haar toen nog noemde, iets als: 'Ook in bescheiden omstandigheden wil een mens een goed dagelijks leven leiden.' Of: 'Wie geen geld heeft, moet slim zijn.' Of iets dergelijks.

Het kostte niet meer dan een half uur om uit haar oude kamer te verhuizen naar de leegte die het meisje had nagelaten dat snel terug naar huis, naar de provincie Medelpad, had moeten vertrekken om voor het gezin te zorgen. (Later hoorde Hedda de andere versie: terug naar huis en als de drommel trouwen.) De man achter de jutestof was thuis, maar hij was volkomen stil toen Hedda haar valiezen vulde en in gesprek was met haar nieuwe kamergenote, die meehielp. Naast al het andere stond er in de nieuwe kamer een flinke kleerkast met onderin lades en planken voor schoenen. De helft was leeg. Nauwelijks te geloven dat ze zich een paar maanden geleden nog een geheel eigen kamer had voorgesteld. De huur voor deze was nog steeds lager.

'Dit moet mijn geluksdag zijn', zei Hedda en Lill-Inger dacht dat ze dit bedoelde. Lill-Inger was een meisje met sproeten en roodachtig haar met een middenscheiding, ze had een spleetje tussen haar voortanden en lange benen, en ze werkte in een tricotwinkel aan de Drottninggatan. Die straatnaam zette een veer in beweging tussen Hedda's ribben. Ze zat zwijgend aan de kleine eettafel en hoewel ze zelf niet de geringste eetlust had, trakteerde op sardientjes en sinaasappel, en ze keek uit op de Koninklijke Stallen en de sneeuw, en op haar eigen spiegelbeeld. Ze hoorde dat sinds het vertrek van de vorige kamergenote deze plek al twee hele weken beschikbaar was geweest. En dat Blondie afgelopen middag was binnengewipt om Lill-Inger te verzoeken of ze wanneer Hedda thuiskwam tegen haar wilde zeggen dat ze kon verhuizen. Want aanstaande maandag was er al een nieuwe persoon die haar jutezakkenhok nodig had. Het duurde ook tot maandagavond voordat Hedda durfde te vertellen hoe ze hiervoor gewoond had, en dat had ze niet gedaan als er niet twee mannenstemmen hadden geklonken vanaf de andere kant van de muur. Ze vertelde hoe onprettig ze zich had gevoeld en hoe ze er de eerste avonden door getroost was geweest dat ze 'Stockholm-Motala' hoorde van juffrouw Mandals radio-ontvanger. Lill-Inger vond net als Tom dat het onnozel was om maar gewoon zwijgend te lijden. Stel je voor dat de man de verleiding niet had kunnen weerstaan! En als de kwestie aanhangig was gemaakt, zou hier nu niemand van hen meer hebben gewoond. Blondie zou haar vergunning zijn kwijtgeraakt, de overheid zou hebben ingegrepen.

Ze gingen naar de radio zitten luisteren. Het duurde een poosje voor het apparaat opgewarmd was. Onder het wachten haalde Lill-Inger een breiwerkje tevoorschijn en ze trok haar voeten op het bed onder zich op. Ze kletsten wat. Ze kenden elkaar immers niet. Langzaam, in golven, kwam er geluid, oude dansmuziek, maar godzijdank alleen maar het eindstuk van 'De Arholma-wals' door Levéns Speelmanorkest. De klok sloeg negen uur en het radiotheater presenteerde *De martelaren van de zomer*, een anekdote met muziek van Fred Winter en Nils-Georg. De omroeper somde de medewerkers op. Grossier Svensson werd gespeeld door Frithiof Billquist, mevrouw Pyret Svensson door Elsa Thornblad. Rijksambtenaar Theofil Postlund door Bror Öbergsson. Enzovoorts. 'De handeling speelt zich deels in Stockholm en deels in Strandboda af.' Hedda kreeg niet echt vat op die handeling, maar ze was blij dat die Lill-Ingers aandacht trok, zodat zij aan iets anders kon denken.

Ze maakte de hele wandeling nog een keer, overwoog die vanuit zijn perspectief. Of misschien met ogen die hen samen van een afstand zagen. Had men hen voor een stel kunnen houden? Ze dacht opgewonden aan wat Tom en Elsa zich nu voorstelden, waarover zij gepraat hadden toen ze hun kant opliepen. Ze wist dat die twee haar en L schoorvoetend een andere kant op hadden laten gaan, arm in arm. Ze frommelde aan het verkreukelde papier in haar zak. Alert lachte ze met Lill-Inger mee om de indruk te wekken dat ze naar hetzelfde blijspel luisterden.

Ze sliepen met open raam; bij de kier stond de melk, die op deze manier koud bleef. Ze hadden samen afgesproken dat ze het gordijn open zouden laten; het was zo vredig om in het schijnsel van de straatlantaarn de sneeuwvlokken te zien bewegen, als individuen, maar bij de geringste windbeweging net een school vissen of een vlucht kauwen. Beide dekbedden in de kamer waren van dons, en dat was heerlijk warm in de even heerlijk nachtkoele kamerlucht. Soms te warm, dan moest het er even af, maar dan werd het al snel weer te koud. Lill-Inger sliep en Hedda streelde zichzelf voorzichtig tussen haar benen, het was eigenlijk meer alsof ze het dier aaide om het niet wakker te maken. Zij had 'nee, nee' gezegd en Tom had 'nee' gezegd op het voorstel dat Luigi haar weg zou brengen. Elsa zei niets, ze had al eerder gezegd dat Luigi zijn eigen sok wel kon stoppen, maar die sok zat nu in Hedda's rugzak met vuile was. Zelf had hij zijn schouders opgehaald en Hedda was opnieuw met het gevoel het vijfde wiel aan de wagen te zijn achter de drie anderen de trappen afgelopen. Ze hadden het met haar gehad over de dag van morgen en de dagen daarna, ze zouden van zich laten horen, zij zou ook van zich laten horen, maar in de bocht van de trap keek ze achter zich omhoog. Ze zouden bij Blondie langsgaan als er binnen een week niets was veranderd. Ze zouden te voet naar huis gaan om de kleine een genoegen te doen, die met haar tong de sneeuwvlokken begon op te vangen. En Hedda kon meelopen naar de Tegnérgatan en daar de straat uitlopen tot ze bij een tramhalte was.

Maar daar kwam hij aanvliegen. Ze zag hem eerst als een vlek in het ruitje van de voordeur, toen werd hij concreet en kwam hij naar buiten. De reacties op straat liepen uiteen, maar zijn zin om een luchtje te scheppen in deze eerste sneeuw konden ze hem niet verbieden. Een soort 'nou ja, goed' en een blik van onder Toms pony, daarna gingen ze uiteen, het gezin liep de straat uit naar beneden, terwijl Luigi de tegenovergestelde richting insloeg.

Zonder het te vragen pakte hij haar rugzak en slingerde die over zijn schouder, hij bood haar zijn andere arm en ze haakte in. Hij rook naar whisky. De versmelting. Pas na een paar honderd meter drong de warmte door zijn sportmantel. Toen ze een paar keer uit de maat liepen, toen zij op haar leren zolen uitgleed, nam het contact toe, met de bovenarm, een keer met de heup. Hij zei dat hij zich eigenlijk beledigd moest voelen dat E en T het hem niet toevertrouwden haar naar huis te brengen. Ze lachte gegeneerd. Daarna zeiden ze een paar blokken lang niets bijzonders, ze moesten opletten dat ze niet uitgleden op de trottoirs naar beneden. De sneeuw was al koud, er moest een weersomslag van herfst naar winter zijn ingetreden terwijl zij naar de films keken, het was glibberig door de sneeuw, maar nog meer door de natte herfstprut die eronder was opgevroren. Hij was goed geschoeid, zij helemaal niet, dus hij was nu een 'noodzakelijke escorte' geworden. Hij sprak die woorden uit met een knipoog. Hedda kon niet flirten. Ze wist dat ze weleens geflirt had, misschien wel vaker dan eens, vele malen, maar nu had ze geen idee. Ze was toondoof, stom. Niet meer dan een waterspiegel, alles wat hij zei en deed viel in de put, verspreidde kringen die niemand zag.

Hij sneed een paar gespreksonderwerpen aan. Hij vertelde dat hij eigenlijk zijn vaders bedrijf (scheermesjes) moest overnemen en dat hij was opgeleid als jurist om aan de rol van directeur het gouden randje te geven waarvan zijn vader (*self-made*) al had bewezen dat het niet nodig was. Maar hij had 'slechte vrienden' gekregen, artistieke dus, en hij had ontslag genomen bij het advocatenkantoor waar hij werkte om zijn lot in eigen hand te nemen. Een lot had je immers, 'of je nou ingrijpt in de sleur of die laat regeren. De sleur kan je lot worden.' Al eerder had hij films vertaald. Nu was hij net als Tom 'assistent', maar dan met meer anciënniteit. Hij had ook drie filmscenario's geschreven, niet officieel, maar gewoon in de praktijk, voor een honorarium dat nog lager dan de helft was van wat de officiële schrijver kreeg. 'Zo gaan die dingen en ik had kunnen stoppen als ik wilde, maar ik ben koppig en snel tevreden. Doe dit, doe dat, ga daarheen, zijn commando's die ik krijg en ik doe dit, doe dat en ga daarheen. Ik ben er een beetje te oud voor, maar ik heb laat gekozen, en nu hebben we plannen voor een eigen productie ...'

sprak hij, maar wat Hedda vooral meekreeg in deze drie kwartier met hem was de wat slingerende beweging die een variatie vormde op hun stappen voorwaarts. Haar zij kwam tijdens het lopen tegen die van hem. Eén keer haar heup en de buitenkant van haar dijbeen. Ze glimlachte verontschuldigend, want zij was degene die was uitgegleden.

Een beetje terloops vroeg hij of ze chirurg wilde worden, want dat meende hij aan tafel te hebben begrepen. Zij liep met haar bovenarm tegen de zijne gedrukt en ze vervolgden hun weg niet tegen de helling op, de Riddargatan in, zoals zij van plan was geweest, maar liepen helemaal door naar Nybroplan, om de sneeuwval op het water te zien. Die was nu zo dicht dat je Blasieholmen niet eens zag liggen, laat staan Skeppsholmen, maar wel een paar broedende archipelboten aan de kade. Ze antwoordde dat ze op dit moment helemaal geen toekomstplannen had. Jawel, om een van die boten te nemen naar een eiland, waar ze nu misschien net naar de stallantaarn grepen om te gaan melken. De sneeuwval schermde je zo af voor de wereld. Ze begreep dat mensen vreedzaam stierven wanneer ze doodvroren. Niet dat zij het koud had, maar het was begrijpelijk. Zo veel wit wordt een soort duisternis. Ze liepen honderd meter de Strandvägen op, draaiden zich om en bekeken hun spoor. Hij vertelde dat zijn ouders op het platteland woonden, in het noorden van Uppland. Wanneer de sneeuw lang bleef liggen, kon je nooit iets heimelijk doen. De sporen van je activiteiten lagen er als bewijs. Dat gold voor alles wat leefde en bewoog.

DEEL 3

Liefdesspel

De zevenentwintigste brief

Dag Sigrid,

Verontschuldig je alsjeblieft niet wanneer je geen tijd hebt om post te beantwoorden. Ik ben me bewust van het tijdgebrek van iemand die werkt.

Doen of je denkt dat ik op dezelfde manier in beslag word genomen als jij is niet fijngevoelig. Ik zeg niet laf, maar het is moediger om gewoon onomwonden 'oud' te zeggen in plaats van 'ouder'.

Organische leeftijd heeft geen waarde. Dat is de reden voor die omschrijving. Geen mens zou zeggen 'een ouder kasteel aan de Loire' of 'een oudere parel die aan Catharina de Grote heeft toebehoord'. Zo kan ik nog wel uren doorgaan. Oud is mooier dan ouder. Antiek nog mooier. Wij oude mannetjes en vrouwtjes moeten ons erbij neerleggen dat we 'ouder' zijn, ook als we antiek zijn.

Nou wilde ik daar eigenlijk niet over schrijven, maar ik kan het maar beter gezegd hebben. Ronduit oud en versleten is niet leuk, maar het is barmhartiger dan dat anderen veinzen dat ze het niet zien. Hier heb je taarten die regelmatig een facelift ondergaan, zodat ze van hun kant ook aan het geveins kunnen bijdragen. Om zich 'zekerder' te voelen, zeggen ze. Hoe kun je je zeker voelen wanneer je eruitziet als iemand uit een soap is mijn vraag. Jij bent zelf ook geen twintig meer; ik dacht eerst dat je jonger was, maar dat je nog werkt heeft natuurlijk niet met leeftijd te maken maar met het een of andere talent. Wat is (was) de missie van mijn leven?

Dat vraag jij je af, ja. Leven, zou ik zeggen. 'Leven schenken' zouden sentimentele mensen zeggen. Joost mag het weten. Volgens mij is de opdracht om in de eerste plaats zelf te leven. Niet omwille van jezelf, maar ook niet omwille van anderen. De vrijheid van volwassen kinderen bestond daarin dat ze eindelijk 'nee, bedankt' konden zeggen tegen wat hun werd opgedrongen. Vergeet dat niet. Ook omwille van anderen moet een mens voor zichzelf leven. Leren om het leven dat je cadeau hebt gekregen onder de knie te krijgen.

Jij behoort tot de velen die de bonusgave hebben gekregen: een specifiek talent. Ik had zelf talenten – meervoud is niet beter, het is heel wat anders, *a little bit of this, a little bit of that*, je beschikt zelf vast ook nog wel over een paar andere talenten. Het mijne was helemaal niet 'actrice' zijn, zoals jij denkt, dus dat ben ik niet geworden, en dat kun je niet wegredeneren met gezin, huishouden en al het andere dat als een legitiem excuus wordt gezien. Jij lijkt de mening te zijn toegedaan dat ik in een carrière belemmerd werd. Nonsens. Ik werd niet door het acteren gegrepen, ik vond het vooral onnozel om 'gekke bekken te trekken'. Het was krankzinnig dat een heleboel acteurs nou juist daarvan hielden. Ze konden niet leven zonder de gekke bek. En je gezicht stijf van de schmink, en geplukte wenkbrauwen waren het loon niet waard. En ik moest zwemmen in water van veertien graden, erin en eruit, erin en eruit, het was nooit goed, dus kostte het de halve dag. Het had mijn dood kunnen wezen, net als het dat voor mijn personage bijna was, maar dan om andere redenen. Later veranderden ze het einde en gaven ze haar een andere straf dan de dood. En dan dat acteren in fragmenten van een verhaal dat door anderen met schaar en lijm gecomponeerd zou worden. Ik heb die rol nooit echt in de vingers gekregen. Elisabeth Bergner, naar wie je een paar keer hebt geïnformeerd, heb ik nooit gezien, en als dat wel zo is, dan ben ik het vergeten.

Mijn talent was dat ik vaardig was met mijn handen. Dat ik bijvoorbeeld over huishoudelijke talenten beschikte, waarover de meeste vrouwen niet beschikken wanneer ze een huishouding moeten gaan runnen. Het vervelende was dat dit ook destijds niet als een talent werd gezien, maar als iets wat alle vrouwen gewoon kunnen. Als je de borst kunt geven, kun je natuurlijk van geboorte en uit ongeremde gewoonte ook koken.

De vriendinnen van mijn dochters verafschuwden het om zelfgenaaide kleding te dragen met aangezette stukken als noodoplossing wanneer hun moeder scheef had geknipt. Onze dochter liep in modelkleding die ik had ontworpen. Een heleboel mensen vonden dat ik dat op grotere schaal moest gaan doen, er mijn beroep van moest maken, maar mijn fantasie was niet in staat om groter te denken dan als naaister, en ik wilde het echt niet. Eerlijk gezegd zou het de status van ons gezin ook naar beneden hebben gehaald. Dat wilde niemand, mijn dochter vond dat het dan net leek of ze een dienstmeid als moeder had. (We hadden een dienstmeid.) Toen ik de coupeuseopleiding volgde, at ik altijd samen met een van de andere meisjes en haar moeder, die naaister was. Dat leek de meest opgesloten manier van leven, met kromme rug. Geel gezicht. Of modeontwerpster. Ja, ja, daar hebben we dat weer. Jouw overschatting van wat ik heb vergooid. Ik bezat de gave niet, alleen de vingervaardigheid.

Ik moet dat toch even kwijt, aangezien jij vragen stelt die erop aansturen dat er misschien 'wat meer' in mij had gezeten, dat ik diepzinnig of mysterieus was. Besef je niet dat het voor mij onaangenamer is als jij denkt dat ik mijn leven ben misgelopen of heb vergooid en dat ik een slachtoffer ben, dan dat het is gelopen zoals het bleek te lopen? Nog beter eigenlijk, want ik heb immers de kans gekregen veel in het buitenland te wonen en wat van de wereld te zien. Ik was een tamelijk alledaags meisje, geen heldin, drie jaar lang buitengewoon knap om te zien en de rest van de tijd knap genoeg. Wanneer jij denkt dat ik er tegenwoordig zou uitzien als Gena Rowlands, dan zit je er volkomen naast. Blond ben ik maar drie jaar geweest. (En Gena Rowlands heeft haar leven pas echt vergooid, omdat haar man als het genie werd beschouwd of zichzelf zo beschouwde, en zij voornamelijk met hem samenwerkte, en samenwerken met een genie betekent dat je zijn visie ondersteunt. Dat wordt 'een muze' genoemd. Je ziet, ik ben op de hoogte. Dat iemand geen openbare prestaties verricht, wil nog niet zeggen dat hij ignorant is.)

Wat ik zelf heb laten lopen was niet omwille van anderen, maar kwam door luiheid en geilheid. En wat is daar verkeerd aan, als dat het was wat ik van mijn leven moest en wilde maken?

Maar jij hebt natuurlijk dat specifieke talent. Je had in elk geval iets in je wat zei dat er iets was waar je mee aan de slag kon gaan. Daarom doe je dat nog steeds en kun je daarmee doorgaan, ofwel tot je leven ophoudt ofwel tot je talent opdroogt, hetgeen uiteraard het laatste is wat ik je toewens. Ik begrijp dat het verschrikkelijk is wanneer een talent ophoudt. Dan kun je nog beter dood zijn. Ik kan verklappen dat ik nog twee boeken van je heb gelezen. Op dat ene over Byron was ik niet zo dol, hoewel ik normaal vooral biografieën lees. Mij te barok.

Dat boek dat jij *Parsifal* noemt, vond ik daarentegen wel iets hebben. Ik weet niet wat. Ik hoef het ook niet te weten, want ik ben geen criticus. Eigenlijk geef ik de voorkeur aan de brieven die je schrijft. Dat stuk over 'de onverwachte hoofdstad van het eterniet' op een landtong in Bohuslän. Dat stuk over een bovenverdieping waar de eigenaar macramégordijnen had bijgeknipt. En dan die boerderij op de dijk met een stuk of zes, zeven autowrakken, of renovatieobjecten, plus een 'tamelijk bont paard. Als *country music*'.

Maar misschien kwam het door je vriendelijke belangstelling voor mijn gezin in je laatste briefje dat ik het gevoel kreeg dat het een plicht was geworden om mij te schrijven. We zijn het er nu immers al een hele tijd over eens dat mensen niet bijzonder geïnteresseerd zijn in elkaars familieleden en dat het bedoeld is om de conversatie op gang te houden wanneer je hen een voor een afstreept en over hen opschept en roddelt.

Ik heb één achterkleinkind. Ze is al twee. Haar moeder is er een van de tweeling van mijn oudste; die moeten ruim twintig zijn geweest toen jij en ik met onze correspondentie begonnen. Ze zijn nu de dertig gepasseerd. De moeder van dit meisje woont in Parijs en laat bijna nooit wat van zich horen; ze is voortdurend aan het werk. Ze weet niet eens of Didier of Yves de vader is. Die springen beiden bij met praktische dingen. Wanneer het kind oud genoeg is om vragen te stellen laat ze een DNA-test doen. Haar zus op de zeven zeeën bevindt zich waar haar containerschip zich bevindt, nergens anders. Zij mailt me elke week via een of andere ster of satelliet. Ik heb toch verteld over de tweelingdochters van mijn oudste zoon? Isabelle noemt zich designer. Zij heeft evenmin de gave, alleen kleine talenten, maar tegenwoordig kan een mens zich veel beter bedruipen met kleine talenten dan met één groot talent. Haar dochter heet Beatrice en ik heb haar op de muur van de ijskast geplakt, zoals dat hoort met kleine kinderen, want dan kunnen de buren opmerkingen maken.

Jana is eerste stuurman op een containerschip. Ze vaart intercontinentaal en is niet vaak aan wal. Ze zegt dat er golven zijn waar ik me geen voorstelling van kan maken. De ene zevende golf na de andere, en dan de achtste. Het zijn mooie meisjes. De genetische mix was geslaagd; ze zijn voor het grootste deel Zweeds, maar met een zweem Italië, Hongarije en de Filippijnen in hun bloed. Je hebt het onlangs goed gelezen: ik verstuur tegenwoordig ook e-mail. Mijn adres is <u>heddang@yahoo.com</u>. Als je wilt, gaan we over op die communicatievorm. Die is kort! Vellen papier zijn zo'n verplichting om te vullen. Vroeger werd de post een paar keer per dag bezorgd en dan gebeurde het wel dat je een half velletje of nog minder afscheurde, in een envelop stopte en naar een andere wijk stuurde. De elektronische post heeft daar wel wat van weg.

Het filmscript van 'mijn hand' waar je informatie over gezien hebt, is een canard. Toen ik na de middelbare school in Stockholm woonde en een beetje in filmkringen verkeerde, haalden mijn broer en zijn vriend het in hun hoofd dat ik hen zou helpen met een script omdat ze meenden dat ik aanleg had voor dialogen. Dat wilde ik wel, voornamelijk omdat ik verliefd was op Luigi, die te oud voor mij was. Misschien heb ik er nog wel iets van liggen. Ik heb geen idee of Luigi en Tom er later mee zijn doorgegaan. Ik raakte immers zwanger en mijn jongste broertje overleed. En Toms vrouw hervatte haar carrière als arts en hij werd tekenleraar, en Luigi keerde toen zijn vader stierf terug naar het familiebedrijf en zijn verloofde. Hij is trouwens zelf al in het begin van de jaren vijftig overleden. Dus je kunt zeggen dat ik geluk heb gehad dat ik niet toen al weduwe werd.

Groeten,
Hedwig

Merry Christmas

'O, het hondsvot kon het dus niet opbrengen om mee te komen.'

Dat kon hij inderdaad niet.

De sneeuw bleef de hele weg door Zuid-Zweden wel vallen. Op de witte velden in Östergötland zag je de schaduw van de stoom die door de locomotief werd uitgespuwd tot een groot en bleek niets uitgroeien. Een enkele keer kleurde de zon de sneeuwval. Roze vlokken, rode vlokken. Een enkele keer voelde je een helling. Die kwam uit in een sparrenbos en de bomen zagen eruit zoals je sparren tekent, met grote vetrollen zonder naalden. De trein veroorzaakte een luchtstroom; takken die bijna bezweken waren onder de sneeuw, antwoordden met een Möbiusbeweging en schudden een deel van hun last af. Boven de toppen van de sparren zag je af en toe de sterrenhemel. Het was te warm in de volle coupé,

alle plaatsen waren bezet en er zaten twee kinderen bij volwassenen op schoot. Het ene kind was wagenziek en had al twee keer overgegeven, de eerste keer was de moeder daar niet op voorbereid geweest en was het op haar rok en op de vloer terechtgekomen. Medepassagiers waren naar de gang gelopen om te gaan roken. Het kwam vast door de dampen, pijptabak, dat het kind weer moest overgeven, maar ditmaal zat de moeder met een bruine zak klaar. Nu sluimerde zowel moeder als kind, maar Hedda wist dat het meisje weer zou overgeven op het moment dat ze ontwaakte, ontwaakte omdat ze moest overgeven. Ze zag bleekgroen in haar gezicht. Maar ze zaten dicht bij de deur van de coupé en Hedda zelf zat aan het raam en kon haar wang koelen tegen de ruit en de sterrenhemel zien als ze wilde.

Een oudere man had de moeder verweten dat ze een wagenziek kind ertoe gedwongen had om zo'n lange reis te maken, en de vrouw had in Smålands dialect verontschuldigend geantwoord dat Barbro voor de kerstdagen naar haar grootouders op het platteland ging. Ze keek om zich heen om bij de andere passagiers bevestiging te zoeken dat dit een goede zaak was, maar niemand had zin gehad om haar bemoedigend aan te kijken. Tegenover het meisje schommelde het andere kind nadrukkelijk gezond op zijn vaders knie heen en weer. Je had hem wel een flinke oorvijg willen verkopen om zijn goedkope triomf en duidelijke opzet om het meisje met zijn geschommel nog misselijker te maken dan ze al was. Hedda kneep haar ogen toe om hem niet te hoeven zien. Ze trok haar mantel over haar hoofd en deed haar ogen dicht. Om in de sneeuwval een gezicht terug te zien:

onder een rode pet met een korte klep met een knik erin.

Ze had hem niet teruggezien, ze had hem in geen weken gezien. Om de herinnering aan de wandeling niet te laten verbleken werkte ze er vaak aan. Maar ze was ook bang dat die door te veel recapitulatie haar glans zou verliezen. Ze bouwde haar uit. In haar fantasie hadden ze elkaar dus gekust. Hij had haar tegen zich aan getrokken en haar jas en die van hemzelf open geknoopt, zodat ze elkaar zouden voelen. Dat gebeurde toen zij in het echte leven knoopbiesjes aan een jurk naaide en met Greta praatte. Ze verstomde, verontschuldigde zich en liep naar de badkamer. Daar hoefde ze niet eens haar hand in haar broekje te steken. Ze tilde gewoon haar rok op en duwde haar middelvinger stevig tussen haar schaamlippen. Ze bewoog een klein beetje en kreeg meteen een groot orgasme, dat ze in de spiegel zag. Het veranderde haar hele gezicht, zelfs haar oren, ze zag de aardgeest kermen. Enkele zenuwen in haar lendenen wilden er nog een, en toen er aan de deurklink werd gevoeld (argwanend?) kon ze niet stoppen, maar spoelde ze de wc twee keer door om het matte geluid te overstemmen dat deze keer doorbrak.

'Eigenlijk heb ik helemaal geen zwak voor Elisabeth Bergner', had hij gezegd. 'Ze hengelt met microscopische middelen naar de gunst van het publiek. Zo klein dat je de trucs nog net moet kunnen waarnemen. Nog net waarnemen, zodat je ervan onder de indruk raakt dat ze dit op zo'n kleine schaal beheerst. Ze heeft eens gezegd dat als ze in een scène speelt, ze haar bewustzijn al in de volgende schuift, om niet bewust over te komen terwijl ze speelt, en omdat de afwezigheid in het heden dynamisch is en tot de volgende scène leidt –

– heb jij Eleonora Duse gezien in *Aska*?'

Hedda schudde zachtjes haar hoofd, zodat hij het niet zou zien en dus naar haar zou moeten kijken. Hij keek naar haar, ze bracht haar gezicht

dicht bij het zijne en zei 'nee', zonder te weten waar ze om lachte. 'Duse
…' zei ze. Ze stonden een paar seconden stil met hun gezichten naar
elkaar toe gewend als munten. 'Duse speelde traag, alsof het onder water
was. Bergner maakt kleine gebaren in verschillende richtingen tegelijkertijd, dat moet de tegenstrijdigheden tonen – of de dialectiek – die
naar haar mening de psychische processen voortstuwt. Duse beweegt
zich als een slaapwandelaarster, tragisch, en ze laat haar emoties op haar
gezicht doorbreken wanneer het moet lijken of het onmogelijk is om die
te onderdrukken. Omdat ze die láát doorbreken, zijn ze toch niet ongedwongen, maar gewoon een gebaar waarvan het de bedoeling is dat het
hartverscheurend overkomt. Ze glimlacht bijna altijd melancholiek. Dat
is zo'n doortrapte manier om je gevoelens te tonen dat ik met afkeer op
mijn stoel zit te schuiven wanneer ik dat zie. En met Bergner is het soms
hetzelfde. Ze zijn doortrapt op een manier die waarschijnlijk niet voor
mannen bedoeld is, behalve dan de mannen die je altijd in de claque van
grote diva's vindt.'
'Waarom?'
'Waarom wat?'
'Nee, waarom zit je op je stoel te schuiven van afkeer?'
Hij antwoordde niet. Zij vroeg zich af waarom niet. Ze stonden bij
Nybroviken. Omdat het brakke water in de koude lucht omhoogdampte,
leek de sneeuw tussen de hemel en de zee dichter te zijn. Een veelkleurige
lichtvlek bewoog zich in hun richting, in de verte veel groter dan toen hij
dichterbij was. Als schaduw was het vaartuig ook enorm en werd het bij
aankomst archipelklein. De loopplank werd uitgelegd, een dominee ging
aan land. Na hem viel er een gat, daarna kwam er een draagbaar met een
zieke, op wie al een taxi, gelukkig geen ambulance, stond te wachten, en
ten slotte een groepje normale passagiers, schuchter vanwege het weer. Ze
keken naar het jonge paar met de rugzak, alsof ze op een verklaring of
een aanwijzing wachtten.
'Daarom.' Een nieuwe stilte herinnerde haar eraan dat ze een vraag
had gesteld. De dominee glibberde op zijn leren zolen weg en schikte
zich daarin. De taxi startte met een wolk, een andere passagier droeg
laarzen met houten zolen die door het sneeuwdek heen op het plaveisel
klepperden. Voordat de kapitein de schijnwerper uitdeed, zag Hedda de
schaduw van haar en Luigi. Ze vormden een paar en hij droeg haar rug-

zak. Iedereen kon dat zo interpreteren. 'Als ik de trucs zie, zijn die namelijk te grof om me te overtuigen, hoe subtiel ze ook zijn. Dan zie ik knap acteerwerk, maar wat is dat waard? Is acteren een doel op zich? Nee, het is een middel. Kunst is een middel voor andere doeleinden, ook al hoeft kunst niet te dienen. En kunstenaars, die het werk van anderen vertolken en deel uitmaken van een ensemble dat een geheel vormt, zijn vooral een middel voor het doel van het geheel. Als de kunstenaar de middelen zo geraffineerd maakt en de mensen ertoe verleid moeten worden zijn gebaar als authentiek te bewonderen, dan ontneem je hun de fantasie. Je neemt de verdere zin van het geheel weg en maakt de eigen presentatie tot einddoel. De paradox is vast het enige wat helpt wanneer je de verfijning zo ver hebt doorgevoerd maar deze toch wordt doorzien. Dan moet je of teruggrijpen op maskers en de toeschouwer laten uitvinden wat daarachter zit, of je speelt helemaal niet. Zoals in *Terje Vigen*, toen er zo'n zeegang stond dat de acteurs in de kleine bootjes moesten ophouden met acteren. Je zag hoe ze werkten met zeilen, schoten en bootshaken. Zoals Tom zei: Mensen in boten.'

Sommige dingen gingen haar ene oor in en het andere uit. Misschien had hij dit wel gezegd. Het beviel haar dat de actrice hem niet beviel en dat hij haar toch zo goed kende. Meestal verdiept een mens zich alleen in dat wat hem aanspreekt. Zijn stem was helder en donker tegelijk en bijna accentloos.

Toen de trein uit de bossen was gekomen volgde het platte, ondergesneeuwde Skånse landschap. Sneeuw in golven en wallen, kale grond waar de wind op had gestaan, daarachter sneeuwhopen. Het was 14 december, de dag na de Luciaviering, en ze was enorm opgelucht dat ze haar familie zo wit en rein tegemoet kon treden. Nu deelde ze een kamer met een meisje en kon ze zonder te hoeven liegen al het belangrijke vertellen. Ze had het naar haar zin, ze had zelfs de man ontmoet met wie ze haar kamer gedeeld had, een lange, wat mollige meneer van over de veertig die in zijn eigen pannetje havermoutpap kookte. Hedda ging elke ochtend met een lunchpakket naar de opleiding en elke avond kookte ze iets, vaak samen met Lill-Inger. Met z'n tweeën was dat goedkoper. Op zaterdagavond waren ze soms met z'n vieren, dan waren ook Gurli, die dienstmeisje was in een huis aan de Karlavägen, erbij als ze vrij had, en Märit uit Karlskrona, die de verpleegsteropleiding volgde, maar niet intern woonde omdat ze getrouwd was met een marineofficier. Lill-Inger had een recept voor in de pan gebakken brood met zuiveringszout, dat de smaak ophaalde. Er gingen ook krenten en wat amandelen in. Elke zaterdag ging Hedda in haar eentje naar het Centraalbad, waar ze niemand tegenkwam. Ze stelde aan niemand van haar vriendinnen (oppervlakkig gezien) voor om mee te gaan, aangezien hij er misschien zou kunnen zijn. Verder de Drottninggatan in lopen durfde ze niet.

Tijdens de wandeling was er nog iets fantastisch gebeurd. Toen de schijnwerper van de stoomboot uitging en hun blik niet langer hypnotiseerde, liepen ze de Nybrogatan in. Opnieuw arm in arm, en één keer spande hij zijn spieren aan als een groet. Zij beantwoordde dat voorzichtig, ongemerkt; ze had er misschien te veel waarde aan toegekend? Ze sloegen rechts af. Aan de achterkant van de schouwburg zagen ze een deur openstaan, meer dan een deur, een vrachtingang van twee verdiepingen hoog. Ze liepen ernaartoe om te kijken. De deur stond vanaf borsthoogte open. De machinekamer van een schouwburg. Als de machinekamer van een Amerikaschip. Boven netjes, wit en afgewerkt, beneden grote kisten, een bak, naakte lampen. Hier was 'boven' vóór het gordijn en 'beneden' erachter. Aan het plafond kraangoten, kettingen en haken, coulissen die met een beschermlaag ertussen tegen een of twee muren stonden, ontdaan van elke dramatiek, je zag ze nauwelijks, je nam ze gewoon voor wat ze waren. Gedoofde verlichting. Alleen een blauwe lantaarn hoog aan het plafond, als de zachte richtstraal waaronder je bijkomt na een amandeloperatie.

'Zullen we?' besloot hij.

'Wat …? Nee! Ze zullen hier wel iets aan het doen zijn, het zal toch niet gewoon voor de lol openstaan?' Hij floot, zij werd opgewonden, hij bood zijn dijbeen al aan en legde zijn handen rond haar middel. Zij klom met haar besneeuwde schoenen op hem, hij moest zijn handen naar haar heupen verplaatsen en met een zwaai landde ze voorover met haar handen op de vloer terwijl haar benen nog buiten over de rand hingen. Hij pakte haar bij beide enkels om te duwen terwijl zij zich verder naar binnen werkte. Ze rolde rond en strekte beide handen naar hem uit. Hij pakte er echter maar één, greep met zijn andere hand een beugelslot en leek tegen de muur op te rennen, maar toen hij naar binnen viel, deed hij haar pijn met zijn elleboog. Hij merkte het niet. Ze gingen de hal door om rond te kijken. Soms weer met hun gezichten naar elkaar, als munten.

Een maand later wreef ze over de plaats waar de blauwe plek had gezeten, vlak onder haar ribboog. Ook de rib had zijn portie gehad en was nog steeds pijnlijk nu ze er in de treincoupé aan zat te voelen als aan een talisman. Hässleholm, Eslöv, Kävlinge, dorpen aan een snoer. De lampen gingen om vijf uur aan, de ene plaats leek op de andere. Hoe minder aandachtig je keek, hoe meer ze op elkaar leken.

Toen ze in de schouwburg rondstruinden, verkeerde ze in ademnood door de klap in haar zij. Drie dagen later was ze er weer langsgekomen toen de laaddeur openstond, nu met toneelwerkers die vanaf de straat kisten naar binnen hesen. Onder het werk stonden ze leeg voor zich uit te kijken, de duim op de knop, hun gedachten elders.

Maar nu waren Luigi en zij daarbinnen en het leek wel of zij op eieren liep terwijl hij zonder meer deuren opende. Vier glazen whisky, niet zulke grote, maar toch. Hier stonden geen rekwisieten, alleen grote dingen. Toen hij deuren opende, waren er trappen, gangen, een kantoortje. Ze liepen over een holle klank, als van een kolenluik, de kelder van de schouwburg. Hij probeerde aan de ring te sjorren, maar kreeg het luik geen millimeter omhoog en trok Hedda mee naar een wand wat verderop. Eén keer echode haar hak weer boven een holle ruimte.

Nee. De echo die ze meenden te horen was een eigenaardige vervorming van de geluiden op het podium. Luttele meters van hen vandaan werd toneelgespeeld. Een vrouwenstem jammerde, een paar snelle zolen over de vloer: 'Laat zien!' Zij: 'Néé! Nee, nee. Nee ... het is te wreed. Ik kan het niet. Kan het niet.' Het publiek lachte. Hedda en Luigi luisterden even. De acteurs speelden een drama, het publiek zag een klucht. De acteurs overdréven het dramatische, gewoon een beetje *melo*, en gaven zo aan dat het toegestaan was om te bulderen van het lachen.

Heel even zweefde het Hedda voor de geest dat ze zelf ook toneelspeelden, als blinde passagiers op een Amerikastomer. Was dit per slot van rekening niet ook een tableau, een koket doel in zichzelf – deze twee jonge mensen in de theaterhemel? Luigi zocht voor haar naar de garderobe, maar kon die niet vinden. Ze antwoordde dat toneelkleding voor haar niet interessant was. De dames in het publiek die zich voor een zaterdagavond gekleed hadden, waren dat misschien wel. Het was ook niet helemaal uitgesloten dat ze een van de toiletten in de zaal persoonlijk gemaakt had.

Bij zijn voordeur had ze gezegd: 'Je sokken.' Hij was haar in de rede gevallen met de woorden: 'Moet je praten over vuile sokken wanneer de eerste sneeuw valt?' Hij had zo duidelijk het initiatief genomen. Hij rook naar drank. Ze begreep dat hij nu toch de vraag van de hand wees hoe – wanneer – zij hem zijn sokken weer terug zou geven. Hij was op andere gedachten gekomen. En daarna:

'Dag, Hedda, het was me een genoegen je te ontmoeten', en toen ze haar gezicht niet in de plooi wist te houden: 'We zien elkaar misschien wel weer.' Pauze. 'Als de tijd er rijp voor is.' Ze hadden elkaars rechterhand vastgehouden om met een handdruk afscheid te nemen en zij had de hare eigenlijk als eerste terug moeten trekken, maar dat deed ze niet. Na een poosje had hij zijn blik op haar vasthoudende hand gericht en daarna op haar gezicht. Hij las haar blik en had haar toen een handkus gegeven, de eerste keer snel, zonder aanraking, daarna vouwde hij haar vingers over de zijne, hij keek ernaar en kuste haar hand opnieuw, nu met zijn lippen. Het ging snel, geroutineerd. Ze bloosde. Hij had zich opgericht, een kneepje in haar vingers gegeven, dan ten slotte haar hand geschud en met zijn pet gezwaaid.

Op een zaterdag had ze met Elsa in koffiehuis Sturekatten koffiegedronken. Elsa had Hedda per brief verzocht haar daar te ontmoeten – drie met een typemachine geschreven regels. De aanleiding was dat ze kerstcadeaus van Tom voor zijn moeder en jongere broer wilde meegeven – en ook eentje voor Hedda zelf. Tom had zich niet vrij kunnen maken om zelf te komen en ze konden haar nog niet bij hen thuis ontvangen; de man die de vloer schuurde, was er om de renovatie af te ronden. Elsa zei:

'Je mag zijn ouders wel vertellen dat we getrouwd zijn. Dat hebben we niet voor hen gedaan, maar voor een woning en omwille van Pia. Nee, dat laatste hoef je niet te zeggen, alleen dat we getrouwd zijn. Tom zegt dat het hem niet uitmaakt. Maar ik weet natuurlijk dat trotse verklaringen meestal van voorbijgaande aard zijn. En wanneer een familielid slechts met enkelen van de anderen omgaat, leidt dat tot onderlinge ruzie tussen hen en degenen die worden afgewezen. Het beste voor iedereen zou zijn als de situatie geleidelijk ontdooide. Niet te snel. Ook niet te veel. Volgens mij heeft hij afstand tot je ouders nodig. Hij voelt zich niet gerespecteerd en ik geloof hem, hoewel ik meestal mijn twijfels heb als mensen zoiets zeggen. Dat zul je wel weten.

Ik ben blij dat ik hem heb; voor mijn kleine meisje is het niet gemakkelijk geweest. Eerst is haar vader na haar geboorte bijna voortdurend ziek geweest en daarna is hij gestorven. Mijn man' (dat woord viel Hedda op, omdat Tom nu eigenlijk zo genoemd had moeten worden) 'was arts, maar ook artsen worden ziek en gaan dood. Ik kon het eerst nauwelijks geloven. Ik was twintig jaar jonger dan Joël en vanuit een soort aanpassing naïef. Dit jaar zullen we een goede Kerst hebben. Pia is op Tom gesteld, ik ben bijna tien jaar ouder dan hij. Samen zullen we geen kinderen krijgen, Pia is met een keizersnee en dramatiek ter wereld gekomen, ik kan geen kinderen meer krijgen, en Tom vindt dat prima, en dat is natuurlijk goed.'

'Komt Tom met Kerstmis niet naar huis?!' zei Hedda.

'O, het hondsvot kon het dus niet opbrengen om mee te komen.' Christian kwam haar bij het station ophalen. Hij was chagrijnig, de toevoeging was geen grapje. In de Bangatan wachtte een auto die Hedda niet eerder had gezien, een Daimler, aan hem geleend door de vader van 'Karin Franzén'. Die naam kwam haar bekend voor, misschien was het de nieuwe vlam die moeder al genoemd had.

'Het "hondsvot"', citeerde Hedda, 'is toevallig getrouwd en viert Kerstmis met zijn gezin op Kungsholmen in Stockholm.' 'Getrouwd', zei Christian, die niet onder de indruk was. Voor hem stond een auto geparkeerd en hij keek over zijn schouder om achteruit te rijden. 'Je kunt verdorie op wat dan ook welk etiket dan ook plakken.'

'Het enige wat nodig is, is dat je voor de wet getrouwd bent. Als je zin hebt om na een groot banket in de domkerk met een bordje JUST MARRIED achter aan deze kar weg te rammelen, dan is dat jouw zaak en geen mens zal het je verwijten.' Hedda merkte hoe ze een los toontje aansloeg dat ze tijdens de maanden in Stockholm nauwelijks gehanteerd had. Haar voorzichtige houding tegenover haar omgeving van de eerste weken leek rechtstreeks op haar manier van doen te zijn overgeslagen. Alsof ze een lager verhemelte in haar mond had ingebouwd voor gebruik in Stockholm. 'Ik ...' zei ze, om haar eigen stem te horen.

'... Als hij de moeite had genomen om dit te vertellen had ze voor een man minder kunnen dekken', viel Christian haar in de rede. 'Er staan borden en glazen op de plek van Torsten Carlsson. Mama had zich in haar hoofd gehaald dat hij voor een verrassing zou zorgen. De verkeerde verrassing ...'

'O, jee. Maar ik kan het toch uitleggen.'

Hij sloeg bij het Clemenstorget rechts af en belandde achter een houtkar met een paard ervoor die hij onmogelijk leek te kunnen passeren. De motor was bereid in een laag toerental te spinnen, maar Christian trapte een paar keer ongeduldig op het gas om de motor zijn stem te laten verheffen. Bij de Allerheiligenkerk sloeg de hindernis onverschillig en zachtmoedig naar het noorden af, en Hedda zag dat het paard oogkleppen ophad.

'Ik heb het heel, heel erg druk', zei Christian gelaten. 'Dat ik hier op dit moment ben, komt omdat ik om tijd te besparen van de gelegenheid gebruikmaak om uitslagen van monsters uit het centrale laboratorium op te halen. Morgen moet ik om vier uur opstaan om op tijd terug te kunnen zijn. Ik heb vanaf eerste Kerstdag tot en met de ochtend van oudejaarsdag dienst en op twee januari begin ik opnieuw. Dat ik überhaupt vrij heb, heb ik te danken aan een gepensioneerde districtsarts, die de mensen kennen. Ik moet nog negen maanden in de provincie, met volle dagen en nachten. De mensen gapen van verveling hun kaak uit de kom en die moet ik dan weer in het lid zetten. Ouwe mannetjes moet urine afgetapt worden. Vrouwen die thuis net doen of ze gezond zijn, komen je vervolgens min of meer stervend voor hun bloedingen opzoeken. Daar houd ik me op dit moment mee bezig, ik heb nog nooit zo hard gewerkt en ik heb altijd hard gewerkt. En nou klooit hij in Stockholm met smalfilm en jij rommelt met modedingen en de enige die bij de hand is als het nodig is, ben ik. Het is niet normaal.'

Spuugde hij eruit. Hedda kwam overeind uit de hanghouding waartoe de passagiersstoel uitnodigde. 'Nou, sorry hoor, dat wij ons met onbelangrijke dingen bezighouden! Heeft iemand anders deze "roeping" soms voor jou gekozen? Jij houdt van macht, daarom ben je dokter!' (Ze wist dat hij niet van het woord 'dokter' hield; daar kun je alles in zijn, hij wilde met arts worden aangesproken.) 'En ik rommel niet met "modedingen" omdat ik daarvoor gekozen heb, maar omdat er in de familie al iemand was die een "hogere roeping" ambieerde en jarenlang onderhouden moest worden. Als je wilt, kun je me net zo goed hier afzetten, dan loop ik het laatste stuk wel.'

'Rustig maar!'

'Moet ík rustig zijn? Bedankt voor de hartelijke ontvangst …'

Het was helemaal niet ver meer. Christian bracht de auto tot stilstand in de Sölvegatan. Hij zette ook de motor uit. Hedda had het koud en zat vol vragen. Ze maakte zich op om uit te stappen zoals ze had aangekondigd, maar hij hield haar tegen. 'Er zijn dingen waarover ik het met je moet hebben voor we thuis zijn.' Hij keek nu heel serieus en somber.

'O, nee! Vader weer?' Hedda kon er niets aan doen dat ze eerder verveeld dan bezorgd klonk. Dit feuilleton duurde nu al zo lang.

'Nee, vader maakt het verhoudingsgewijs uitstekend. Het is Åke. Hij is ziek. Mama ontkent het, ze wil het er niet over hebben, ze legt je het zwijgen al op nog voordat de gedachte bij je is opgekomen om er iets over te zeggen. Zodra er een stilte valt en de mensen elkaar beginnen aan te kijken verlaat ze de kamer. Tijdens de kerstdagen moeten we het ontkennen. We moeten elkaar een gelukkig Nieuwjaar kunnen wensen, en daarna zijn ze voor een Driekoningenbal uitgenodigd. Nee, nu doe ik haar onrecht. Ze zorgt er uiteraard alleen maar voor dat ze legitieme redenen heeft om het te ontkennen.'

Ze keken elkaar in het donker aan. In de lange allee stond de straatlantaarn een paar meter achter hen, een eindje bij de straatrand vandaan, vlak voor een van de kersenbomen die nu sneeuwwit opbloeiden tegen de watertoren, hoewel het geen bloeitijd was. De sneeuw bleef als grote magnoliaknoppen aan de kronen plakken. Hedda sloeg haar ogen neer en zag dat er berensporen ontstaan waren waar iemand zijn zool had neergezet.

'Is het zijn arm?' 'Ja.' 'Wat heeft hij dan?' 'Ik ben er zeker van dat hij kanker heeft.' 'Maar zeker weten doe je het niet?' 'Jawel, ik weet het wel.'

Hedda barstte in tranen uit, er niet op voorbereid dat dit zou gebeuren. Net als haar moeder had ze het ontkend, ze had het immers al geweten toen ze in september op het station afscheid namen. Ze wist nog dat Åke haar met een deelnemende blik had aangekeken, hij begreep dat ze moest vertrekken hoewel ze nog maar zo weinig tijd samen hadden. Een mens leeft immers alsof er een toekomst is. Je kunt niet ophouden dat te doen wanneer de tijd beperkt is.

Maar ze wist toen al dat kanker woekert en ze voelde hoe ze haar kop in het zand had gestoken. Zolang er geen diagnose is, leef je alsof. Zolang ze niet aan Åke dacht, had ze geleefd alsof er niets woekerde. En ze had zich eenzaam gevoeld en was verliefd geworden. Wat ze had achtergelaten, moest dichtvriezen en onaangeroerd blijven tot ze terugkwam. Maar daar had de kanker geen boodschap aan, die volgde natuurlijk zijn eigen plan. 'Ik had al met slecht nieuws van enige aard rekening gehouden', zei ze. Hoe kwam dat verwijt in haar stem? In zelfmedelijden bedacht ze dat ze natuurlijk gestraft werd voor het feit dat ze het nu in Stockholm beter dan afschuwelijk had gekregen. Vervolgens schaamde ze zich. Ze had ook Gelukkig Nieuwjaar willen zeggen. En willen dansen op het Driekoningenbal. Aan Dagmar, die pas haar tweeling ter wereld had gebracht, willen vertellen dat ze door een mooie man in de achterste regionen van de Koninklijke Schouwburg naar binnen was getild. Ze huilde anders nooit.

'Ja, het is niet normaal', zei Christian, maar hij deed niets. Hij zat met zijn handen op het stuur. Hoorde niet wat er in haar hoofd omging, had zijn eigen gedachten.

'Maar hij heeft het nu al zo lang. Sinds afgelopen voorjaar. Hij had toch ...'

'Wat er in dat lichaam gebeurt en hoelang het al gaande is, daar kunnen we nu alleen maar over speculeren. Na de nieuwjaarswensen beginnen we het nieuwe jaar hiermee. Ze hebben veel te lang vertrouwd op die ouwe oom Bergström, die langskwam om te kijken en te voelen. Nu zijn er weer röntgenfoto's van hem gemaakt en is hij vijf dagen bij de orthopeed opgenomen geweest voor alle tests waarvan ik had gewild dat ze afgelopen zomer al waren gedaan, toen die arm, een banale breuk, maar niet wilde genezen. Vader weet ervan, en ik dus, en Åke zelf vast ook; hij is degene die de pijn heeft. Maar tegen mama hebben ze niets kunnen zeggen. Ze weert het al af voordat ze beginnen en er is veel voor nodig om mama's pantseridylle te verbreken. Grote sterke kerels, experts, lukt dat niet.'

In een bubbel van de stilte die volgde, hoorde Hedda zichzelf zeggen: 'Ze wist het maanden geleden al. Ze heeft het tegen me gezegd vlak voor ik naar Stockholm vertrok.' Haar tranen waren al gedroogd. Christian reageerde niet, maar wendde zijn gezicht naar haar toe. Een streepje van zijn wangcontour werd door de straatlantaarn verlicht, alleen huidkleur. En een millimeter baardstoppels. 'Ze wist het,' herhaalde Hedda alsof hij haar niet had gehoord, 'ze sprak het niet onomwonden uit, maar dit was waar ze bang voor was. Ze huilde. Ik trof haar aan toen ze hierom moest huilen.'

'En dan vertrekt ze naar een kuurhotel met haar man en laat het op zijn beloop? Alsof zij geen autoriteit heeft, of alsof iemand anders de verantwoordelijkheid heeft. Of alsof ze aan orders gehoorzaamt en geen eigen wil mag hebben.' Hij zweeg even en streelde het stuur met zijn duim. 'Hoe gaat het anders met jou?' Ze wist niet of hij 'op dit moment' bedoelde of 'verder'. Ze moest iets zeggen. 'Ik ben misschien een beetje verliefd ...' liet ze zich ontglippen, ongepland en dom, en om de stemming te verlichten, alsof je niet mocht blijven hangen in dat andere, dat meteen weer terug zou komen. Hij schoot in de lach. 'Hou je daar dan maar aan vast. Dat zul je misschien wel nodig hebben.' Hij hield op met lachen. 'Er gebeurt voortdurend iets tegelijkertijd.' En: 'Zeg! Rechtvaardigheid heeft er niets mee te maken. Er gebeurt niets om een bepaalde reden. Naar redenen zoeken is wreed en onnozel. Kinderlijk. Mama zal een reden zoeken. Haar eigen schuld en zo. Maar het is niet alleen onnozel, het is menselijk.'

Ze bleven zitten waar ze zaten. 'Wat had Tom kunnen doen?' 'Hoezo?' 'Het hondsvot. Hij heeft een leuk stiefdochtertje dat Pia heet.' 'Mooi.' 'Ja, dat is mooi. Hij is getrouwd en heeft nu een kind. Moeten we allemaal bij de kribbe zitten, ook wanneer we groot zijn, is dat een wet? Hij weet niet wat er met Åke is.' 'Is het zo egoïstisch van me dat ik de last met jullie wil delen? Het is zo al erg genoeg, maar het samen meemaken met iemand die het ontkent, is een hel. Ik had jullie best kunnen gebruiken.' Hedda stond op het punt om te gaan schelden dat hij haar daar natuurlijk mee bedoelde. Of niet soms? Haar rol. Zelf kon hij af en toe een dag komen om de beterweter uit te hangen, of zich op feestdagen laten zien, maar verder moest hij kaken terug in het lid zetten en kon hij zich achter zijn werk verschansen. Ze beheerste zich echter en keek naar het merk van de auto, dat op het stuur stond. Ze vroeg:

'Ben jij verliefd, Chrille?'

'Nee.'

'Nee??'

'Nee! Dat ben ik wel geweest. Maar toen ik niet wilde trouwen en niet meteen aan kinderen wilde beginnen, maakte ze het uit. Dat is pas twee maanden geleden en ze heeft al een andere vent ontmoet die wel lijkt te willen. Dus wat was het dan van begin af aan waard, als je zo inwisselbaar bent?

Karin F. was al een hele poos in mij geïnteresseerd en ik dacht: tja. We noemen haar Karin F. ter onderscheid van Karin Ö. uit dezelfde jaargang. Tja, tja. Je moet je erin schikken ook een keer de ontvangende partij te zijn. Ze is een goed mens. Ze is tamelijk knap, je zult haar binnenkort ontmoeten, maar ze is niet erg uitbundig. Ik ben niet van plan haar teleur te stellen, als je dat soms denkt.'

De stad

Het meisje wil haar leven hebben. Zo lijkt het echt. Is ze soms ook verliefd op haar eigen broer? Uiterlijk gezien lijken ze op elkaar, hij en zij, in elk geval wat hun haarkleur betreft – en de blauwe ogen. En de blosjes op de wangen waar Chrischan zich voor schaamt, maar die zo schattig zijn.

In elk geval wil het meisje haar kamer hebben en in dit huis wonen, en haar carrière *to come* zou ze ook wel willen. Ze informeert naar obducties en formaline. Ze beweert dat ze 'misschien' had geprobeerd deze richting in te slaan, als 'als' er niet was geweest. 'Als' schijnt het verzet van haar ouders te zijn. Het verzet van haar ouders is een uitvlucht, vindt ze zelf, en zolang ze een onvoldoende voor Latijn had, moest ze het zonder enig vertrouwen van haar ouders stellen. Toen ze haar gedachten door wiskunde liet bepalen en Latijn niet langer de etherische brij was die het voor haar bleef zolang ze de taal organisch interpreteerde, toen het Latijn redelijk en indeelbaar was geworden – het nuttige besef met zich meebracht dat de meeste talen natuurlijk kneepjes hebben omdat ze door het denken worden georganiseerd, ook al kwamen ze aanvankelijk vanuit de buik – haalde ze het vak op, en de leraar smolt bij deze metamorfose en gaf haar de hoogste cijfers.

De volgende stap in het breken van het verzet was overgaan van algemeen verlangen naar specifieke beschrijving. De loopbaan van arts had geklonken als een dagdroom van macht over leven en dood, de witte jas als iets fantastisch, voorbij het van dag tot dag toevallige dat de meeste levens kenmerkt. Bovendien bespeurde ze bij haar ouders ongerustheid dat hun jongste dochter in laboratoria en tijdens het visitelopen haar leven zou verknoeien tot het te laat was.

'Te laat?' Haar oudere zus leefde in een huwelijk met een man die haar bedroog met de ene maîtresse na de andere, maar ze had (onder andere) een ladekast van Georg Haupt en vier lieftallige kinderen; de drie meisjes waren bij alle feestdagen identiek gekleed. Een klavertjedrie. En één zoon. Haar zus leek tevreden, niet in de laatste plaats met de escapades van haar echtgenoot. Haar tweede zus, die een paar jaar na de oudste en tien jaar voor haar was geboren, woonde in een gehandicapteninrichting, en was op haar zevenendertigste een woordloos, klagend luierkind. Wat wordt er bedoeld met 'verknoeien' en 'te laat'? Ze wist het natuurlijk. (Wat anders ...) Maar al jaren voordat Chrischan in beeld kwam, had ze zich langs de vooroordelen gemanoeuvreerd: ze had een proefballonnetje opgelaten en 'kinderspecialist' gezegd, voordat ze zelfs maar van plan was die specialiteit te kiezen. Het deed haar ouders goed dat te horen. Minder mannelijk, minder kinderloos, minder te laat.

En toen kwam Chrischan, jonger, maar al verder in zijn carrière dan zij. En hier zat nu zijn zus en wenste zich de kamer waarin ze zaten. Niet direct een mooie kamer, vierkant met een kleine alkoof waarin je je kon wassen, maar met een rode gloed op een decemberdag tussen Kerstmis en Nieuwjaar, wanneer je hevig aan augustus denkt omdat de gladde, steile Lundse helling van noord naar zuid de zon hoog boven de horizon tilt voor wie in het noorden woont. En dat nog steeds wanneer die zon rond een uur of vier rood begint te worden en onder wil gaan, augustusrood in december, melancholiek. Het meisje vertelde dat 'moeder' in de bouw-commissie voor dit gebouw had gezeten en dat ze een keer had geluncht met kroonprinses Louise. Ze ademde diep in, maar zei vervolgens niet wat ze dacht. Misschien iets over de afgescheiden parksituering, topo-grafisch gericht op de Sankt de Laurentiusgatan, de vijver met lelies, het verbod voor onbevoegden.

Ze keek niet blij, en de aanstaande kinderspecialiste kon haar ook niet troosten wat betreft de vooruitzichten voor haar jongere broer. Maar je weet natuurlijk nooit. Je weet ook niet zeker of er gronden zijn om goede hoop te koesteren. Je weet alleen dat je zelf het eeuwige leven hebt. Ze glimlachte in stilte om de ironische zelfconceptie van de student genees-kunde, het vertrouwen van de monteur in de eigen auto, de overtuiging van de architect ten aanzien van de stabiliteit van het eigen huis. Het meisje ziet de glimlach en lijkt er moed uit te putten – ach, zo onwetend van de reden voor die glimlach. Om die niet weer te zien uitdoven laat ze haar blik flakkeren en kijkt ze uiteindelijk door het raam naar buiten. Een van de ramen. De kamer is een hoekkamer, voorzien van op elkaar aansluitende hoekramen, een op het oosten en een op het zuiden. 'Nog wat thee?' De benedenbuurvrouw heeft cretonnen gordijnen van Arne Jacobsen opgehangen – een motief van keizerskronen, bloemen dus. Zelf heeft ze niet eens jaloezieën – ze slaapt met een slaapmasker – omdat het de architect nu juist ging om licht uit twee windstreken, licht dat licht ontmoet, zoals de zeeën elkaar ontmoeten bij Skagen of in Cadiz of bij Kaap Hoorn of bij de zuidpunt van Afrika, die niet Kaap De Goede Hoop is, maar oostelijker ligt. De tweerichting der natuur, haar dwangmatige drang naar conflict, en dan de oplossing van dat conflict. Als je bedenkt hoe conflicten worden opgelost, hoe dat wat naar elkaar toe gedwongen wordt, door de botsing zelf weer uit elkaar wordt gedreven en hoe de grote stroom bij die gelegenheid uiteenvalt in vele, als het ware geamputeerde kleine stroompjes (die zich aan het uiteinde timide krullen) en hoe zoet niet wordt vermengd met zout, warm niet met koud – maar afgemeten lagen vormt – zou je dan niet het idee van het conflict herzien, er lering uit trekken en intelligenter zijn dan een aanstormende stier?

Het meisje wil ongetwijfeld wonen zoals zij hier woont en vindt dat ze daar recht op heeft, aangezien haar moeder geluncht heeft met de slungelige Louise Battenberg. Ze beweegt haar schouders, hoekig maar vrij, en ontspant daarna door ze samen te trekken en haar rug rond te maken. Haar jurk heeft vanaf de nek tot de lendenen drieënveertig stoffen knopen. Dat is niet voor de show, er zit geen ritssluiting in de zij of iets anders wat erop zou kunnen duiden dat ze in en uit haar jurk glipt zonder de knopen te hoeven openmaken. Elke avond knoopt ze minstens vijfendertig van de drieënveertig knopen los, en elke ochtend knoopt ze die weer dicht of krijgt daar hulp bij. Als je je aan zoiets efemeers, overbodigs onderwerpt, hoe kun je dan *überhaupt verzet bieden* in belangrijke kwesties? In haar geval moet het verzet van haar ouders eenrichtingsverkeer zijn, zonder overtuigende wilskracht en tegenstand van haar kant. Zij wil iets, haar ouders weigeren, zij geeft toe en knoopt haar drieënveertig onnodige knopen die de jurk snoezig maken. Heeft ze er ooit bij stilgestaan dat je dit onnozelheid kunt noemen, in plaats van verzet van de ouders?

Wíllen kun je alles wel. Maar laat het maar eens zien! Op het moment van een losse flodder is immers alles mogelijk – lijkt het. En wanneer je iets wilt en het 'gaat niet', omdat je buigt voor het verzet, dan 'help-je-jezelf-pas-echt-in-de-stront', want dan hoef je niet eens het proces door te maken, het leren, het nachtwerk, de hersengymnastiek en het naderhand verworven inzicht dat misschien zeventig procent van wat aanvankelijk onoverkomelijk moeilijk leek, in feite overkomelijk blijkt te zijn wanneer je sprong negen keer mislukt, maar je de tiende keer met je klauwen net wat houvast vindt. Nee, meisjes als dit nemen genoegen met alleen maar wensen, bijna zonder ambitie, omdat ze meer vertrouwen op hindernissen dan op de macht der wil, en er daardoor zeker van kunnen zijn dat ze hun dromen niet met hard werken 's nachts hoeven te verwezenlijken. Zij mogen slapen. Zelf heeft ze haar wil altijd doorgedreven door op het moment van vragen al een goed eind op streek te zijn met begonnen werk of voortgeschreden planning. Hoe kan een vader nee zeggen tegen iemand die de mouwen al heeft opgestroopt, die allang aan het werk en druk bezig is, en hem met een vragend, geïrriteerd gezicht aankijkt? Prestatie argumenteert zonder woorden. Feit is dat ik ben aangenomen bij ... Wij hebben het al gehuurd ... Ik vertrek op ... Mama, papa, mag ik jullie Chrischan voorstellen? Prestatie is onweerstaanbaar.

Het meisje heeft een week gezicht en naar wat je van haar weet, schijnt ze haar jurk met de drieënveertig onverbiddelijke korsetknoopjes zelf te hebben genaaid. Hij zit perfect; toen ze aanvankelijk naar de boekenkast gewend stond en je de knopen langs haar ruggengraat kon tellen, zag je een pasvorm die niet een patroon maar haar lichaam volgt, alsof de geregen banen van Perzische, lichtgroene wol direct op haar lichaam gepast zijn. Die geraffineerde, maar toch onnadrukkelijke perfectie kan ook jaloezie opwekken, maar misschien vooral op het lichaam, dat die intimiteit toestaat. En vooral als je opeens beseft hoe weinig je zelf van kleding wisselt. Het is de tweede keer dat ze 'Hedda' ontmoet, en voor de tweede keer draagt die iets moois dat vast uit een omvangrijke garderobe van dergelijke stukken komt. Ze heeft waarschijnlijk een donkerrode skibroek met een jack waarvan het taille-elastiek omwille van de mooie val en haar lange benen vlak boven de taille zit. Terwijl je zelf een jack hebt met het elastiek precies in de taille of helaas er vlak onder, waardoor het schootje naar buiten staat en je een mollige indruk maakt. Hoewel je niet mollig bent. Als je meer van dergelijke teleurstellingen achter de rug hebt, kleed je je niet zo vaak om, maar weet je heel goed wie je bent in je grijsrode tweed met drie verschillende blouses – allemaal van zijde, dat warm is in de winter en koel in de zomer. Soms draag je een spencer die iemand gebreid heeft. De witte jas is altijd nieuw, niet mooi, maar mooier makend, zelfs in de huidkliniek waar ze op dit moment overdag zit en waar het echt niet fraai is! In het gele gebouwtje liggen slachtoffers met zware brandwonden, eczeem waar je haar grijs van wordt en van uitvalt, karbonkels en wonden die niet willen genezen. En de lelijke zuster van sproeten en schurft. En onschuldige bruine wratten, waarvan zij zegt: 'Nu gaat het even schrijnen', en die ze gewoon wegscheert. Degenen die ze hebben, zijn meestal de vijftig gepasseerd en hebben het hart niet om te jammeren over een onschuldige kleinigheid.

Wanneer het meisje hoort dat je hier in je ochtendjas en met wollen sokken aan zit te lezen, straalt haar gezicht zo'n verlangen uit. Ze kijkt naar de wijnrode fauteuil met voetenbankje en de leeslamp erachter. Ze kijkt op naar het raam op het oosten, waar je echt een 'opwaarts uitzicht' hebt. Eerst de achtertuin van het hoekhuis, dat bestaat uit zes etages plus een koepel die geen functie heeft. Boven het dak van het huis steil en misschien onverwacht de puntige koperen toren van de Allerheiligenkerk. Ze heeft die vast wel op andere manieren gezien, van een afstand, vanaf de straat, maar niet zoals hier, als een bruine, matte wijsvinger recht omhoog. Er wordt aan de deur geklopt en de studente geschiedenis uit de kamer hieronder vraagt om een ons zuiveringszout, want de buurvrouw uit de kamer naast haar heeft de hik en dat wil maar niet ophouden. 'Zuiveringszout helpt niet tegen de hik.' 'Volgens mij ook niet, maar zij denkt van wel en kwaad zal het wel niet kunnen.' De studente geschiedenis is een melancholicus. Voor iemand die terug in de tijd reist wel een vreemde zaak, maar zo is het gewoon. Laatst zei ze 's avonds in de gemeenschappelijke ruimte dat als je keek hoe de mensen leden, je het recht niet had om te leven. Of er volgde een lange tirade over Spanje, waar een van haar neven als vrijwilliger voor de regeringskant naartoe was gegaan, maar waar hij het om politieke redenen niet naar de zin had gehad. Hij was geen communist. Ook geen anarchist of antichrist of syndicalist. Hij bleek niet erg handig met wapens; dat werd bij zijn aankomst in Vigo al vastgesteld. Maar ook als kok moest hij bombardementen, gewonden en een burgerbevolking op de vlucht meemaken. Hij, die de aanblik van een vogel met een gebroken vleugel amper kon verdragen, zag nu kinderen die infecties hadden en van wie ledematen geamputeerd waren, maar die zich toch koppig aan het leven vastklampten, in feite meer dan hijzelf, alsof de reflexen van de levenswil beduidend sterker zijn dan de wil om te leven. Hij moest leren om geen eten aan de hongerlijdende kinderen te geven, omdat de soldaten hun strijdrantsoenen nodig hadden. Hij was zo gedesillusioneerd.

'Zo vreselijk, dat het zo moet zijn', zeiden de anderen in de kamer, maar ze gingen door met het stoppen van de hielen van kousen, met dammen of praten over hun eigen weekeindes en dagelijkse beslommeringen.

Een blik op grootmoeders gouden klok uit 1923 die het meisje hebberig en/of heimelijk had bestudeerd. Ook die zou ze wel willen hebben, met de zware kast en de slingerende ketting. Op zich leuk dat je eigen bezittingen het voorwerp zijn van de begeerte van anderen, maar de plicht roept, laten we een eindje met elkaar oplopen. Ze strikt de veters van haar stevige schoenen en doet de gesp eroverheen dicht – het enige geschikte schoeisel dat ze heeft voor de toestand van de weg. Uit haar voorovergebogen positie, waarbij haar hoofd een beetje rood aanloopt, ziet ze hoe het meisje in enkellaarsjes schiet die goed kleuren bij haar donkergroene mantel. Er zitten maar drie grote knopen aan haar jas, maar ze zijn bekleed met hetzelfde witte konijnenbont waarvan de kraag en de mof zijn gemaakt. Zelf trekt ze de ritssluiting dicht van haar ski-jack, dat niet direct vloekt met haar rok (anders denkt ze nooit aan zulke dingen!), en ze gaat het meisje voor de trap af.

Ach, wat betekenen kleren, kapsels, rijglaarsjes en de kettingen van klokken nou wanneer alle statie en status worden weggeveegd door een lucht als deze? En waarom bestaat er in het Zweeds van het woord 'lucht' geen meervoud, zoals in andere talen? Lauwe luchten zijn dit. De zonneschijf is nu achter de gevels van de huizen gezakt, maar de hemel is gewoon nog lichtgekleurd. Alle kleuren van licht convergeren in één kleur. Het straalt zo intens, onder de voeten kraakt het, een druppel die door de ondergegane zon aan de tak van de hazelaar is ontdooid bevriest weer. Hij hangt, hij is maansteenmat en hij zal niet vallen. Ze lopen naast elkaar de Bredgatan uit. In de hoge huizen zie je de kerstboom in de salon staan, de kaarsjes niet aangestoken, achter de ramen de glazen schittering van het schuine licht. In de lage huizen hier en daar een boom. Wanneer het meisje stopt en haar zakdoek uit haar zak haalt om haar neus te snuiten staat ze op ooghoogte met een klein kerstboompje achter een ruit, zonder ballen, maar met strooien versierselen die zelfgemaakt lijken te zijn.

Ze zegt tegen het door de zakdoek bedekte gezicht – om door te geven aan Chrischan, die zich, zoals ze weet, zorgen maakt – dat ze heus geen haast heeft om te trouwen. Haar opleiding tot basisarts is in het voorjaar afgelopen, daarna begint de opleiding tot specialist. Kinderen kun je tot je vijftigste krijgen. Als je dat althans zou willen. Maar kinderen die er nu al zijn, hebben op dit moment iemand nodig, in kinderziekenhuizen, in sanatoria en gehandicapteninrichtingen. Ze wil een niveau bereiken waarop ze als het nodig mocht zijn twee mensen kan onderhouden – nummer twee is dus het dienstmeisje. 'Chrischan moet voor zichzelf betalen.'

'Krisjan?' zegt het meisje.

Aan de schaduw ziet ze dat zij en de ander een wandelend paar vormen, stap na stap omzeilen ze de hobbels op het trottoir, waarbij het meisje met een deinende mantel haar ene rijglaarsje keurig voor het andere neerzet, terwijl het schootje van haar eigen jack uitsteekt en ze bepaald wat wijdbeens loopt op die klompen van schoenen daar onderaan, bang om uit te glijden. De weg loopt nu alleen nog maar helemaal naar beneden, en als de straat, die binnen de stadsgrenzen driemaal van naam verandert en daarna nog een keer, niet een beetje kromde, zou je op de bodem van de stad neerkijken.

Ze zou er echter wel voor zorgen dat ze zich in het voorjaar al – officieel aangekondigd! – gingen verloven. Ze zijn sowieso in alle opzichten een paar, in de tweede week 'paarden' ze al, zij op haar zesentwintigste nog maagd; hij zei dat het dan ook weleens tijd werd. Afgezien van alle gevoelens is het praktisch om officieel een paar te zijn. Je hoeft anderen niet meer af te wijzen, en zelf niet meer afgewezen te worden ook al zet je eigenlijk geen enkele stap. 'Christian Peter Theodor Sögaard-Carlsson, licentiaat in de medicijnen en zoon van bankdirecteur Conrad Carlsson en zijn echtgenote Beate Sophie Carlsson geboren Sögaard, en Karin Viola Fylgia Franzén, dochter van fabrikant Johannes Franzén en zijn echtgenote Gudrun geboren Husgavel, geven kennis van hun verloving.'

Het pretentieloze universiteitsgebouw in een onbepaalde stijl ligt er vanwege de kerstvakantie stil bij, zijn bleke rug naar de straat gekeerd. Een stad zonder water mist een dimensie, een lichaamsdeel zelfs, een ader, maar deze arme misvormde stad heeft ten zuiden van het olmenpark een van de mooiste gebouwen ter wereld. De dom is van buiten jaar in, jaar uit van een schokkende schoonheid. Je vergeet hem, dan zie je hem terug uit een nieuwe hoek, de weerspiegeling van talloze grijze tinten daglicht, het verrassend hoge, rechte silhouet wanneer je er vanuit de Klostergatan tegenaan loopt, de mystiek van de noordkant op de helling vanaf de olmen, de zonnewoestenij van de zuidkant, het oeroude van de apsis, met verspreide toefjes ingegroeide vegetatie, als op de afbeeldingen van Spaanse kathedralen. Het portaal. En in deze tijd van het jaar de late verlichting wanneer het kerstkoor oefent en het binnenlicht van de torens via spleten wordt verspreid. Maar zo ver lopen zij niet door – ze vangen nog net een glimp op – ze slaan juist de Paradisgatan in, tussen het vakwerkhof en het universiteitsgebouw. Het academisch park ligt wit tussen de historische gebouwen Palaestra en Kungshuset. De fontein in winterslaap en ontbladerde bomen, maar de magnolia staat in de knop, dat is altijd zo. Zij moet linksaf, naar het huidkliniekje. 'Tot gauw', zegt ze tegen het meisje, dat één keer slikt, twee keer. 'Dus jij denkt echt dat het goed kan komen?' De vraag heeft betrekking op haar jongere broer. Tijdens het hele bezoek vormde die vraag de onderstroom, hij is echter bijna ongesteld gebleven, en zelf heeft ze het onderwerp niet aangeroerd omdat ze geen idee heeft van de prognose. Het enige wat zij weet, is hetgeen Chrischan haar met tranen in zijn stem heeft verteld. En de jongen die zij een aantal keren heeft ontmoet ziet er immers nog gezond uit, ook al getuigen zijn spitse kin en neuspunt van gewichtsverlies. Ze antwoordt met overtuiging: 'Ik denk het wel. Als je er niet in gelooft, geef je het van tevoren al op en dat is het slechtste medicijn.' Ze is niet tevreden over zichzelf. Ze heeft gesproken als een orakel en ze ziet aan het meisje dat dit wordt uitgelegd als een slecht bericht. Ze gaan uiteen, zij kijkt het meisje na, er zeker van dat ze zich niet zal omkeren. En dat doet ze inderdaad niet. Zonder ondersteuning aarzelt de gestalte of ze de Sandgatan zal inslaan of gewoon de opening in de stadswal zal nemen die 'De Lege Geeuw' heet.

Verleiding

Op een zaterdag in het voorjaar zat ik met mijn gezicht naar de zon te wachten op de Öresundtrein die om 11.22 uur van het Centraal Station in Lund naar Gotenburg vertrekt. Ik moest er halverwege uit.

Birgitta Bradhed, of – zoals zou blijken – Birgitta Marsdal, zou een nog kortere weg afleggen. Ze kwam op het laatste moment aanvliegen, gehinderd door de wieltjes van haar cabinekoffer. Voor haar een meisje van een jaar of twaalf, dertien, die staand op de treeplank met haar achterwerk de automatische deur tegenhield en haar schreeuwend opjoeg. Over Birgitta's schouder hing haar nette bagage, die ik nooit heb gehad: een antimottenhoes met kleerhanger en ritssluiting. Het meisje was lang, haar rode haar droeg ze voor de zomer in rastavlechtjes, misschien gemaakt door de specialist in de Bangatan, bij wie ik zelf altijd Afrikaanse balsem tegen kroezend haar kocht.

Märta Hups, nam ik aan. Sinds ze een baby was, had ik haar niet meer gezien en haar moeder ook al jaren niet meer. Het kind mekkerde als een kleuter tegen haar rennende moeder en gezien de overgevoeligheid op die leeftijd om je te blameren was dat opvallend. Ze stapten naar binnen en gingen schuin tegenover me aan de andere kant van het gangpad zitten. Hijgend wist Birgitta de zware cabinekoffer en de kledinghoes op de hoedenplank te krijgen, maar Märta wilde haar rugzak tussen haar knieën houden. Ze begon ook nog een hele preek over misselijkheid als ze de hele weg met haar rug tegen de rijrichting in moest zitten en uiteindelijk kon ze van plek ruilen met een jongeman die met zijn gezicht in de rijrichting zat en had gedaan of hij sliep. Ze bedankte hem niet, maar zuchtte bevestigend.

'Het kwam omdat jij zo verrekte lang moest bellen', was het eerste wat ze zei toen ze zich geïnstalleerd hadden, 'waarom moest je een uur lang zaniken? Je ziet hem morgen.' Nu ze daaraan herinnerd werd, klapte Birgitta haar mobiel open. Ze toetste een nummer in en bracht de telefoon naar haar oor. Märta haalde een elektronisch speeltje tevoorschijn waar- van ik dacht dat het al twintig jaar niet meer op de markt was en begon te klikken en te staren. Birgitta fronste haar wenkbrauwen en keek op het display. Vervolgens toetste ze een (naar ik vermoedde) nieuw nummer in: – *we zitten nu in de trein*. WE ZITTEN NU IN DE TREIN ... *uit Lund. Lund. O. O. We zullen er over drie kwartier wel zijn. Een uur dan. Je komt ons halen? Cindy heeft de rugzak ... nee, de grote cabinekoffer, die je niet in de cabine mee mag nemen ... Natuurlijk denk ik dat niet. Helemaal niet, neeheeheehee, dat doe ik niet. Hallo ... het bereik is slecht, ik bel je zo weer! ... ik bel je zo weer. Ja, hoi, daar ben ik weer.*

Ik observeerde Märta Hups, die het niet pijnlijk vond om haar moeder in de stiltecoupé lawaai te horen maken. (Kleinigheden zijn onverdraag- lijk; moeilijk te verdragen dingen zijn helemaal oké.) Maar een aantal personen met boeken en laptops keek vanaf de eerste seconde afkeurend en iemand begon moed te verzamelen.

Of je ons zelf komt halen, hoe is het weer? ... als dat maar aanhoudt. Ik heb de bolero van de jurk meegenomen voor als het koud wordt, maar ik lijk daar zo dik in. Nou, bedankt hoor. Kusje, kusje, ja tot ziens, kusje, kusje ... mmm, ik ook. Kus – trouwens Börre, Börre ... Börre, ben je er nog, Börre? Een paar minuten na deze trein komen de Bolins al, dus als jullie met twee auto's komen, zij zijn met z'n drieën en zullen wel koffers bij zich hebben ... is Carl er al? Dan kan hij ze halen, is Cissi nerveus? Dat is ze ... Het vrouw- tje toch, ja, maar nu komt mama. Kusje, kusje, Börre. Ik ook, wat zei je? Neeee, is hij in Båstad? ... daar durf ik mijn hand niet voor in het vuur te steken ... moet haar vader voorstellen, dus hij zal godbetert wel willen dat het er goed uitziet ... daar let hij goed op, heeft hij het hele babycircus bij zich? En 'de kleine schat'? Ja, we hebben toch een tent. Ik heb ze meegeno- men ... Heb jij dan wel tijd om te spelen? Er komt weer een tunnel aan. Kusje voor jou. Ik ook. We zien elkaar zo. Rij voorzichtig. Tot ziens. Hoiii.

Toen Birgitta had opgehangen bleef ze met haar mobiel in haar rech- terhand klaarzitten en klapte ze het deksel ongeduldig heen en weer. Ze voelde dat ik in haar richting gluurde en keek eerst boos terug, maar daarna verscheen er iets van vage herkenning in haar blik.

We hadden elkaar waarschijnlijk een jaar of vier, vijf, misschien tien niet meer gezien. Ze had halflang haar. Een paar maanden geleden was ik langs haar huis gekomen en had ik gezien dat er een nieuwe verbouwing gaande was. De man met de kaalgeschoren schedel die in de tuin iets op de grond liep te zoeken, was meneer Bradhed. Hij richtte zich op. Hoewel het rond het vriespunt was, droeg hij een poloshirt en lange shorts en hij zag er slank en goedgetraind uit. Hij moest van gepensioneerde leeftijd zijn. Dat was ik ook, dus wierp hij me een zeer afwijzende, dode blik toe. Een jonge vrouw met een bruine paardenstaart en een lichaam dat voor dans op een avant-gardepodium gemaakt was, schommelde een kinderwagen heen en weer waaruit gehuil kwam en ze droeg op haar heup een klein jongetje met een speen in zijn mond.

Het was dus ex-echtgenote Bradhed die hier zat. Ze droeg een bruin T-shirt met een redelijk decolleté, een bruinlinnen colbertje en een zwarte spijkerbroek. Haar overgewicht was flatteus, ze had zich niet laten verleiden tot te kleine confectiematen, alles zat goed, ook het overgewicht zelf dat de rimpels gladstreek. Ze was mooier geworden, had blond haar met naar grijs neigende lokken erin, en haar ogen waren groter, donkerbruin. Zowel hun glans als de lichte vergroting van de iris werd door contactlenzen veroorzaakt, maar het donker had met hun ligging in de oogholte te maken, met vage nuances van paars in de huid eromheen. Misschien had ze een beetje de uitpuilende ogen die op te veel drank duiden. De hand die de telefoon vasthield, was gerimpeld, droeg sporen van artrose die ze beter niet door een complete kakofonie aan ringen had kunnen camoufleren. Ze droeg ook een gouden ketting met bedeltjes, plus een parelketting.

Twee seconden – niet meer – kostte het om dit allemaal op te merken en mijn eigen gezicht tegelijkertijd voor te bereiden op haar herkenning. Toen dook er echter een gedaante tussen ons op. Het was mijn kennis Göran Sager-Larsson, die met opgeheven wijsvinger de stiltecoupé betrad. Ik had hem al een poosje gezien. Op het perron had hij mij ook gezien, maar we hadden net gedaan of we elkaar niet zagen en waren allebei bij een ander uiteinde van het rijtuig ingestapt. Niet vanwege onenigheid of zo, maar omdat we het allebei prettig vinden met rust gelaten te worden en er (tegen beter weten in) van uitgaan dat dit voor iedereen geldt.

Toen ik hem weer ontdekte, stapte hij juist de coupé binnen, met een extra lange pas om 'tegen de berg op te komen' aangezien de trein net afremde voor een tegemoetkomende trein. Ik wist niet waar ik kijken moest, want hoe weeg je een stiltegebod en hoffelijkheid tegen elkaar af? Hij zag mij echter niet. Een geïrriteerde man met een pet boog zich eindelijk voorover en tikte tegen de flapperende Bradhedtelefoon: 'Het is verboden om hier te telefoneren. U moet uw mobiel uitzetten.' De paarse tinten rond haar ogen werden donkerder toen ze arrogant, maar zonder hem aan te kijken antwoordde: 'Dat weet ik.' Göran Sager-Larsson keek dwars door me heen. Mij viel een diepe rimpel tussen zijn wenkbrauwen op, als een snijwond zonder bloed. 'Bibbi', zei hij en ze keek op en er volgden omhelzingen van moeder en dochter. Vooral Märta Hups liet haar waardering blijken door van haar tenen op haar hakken heen en weer te wippen terwijl ze hem omhelsde.

'Ik zag jullie aan komen rennen', zei hij, 'en zoals ik al verwacht had, tref ik mevrouw M. in de stiltecoupé met haar telefoon in de aanslag.'

Zij: Ik moet contact hebben. Het gaat hier wel om een brúíloft.

Hij: Waarom ga je dan niet in een gewone coupé zitten?

Zij: Alleen in Denemarken is dit gedeelte een stiltecoupé. Een conducteur heeft tegen me gezegd dat er in Zweden geen verbod geldt, zoals in Denemarken.

Hij: Lariekoek.

Zij: Dan zou je net zo goed de treintoiletten kunnen afsluiten en zeggen dat je die niet mag gebruiken.

Hij: Ik heb met treinen gereisd waarin de toiletten afgesloten waren. Dat is heel wat anders …

Zij: Maar toch geen verbod. Ik weet dat je de deuren soms niet van het slot kunt doen. Wat is dat voor manier van doen? Waarom moet het openbaar vervoer zo *sloppy* zijn? Al onze auto's zijn al in Båstad, daarom zit ik hier te bellen.

Hij: Ja, nu strooit madame ons zoals gebruikelijk zand in de ogen. Geklets aan de telefoon behoort niet tot de primaire levensbehoeftes, al lijkt dat misschien wel zo. Laten we naar het onderwerp terugkeren. Zie je dat bordje? Daar staat in het Deens 'rustplek' en in het Zweeds 'stiltecoupé'. Rusten hoeft dus niet, maar stil zijn wel.

Hij pakte haar telefoon af en zette die helemaal uit, zijn blik in de hare geankerd. Ze lachte een oké. Hij stond en zij zat en ze keken elkaar zwijgend in de ogen. De luidspreker zei: 'We maken een korte stop voor een tegemoetkomende trein', en Göran Sager-Larsson keek om zich heen om te zien of er een plek vrij was. De achteruitstoel tegenover me was vrij en hij wierp zijn cabinekoffer in het rek erboven zonder me te zien, of hij deed of hij me niet zag. Hij ging zitten en leunde het gangpad in naar moeder en dochter. Märta Hups had oortjes in en zong halfluid: *'How did I become so obnoxious ... I've never been so messy ... Pleeeaeaase don't leave me.'* Haar moeder mimede: 'Dan-mogen-we-zeker-ook-niet-praten.' Hij: 'Je mag zachtjes praten. Op het geluidsniveau van de trein.' De trein begon weer te rijden en liet horen waar dat niveau lag. Typisch iets voor Göran Sager-Larsson om een geluidsniveau van de trein als gespreks-norm te verzinnen. Verbaal was hij vernuftig. Ik blikte in tegengestelde richting, door het raam naar buiten. Een vlucht kauwen warboelde over de vlakte. Wanneer tegemoetkomende treinen of bosschages de ruit spie-gelend maakten, observeerde ik hem en haar, ze illustreerden het nu ge-dempte gesprek met het knikken en schudden van hun hoofd. Zijn kop was al twintig jaar of langer hetzelfde. Hij was vroegtijdig tot een bepaald punt verouderd en daar blijven steken. En hij droeg hetzelfde zwartlinnen colbert waarin ik hem al minstens twintig jaar zag. Waarschijnlijk om de twee jaar een zelfde nieuwe. 's Winters droeg hij vesten van het merk Smedley, naast de twee dikkere, die hij per post bij een cricketclub had gekocht, met een logo waar iedereen vragen over stelde.

Vlak na Landskrona werd het treinraam weer een spiegel; daar zag ik hoe zijn nek zijaanzicht werd en hoorde ik: 'Nee maar, goeiendag.' Hij had besloten mij in het gesprek te betrekken.

'Hallo', antwoordde ik. Daarna zeiden we precies tegelijk en letterlijk: 'En, hoe gaat het.' Ik was degene die zijn regel letterlijk citeerde, daarom ging dat zo. We moesten een beetje lachen, Birgitta ook.

We keken elkaar aan; waar hadden we het de laatste keer dat we elkaar zagen over gehad? Het fonetisch schrift van het geluid van de houtsnip? De *director's cut* van *Apocalypse Now*? Het recept van gezuurd Deens brood of waarom er in Zweden zo zelden kalfszwezerik gegeten wordt? En waarom heet het in het Engels *sweetbread*? Dat onduidelijke verband tussen Hamsun, Laxness en Juan Rulfo dat sommigen willen zien. Dat hij zijn vakantiehuisje in Heestrand zo miste; het was er niet van gekomen om voor dat geld te gaan reizen, zoals hij van plan was geweest. 'Reizen wordt overschat.' Het verontrustende dat op het lijstje van met uitroeiing bedreigde boomsoorten de es de iep opvolgt. Norman Rockwells foto's van iepen in de herfst in New England-setting zouden weldra archeologisch zijn. 'En Yggdrasil, de wereld-es, dan?' had hij gezegd, met die voor hem kenmerkende afronding.

Ik: Jij woont toch in Malmö?

Hij: Inderdaad, we moesten aanvoerbussen hiernaartoe nemen; ze zijn de tunnel in het centrum immers aan het verbouwen.

Birgitta Marsdal: Ja, wij hebben een taxi genomen.

Ik: Mijn oude school in Malmö ligt boven op iets centraals in dat onderaardse.

Hij: In de buurt van Tandheelkunde?

Ik: Ja, ja.

Hij: Moet jij ook naar die trouwerij? – en hij liet zijn blik tussen mij en Birgitta pendelen.

Ik: Nee, hoor. Ik ga een bezoek brengen aan mijn ...

Hij: ... kennen jullie twee elkaar? Dit zijn Bibbi Marsdal en haar dochter Cindy Bradhed, dit is Sigrid Åkerman, jullie zijn bijna buren geweest, jullie moeten elkaar kennen. Elkaar in elk geval hebben gezien.

Zij: We hebben elkaar bijna gekend ... maar toen heette je anders. Ben jij ook hertrouwd?

Hij: Wij zijn alle drie op weg naar de trouwerij van morgen. Bibbi's oudste dochter stapt in het huwelijksbootje. Cindy is bruidsmeisje; eigenlijk is ze daar te groot én te klein voor. Maar aangezien de kindertijd te vroeg ophoudt en de tienertijd *forever* doorgaat, wordt ze geüpgraded, of niet Cindy?

Praat, praat, praat. Ik keek ongelukkig naar de andere man tegenover me, die zich probeerde te concentreren op *Fysiologics of the Human Brain*. Omdat Birgitta nog geen antwoord op haar vraag had gekregen zei Göran Sager-Larsson: 'Ik heb mevrouw voorgesteld. In haar hoedanigheid van poëet heeft ze haar meisjesnaam behouden, maar was dat wel zo doordacht, Sigrid? De Zweedse cultuurbeweging is tamelijk conservatief. Ü is buitenlandse en een halve inboorling. Niet goed. Of je moeten van *büiten* Europa komen; dan treden de hedendaagse automatische belijdenissen in.'

Aan de andere kant van het gangpad bleef een vraagteken in de lucht hangen, dus hij verduidelijkte: 'Nom de plume. Ze is schrijfster.'

De vrouwelijke uitgang is niet gebruikelijk in Zweden. Ik heb er niets op tegen, integendeel, maar dan moet hij wel ongedwongen worden uitgesproken. Göran Sager-Larsson heeft echter altijd iets geforceerds over zich. Je kunt er niet omheen je af te vragen wat hij eigenlijk bedoelt. Ongeacht de uitgang had het woord er ook voor gezorgd dat er een paar hoofden omhooggingen waarvan de oren niet zouden zijn gespitst bij het horen van 'directiesecretaresse' of 'elektricien'. Ze namen me onderzoekend op. *Not a clue.* Gênant. Toen hij een tijdje had doorgepraat en had gevraagd of er iets nieuws aan zat te komen – was ik bezig met een boek, een biografie, wie wat wie? – begon ik te blozen en ik zei nijdig: 'Een damesroman.' Hij zweeg. Mijn blik kruiste die van enkele vreemdelingen en ze sloegen hun ogen neer.

Hij op z'n Deens: Nou! – een *'daemeromaen'* ...

Zij (Birgitta): Wat is een dème-romèn?

Hij: Een kleinerend oordeel, dat mevrouw vast van plan is te usurperen en van pejoratief in positief te wijzigen. Hoop ik?

(Ik: wat weet jij daar nou van?)

Hij: De Deense criticus Georg Brandes ...? Bekend? Hij heeft het begrip gemunt, of beter gezegd: hij liet zich het begrip ontglippen om een beetje te spugen op bepaalde vrouwenboeken, zoals we tegenwoordig zouden zeggen. Was het de schrijfster Benedictsson, Sigrid? Verhing ze zich daarom?

Ik: Ze heeft zich niet verhangen.

De man met *Fysiologics of the Human Brain* deed zijn boek dicht, sloot zijn ogen en deed oortjes in. Een man die dacht dat de deur naar de cabine van de machinist de wc was, probeerde die te openen en droop af toen dat niet ging. Verstoringen, verstoringen. In Helsingborg dromden voetbalfans met loeiende stemmen en sjaals en vaantjes van de plaatselijke voetbalclub de coupé in. Het was zo leuk om te zien hoe ze onderweg bij ons naar binnen, bij een blik op het bordje waarop een figuur zijn vinger voor zijn mond houdt, opeens hun vrolijke bewegingsenergie verloren en naar de andere deur sloften.

Toen we na terminal Knutpunkten in Helsingör de onderwereld verlieten, ging ik rechtop zitten om in westelijke richting te kijken. Het bovenstuk van de Sont is het mooist, slank en geciviliseerd, de wateren verdringen elkaar en vertonen nuances van blauw en groen, mensen lopen langs de oever, schepen zowel in de lengte als in de breedte, zeilen in de deining, in de boeggolf en in voor- en tegenspoed. De Zweedse kant wordt afgesneden, de Deense wijkt bij de vissersdorpen en opent zich naar de Noordzee, waar jan-van-genten zweven aan de horizon. De trein klimt vervolgens omhoog naar een goudkust, een park met bomen en witte vrijstaande huizen.

Ik: Ja wat denk je? Een damesroman gaat natuurlijk over kleren, sieraden, het uiterlijk, illusies over de liefde en dat 'elk meisje één dag in haar leven een prinses mag zijn'. Märta Hups keek van haar speeltje op en richtte een strakke, peinzende blik op me.

Hij: Komen die woorden in jouw vocabulaire voor?

Birgitta: Waarom niet?

Hij en ik: Wat?

Zij: Prinses. Is het zo vreselijk erg om je één keer in je leven een prinses te mogen wanen? Ja, ik vraag dat natuurlijk omdat ik morgen de moeder van de bruid ben en voel dat dit waarschijnlijk als een steek onder water voor mij is bedoeld.

Het paars rond haar ogen werd nog een tint donkerder. Ouder wordende blondines met donkere ogen bezitten een bepaalde schoonheid. Een mespuntje van iets. Tragiek misschien. En zij maakte het overdreven tragisch toen ze zei dat ik door zo'n 'slordige algemene observatie' afbreuk deed aan het plezier over het feest van morgen.

Ik: Mij maakt het niet uit, hoor, of een volwassen mens zich wil uitdossen om prinses te spelen. Ik gaf antwoord op de vraag wat een damesroman is. Iemand vroeg dat. Jij, volgens mij.

Ze antwoordde nu fel, en niet op het geluidsniveau van de trein, dat zij (en Göran) in een deel van Malmö woonden waar eigen woningen als die van hen nog steeds duur waren, maar het gebied als geheel in een getto aan het veranderen was. Maar als ik wilde, kon ik daar bruiden zien, kon ik daar bruidsjurken als slagroomtaarten zien; daar legden familie en vrienden jarenlang geld opzij en ik moest niet denken dat ze dat hadden gedaan als er geen echt mooie bruid in het middelpunt stond.

Ik: Arme stakker, wat een druk, jarenlang sparen.

Göran Sager-Larsson gooide olie op het vuur door gedetailleerd te beschrijven hoe Cilla Bradhed Cilla McDonald zou worden, in zijde, satijn en oude kant, met een dubbelkwartet studentenkoorleden in de kerk en bij het diner, en een band die speelde op het dansfeest. Zelf had hij de eer om als buurman en vriend van Börre en Bibbi ceremoniemeester te mogen zijn. Zelf had hij zich nooit door een van zijn vrouwen naar een altaar laten slepen, aangezien er uitstekende ambtenaren van de burgerlijke stand zijn; 'ben je in de jaren dertig geboren, dan blijf je een beetje functioneel aangelegd', maar de tijden veranderen natuurlijk. Zelfs zijn politiek correcte onechtelijke wederhelft (zei hij koel), op dit moment op schrijverscursus in Lerhamn, had met tranen in haar ogen haar dochter uitgehuwelijkt in het wit.

Ik zat zwijgend te kijken naar wolken lichte beukenbladeren, naar bosjes lelietjes-van-dalen, het zanderige bos in de baai bij Ängelholm, een jachthaven in een riviermonding. Even waren hun stemmen een anoniem gegons. Daarna merkte ik dat ze mij weer in het gesprek betrokken en hoorde ik Birgitta beweren dat ik tien jaar geleden op een dag was komen aankloppen, goedendag had gezegd en foto's had laten zien van het eerste gezin dat in het huis van haar en Bosse had gewoond. 'Dat was volgens mij toen ik van Cindy in verwachting was?' Ze was de subtielere volgorde van onze ontmoetingen van destijds vergeten, evenals haar eigen eenzaamheid waarin ze behoefte aan praten had gehad.

Als ik zou protesteren en zou zeggen dat ik alleen foto's in hun brievenbus had gestopt en dat zíj vervolgens naar míj was toe gekomen zou ik me belachelijk maken. Ik zweeg en hoorde hoe ik werd afgeschilderd als de opdringerige buurvrouw bij hun hek, zwaaiend met de privéfoto's van een ander om toegang te krijgen tot de woning van de Bradheds en hun sociale kring. Göran Sager-Larssons groene ogen pendelden intuïtief tussen ons heen en weer. Terwijl zij doorging over de foto's, de tinctuur van zwart-wit bij de jarendertigkleuren, het herbarium, de spullen van gevlochten berkenbast en de jurk van Fortuny probeerde ik mijn gezicht in de plooi te houden. Ze onthulde dat ik brieven had geschreven aan de oude dame die destijds het jonge meisje in het huis was geweest en dat ik (voor zover zij begreep?) net had gedaan of ik in het huis woonde. Dat vonden zij en Bosse natuurlijk een beetje eigenaardig, want stel je voor dat het mens op een dag was langsgekomen – dat was toch niet ondenkbaar geweest? Of als ze een familielid langs had gestuurd? Niet dat het hun wat uitmaakte, maar dan zou ik er toch raar hebben opgestaan. Ook al was ik schrijfster. Zo liet ze me boeten voor de prinsessenbruiloft. Diverse medepassagiers die tot dusver verstoord waren geweest leken nu geïnteresseerd. Göran Sager-Larsson, die zelf fabuleert in het juridisch veiliger domein van de poëzie, glimlachte naar me. Alsof hij per ongeluk een conservenblik had opengemaakt dat ik nog een paar jaar langer had willen bewaren.

Achtste e-mail

Je hebt gelijk, het is hier *stifling hot*. De kranten maken melding van overlijdensgevallen van ouderen, en ook een paar zuigelingen konden deze 40 graden niet aan. Maar wij hebben natuurlijk airco. Niet dat ik dat prettig vind; wanneer die op vol staat, word je verkouden. En mijn man loopt me alleen maar in de weg. Wanneer hij niet aan zijn negen holes toekomt met de mannen – die willen niet naar buiten – neemt hij het hele huis in beslag. Hij botst met mij en hij stoot zijn knieën aan mijn boodschappenkarretje en aan bijzettafeltjes, en buldert: Wat doet dat ding daar! En hij wil onmiddellijk alle meubels wegdoen die geen directe functie hebben. De eettafel, de bank, de tv en het bed hebben we nodig. 'Geef de zooi aan de zigeuners, die willen troep', zegt hij. Je zou niet denken dat hij over een paar jaar negentig wordt. Dat wil hij graag worden. Op de bijzettafeltjes staan dingen van Limogesporselein en mijn stukken van een zilveren set die mijn moeder op haar beurt heeft geërfd en die al generaties in de familie is. En een van de foto's die jij me tien jaar geleden hebt gestuurd. Die van voor mijn geboorte is mijn favoriet geworden. Ik weet niet waarom. Alles leek zo onbedorven voordat ik kwam.

Ja, het klopt inderdaad dat degene over wie ik vertelde dezelfde Jana is, mijn kleindochter de zeekapitein, van wie we allemaal aannamen dat ze haar hele professionele leven op zee zou blijven. Ik dacht ze lesbisch was, of misschien promiscue met de matrozen. Zulke dingen denkt een mens dan. Maar zij is nu dus moeder geworden en heeft kleine kinderen in Kil. Ze heeft haar man via internet leren kennen. Ze werden op internet tot over hun oren verliefd! Ik vind dat het heel erg doet denken aan ouderwetse verstandshuwelijken, waarbij je niet voor het lichaam viel, maar de ziel en alle omstandigheden leerde kennen; met de seks zag je dan wel. Als het daarmee maar zozo gesteld was, had je het in elk geval niet echt slechter dan veel anderen. Toen ze elkaar twee jaar geleden in Gotenburg ontmoetten, was dat om de zaak te bevestigen. Vervolgens monsterde zij af, haar contract eindigde twee maanden later en toen was ze twee maanden zwanger. De eerste keer dat ze elkaar ontmoetten, en geen van beiden had aan voorbehoedsmiddelen gedacht. Ik weet niet of ze rekening hielden met een teleurstelling of dat ze ervan uitgingen dat ze op hun officieuze bruiloft kwamen. Op het consulaat-generaal in New York, waar zij vanuit Valparaiso en hij vanuit Kil naartoe vloog, volgde een officiële huwelijksvoltrekking. Zijn ouders zijn streng kerkelijk, dus ze moesten getrouwd zijn voordat de zwangerschap zichtbaar werd. Vanuit New York hebben ze toen een passagiershut op een vrachtstoomschip naar Oslo genomen. Zij heeft natuurlijk haar connecties nog. Het is een manier om elkaar te leren kennen. Een vroegere man in mijn leven zei na een herdersuurtje, of misschien bij de regie, tegen mij dat een mens waarschijnlijk verliefd wordt op het gezicht. Maar wat je nooit leert kennen en wat mystiek en obsessie blijft, is het lichaam. Het gezicht is er voor alles en iedereen, voor wie dan ook, maar het lichaam is tegelijkertijd persoonlijk en anoniem. De mystiek van een vrouw, zei hij, kan zitten in de schouderpartij, of het zachte plekje tussen ribben en heupbot, vaak in de lende of gewoonweg de onderrug. Dat komt nu opeens bij me boven, vanuit het niets. Een herinnering duikt op wanneer ze daar reden toe ziet.

Ik zit op het kleine terras om niets meer te horen over het Limoges voor de zigeuners (Waar ziet hij die? Volgens mij bedoelt hij de Arabieren, die hier tegenwoordig trouwens als toeristen komen. Maar misschien bedoelt hij de Letten of de Roemenen). Het mag eigenlijk niet, maar ik heb de deur open laten staan om mee te genieten van de koude lucht. In mijn hoofd zal het evengoed wel een warboel worden. Jana is in elk geval leraarsvrouw in Värmland *of all places*, ze heeft haar zoon Nils gekregen en er is er nog eentje onderweg, en ze heeft elke zondagmiddag leden van de Pinkstergemeente op bezoek. Ze voorziet in haar onderhoud met haar vakantie- en spaargeld, vroeger verdiende ze geld als water, nu is ze nog een hele poos met ouderschapsverlof, en nummer twee kan elk moment geboren worden. Daarna zien we wel, zegt ze. Plannen voor het leven zijn net langetermijnvoorspellingen voor het weer. Ze zijn niet steekhoudend en als dat wel zo is, wordt het zó saai. En met dat citaat zeg ik je gedag,

Hedwig

PS. 'Kom naar binnen, kom naar binnen,' roept hij, 'buiten is het voor jou te warm.'

De verleiding

Tijdens de treinreis terug naar Stockholm vond er een weersomslag plaats. Na Kerstmis had het tot ver in het noorden van het land gedooid, maar nu werd het weer koud. Het Nieuwjaarsvuurwerk was in nevelen vervaagd,

... die nacht hadden ze onverwacht bij de familie Franzén gevierd, die ze niet kenden. Twee dagen daarvoor was Hedda thuisgekomen van een bezoek aan Dagmar, die ter bewondering twee marsmannetjes had getoond, officieel te vroeg geboren en zo zagen ze er ook uit. Ze was in verwachting geweest toen ze eindexamen deed (maar ze strooide mensen zand in de ogen door de kinderen te antidateren). De vader was inderdaad de sinds lang beoogde, maar toch had de zaak iets onbehoorlijks; 'smoezelige seks voor het huwelijk' was het begrip dat erbij opkwam. In de bezemkast, in de voorraadkelder. De deur van de meisjeskamer moest openblijven wanneer hij op bezoek was. Dagmar keek niet blij, alleen maar verwaand. De kinderen zagen blauwig en sliepen door toen ze hen oppakte. Voorlopig heetten ze Kalle en Walle. Ze dacht aan de namen Carl Eduard en Waldemar Siegfried; wilde Hedda hen misschien even vasthouden? Nee? Peettante worden dan? 'Van allebei?' Tja ... Dagmar bedoelde toen eigenlijk dat wat in de buik al samen is geweest, niet gescheiden moet worden in het geval de ouders sterven wanneer de kinderen nog minderjarig zijn. Boven die lichtblauwe, kloppende schedeltjes klonk dat niet best.

Hedda kleedde zich in deze dagen vrolijk omdat ze bang was. Een mens helpt zichzelf door te veinzen; ze was in haar rode mantel en met haar muts met twee rode bontbolletjes aan de koordjes ervan naar Dagmar gegaan.

Niet weten is verschrikkelijk. Weten wat je niet wilt weten is rustiger, maar het ergst. Hij zou misschien niet mogen leven. Aan alles lag dat ten grondslag, en toch moest alles zijn alsof het niet zo was, want anders zou hij zich gestraft voelen voor zijn ongeluk. Ze merkte dat ze zijn naam niet gebruikte wanneer ze aan hem dacht. 'Vreselijk gevaarlijk', had Christian gezegd. Maar ook Hedda had nog geen gelegenheid gehad om te leven.

Moest ze zich ongevoelig opstellen om het beetje leven te houden dat ze had? Hun montere praat dat zij in Stockholm een semester lang vrolijk een eind weg had geleefd en zich geen snars om praktische dingen druk hoefde te maken, ondervond zij als bedreigend. Zij had al meer dan voldoende goedheid ontvangen en nu moest ze bereid zijn in de zure appel te bijten. Ze begon al een slecht geweten te krijgen omdat ze dat niet wilde. Op de dood wachten alsof die op een bepaalde datum was uitgenodigd. Was dat dan liefdevol naar hem toe? Maar het hielp niet dat ze daar inwendig tegen argumenteerde. Het gevoel dat je ongelijk hebt, laf bent, wordt niet door logica gebroken. Dat gevoel is de zee, waarin de argumenten liggen te drijven.

Maar er was nog meer mis. Vergeleken met in de zomer was vader gewoonweg dik, en zijn gezicht had een ongezonde kleur gekregen, iets rozeroods boven zijn baardstoppels. Zijn gemoed was ook stroperig en traag. Hij kwam met dubbelzinnige opmerkingen, maar ze waren niet grappig. Het was alsof het ziekelijke asthenische type zijn beste ik gevormd had; misschien had het leven hem ooit tot magere hoogte uitgerekt, maar de touwtjes nu losgelaten en hem gedrongen gemaakt. Moeder sprak bij praktisch elke maaltijd over eten, kilo's en goed voedsel. Vader, die anders altijd zo ongeduldig werd wanneer zij in herhaling verviel, was tolerant. (Was er soms sprake van een medicijn waar je een rund van werd en waar ze je niet over vertelden?) En hij prees Åke voor zijn mooie kerstrapport, dat minstens zo *veelbelovend* was als dat van Christian voordat die aan zijn *veelbelovende* carrière was begonnen.

Ze zaten meestal maar met z'n vieren aan tafel, en alleen voor Hedda was dit vergoelijkende jargon nieuw. Omwille van elkaar hielden de anderen zorgvuldig een bepaalde toon aan terwijl het met Åke bergafwaarts ging. Ze nam hem op, van achteren, van onder haar pony, van opzij, van voren.

Wie was hij, wie was de ziekte, was hij de ziekte, werd de ziekte hij, kon je ze uit elkaar houden of was het zo dat je van hem moest houden met inbegrip van de ziekte, de ziekte in hem?

Hij schoot in de lach om een van vaders onnozele grapjes. Hij slikte tabletten; Hedda betrapte moeder toen ze hem er eentje gaf met een glas water, in een donker hoekje. 'Gewoon een klein pilletje,' zei moeder verschrikt toen ze Hedda, die op sokken liep, hoorde aankomen, 'niets sterks.' Hedda zag het ernstige, bedroefde gezicht van Christian voor zich toen hij in de afkoelende auto had gezeten en de naam van de ziekte had genoemd. Maar die hield zeker geen verband met het dagelijks leven thuis, waar de dingen voorlopig nog letterlijk 'in de vergeethoek werden gestopt tot we doodgaan'. Ze had een keer geprobeerd het bij moeder aan te kaarten, gevraagd waarom de operatie niet eerder had plaatsgevonden, of er geen betere, dure ziekenhuizen waren, dat konden ze immers betalen, maar moeder had gezegd: 'Ja, ja, het is heel moeilijk, maar ook dit moeten we maar doorstaan.' Alsof het een privékwestie betrof die Hedda niet aanging.

Toen ze van haar bezoek aan Dagmar, Walle en Kalle thuiskwam – de echtgenoot was vlak voordat zij vertrok thuisgekomen, had haar vluchtig opgenomen en zijn wenkbrauwen opgetrokken; Hedda legde dat zo uit dat vriendinnen niet langer welkom waren, en spontaan voelde ze ook voor hem verachting, voor die bleekblonde man met dat te lange onderlijf. Dagmar verzekerde hem dat het vlees klaar was en dat de aardappelen op een laag pitje stonden, en toen knikte hij en trok zich terug in een andere kamer, waar blijkbaar een telefoon stond, dat hoorde je aan zijn inschikkelijke toontje en aanstellerige lach – toen ze dus thuiskwam, had moeder rode blosjes op haar wangen. 'Wat zal het nu leuk worden!' zei ze nog voordat Hedda haar muts had kunnen losknopen. 'Had je het misschien al geraden? Of heeft ze niets gezegd?' 'Wie?' 'Chrille en Karin gaan op oudejaarsavond hun verloving bekendmaken; we zijn bij de Franzéns uitgenodigd. Nu krijgen we een gróte familie.' Hedda keek verbaasd op. Het was nog maar een paar dagen geleden dat ze op verzoek van haar broer op bezoek was gegaan bij zijn moderne vriendin in het tehuis voor vrouwelijke studenten. Was dat de reden?

Nee, dat was natuurlijk helemaal niet zo; Karin was verteld dat Hedda kwam om te kijken, omdat ze zelf een aanvraag zou indienen om in het huis te mogen wonen. Wensdenken. Christian wilde dat ze er ging wonen, omdat het in zijn belang was dat zij naar Lund terugkwam en hij probeerde het voor haar aantrekkelijk te maken doordat ze dan niet thuis hoefde te wonen. Een jaar geleden had ze zelf geopperd er een kamer te zoeken, maar had toen van vader botweg nee te horen gekregen, en ook Christian had het geen goed idee gevonden. Karin serveerde thee en biscuits in een servies met een vogeltjespatroon in sepia en benadrukte dat ze echt geen snelle trouwplannen had. Zij en 'Krisjan' waren enorm druk met hun beroepsopleiding. Vanaf maart zou ze als districtsarts dienstdoen. In Malmö. 'Móéten ze soms trouwen?' vroeg Hedda.

'Maar wat zeg je nu toch?' riep moeder. 'Alleen maar omdat Dagmar …? Niet iedereen doet zoals zij. Als het snel gaat, betekent het dat ze geen reden hebben om te wachten, ze zullen wel verliefd zijn. Er zijn toevallig veel mensen uit beide families thuis voor de feestdagen. En ze kunnen een woning gaan zoeken. Wat ook wel een tijdje zal duren. En …' Bij elk nieuw argument zakt haar toonhoogte. Haar stem wordt heser. Moeder en Hedda wisselen onwillekeurig een blik uit: *zolang we nog kunnen.* Daarbij verstomt moeder helemaal. Dan schiet ze echter weer omhoog op de toonladder: '… ze willen de wereld laten zien dat ze een paar zijn.' Hedda: 'Maar waarschijnlijk is hij nog steeds behoorlijk verliefd op …' Moeder: '… nu hebben we het niet meer over hun gevoelens. Die behoren alleen aan hen toe. Het is hun eigen keuze. We moeten dankbaar zijn dat er een reden is voor iets feestelijks.' Bij die laatste woorden was ze buiten adem. Ze kneep haar mond dicht als een klein beursje waar net wat in is gegaan en maakte zich snel uit de voeten.

Ze was arm; er waren gaten gevallen in wat ooit heel was geweest.

Op de avond van de verloving zelf kreeg Hedda nauwelijks oogcontact met het paar, met geen van beiden. Het leken eerder samenzweerders dan verliefden. Ze zei dat ze het zo'n verrassing vond en kreeg een 'janietwaar?' als antwoord. Ze wierp een verstolen blik op Karins buik toen die niet keek, maar Karin had van nature een buikje; ze was van boven tot aan haar taille heel slank, maar had beneden een andere maat. Hedda wist precies wat voor kleren ze voor haar genaaid zou hebben als dat had gemogen. Heel andere dan ze nu droeg.

Åke kreeg zijn eerste glas champagne. Christian schonk in: 'Het kan geen kwaad. Hij is immers dertien.'

Karin paste in een moderne, functionele omgeving, in het vrouwenhuis aan de Laurentiusgatan. Tussen werkende vrouwen. Hedda had een gladde platina ring verwacht, geraffineerd maar weinig opvallend, maar toen de verloofde haar linkerhand met de verlovingsring liet zien, was het de mooie ring die door Hedda was afgewezen.

Ze begon te blozen en was helemaal perplex toen ze hem zag. Toen Karin een keer – heel even uit haar rol vallend – op haar linkerhand neerkeek, merkte je dat ze het geen mooi sieraad vond. Het was haar en alles wat ze bezat vreemd. Dit ronde ding –

ging dat geval maar kapot, ging het maar kapot! Onbegrijpelijk dat moeder die ring steeds in omloop wilde brengen, alsof ze zich van een vloek wilde ontdoen door er voor iemand anders een zegen van te maken. Hedda bezwoer zichzelf dat ze het ding bij het vuilnis zou gooien zodra Karin afwaste en zij afdroogde. Karin moest een dunne ring van platina hebben – ze droeg vanwege haar bijziendheid een bril zonder montuur, ze had een heldere, bleke huid en steil bruin haar met een speld erin, en nu was ze verplicht dat ding te dragen omdat ze haar verloving had aangekondigd en 'Krisjans' familiekleinood had gekregen. En dan moeder, die haar hoofd schuin hield zoals de moeder van de man geacht wordt te doen tegenover de kleine verloofde, en die vertrouwelijk naar het jonge stel knipoogde met een 'welkom in de familie, lieverd'.

Iedereen behalve 'hij' bewerkte Hedda om langer te blijven. Ze deden het allemaal op hun eigen manier. Christian nog het meest onverbloemd, want hij had haar verteld wat voor zorg Åke binnenkort na de operatie, de amputatie, nodig had en hoezeer ze haar nodig zouden hebben. En, voor het geval het niet voldoende was en het proces voortschreed, hoe bitterhard moeder aflossing nodig zou hebben zolang hij nog thuis kon worden gehouden. Toen Hedda vroeg of er niet de geringste hoop bestond dat alles met de operatie weggehaald kon worden, had hij van zijn hakken op zijn tenen heen en weer staan wippen, als op een evenwichtsbalk. Ze werd bang en boos en zei: 'Jij geeft het gewoon op. Jij wilt dat het maar achter de rug is', en toen had hij haar een snelle, harde oorvijg verkocht. Ze hadden daar met geen woord meer over gerept, maar ze had het hem later betaald gezet en gevraagd of Karin bedoeld was als waarnemende dochter wanneer zij er niet was. Had hij zich verloofd om thuis aflossing te hebben wanneer hij kaken in het lid zette in Åhus? Hij keek verveeld. Hij vond een verloving niet iets om veel woorden aan vuil te maken. Het was niet iets wettelijks.

Moeder probeerde haar te verleiden met de vrije week na de feestdagen, wanneer ze gezelschap nodig had bij het zomen, versieren en van een monogram voorzien van de lakenstof die ze pas had gekocht voor zowel haar eigen huishouding als voor de uitzet van C&K of C 'en zijn' K, zoals ze het paar was gaan noemen. Vanaf het moment dat ze het begrip 'verloving bekendmaken' had gehoord, noemde ze de een nooit meer zonder de ander, ze waren nu een paar, ze snoepte van dat gevoel, liet de smaak op haar tong rollen. Ze hield van paren. Ze had uitgezocht dat 'Karins moeder zich niet met een uitzet bezighoudt'. Die moeder had een dienstmeisje, en voorzag haar linnengoed sowieso niet van een monogram, dat vond ze niet nodig. Nou ja, dat moest iedereen natuurlijk zelf … Ze zou wel bridgen en golfen. Een van de kinderen zat in een inrichting, een ongeluk.

Vader zei dat er vast niet zo veel haast bij was om zich in Stockholm weer in het gewemel te storten. Maar met hem had Hedda geen problemen; ze hoefde het woord 'cursusgeld' maar in de mond te nemen, of het was goed. Geld sparen en je plicht doen, afmaken waaraan je begonnen was; dat waren argumenten waar hij gevoelig voor was. Ze loog dat het semester op 10 januari weer begon en kocht een kaartje voor de laatste nachttrein van 7 januari, een vrijdag. Ze hoorde van Karin dat hij de twaalfde zou worden opgenomen en dat de operatie een week later gepland stond. Christian praatte helemaal niet meer met haar na zijn constatering 'dat er met jou toch niet te praten valt'.

Op Driekoningenavond waren Åke en zij alleen thuis. Ze deden allerlei spelletjes en luisterden naar grammofoonplaten, wat hij wilde omdat het anders zo stil was in huis en

wat zij niet wilde. Want terwijl ze stukken verplaatsten en aan het kletsen waren, ondervond ze nu welke flarden muziek ze in haar hoofd zou hebben wanneer hij dood was. Toen die gedachte eenmaal had postgevat, was ze moeilijk te onderdrukken. Elke melodie riep haar opnieuw op. Twee maanden later zou ze op een van die melodieën een slowfox dansen in restaurant Top of the World, eerst zonder erbij na te denken, want het was een heel ander arrangement, daarna zonder te begrijpen waarom het moment door zo'n intense somberheid geïnfiltreerd werd. Toen was Åke alweer thuis en hersteld en halve dagen terug op school, waar de meisjes om hem heen zwermden. Maar de melodie droeg de vrees van januari in zich, en die trad op als herinneringen uit de toekomst. Ze werd rusteloos en moest het restaurant verlaten. De liftbediende nam haar met een verstolen blik op. Mensen waren zelden alleen wanneer ze 'de Top' verlieten. Maar Hedda moest alleen vertrekken en liep alleen op haar hoge hakken in haar lange jurk van romain renversé, en het was een koude winternacht en

ze moest morgen naar huis! Christians pogingen haar over te halen waren ingegeven geweest door eigenbelang. Åke was nooit genoemd, maar nu had ze zijn stem gehoord; die zat in de melodie.

Toen ze die Driekoningenavond alleen waren, vroeg hij haar niet om te blijven, want dan had hij zijn tegenspoed toegegeven en hij moest immers zelf fortificaties optrekken. Het verzwijgen als een laag boven op de stilte. Ze dacht niet dat er iets zinvols zou worden gezegd als ze erover zouden praten. Emoties staken alle kanten op, mensen hebben in het gemeenschappelijke te weinig gemeen.

Moeder had ter gelegenheid van het Driekoningenbal de avondjurk van haar huwelijksreis aangetrokken. Hij viel niet helemaal tot op de grond, maar bijna, en was na drie decennia nog steeds betoverend mooi. In huis tikten de uurwerken. Hedda had zich nog nooit aan de klokken gestoord, maar nu hadden die hun stem verheven. De pendule met haar rotatie achter glas en elk kwartier een iel signaal. Een empire-uurwerk, dat een erfstuk was van grootmoeder van vaderskant en in een schemerig hoekje in de hal hing, maar dat tikte; hameren deed het. En de conventionele, vergulde klok met tierelantijnen die op de schoorsteenmantel stond, een cadeau van de bank voor vaders vijftigste verjaardag, tikte uit de maat met grootmoeders klok, zodat er syncopes ontstonden. Hedda werd zich toen ook bewust van het getik aan haar linkerpols. De gedachte dat je hier moest zitten en alle dagen de tijdmeting moest horen gaf haar ademnood. Ze bracht haar hand naar haar borst en hijgde een paar keer. Åke keek op. 'Wat is er?' Hedda antwoordde dat haar hart een keer oversloeg. 'Mijn hart raakt uit zijn ritme wanneer alle klokken ongelijk tikken.' Zei ze. Hij antwoordde dat dit de reden was dat hij liever grammofoonplaten hoorde. En na een poosje liepen de tranen van het lachen hun over de wangen omdat de plaat die op dat moment draaide *De oude Moraklok* was, met een heleboel tiktak en dingdong. Zo vreselijk grappig was het eigenlijk niet, maar onder de omstandigheden hysterisch komisch.

Hedda zei daarna: 'Ik wou dat ik je morgen mee kon nemen.' Het was al na middernacht en ze aten elk een boterham met kerstham en dronken daar bier bij, omdat de melk altijd op was. Haar woorden berustten op het bijgeloof dat vonnis en dood zich op één plaats installeren. Als je er niet in slaagt het kwaad van die plek te verdrijven, kun je jezelf alleen maar in veiligheid stellen door de plek te verlaten. In dat geloof vonden ze elkaar, en hij antwoordde: 'Ik ook.' Maar toen ze elkaar in de ogen keken, werd hij bang en om niet te veel te hebben gezegd voegde hij er iets conventioneels aan toe, over niet naar school hoeven (waar hij juist wel van hield, de blokker). Hij wilde geen tranen zien, hij moest zien te voorkomen dat ze zich in het diepe begaven. Ze konden beslist wel serieus met elkaar praten, 'zwemmen' in het diepe, maar zouden ze ook weer terug aan land weten te komen? Hedda sloeg haar ogen neer en zei zachtjes dat ze niet snapte hoe ze Quatrejamb hadden kunnen laten afmaken toen de eigenaresse overleed. Alleen maar omdat vader zich geen hond 'had voorgesteld'. Een gezond dier.

Gedurende de reis sloeg het dooiweer dus om in winter. Op het hoge land van Småland, dat ze in het donker langzaam passeerden, was het waarschijnlijk de hele tijd kouder geweest, en 's ochtends zag ze geglazuurde meren en bevroren kale grond in Sörmland, en toen opeens een echt ijzige greep die zich om de formaties sloot. Onderweg was er meerdere keren een lang oponthoud, door een aangereden eland, seinstoringen, en ziekenvervoer waarop ze moesten wachten toen ze in Älvsjö, dus al bijna op hun eindbestemming, waren. Ze mochten daar niet uitstappen, zoals veel passagiers wensten, maar moesten geduldig wachten tot ze op het centraal station in Stockholm arriveerden. Ditmaal had ze geen taxi nodig om de weg te vinden, maar slingerde ze zich op een tram met haar grote valies en haar rugzak. Toen ze auto's door de drab zag glibberen en zag hoe mensen op leren zolen zich aan bomen en lantaarnpalen vastklampten op plekken waar de ijsmannen het ijs nog niet hadden weggebikt, voelde ze zich kiplekker. De bewoner van de grote stad in de grote stad, ze voelde zich binnen een paar minuten thuis, met name in de anonimiteit.

Hoewel het zaterdagmiddag was, klonk de woning leeg. Zelfs geen geblaf van Blondies hond, wat er anders bij hoorde wanneer iemand de sleutel in het slot van de voordeur stak. Op haar bed vond ze een brief van Lill-Inger. Haar moeder had tijdens de kerstdagen griep gekregen en Lill-Inger was nog een week thuis nodig. Hedda legde de brief weg, haalde haar bed af en begon het opnieuw op te maken. Ze trok het onderlaken strak. Lill-Inger deed wat je eigenlijk moest doen. Doodsangst en verzorging, woorden zonder verwantschap en toch onlosmakelijk verbonden. Maar voor Lill-Inger was het maar een kleine onderbreking van een paar dagen in Stockholm. Voor haarzelf zou het haar hele leven hebben bepaald als ze had toegegeven en in Lund was gebleven. De maalstroom van vader en moeder. Had ze Åke maar mee kunnen nemen.

Op een plaats waar niemand hem kende en niemand op de hoogte was, en ook niemand deed alsof er niets aan de hand was, zou zijn identiteit van een aan kanker lijdende jongen geen nieuw voedsel hebben gekregen. Kan de ziekte in dat geval stoppen? Maar ze had niets gedaan, omdat ze er genoegen mee had genomen dat ze niets kon doen. Ze had ook niets ondernomen om erachter te komen hoe het met hem ging. Ze had er zelfs niet met hem over gepraat, en hij had niet met haar gepraat. Ze hadden er genoegen mee genomen impliciet elkaars begrip te begrijpen.

Beste Hedda! *(stond er in Lill-Ingers brief, geschreven op een afgescheurd stuk papier en in een niet-dichtgeplakte envelop gestopt)* Je moet Jezelf maar zien te redden en lekker proberen te slapen zonder mij in mijn slaap te horen praten, zoals Je zegt dat ik doe. Moeder heeft de dag voor Kerstmis griep gekregen, je kunt van me aannemen dat het trieste feestdagen waren! Moeder is bij ons belangrijker dan de kerstboom. Ze heeft het een beetje aan haar hart, dus toen de koorts hoog was, moest ze liggen van de dokter. Daarom zijn mijn zus en ik hier beurtelings. Vader kan met ziekte niet uit de voeten, hij is zelf niet helemaal gezond, dus hij kan maar beter niet besmet raken. Het is een geluk dat Görel nachtzuster is in de Seraphimerkliniek; daardoor kunnen we het werk verdelen en moeder ook helpen, en lopen we toch onze verdiensten niet mis. Anders zou ik het me niet kunnen veroorloven om de kamer aan te houden en dan zou Jij misschien wel weer bij 'De Pantoffel' moeten wonen (brr). Maar nu is moeder al vier dagen koortsvrij en ze is weer op, dus ik ben waarschijnlijk binnenkort weer bij Jou terug. De dag nadat Je was vertrokken kwam er een heer langs die naar Je vroeg. Hij had een buitenlandse naam en was donker en knap. Wat heb Jij úítgevoerd dat Je me niet hebt verteld … Ik heb gevraagd of ik iets moest doorgeven en hij zei nee en ik weet dat Je nu teleurgesteld bent, dat zou ik ook zijn. Hij zei: 'We zien elkaar wel als we elkaar tegenkomen', maar daar bedoelde hij mij niet mee. Je mag de radio natuurlijk zo veel aanzetten als Je wilt en wanneer ik terugkom, peuter ik de waarheid heus wel bij Je los. Hij is anders wel een lekker kersje!

Hedda kneep haar ogen wat toe om de datum te zien die bij het afscheuren van het papier half was verdwenen. 4 januari, dan zou ze op woensdag weer een kamergenoot hebben.

De volgende dag was het fonkelend wit, een winterzondag zoals ze die in Stockholm nog niet had meegemaakt en die haar als aan een touwtje naar buiten trok. Al toen de zon laag onder de horizon de dageraad aankondigde, voelde ze een plotselinge vreugde. Toen ze het raam op een kier zette, kwam de kou naar binnen, een droge en aangename kou, en ze hoorde het in de stad kraken. Tegen het seringenlila in het oosten een symfonie van zwarte schoorstenen die blauw opkleurden terwijl ze keek, lichtblauw opkleurden. Zo mooi. En de geur van de bakkerij, hoewel het zondag was. Voor het eerst ging ze in haar pyjama naar buiten, goed gecamoufleerd onder haar jas en met stevige schoenen natuurlijk, maar toch onbeschaamd. Bijna alleen in huis maakte ze een ontbijt klaar van eieren die Lill-Inger had achtergelaten, sinaasappels, vers brood, kaas en pasgemaakte pomeransmarmelade van thuis, en dat zat ze met koffie erbij op haar bed op te eten. Niemand kon haar bereiken. Ze was onbereikbaar. Ze kon hier in bed zitten luisteren naar de radio, maar hoefde niet te reageren op wat de radio zei. Een stem sprak belerend over de kwaliteitsverbetering van wintereieren. In de dienkamer warmde ze een grote pan water waarmee ze de tuingieter twee keer vulde en in de badkuip een douche nam. Ze kon naar de wc gaan zonder op de tijden van anderen te hoeven letten en daarna voor haar eigen wastafel gaan staan om haar haren te borstelen, nog steeds in ochtendjas en op sokken, terwijl de centrale verwarming suisde – en de dag overpeinzen, zich langzaam aankleden en weer op het, inmiddels opgemaakte, bed gaan zitten om het laatste stuk van Lill-Ingers brief te lezen terwijl ze het Londens Symfonieorkest onder leiding van Sir John Barbirolli Arthur Rubinstein Chopins *Eerste Pianoconcert* hoorde spelen. *Hij is anders wel een lekker kersje!*

Het was nu echt licht geworden en Hedda besloot naar de kerk te gaan. Niet naar de meest dichtbij gelegen, de helling op, maar naar de Grote Kerk, die ze nog niet van binnen gezien had. Het kostte een half uur om over de gedeeltelijk nog niet ijsvrij gemaakte trottoirs te wandelen. Het brakke water van de Oostzee was nog niet bevroren, maar waar het boven de rotsen en bruggen verdampte, veroorzaakte het gladheid. Het ene uitzicht versmolt met het andere, een stad van aanblikken, eerst Djurgården, daarna Skeppsholmen. Ook al deed deze statische schoonheid – de blikvangers – af en toe langdradig aan, ze moest toch nog steeds nadenken over wat wat was: de brug naar Djurgården kwam na de Strandvägen, de brug naar Skeppsholmen na het Nationaal Museum. Nu liep ze niet over een van die bruggen, maar stak ze Blasieholmen over om door te lopen naar Gamla Stan, bij het koninklijk paleis omhoog langs Slottsbacken, waar de stenen echt glad waren onder de sneeuw. Een keer ving ze zichzelf met vijf vingers op de grond op, een heer pakte haar bij haar andere arm en zei 'hopla'.

De kerk zat niet vol. De laatste dienst was nog te kort geleden, en daarvoor had je al die feestelijke diensten gehad met de kerstdagen enzovoorts. Hedda was thuis naar een dampend drukbezochte vroege kerstdienst in de Domkerk geweest en had de afbeelding met de dode of pasgeboren tweelingen bekeken, die door een klein jongetje en de volwassenen achter hem overdacht werden. Op de afbeelding was onduidelijk of ze dood of pasgeboren waren en zij moest aan Walle en Kalle denken. En aan hoe Åke er als pasgeborene had uitgezien, hoewel ze dat niet meer wist. Haar eerste herinnering aan hem is in bad, met de navelklem er nog aan, zijn verbaasde gezichtsuitdrukking op het moment dat hij de terugkeer naar lichaamswarm water beleeft na de schok en het lijden van de geboorte en het leven. Moeders gebogen arm onder zijn hoofdje terwijl ze handenvol water over hem heen schept. Ze kirt teder en opeens moet de baby plassen, het is net een fontein in het badje en hij glimlacht hoewel hij niet weet hoe dat moet, en moeder is ontroerd en ze lacht, maar Hedda, die zes jaar is en toekijkt, lacht niet.

Helemaal vooraan in de Grote Kerk zag ze van opzij het stekelige, lansenscherpe standbeeld van Sint Georg met de draak, dat zo beroemd was. Rechts van haar hing de afbeelding met het omen, waar ze ook over had gehoord. 'Amen', zei Hedda. Het schemerlicht van de ruimte was rustgevend na het verblindend witte van Kerstmis.

En na de zonsondergangen, opalen nevels, lampen en blakers, vuur-werk, spiegelverlichting voor make-up, het spervuur van vragen en ant-woorden, de beweringen, de eentonigheid van Kerstmis, en het kaarsvet dat op de sparrennaalden drupte. En *fire alert*. Het bestaan één groot *fire alert*. En vaste tijden waar je je aan moest houden, katoen dat in de vakantietijd gesteven moest worden … 'Amen.'

Terwijl ze het voor het kerkjaar neutrale gezang 'Oosten, westen, noor-den, zuiden, onder de schaduw van de armen van het kruis. Allen zijn wij broeders op aarde, hier al wonend en bouwend aan ons huis' zongen, beklom de domproost de preekstoel en begon vanuit de tekst *Draagt el-kanders lasten* te preken. Hij wees erop dat de gemeenteleden een tijd van vreugdefeesten hadden genoten en dat nu het lange, gewone leven van de winter wachtte. De feestdagen beschreef hij als een vanzelfsprekende uitzondering op 'het grijze dagelijks leven', een centrum van vreugde. Ie-dereen verenigd, iedereen samen. 'Zoals het behoort te zijn. Maar er zijn mensen die er niet bij mogen horen.' Hij somde de lammen en de kreupe-len op, de bezwaarden van gemoed, die niet in staat zijn te genieten van het samenzijn en de vreugde waarmee wij anderen gezegend zijn. Middels omschrijvingen noemde hij ook de heidenen op wie de schaduw van de armen van het kruis niet viel, en hen die zelfs midden onder de kruisbalk het inzicht ontgaat van de melk der liefde, die uit deze structuur stroomt en ons allen verzadigt, in zoverre we ons weten te onderwerpen aan de gulheid ervan.

Hedda werd door de woordenbrij heen geschept. Ze was er ook niet van uitgegaan dat ze hulp zou krijgen om haar eigen gevoelens op een rijtje te zetten. Waarom ze zich geen slecht mens voelde terwijl anderen vonden dat ze dat wel was. Waarom anderen zich niet slecht voelden terwijl zij vond dat ze wel slecht waren. Waarom ze het zo prettig vond om alleen te zijn, terwijl die predikant daar over de vreugden der gemeen-schap stond te leuteren.

Hebben mensen het beste met elkaar voor? Dat vroeg Hedda zich af. Of willen ze gewoon dat anderen beschikbaar voor hen zijn? Zijn liefde en verlovingen en al het andere waar families groot voor uitpakken en wat ze vieren – in elk geval als de combinatie gunstig lijkt – niet een spel dat neerkomt op beschikbaarheid, toegang tot? Er was ook geen sprake van dat we allen zusters op aarde waren, hier al wonend en bouwend aan ons huis. De zusters wonen en bouwen niet, ze zijn handlangers, beschikbaar en zonder toevluchtsoord. Hedda moest denken aan Ida en haar huisje. Een huisje dat Ida niet als toevluchtsoord zou gebruiken, ze had het húís niet nodig, haar toevlucht bestond erin dat ze bouwde en construeerde, dat ze afgedankt essenhout kreeg in ruil voor iets anders, dat ze hulp kreeg bij het oprichten van het dakgebint, bij het bedenken van een geschikte houtblokfundering en drainage daaronder. 'Bijna een keet.'

Hedda ging verzitten toen bij haar door de gedachte aan Ida het idee voor een zwart-witte collectie ontstond. Herenoverhemden zonder kraag en met een zwart koordje door de bovenste knoopsgaten. Rokken met zakkleppen op de achterkant, als bij broeken. Zwarte gilets. Met materiaal dat Ida zich nooit zou hebben kunnen veroorloven. Pierrots, gangsters, schaakstukken. Ze liet zich even meeslepen door haar inspiratie, maar die werd ondermijnd door de gedachte dat ze dit aan mevrouw Borg-White zou moeten uitleggen. 'Amen.' Alleen al de gedachte aan de werktafels werd kleurrijk door crêpe de Chine, chiffon en duchesse, alpaca en Ierlandse tweed. Zo veel tinten. De clientèle van mevrouw Borg-White was op een leeftijd waarop het wit verzacht moest worden met crème en het zwart met grafiet, marine of bruin. Maar als Hedda in haar vrije tijd eigen ontwerpen maakte ... Lill-Inger had een figuur voor Idamodellen, ze kon proefondervindelijk te werk gaan – '... en de Heilige Geest. Geprezen zijt Gij in alle landen', eindigde de kerkdienst, postludium, en ze liepen in een rij naar buiten. 'Waarom zwart en wit als er zo veel andere kleuren zijn?' had mevrouw Borg-White gezegd. 'Wanneer jullie hier zijn, zie ik het liefst dat jullie kleuren dragen. Zwart en wit zijn goed voor film, voor het dramatische contrast. De werkelijkheid is gul met kleurnuances. Waarom daar geen keuze uit gemaakt?' Hedda keek in haar handtas. Daar lag het witte zakje met zwarte letters onder een rand met een uitgesneden patroon. *Academie Borg-White. Stockholm Uppsala Berlijn.* In Uppsala had de directrice twee voormalige leerlingen aan het werk, die haar modellen voor de dames van die stad naaiden. In Berlijn was ze een filiaal aan het opzetten. Ze had een atelieretage gevonden in een hoekpand aan de Uhlandstrasse. Haar zuster droeg daar de zorg voor de dagelijkse werkzaamheden, maar mevrouw Borg-White vloog zelf om de week naar Tempelhof. Hedda hield zich aan deze concrete gedachtestroom vast terwijl haar voeten haar onbewuste wil volgden.

Ze glibberden in de richting van de Västerlånggatan en begonnen daarna te lopen met een besluitvaardigheid die niet in haar hoofd zat. Wel een beetje in haar borst, maar vooral in haar voeten. Die namen de hele verantwoordelijkheid, ze hoefde ze alleen maar te volgen. Ondanks de toestand van de weg – het sneeuwde weer overvloedig – legde ze de route langs de Drottninggatan in minder dan een half uur af. Ze liep langs het badhuis, maar dat was op zondag gesloten. De renovatie was helemaal afgerond. Wanneer ze er weer kwam, zou ze tot het damesbad en vijftig, zestig of honderd baantjes in het bassin van tien meter veroordeeld zijn, bedacht ze.

Haar voeten hielden hetzelfde tempo aan, maar nadat ze aan het Centraalbad had gedacht was ze niet meer zo aan die voeten onderworpen en begon ze aarzeling te voelen. Ze dacht 'met de dood in het hart'. Hij is anders wel *een lekker kersje*.

Nee. Een morel.

Het was een te mooie dag om 's middags om kwart voor een je licht te laten branden, maar toen ze naar de erker op de derde etage omhoogkeek, zag ze dat er een raam op een kier stond, dus er was iemand thuis. Met een ingeving van doodschrik keek ze om zich heen, maar er waren slechts twee mensen in de buurt en geen van die twee was hij. In één beweging door ging ze wat ter zijde van de voordeur staan zodat hij niet tegen haar op zou botsen als hij naar buiten kwam. Stel je voor dat Tom daar was, of Elsa; Elsa zou verschrikkelijk zijn. Nu hadden de eerst zo resolute voeten het koud. Ze haalde het zakje met de opdruk uit haar tas en hield het in haar hand. Ze had zijn sokken in de fijne was gedaan en ze kunstig gestopt. Ze waren zacht en wollig, en je kon niet zien dat er gaten in hadden gezeten. Ook al had hij vele sokken, dan nog kon hij van deze plezier hebben in de kou. Ze stond voor de deur van het huis. Binnen klonken te lichte voetstappen, de deur werd door een vreemde geopend. Het verkeerde huis? Nee, het was dezelfde hal; ze herkende die. De vrouw leek iets op het hart te hebben. Bijvoorbeeld: Nee, aan de deur wordt niet gekocht. Hedda had geoefend: Ik moest toch langs de school en toen vond ik je sokken die ik gewassen heb nadat ik ze gebruikt had en het weer was zo mooi en ik dacht ik wandel hiernaartoe.

De vrouw keek naar het zakje. Als Hedda geen handschoenen aan had gehad zou dat nu klam zijn geweest van haar handen. 'Neemt u me niet kwalijk dat ik stoor zo midden op de zondag', zei Hedda na een poosje. 'Ik zou iets terugbrengen aan meneer ... Iets wat ik geleend had.' Ze stak het zakje naar voren en was bang dat de vrouw over haar schouder zou roepen: 'Luigi!' Maar ze zei: 'O. Nou, hij woont hier op het moment niet. Ik ben zijn zuster. Mijn zuster en ik hebben een poosje samen de beschikking over de etage. Hij is voorlopig naar zijn eigen appartement aan de Hornsgatan verhuisd. Is het belangrijk?' – ze wierp even een blik op het zakje – 'Dan kan ik het hem geven als we elkaar zien.' Ze stak haar hand uit, maar Hedda trok het zakje terug. Razendsnel verzon ze: 'Mijn broer ziet hem elke dag, ik kan het hem wel vragen.' De vrouw lachte: 'Bent u Toms zuster? Nu zie ik het, u lijkt op hem, Luigi heeft over jullie verteld.' Klonk er nou wat dialect uit Dalarna door in wat ze hoorde? Hedda vroeg zich af wat hij had gezegd. Ze lachte terug, ze was zo blij dat het een zus was. Ze leek niet erg op hem. 'Als u wilt, kan ik u zijn adres wel geven? Het is vandaag immers zulk mooi wandelweer. Als hij er niet is of hij slaapt, kunt u het zakje gewoon in de brievenbus stoppen of aan de klink hangen.' Dat laatste klonk zo ... Hedda vroeg zich af wat Luigi over haar gezegd had.

Ze had het zakje eigenlijk moeten afgeven, ze had dit moeten beëindigen om geen geruchten de wereld in te helpen, ze had de zaak in elk geval door iets anders dan door haar voeten moeten laten beslissen. Hij had de volgende stap kunnen zetten. Wanneer hij zijn sokken terugkreeg. Maar. Ze stopte het zakje, en het briefje met zijn adres, terug in haar tas. Het was opnieuw een flink stuk lopen. Ze had honger en ze moest ook nodig plassen, daarom stopte ze bij een koffiehuis voor een boterham en het damestoilet. Ze moest denken aan de schrijfster Cora Sandel en aan de jongen in haar roman, hij die de hoofdpersoon Alberte 'bloedmooi' vindt. Wat een goed woord. Toen ze weer op straat stond, voelde ze dat de onderbreking het verloop niet had weten te stoppen, als ze dat al had gewild; ze was net een warme spoel die helemaal afgespoeld moest worden, en het ene moment wilde ze dat inderdaad en liep ze door om dat te realiseren, en het volgende aarzelde ze, maar dan spoelde de spoel toch verder. Ze liep weer heel de Drottninggatan af, door Gamla Stan, tot het Kornhamstorg (waar ze aan de schrijfster Harriet Löwenhjelm moest denken), de brug over naar Slussen, omhoog naar Mosebacke en aansluitend door steegjes in westelijke richting, tot ze de Götgatan passeerde en op de Hornsgatan stuitte. We zijn niet thuis, kalmeerde ze zichzelf. Het is zulk mooi weer, wat doe ik? Ik dring mezelf op. Ze had haar tas inmiddels geopend, haalde het zakje er weer uit en staarde naar het adres. Het huis was geel en had als het ware Spaanse elementen van hout. De voordeur had de vorm van een sleutelgat. Het stonk er naar urine; in het portiek lag een plas die te groot was om van een hond afkomstig te zijn en die nog niet was bevroren. Ze drukte de klink naar beneden en ging naar binnen. Een fietsenrek, een houten trap in hetzelfde Spaanse bruin. Ze moest naar de tweede etage. De naam op een papieren bordje. De brievenbus was te klein voor een zakje van dit formaat. Zo schande-lijk, voor een meisje! Ze drukte op de bel en hoorde binnen een zoemer. Daarna niets, geen enkel geluid. Ze stopte het zakje terug, draaide zich om en gaf het op, dankbaar en teleurgesteld tegelijk; ze was zo moe van zichzelf, en van de gevoelens die ze zo hoog had laten oplopen dat ze nu omkieperden, en dat niet één keer maar vaker. Ze had thuis kun-nen blijven en het pianoconcert van Chopin af kunnen luisteren. Ze had moeten schoonmaken en stoffen voordat Lill-Inger terugkwam; die was zo pietluttig ten aanzien van stof. Ze had de kleerkast kunnen opruimen. Ze had naar bioscoop Grand kunnen gaan om de nieuwe film met Clark Gable te zien; daar zou ze nu nauwelijks meer de energie voor hebben na al dat gedrentel en geloop. Loops. 'Teef', ze moest lachen om dat woord en moest aansluitend, de zonde nog in haar ogen, haar hoofd wegdraaien. Hij stond in de deuropening, in zijn groene pyjama, met een troebele blik, zijn haar alle kanten op. In de smalle kier van de deur zag hij er ongevaarlijk uit, maar ze had geen woord in haar hoofd. Om één uur nog in bed liggen kon maar één ding betekenen. Daar was ze niet op voorbereid. Hoewel het vanzelfsprekend had moeten zijn. Een geliefde. Ze had het in de andere woning immers met eigen ogen gezien, maar ze had de hele Kerst gedroomd, zodat ze nu toch weer onvoorbereid was. Door een vacuüm in haar middenrif werd haar onderlip naar binnen gezogen, het was althans net een vacuüm, en ze kon dat niet opheffen. Om te ademen moest ze haar vuist met het zakje op haar borst zetten. Dat hielp niet, maar zijn blik ging van haar gezicht naar het zakje. Naar haar hele gestalte. Vervolgens weer omhoog. Er gingen veel gedachten door haar hoofd, maar geen woorden, ze verwierp allerlei verklaringen voor haar stilte. ('Je liet me schrikken.')

'Hedda?'

'Ja', zei ze, nog steeds happend naar adem. Zij was de opdringerige. Zo stonden ze een tijdje te kijken, maar haar polsslag werd niet rustiger.

'Met rozen op de wangen', voegde hij er met een verkouden, hese stem aan toe. Niet verbaasd: 'Dat is bij mij wel anders. Ik heb griep gehad, weet je, daarom lig ik 's middags nog in bed. Gênant.'

'Och, arme ziel.'

Pauze. Licht.

'Het ging de hele kerstperiode al in de stad rond, er zijn een heleboel mensen ziek geworden. Ik heb twee weken in bed belegen. Ben net weer een beetje op. Het ziet er hier niet zo fraai uit, anders zou ik je wel vragen om binnen te komen.'

'Dat geeft niet.'

Hij keek haar scherp aan, zijn ogen vernauwden zich. Hij wist niet wat hij moest zeggen. Zij ook niet, maar ze moest opeens aan het kersje denken. 'Je bent bij mijn huis geweest om naar me te vragen.'

Hij keek weer naar het zakje en zei dat hij dat nog wist, maar dat hij de reden was vergeten – het was waarschijnlijk geweest vlak voordat hij griep had gekregen – en hij voegde er op een sceptische toon aan toe: 'Heeft Tom je mijn adres gegeven?' Hedda antwoordde niet. Binnenkort zou hij wel horen welke afstand ze had afgelegd om hier te komen, maar niet nu. Ze strekte haar arm uit om hem het zakje te geven. 'Kwam je deze soms halen?' Hij pakte het niet aan – dacht hij misschien dat het koekjes waren? – maar nam haar op van haar witte angoramuts tot haar witte overschoenen. Daartussen was ze vandaag groen, met mantel en handschoenen. Daar stond ze met een holle rug, zich lang te maken. Hij nam het zakje niet aan, maar zei: 'Kom dan maar binnen, voor wat het waard is.'

Toen hij 'voor wat het waard is' zei, was ze niet beledigd; het was immers niet zo bedoeld, het was een verontschuldiging voor de wanorde binnen. Daarna was het net als bij dansles: hij zette een stap achteruit en opende naar rechts, zij zette een linkerstap naar voren en vervolgens was het gewoon een kwestie van het appartementje in vloeien. Twee kamers, vanuit de hal zag ze beide, een woonkamer en een slaapkamer. Door een deur in de woonkamer die openstond, zag je de keuken, waar geen schoon glas of aardewerk meer in de kasten kon staan, alles stond vuil in de kamers. Ze onderdrukte een impuls. Het zakje was al een overmaat van huisvlijt, ze kon niet nog meer diensten aanbieden. Toen ze zich vooroverboog om haar overschoenen uit te trekken, zag ze zijn voeten, eentje aan elke kant van haar; lange, smalle voeten, elk botje verheven onder de huid. Die avond zou ze op haar kuit een schram zien die door zijn ongeknipte teennagels was achtergelaten.

Ze kwam voorzichtig overeind om niet tegen hem op te botsen. Hij hielp haar niet uit haar jas, maar had zijn neus in de sokken gestoken die hij uit het zakje had gehaald. Mmm, een lekker parfum. Ze antwoordde dat het gewoon haar zeep was, dat was natuurlijk een invitatie, maar ze maakte zichzelf wijs dat ze het zo niet bedoeld had. 'Een goede keuze!' Ze deed zelf haar mantel uit, maar vond geen kleerhanger, dus hing ze hem maar over iets anders heen, een slordige regenjas, en hij zei: 'Ik speel niet voor gastheer; als ik afstand houd, besmet ik je misschien niet.'

Zij: Ben je dan nog besmettelijk?

Hij: Geen idee, ik heb de laatste tijd niet geprobeerd iemand te besmetten. (Hij lachte.) Zij: Heb je koorts? Hij: Ik dacht dat die over was, maar hij lijkt nou weer terug te komen, Hedda …

Luigi liep even door het appartement om het te luchten. Hedda zat op een bank van wit rotan, op de tafel voor haar stonden drie kopjes, eentje daarvan had twee oortjes, eentje één, en eentje had er geen. Theebladeren en een bodempje soep. Ze stapelde de ene triviale uitspraak op de andere, zoals *wat zielig om net met de kerstdagen ziek te zijn*, of *is er wel iemand langsgekomen om voor je te zorgen?* of *heb je een koortsthermometer?* Het gevoel in haar middenrif zat er nog, ook al was het vacuüm weg.

Een soort gegronde stilte. Hoe minder ze zei, des te gegronder die stilte was. Conversatie is een nerveuze aangelegenheid, je voelt het wanneer die overbodig is. Hij stond met zijn rug naar haar toe te snuiven, het sneeuwde weer, zij keek naar zijn achterwerk, waarvan de stof van zijn pyjamabroek de vorm volgde zonder te trekken. De taille, het kuiltje in de zij en de spier, de achterkant van zijn bil. Ze keek naar haar handpalmen en toen weer naar zijn handvol, en hun blikken kruisten elkaar in de ruit, maar zij schaamde zich niet toen zijn ogen zagen wat zij bekeek. Het werd snel ijskoud in het kamertje, hij deed het raam weer dicht en ging bij haar op de bank zitten. Hij zat aan de zijkant, zijn ene been onder zich. Nog een dansende gedachte: ze probeerde zijn blik te vangen, maar hij keek langs haar heen alsof hij zijn passen aan het afmeten was, hij maakte de bewegingen die zij al zo lang had willen volgen. Een warmdroge hand in haar nek – koortshanden zijn koud, denkt zij – en toen kuste hij haar. Ze had geen tijd om erop te reageren, ook al was ze erop voorbereid – het zou wel een kwestie van tijd en de wijze waarop zijn. Toen hij merkte dat haar lippen zich sloten, trok hij de bittere punt van zijn tong door het spleetje terug en stond vermoeid op. Ze wist niet of hij moe was of dat dit hem verveelde, en ze stond op het punt om sorry te zeggen, maar bleef zwijgen. Met een paar stappen was hij de kamer uit, de slaapkamer in, om daar te snuffelen. De trivialiteit vereiste dat zij zou vragen *krijg je het niet koud?* Of *wil je dat ik de afwas even doe?* Maar.

Ze beleefde nog een keer, en nu langzamer, wat ze de eerste keer toen het gebeurde niet beleefd had. Zijn blik in de spiegel op haar blik op zijn billen. De schuurpapierdroge geluiden van voeten die naderbij kwamen over hout – was het parket? Zijn gewicht toen hij bij haar op de rotan-bank ging zitten, het krakende geluid, de manier waarop hij met behulp van zijn hand zijn linkerbeen op de bank vouwde, en de omtrek van zijn geslacht op zijn dijbeen. Hoe hij in elkaar kroop om dichterbij te komen, zijn arm langs haar uitstrekte en daarna zijn hand, die eerst boven op haar nekharen lag en er vervolgens onder, en hoe hij haar met de koortshitte der gezondheid naar zich toe trok of zichzelf naar haar toe trok, en zij die in zijn ogen keek terwijl hij langs haar heen kijkend haar halfgeopende lippen zacht ontmoette en – toen ze die instinctief sloot – met spot of brutaliteit zijn tongpunt door het spleetje ertussen terugtrok. Of mannen in het heden reageren, terwijl vrouwen beleven door te herbeleven? Spijt te hebben?

Hij kwam terug in zijn ochtendjas, de panden over elkaar geslagen en dichtgeknoopt met een ceintuur. Nog steeds op blote voeten. 'Bij ons in Skåne zeggen we barrevoets', zei ze. Ze moest nu immers wat zeggen. 'Maar je hebt mooie wreven.' Hij liet ze zien toen hij in de pluchen fau-teuil tegenover haar ging zitten; hij legde zijn voeten op de tafel tussen hen in en duwde het kopje met de twee oortjes aan de kant. 'Elsa en Pia hebben vlak voor Kerstmis ook griep gekregen,' zei hij, 'maar de echtge-noot is eraan ontsnapt.' Toen Hedda niet reageerde: 'Elsa heeft drie dagen in het ziekenhuis gelegen. Ze heeft ooit tuberculose gehad en ze heeft een vlek op haar longen. Toen de koorts opliep, hebben ze haar opgenomen.' Hedda vroeg met een geïnfecteerde blik: 'Hoe is ze daaraan gekomen?'

Hij zweeg, las haar gezicht: 'Geen idee, in de melkwinkel, van de kolen-boer. Niet van mij.' Pauze. 'Je zucht wel veel, Hedda.' Zij haastte zich om te zeggen dat ze tijdens de klim naar Mosebacke amechtig was geworden door de kou. Haar hand maakte een beschrijvende beweging bij haar middel, waar het nog steeds raar voelde. 'Op de terugweg loopt het af', antwoordde hij, zo langzaam alsof de ene letter van de andere viel. Voor het eerst haakten ze in elkaars ogen en daar vertoefden ze, uitputtend. Ze zei zacht: 'Bij ons was met de feestdagen ook niet iedereen gezond, onze jongste broer heeft kanker.' 'Ik weet het, Hedda, ik weet het.' Hij wist het. Nu moest ze toch haar blik neerslaan, haar ogen begon te tranen door het niet knipperen, door de openheid van de ogen, maar hij zou iets anders kunnen denken. Iets zo ontzettend goedkoops als dat ze dit wilde vertellen om tranen in haar ogen te krijgen en indruk op hem te maken. Hij kon natuurlijk niet weten dat ze zo'n type niet was, hij kende haar niet. Ze boog zich voorover om haar gezicht te verbergen en streelde hem onder en over zijn ene voet. 'Je hebt mooie wreven.'

Hij zweeg en bewoog zich niet. Ze ging een poosje door, pakte toen zijn andere voet, ze streelde zijn beide voeten, als het ware afwezig. Voor-overgebogen, haast rustend op haar dijen, had ze gewaarwordingen die op en neer door haar lichaam gingen, ze zag de kleuren van de fysiologie, blauw bloed, rood. Ze stak haar vingers tussen zijn tenen, goed oplettend dat ze hem niet kietelde maar dat de streling resoluut was, ze streelde, haar duimen rond zijn zoolkussentjes, stevig langs zijn voetholte, ze be-greep niet waar de kennis of de bedrevenheid vandaan kwam, zit die in je hart ingebouwd? Hij zei: 'Ben je gekomen om mij te verleiden?' Ze be-kende in één zin dat ze door de sneeuwval heel de Drottninggatan langs was gelopen, bij zijn zus had aangebeld, zijn adres hier had gekregen, de hele weg langs de Drottninggatan weer terug was gelopen, door Gamla Stan, omhoog naar Mosebacke, hierheen. 'Ik weet niet zo goed hoe de bussen en trams lopen.'

'Maar je wilde in elk geval hierheen.'

'Mijn god ...' Was zij dat of was hij degene die dat zei? Of zeiden ze het beiden? Haar duim had zijn achillespees bereikt en was nu bij de binnen-kant, waar de gevoeligheid enorm is en de hele huid een bewust orgaan wordt. Daar zat de hartslag, ze vond die, maar die was rustig, een paar seconden verkilde ze toen ze vijfenvijftig à zestig slagen per minuut telde en ze wist dat als hij haar hartslag aan haar vingertop zou voelen, hij zou registreren dat die bij haar op negentig lag. Op honderd. Dat was het moment dat ze haar soevereiniteit verloor en ze keek naar hem op. Zij had het initiatief genomen bij een voetflirt, maar wat nu? Als ze hem losliet, zou het vreemd worden; als ze gewoon doorging eveneens. Haar houding, sterk naar voren gebogen, maakte haar blik smekend; die van hem was aandachtig en heel zijn gezicht verbaasd. Een gecontroleerde, zelfbewuste verbazing. Een 'waaraan heb ik de eer te danken'-verbazing misschien. Ze moest oprecht zijn: 'Ik weet niet hoe dat moet, verleiden.' Hij pakte haar hand die zijn hiel vasthield. Haar greep was verstrooid geworden; zonder respons verliest alles zijn energie. Nu was het zijn beurt, met behulp van haar hand, die hij vasthield, stond hij op en liep om de tafel heen om weer bij haar te gaan zitten, weer met hetzelfde geluid van het rotanframe, weer met zijn linkerbeen gebogen onder zich. Zij had haar ogen neergeslagen, maar zijn ochtendjas had zich geplooid. Een versmolten beweging: de hand die haar pols vasthield, ging recht omhoog waardoor de onderarmen stevig tegen elkaar werden geperst, de vingers vervlochten zich even, zijn mond kwam weer dicht bij de hare, maar trok zich terug, hij hapte met zijn lippen rond haar mond, half glimlachend terwijl hij rond haar lippen joeg. Een tel legde hij zijn mond stil op de hare, uit zijn binnenste kwam de tongpunt terug om de binnenkant van haar lippen met zijn bittere smaak te zalven, maar daarna was hij in de positie voor de echte kus, de meer bezinningloze en bestendige, die maar op één andere manier kan bestaan. Dit was de kus waarop ze al jaren wachtte en ze wist die zonder oefening te beantwoorden. Zijn ene hand weer in haar nek, zijn duim tegen haar slaap, zijn andere hand drukte ritmisch in haar taille. Zij stak haar vrije hand onder zijn pyjamajasje en streelde zijn haarloze borst waarvan ze al twee maanden weet had, als reactie op haar aanraking voelde ze de warmte, ze streek wat strakker langs zijn zij, naar achteren, om zijn lendenen te strelen, ze drukte haar vinger tegen het bovenste staartbotje, waar ze zelf altijd de eerste, vluchtige signalen van een orgasme voelde. Hij was immers bijna naakt, door de afwezigheid van belemmeringen was ze minder geremd, haar vingers bevredigden onder het strelen hun nieuwsgierig. Na die kus ademde ze weer gemakkelijk. Haar hoofd lag op zijn arm. Hij pauzeerde even en ze keken elkaar aan.

Van zo dichtbij waren hun gezichten onbekender dan van een afstand.

Twee volslagen vreemde gezichten. Hij zag wat zij dacht. Ben je zonder bezinning, dan ben je een vreemdeling, en als je bij die ontdekking niet abrupt wilt stoppen, moet je haar verbergen. Hij haalde haar uit die situatie met kleine kusjes, kusjes die krachtiger werden en een meisje geil maken. Toch had ze nog wat verdere gedachten. Vingers telden haar wervels. Hij keek naar haar hand die daar in zijn lendenen geen reactie gevoeld had en nu op zijn schoot lag. Hij nam die in de zijne, vouwde hem eerst verleidelijk een klein beetje open (hij amuseerde zich de hele tijd een beetje, zij was serieus) en legde hem toen rond zijn lid, dat heel hard was en waar nog meer bloed in gepompt werd. Zij hield het vast, eerst rustte het in haar hand. De nieuwe kus hield even op, ze wilde naar zijn lid kijken. Van verlegenheid begon ze te blozen. En van geilheid, en blonde gezondheid. Opeens realiseerde ze zich dat ze niet blond was. Na een poosje sloot hij haar hand opnieuw rond zijn lid en daarna opende hij zijn hand en liet haar de onderkant strelen, hij likte aan haar twee vingers, hij bevochtigde die goed, hij kwijlde ze warm en bracht haar ertoe te trekken waar de gladde huid overging in het voorhuidsbandje. Nu was alleen hij het die 'Mijn god' zei en haar stevig over zich heen trok, zodat ze schrijlings op zijn schoot kwam te zitten. Ze droeg niet een van haar blouses met de vele knopen, maar een jumper. Hij trok aan haar mouwen zodat haar armen eruit kwamen, maar toen hij merkte dat er aan de hals een ritssluiting zat waardoor de jumper bleef steken, liet hij die verward met rust; die zat nu rond haar hals, op haar schouders. Ze droeg geen beha, alleen een onderjurk, omdat ze had gewild dat het zo zou gaan, snel, en hij stroopte een voor een haar schouderbandjes af en kuste aan haar rechterkant de plek van de vele aanhechtingen, waar de oksel, de schouderkogel, de borst beginnen, eerst licht, daarna zuigend, een wang tilde het gewicht van haar borst op, zijn hele gezicht tilde het op, liet het van de ene kant naar de andere vallen, sloot zijn warme, vochtige mond om haar tepel en gaf die een tongzoen als een mond, alsof de tepel zelf een tong was. Toen zij kreunde, werd zijn lid weer stijver, ook toen zij hem probeerde te kussen, maar ze was het niet gewend, hij wachtte en nam toen het initiatief weer.

Even was er een uitgeput moment, kalme zee. Ze omhelsden elkaar, wiegden wat heen en weer terwijl hun zintuigen weer op krachten kwamen, geslacht tegen geslacht, met haar onderbroekje en wollen broekje ertussen. Ze had de kracht niet meer om te kussen, zijn omhelzing werd steviger en zij wilde dichter naar hem toe. Nu klonken er hartslagen, zelfs buiten hen, die zonder ritme, uit de maat, om elkaar heen cirkelden. Eigenaardig, deze kalme zee, waarmee een neiging gepaard ging bij alles in te sluimeren en je door de frequentie van de schommelingen uit de koers te laten slaan. Ze maakte zich geen zorgen. Hij zei vaag: Je bent zo ... Er hing een vraag in de lucht. Ze wilde niet antwoorden of ze nog maagd was. Overbodige woorden, de mens heeft stembanden, een tong, een verhemelte en de gewoonte om te praten. Maar daar nam hij geen genoegen mee en hij hield hen op een taalspoor: Wil je dat we doorgaan? En hij wachtte op een antwoord dat zij niet gaf en vroeg het weer en hij nam geen genoegen met haar hongerige gepers of met hoe ze hem verleidde door tegen zijn lid te wrijven. Hij zei dat hij geil was na twee weken in bed. Maar hij was geen engel, als ze dat soms zocht. En dan had je nog het punt van hun, hm, gemeenschappelijke kennissen. 'Maar er was vanaf het eerste moment een spanning.' De hele tijd kuste hij haar in de haargrens, in haar hals, op haar borsten, hij haalde zijn baardstoppels langs haar schouder en bleef het vragen. Ze moest zeggen of ze het wilde, want anders moest ze gaan. Toen ze er niet onderuit kon om ja te antwoorden werd ze helemaal koud en een poosje stond het huilen haar nader dan het lachen omdat ze iets moest besluiten wat eigenlijk vanzelf behoort te gaan. Zijn heel onbekende gezicht keek naar haar op. De vorige keer had ze hem voornamelijk achter zich gevoeld, bij de projector, en daarna in de donkere straten, een poosje in de blauwverlichte ruimte achter het podium van de schouwburg. Zijn gezicht was onbekend. Enkele van haar haren plakten met speeksel in zijn baardstoppels. Als haar gezicht hem net zo vreemd was, waren ze geen minnaars, maar een samenloop van omstandigheden. Enerzijds willen en anderzijds niet, was hopeloos. Maar ze had ja gezegd en hij begon met een lichaamstaal waardoor ze weer werd opgewekt, geen geslachtspraat, maar elastische beweginkjes, ongeduld ingebed in lange, langzame omhalen.

Nog steeds zaten ze bijna roerloos, zij met haar kin bij zijn oor, hij met zijn voorhoofd in haar halskuiltje. Zij maakte voorzichtig de ritssluiting aan haar hals open en tilde haar armen op om haar jumper uit te trekken; toen ze daarmee klaar was, ving hij haar armen op in de lucht en hij hield ze omhoog terwijl hij ze van de elleboog tot de oksel kuste, zij was nu naakt tot haar middel en voelde haar eigen haar in haar nek, ook dat was heerlijk. Ze schudde haar hoofd, de uiteinden van haar haren zwiepten langs haar huid en haar wangen begonnen te gloeien toen ze flirtte. Hij beantwoordde haar glimlach met een beetje een schuine glimlach en probeerde de massage die zij zijn lendenen zojuist had gegeven te vergelden. Hij trok haar schoenen uit, ze was vergeten dat ze die nog aanhad, alleen de riempjes hoefden nog maar open, maar het kostte zo veel tijd. Hij haalde de twee leren knoopjes door de lusjes, twee aan elke kant, maar ze zaten strak en hij was veel te geduldig. Hedda verlangde naar zijn handen die haar voeten van hun schoeisel ontdeden, ze zei dat de schoenen ook gewoon uitgetrokken konden worden, maar hij wilde niet slordig doen. Hij tartte haar, ze was zo op het randje, ze keken elkaar recht aan, haar wangen rood, de ogen wit, de pupillen wijdopen, hij wist beide schoenen tegelijk uit te krijgen, maar sloot zijn handen niet om haar voeten. In plaats daarvan ging hij ermee langs haar gespreide benen omhoog, alles was immers toegankelijk, zijn ene hand streelde de binnenkant van haar dijbeen boven de rand van haar kous en begon een jarretelleknoopje te openen. Zijn andere gleed onder alles wat ze aanhad en sloot zich eerst over haar hele schoot, waarna hij zachtjes en zonder het brute aanhouden waar zij zich van bediende, haar buitenste en binnenste schaamlippen en haar clitoris begon te strelen. Ze was nu een half uur bij hem, niet langer. Die gedachte ging opeens door haar hoofd. Toen hij haar eindelijk zo heerlijk aanraakte, was ze meteen klaar om in lange stuipen genot uit haar lichaam te melken, maar vervolgens kwam als zo vaak de onverklaarbare retraite, waarbij haar gevoel zich inkapselde en ze haar hoofd introk. Toen dacht ze aan hoe laat het was.

Hij bleef doorgaan, met zijn oor tegen haar borst, onderwijl iets vreemds neuriënd. 'Jouw stembanden maken van zichzelf geluid', zei hij. 'Heb je dat gehoord?' Hij imiteerde iets wat op de wind in het want leek. Zij zweeg en reed een beetje, wist niet waar ze kijken moest, haar borst hief zich. 'Zullen we gaan liggen?' Hedda zei: O, wacht nog even. Hij haalde zijn hand weg, zij: Nee!, hij plaatste zijn andere hand terug en twee nieuwe vingers gingen aan het werk, en toen tilde hij zijn onderlichaam op tegen dat van haar, maar hij was als het ware discreet en hield zich in toen zij onverwacht snel de noot kraakte, en daarna maakte hij zich los terwijl zij probeerde hem vast te houden. 'Sorry', zei ze toen ze alles gegeven had, nee, niet helemaal, hij begon weer opnieuw maar stopte. Met Hedda's benen rond zijn middel stond hij op. Hij droeg haar drie stappen, maar 'dat gaat niet, daar heb ik vandaag de kracht niet voor' en hij zette haar op de grond, 'je hebt vandaag geen echte vent uitgekozen'. Zij dacht dat hij hét niet kon, maar hij kon haar alleen niet dragen. Thuis had ze zich pas nog gewogen: drieënzestig kilo. Ze zette op kousenvoeten kleine stapjes achteruit en kwam onder zijn blote voeten terecht. Samen knoopten ze de rij knopen aan de rechterkant van haar rok open, die viel; Hedda boog zich voorover en trok ook haar broekje uit, zijn erectie tegen haar wang, in haar ooghoek; op haar dijbeen en kuit voelde ze hoe doornat haar broekje geworden was. Het bed was hoog, maar smal, niet zo gul als het bed dat ze in de Drottninggatan gezien had, waar ze ook de coldcream had gezien en – ze herinnerde het zich duidelijk – de 'Pondcream van de hertogin van Leinster' – en de ochtendjas van een vrouw. Een vlammetje – niet direct van jaloezie maar daarmee verwant – maakte dat ze haar kin naar voren duwde en ze pakte hem beet op een manier die brutaal bedoeld was. Hij vond dat mooi, zij stond met haar knieholtes tegen de rand van het bed, slechts gekleed in jarretelle en kousen, hij hield haar tegen toen ze achterovierviel zodat ze haar hoofd niet zou stoten en hij keek op haar neer en drong een heel klein beetje bij haar naar binnen. Hij ging op zijn knieën en maakte haar kousenbanden los, waarna hij op zijn handen steunde en dieper naar binnen drong. Waar was haar maagdelijkheid nou? Haar weerstand ontbeerde elke dramatiek, zij lag met haar armen zijwaarts en hield haar ogen open omdat dit voor de eerste keer gebeurde. Het schrijnde een beetje, het kneep, maar hij zei buiten adem dat ze toch niet zo 'ongesmeerd' was als hij had verwacht. Nu kwam er ook een geluidje van haar stembanden, geen wind door het want, maar iets glads en warms. 'Ja', zei hij glimlachend toen ze heen en weer begon te draaien en met haar heupen begon te schuiven, maar toen ging hij uit haar en begon haar jarretellegordel af te doen. Daar zaten haakjes aan waar ze hem mee wilde helpen, maar hij duwde haar hand weg en maakte ze open, liet zien dat dit niets nieuws voor hem was. Hij zette zijn knie tegen de rand van het bed en terwijl zij haar achterste optilde, trok hij haar laatste kledingstuk uit. Hij keek op haar neer, zijn gezicht smolt en hij stootte weer naar binnen, trok zich terug om echt al haar kledingstukken uit te trekken, ook haar kousen, zijn lid in het zwakke licht geglazuurd met haar lichaamssappen, en eindelijk lichaam tegen lichaam. 'Kom, kom terug', zei Hedda. Dat wilde hij immers; ze waren nu zo intensief met elkaar bezig dat ook het vreemdelingschap, of dat ze hier drie kwartier of een uur was geweest, tussen hen wegbrandde. Maar toen zei hij dat hij niets in huis had en dat als zij niet op de een of andere manier beschermd was – wat hij zich niet kon voorstellen – hij zich voor het orgasme terug moest trekken. Zij vond het helemaal niet prettig om te horen wat er allemaal zou gebeuren, want ze wilde gewoon de stroom van de gebeurtenis. Dat zei ze niet, maar liet ze zien met haar gedraai, haar strelingen en glanzende ogen, haar benen stevig om zijn lendenen. 'Iemand moet de verantwoordelijkheid nemen,' zei hij tam, 'verdomme, wat ben ik slap.' Maar hij drong weer naar binnen, het deed nu pijn, er stond spanning op haar weefsels, maar ze wist het onaangename gevoel te onderdrukken, ze voelde het genot in zijn lichaam en werd weer ongelooflijk geil, maar op een andere manier, aandachtig, teder en gevoelig in vergelijking tot daarnet, toen hij teder was geweest en had gezegd 'flinke meid'. Zou ze zeggen … Nee, het was omdat ze een beginneling was. Hij trok zich verschillende keren terug en drong weer naar binnen en streelde en kuste haar ondertussen over haar hele lichaam en omhelsde haar in diepe rust en drong weer naar binnen en ten slotte wist ze niet meer waar ze het zoeken moest en toen vroeg hij: 'Ben je moe?' 'Ja.' Toen ging hij zwaar boven op haar liggen en hij nam haar opnieuw en toen ze hem met haar buik omhoogduwde en hem kuste, werd zijn lid nog stijver in haar en na een poosje rukte hij zich los en legde haar handen eronder, en hij begon stil te stoten en te komen, haar handen waren ontoereikend, en nadien zei ze dat ze het heerlijk had gevonden om te voelen hoe de warme kledder op haar spoot, maar dat wees hij geërgerd van de hand en hij zei dat ze het op een andere manier moesten oplossen ingeval dit opnieuw wilde kunnen gebeuren.

Ingeval?

Ook hij had geen warm water, zijn kleine badkamer was onopgeruimd, de handdoek smoezelig, maar ze gebruikte hem toch. Ze bloedde maar een heel klein beetje. Het toiletpapier was glad. Zij ging eerst, hij daarna. Hij liep naar het bed en keek naar haar en ging daarna opnieuw de boel luchten. Hoe laat zou het kunnen zijn? Het was donker en het sneeuwde nog steeds, het sneeuwde, het wervelde buiten wit, het waaide en sneeuwde en je zag hoe de wind figuren in de sneeuw tekende. Ze lagen samen onder het dekbed naar de sneeuw en de wind te kijken, die zelden, maar toch een enkele keer, draaide en iets naar binnen joeg wat op de vloer smolt. Zij lag op haar rug, hij op zijn zij. Haar hart was rustig, dat van hem moest nog wat meer tot bedaren komen.

Zij wachtte misschien op vragen of waarderende woorden, maar die bleven uit. Eigenlijk ademden ze alleen maar. Kletsten wat over het weer. En hij wilde natuurlijk weten of ze blij was. Ze antwoordde dat ze gelukkig was. Hij zweeg, en er ontstond wat spanning. Zij moest er opeens aan denken dat vertrouwelijkheden die je in het voorbijgaan uit, kringen op het water verspreiden. Ze had aan een van haar broers toevertrouwd dat ze verliefd was – om het sombere gesprek in een auto te verlichten – en hij zou misschien aan een andere broer hebben kunnen vragen op wie ze verliefd was, en diegene, of eerder nog zijn vrouw, had er bij Ugly naar kunnen informeren.

Ze nam zijn hand weg van haar borst en schoof onder het been uit dat hij tussen die van haar had gelegd. Ten slotte moest ze iets zeggen wat eraan herinnerde dat zij de verantwoordelijkheid droeg. Zij was hiernaartoe gekomen. 'Wanneer begreep je dat ik ... jou wilde zien.' Hij was half weggedommeld en deed zijn ogen open. Toen hun gezichten zo dicht bij elkaar lagen, op hetzelfde hoofdkussen, was er geen vreemdelingschap meer zoals voor het liefdesspel. Hij lachte: 'Meteen.' 'Hoezo?!' (Ontzet) 'Ik werk immers met acteurs. Die oefenen op natuurlijke gezichtsuitdrukkingen. Toen jij de eerste avond iets tegen me zei, trok je slaafs je hoofd terug, provocerend, je ogen vernauwden zich, ze werden schuin en vochtig.' Hedda herkende die beschrijving, maar haar gezicht kon zich geen mimespel op die avond herinneren. Het was immers donker geweest. Ze dacht aan Elsa, die het had gezien. Hij vroeg:

'En wanneer wist jij dat ik jou wilde hebben?' Ze was stil, ze dacht aan zijn rode pet, de whiskygeur. De vraag die hij stelde was de betaling voor die van haar, die hij net beantwoord had.

'Ik weet niet of je dat wel wilt', zei ze na een stilte. Ze keken elkaar aan, ze hielden voor het eerst elkaars hand vast. Hij kuste haar omdat hij dat moest, daarna opnieuw omdat hij het wilde, ze sloegen hun armen weer om elkaar heen, zo loom na de eerste keer dat geen van beiden dacht aan risico's en voorzichtigheid.

Film

In het begin van onze correspondentie had Hedwig Langmark zich laten ontvallen dat ze gefigureerd had in de serie 'Het mooiste meisje van de week' in *Vecko-Journalen*. Dat was in het jaar voordat ze weer een brunette werd en het harmonische van haar gelaatstrekken verloor, schreef ze. Ik heb me nooit verdiept in wat ze met dat laatste bedoelde.

Bij mijn volgende bezoek aan de universiteitsbibliotheek liet ik drie jaargangen van het weekblad komen en in een aprilnummer van 1938 vond ik haar. Juffrouw Hedda Frohm. Omdat het de paasweek was, stond ze afgebeeld in de sneeuw, met de vermelding dat ze in de plaats Sälen poseerde. Op de achtergrond een hard bevroren bovenlaag van zonbesprenkelde sneeuw, rechts op de voorgrond een berk met katjes. Maar het was een studiofoto, er is geen gezicht dat er in de vrije natuur zo uitziet. Ze hield skistokken tegen haar borst. Vanaf de heuvel op de achtergrond liepen rechte sporen door het wit naar de uiteinden van haar ski's. Aan haar handen wanten met kwastjes, op haar hoofd een gebreide helm met een schuingestreept kinbandje. Een strakke pullover met een riem.

Het bijzondere is dat als je de ene foto met de andere vergelijkt, Hedda niet op zichzelf lijkt. Het dromerige meisje met de lange kraagpunten dat een jaar eerder als eindexamenkandidate op het bordes had gestaan was nu een heel ander persoon, blakend en tevreden. Waren de sproeten echt? De wenkbrauwen die op de eerste foto krachtig en hoekig waren geweest waren nu geëpileerd en gebleekt en maakten een onschuldige indruk. Twee vlechten staken onder de muts uit.

Juffrouw Frohm, die het afgelopen jaar in Lund 'student had kunnen worden', koos ervoor om 'de studenten te laten lopen' en daarmee ook de kans om uiteindelijk professorsvrouw te worden. Ik ben zelf immers intellectueel, glimlacht ze. Een meisje dat weet wat ze wil. Aan de Academie Borg-White wordt juffrouw Frohm opgeleid tot kledingontwerpster. Ze verdient alle eer,

zegt mevrouw Elina Söderbergh, actrice, die vanaf het allereerste begin ge-
bruik heeft gemaakt van de diensten van de ABW, *de nieuwkomer in de*
Stockholmse modewereld die al snel een goede naam heeft opgebouwd. Wat
mevrouw Söderbergh er niet van weerhield de jongedame meteen voor de film
'in te pikken', en tot op heden heeft dit initiatief van de beschermengel tot
een kleine rol geleid in Stuurman Sonja *en tot een grote in* Wilt *jullie het*
weten …, een hedendaags drama dat Hampe Faustman van plan is op het
witte doek te brengen. Zoals bekend praat je niet over de leeftijd van dames,
maar als je net twintig bent geworden heb je natuurlijk niets om je voor te
schamen. Op het punt van de romantiek is juffrouw Frohm heel beslist; die
wil ze naar de toekomst verschuiven. Eerst ga ik de coupeuseopleiding aan de
ABW *afmaken, vertrouwt ze* Vecko-Journalen *toe. Daarna wacht een studie*
aan de universiteit tot kinderarts of archeoloog. Wie weet, misschien wacht
zelfs die aanstaande professor dan wel … Ik weet nog helemaal niet of ik
acteertalent heb, constateert de jongedame bescheiden. Al op Tweede Kerstdag
hebben we de gelegenheid om dat zelf te beoordelen. Dan gaat Stuurman
Sonja *in première.*

Hedwig liet weten dat haar aanstaande echtgenoot, die ze daarvoor
al een beetje kende, door dit artikel oog voor haar had gekregen. 'En al
met al was het toch een geluk dat hij het was die me kreeg. Wanneer ik
terugkijk op vriendinnen van vroeger is het heel opvallend hoeveel er bij
waren die echt hun best deden om een stijve hark aan de haak te slaan
van wie ze dan een soepele gigolo wilden maken.'

Hahaha, lachte ik terwijl ik die woorden in mijn oren knoopte voor
toekomstig gebruik. Wist het mens niet dat 'gigolo' tegenwoordig heel
wat anders betekende dan vroeger?

Onderbreking van de werkzaamheden. Ik had afspraken in Stockholm
en via een contact kreeg ik de gelegenheid de twee films van Hedda te
zien. De Edvard Perssonrolprent had ik op tv al afgevinkt; ik had niet
met zekerheid kunnen zeggen wie van de zingende figuranten zij was
geweest. De film die *Stuurman Sonja* heette, was 's middags ook op tv
vertoond, maar die had ik niet gezien. Die namen we nu eerst. Hij begon
schrapend met een vrolijke accordeonwals, veel strepen, scheuren, zigzag-
patronen over de inleidende teksten die snel werden afgewerkt: acteurs,
camera a en b, producent, nog een paar mensen, muziek van Kai Gullmar
en verder de handtekening van de regisseur diagonaal.

De film opende met een telefooncentrale: een kakofonie van juffrouw-stemmen, een hele batterij aan glimmend blonde hoofden op een rij, handen die doorverbonden, voeten die schoenen uitschopten of hun tenen onderdanig samenknepen, de rechterwreef met de punt van de linker-teen krabden, stiekem een jazzritme tapten. De laatstgenoemde voeten behoorden toe aan de hoofdpersoon. Sonja (Birgit Tengroth) kwetterde: 'Nee helaas, majoor, er is niets veranderd sinds de vorige keer. Ik heb niet de bevoegdheid; mevrouw Von Ganthoff heeft zelf besloten dat het geheim moet blijven. Tot ziens, majoor. Hotel Splendide, goedemorgen.'

Verstrooid volgde ik de intrige, die ging over de juiste/verkeerde keus, mannen en levenspaden. De jongen uit het volk, de veearts (Sture Lager-wall), die wilde dat Sonja naar het eiland Brackensö terug zou verhuizen om (gezang) *elkaar een heerlijk leven te bereiden*. De tweede man (Håkan Westergren) had een persvouw in zijn broek en beweerde dat hij connec-ties aan het hof had. Zijn snor krulde; zo belerend als hij naar Sonja was, zo voorkomend was hij naar de ritmeester.

De toetssteen, de archipel op het verkeerde moment:

de paastijd. De cameraman zag het ijs kruien en kreeg een film bin-nen de film, vijf minuten natuur die uit liggende positie omhoogkwam. IJspunten. Ophopingen. Vervolgens de veerboot naar Waxholm met Sonja fris en bevallig op de voorplecht, haarlokken die haar in het gezicht striemen, appelwangen. De verloofde met een bleek gezicht in de salon. 'Och, wees toch niet zo'n binnenzitter, lieveling, kom naar buiten in de frisse lucht, dan gaat het over!' 'En me een verkoudheid op de hals ha-len, o nee, bedankt.' Sonja's vader is niet de eilandvisser die we verwacht hadden, maar een vermogende herenboer met (zingend) werkvolk. Hij kijkt sceptisch bij de eerste aanblik van Birger, die bleek om zijn neus ziet ('Lieve papa, wees lief voor hem, maak hem nu niet bang met uw brompotmanieren'), en dof wanneer hij de gemanicuurde hand van de beoogde schudt.

Twintig minuten verder in de handeling: verloofde Birger blijkt niet de eminente paardenman waarvoor hij zich heeft uitgegeven. Hij weet slecht de sporen te geven, beteugelt het paard bruusk, wordt afgeworpen en ligt met een gebroken arm en een lichte hersenschudding. Zijn rivaal heeft hem bij een steenhoop gevonden en hem vastgegespt op een houtkar en naar huis gesleept. Sonja is aan twijfel ten prooi. De kinderen van de boerenarbeiders rennen eromheen als verklede paasheksjes – gedresseerd voor de film: gaan rennen wanneer de camera begint te lopen.

Na nog weer een kwartier verscheen Hedda in haar eerste scène. Met de stoomboot arriveren de jongere broer en zus, die in de kost zijn in een stad waar een grote school en een huishoudschool zijn. De kleine Olle. En Stina.

Het is voor het eerst dat ik Hedwig Langmark, toen nog Carlsson, zie. Ik krijg een beetje hartkloppingen, word nerveus en wil dat ze het er goed zal afbrengen. Hedda is lenig, ze danst de steile loopplank af. Ze heeft brede schouders, maar smalle heupen en lange benen, met slanke voeten. Haar fysiek straalt gezondheid, maar ook kwetsbaarheid uit. Dat moet het zijn geweest wat die oude kerels van producenten deed toehappen. In de film is ze uitgedost als een jong meisje, ze probeert over te komen alsof ze nog maar vijftien is, met haar sjaaltje in haar nek geknoopt, kniekousen en geforceerde manier van doen. Ze is totaal ongeschikt voor de rol, te lang en te goed geproportioneerd, en ongeïnteresseerd in het boerenmeisje dat ze vertolkt.

Haar enige echte dialoog is 's avonds in de gemeenschappelijke meisjeskamer waarin zij, zeg maar, Sonja's gedachten verwoordt: Birger is oppervlakkig, de ander is solide, pak het geluk waar het zich voordoet in plaats van het na te jagen enz. Haar stem is van nature donker, ze zet een hogere stem op en wordt een beetje hees. Ze spreekt niet met een Skånse tongval, maar er komt wel een j uit in plaats van een r.

Op Eerste Paasdag is er storm voorspeld en iedereen behalve Birger brengt de boten in veiligheid, doet luiken voor de ramen, haalt gereedschap naar binnen en vergrendelt de schuren. Hedda/Stina loopt in een hevige sneeuwjacht met eten naar moeder Malin, zodat het oude vrouwtje verzorgd is voordat het noodweer losbarst.

Het oog van de storm biedt de artistieke cameraman nieuwe mogelijkheden. Stilte, het gladde water dat elzen weerspiegelt, hars, een pas in de teer gezette roeiboot. De stekelbaarzen vluchten met sprongen over het oppervlak voor de snoek en maken kringen wanneer ze terugkeren naar wat wij niet zien. Lukrake vogelvluchten boven zee, een waakzame zeevogel.

Keerpunt: tijdens brullend onweer worden er in de schaapskooi lammeren geboren. Sonja en Sture Lagerwall zwoegen zij aan zij, en nadat ze ook de lastigste bevalling tot een goed einde hebben weten te brengen en er in de stal teer gemekker weerklinkt, is het haar duidelijk dat blablabla. Maar voordat de film mag eindigen, moet Birger om de een of andere egoïstische reden naar buiten de storm in. Gevangen door de wind en de golven schreeuwt hij om hulp. Sture hoort dat, werpt zich erin en redt voor de tweede keer dit onwaardige wezen, dat een flinke klap op zijn bek nodig heeft wanneer hij aan land wordt gesleept, maar nog steeds niet naar rede luistert. Eindelijk is de film afgelopen doordat ze beloven *elkaar een heerlijk leven te bereiden*.

Hoe konden de mensen vroeger die stereotiepe intriges die steeds meer een parodie van zichzelf werden verdragen? (Hoe doen ze dat nu ...)

Wilt jullie het weten is een synopsis van langdradigheden. Als Hampe Faustman de film gemaakt had, zou hij het script hebben opgeschoond en ritme in de handeling hebben aangebracht. Hier lijkt elke scène te zijn gedraaid met de duimstok ernaast: de ene even lang als de andere. Het trage mocht zijn inwerking niet hebben, het snelle niet opschieten. Hedda speelde een actrice 'met een verleden', die in een pension in de archipel verliefd wordt op een dirigent (het dirigeerstokje in de aanslag en de *Peer Gynt*-suite op de geluidsband. Elke keer dat hij zijn kunst be-oefent, is het Grieg). Nu ik eenmaal wist hoe ze er bewegend uitzag, was ik niet meer zo nerveus en observeerde ik haar grondig. De handen met de slanke, sterke vingers, de kaaklijn die niet helemaal symmetrisch was, ze had en profil een goede en minder goede kant, maar leek zich daar niet van bewust. Haar ene oog kneep ze soms wat dicht, de mondbewegingen waren wat omstandig, maar dat kan met de logopedist te maken hebben gehad. Hedwig kon geen rollende r uitspreken. In *Stuurman Sonja* kon dat er nog net mee door, met de weinige tekst die ze daar had. Hier lieten ze haar een adellijk hoogdravend Zweeds praten.

Huwelijk, geluk, miskraam, een doodgeboren jongetje, de volgende miskraam (flauwvallen) op de bühne wanneer ze Nora speelt. Het pu-bliek denkt dat het erbij hoort en applaudisseert. Zij staat erop terug de bühne op te strompelen en de voorstelling af te maken. De actrice wordt gekweld door enorme gewetenswroeging, gelooft in vervloekingen en vreest dat haar 'verleden' wraak neemt. De man van vroeger was een aan cocaïne verslaafde, zo begrijpen we. Pokdalig van een onnoembare ziekte. Zij wil de dirigent loslaten. Haar vallen de blikken op die de harpiste op hem werpt, haar brede heupen, haar jonge kernhout. De cocaïneverslaafde komt weer boven water en zoekt haar op tijdens een tussenakte bij *Het poppenhuis*. Hij heeft geld nodig. Het ondernemende, dat ze ooit zo verleidelijk vond, blijkt lafheid te zijn, kattengoud. De actrice besluit haar straf te aanvaarden en volgt hem. Met vervalste brieven dirigeert ze haar echtgenoot en de harpiste in elkaars armen. Muziek: *ik geef zo om jou, en al was ik je vrouw, en kan ik niet zeggen hoe mooi je bent, toch laat ik je staan voor een ander.* In de slotscène zit ze op een bankje in Zuid-Amerika.

Wat een draak; ik snapte wel dat de Zweedse televisie hem niet had vertoond, ook al hadden ze er niet onderuit gekund hem samen met andere films uit de jaren dertig in één pakket aan te kopen. Was Hedda voor haar vorige rol veel te oud geweest, voor deze was ze absurd veel te jong, een jaar of tien, vijftien. Maar reuzemooi in zwarte jurken met haar dromerige ogen beschaduwd door marterharen, en met blonde lokken die zich hadden losgemaakt uit de haarspeld in haar nek. Ze gingen in de filmstudio's weinig zorgzaam met Hedda om. Gebral uit een havencafé, een man die talmend naderbij komt onder de straatlantaarn, haar sigaret aansteekt. Vraagt of ze zich daar wel op haar gemak voelt, zo helemaal alleen, of hij haar ergens naartoe moet begeleiden. Zij antwoordt hees: 'O, ik schep een luchtje. Ik blijf niet lang, ik moet weg.'

Drie nieuwtjes

Beste Hedda,

Ditmaal ben ik het dus die je schrijft om meer gedetailleerd te vertellen over de resultaten van de operatie na je moeders onmiddellijke, maar wat korte telefonische verslag. Je kunt het wat rustiger opnemen dan je aanvankelijk deed, naar we begrepen hebben. Åke is dus in de ochtend van de zeventiende januari geopereerd. Tot op het laatst was niet vastgesteld hoe omvattend de operatie zou worden, maar na gruwelijke onderzoeken en röntgenopnames van de hele jongen is er gekozen voor de mildere variant, waarbij zijn arm tot drie centimeter boven de elleboog is verwijderd. Dat zal het later gemakkelijker maken om een prothese aan te brengen en die te gebruiken. Åke was wat verward van de narcose, maar op de derde dag is hij al beter in vorm, hoewel ze hem morfine geven, want dit voel je natuurlijk nog wel een hele tijd. Christian en ik hebben gesproken met de professor, die zegt dat ze een veiligheidsmarge hebben genomen en dat er geen verdere verspreiding is. De patholoog is de volgende die het nu voor het zeggen heeft. Op dit moment lijkt er goede hoop te zijn dat de jongen geneest. Hij zegt dat hij van plan is gezond te worden en geen moeilijkheden meer voor ons te veroorzaken. De arme ziel – maar dat mag je niet zeggen, want dan maak je het nog erger. Een mens moet in stilte huilen. Het komt vast wel goed. Je broer was hier met zijn stiefdochter en dat heeft moeder erg goed gedaan. Jij had niets kunnen doen, dus ik verwijt jou niets. Maar stuur een groet. Hij is nu wakker genoeg om daar blij mee te zijn. En in een kamer met alleen maar oude mannen valt er voor hem niet veel te lachen.

Wees met ons in onze hoop en kom langs wanneer hij weer thuis is, jouw vrolijke lach helpt.

Groeten van

je vader

Lund, 29 januari 1938

Allerliefste Hedda,

Na bijna twee weken hebben we nu bericht van de pathologen gekregen. Die hebben het hunne gedaan en zeggen dat de zwelling op zichzelf niet van de meest agressieve soort is en dat er geen uitzaaiingen te bespeuren zijn. De professor zei in een gesprek vanochtend dat niemand van ons meer dan dat over zijn eigen gezondheidstoestand kan zeggen. Wie kan garanderen dat hij gezond en wel is? Dit is nu achter de rug en de volgende stap is herstellen van de ingreep en het leven weer oppakken. Vader bekostigt een kuur voor ons in Denemarken, in Grünmoelle op Falster; Åke en ik gaan daar op 15 februari heen, daar zijn we allebei wel aan toe. Het verbinden en de medicatie worden nu nog door het ziekenhuis verzorgd, er komt twee keer per dag een verpleegster, en verder komt nu alles alleen op mij neer. C&K komen zo vaak ze kunnen en daar knapt hij natuurlijk meer van op dan van zijn oude moeder. En verder was ik zo blij: Tom kwam met zijn dochtertje – zo noemen we haar maar. Ze kwamen met de auto, heen en terug, van donderdag tot maandag; die tijd heeft hij ondanks drukke dagen genomen. Het is een troost dat het allemaal goed gekomen is en dat ze getrouwd zijn en samen een gezin vormen met een eigen thuis. Ik vind dat hij er wat stabieler door geworden is. En de kleine Pia is een schattig kind, technisch gezien mijn eerste kleinkind. Haar bloedeigen grootmoeder van vaderskant leeft niet meer. Åke was nog te suf om hen te kunnen ontvangen, maar voor ons was het bezoek een grote opluchting na alles wat er is gebeurd. Nu wachten we gewoon op jou, vrouwtje. Zou jij heel misschien voor vader het huishouden kunnen doen wanneer Åke en ik naar het kuuroord zijn? Het zou alleen om die maand gaan.

Hij is nu veel kwieker, en gaat elke dag even de tuin in wanneer het niet te koud is. En hij wordt zo 'omzwermd'. Het is heel ontroerend. Van zijn vrienden hebben er zich nog niet zo velen hier gewaagd, jongens zijn ook zo gevoelig. Maar de meisjes! Ze komen met bloemen, koekjes en schoolboeken, om het huiswerk te laten zien. Ik wist niet dat hij er al zo veel kende uit de meisjesklassen. Een aantal woont hier natuurlijk in de buurt, Britta Berglund komt dikwijls, en Signe von Thor en Ingeborg Epstein, maar vooral Tora Bellone mag hij graag zien, en die is ontzettend knap geworden met haar rode krullenvlechten en die sproetjes op haar neus. Ik probeer haar oogkleur ergens mee te vergelijken. Geen korenbloem, geen viooltje, eerder het zandblauwtje. Hij is betoverd door haar, maar weet nog niet of hij daar wel aan durft toe te geven. Ze vindt het misschien alleen maar spannend nu, zegt hij. Hij had kunnen zeggen dat ze misschien alleen maar uit medelijden komt (wat ik niet geloof), maar hij is te fijngevoelig tegenover mij om dat te zeggen. Ik leg hem geen strobreed in de weg; alles wat helpt, is welkom. Overdenk je plannen nog eens, lieve Hedda. Het gebeurt niet vaak dat we in de familie elkaars hulp en steun zo goed kunnen gebruiken, en jij bent bij eerdere gelegenheden toch ontzien. Åke zegt natuurlijk niets en hij is blij met de brieven, telefoontjes en cadeaus, maar ik weet dat hij ernaar verlangt om thuis met jou te praten. Als alleen vader en jij thuis zijn wanneer wij vertrokken zijn, heb je natuurlijk de tijd om te naaien wanneer vader naar zijn werk is, je hoeft er dus niet eens schade van te ondervinden. Tom vertelde overigens dat jij wat naaiwerk voor de filmstudio's mag doen. Wat leuk dat ze je dat laten doen, enorm vleiend. Ik ben er zo trots op dat ze je dat laten doen.

Met de warmste groeten van
je moeder

Lund, 3 feb. '38

Beste Hedda,

Je vroeg me met Kerstmis iets waar ik niet op kon antwoorden. Na de operatie, die technisch gezien heel goed is verlopen, al het tumorweefsel kon worden verwijderd, en met het blote oog of met de apparatuur die tijdens de operatie ter beschikking stond, konden geen uitzaaiingen worden vastgesteld, kwam de uitslag van de patholoog, en ook die was veelbelovender dan we misschien hadden gevreesd. Het omringende beenweefsel (verschillende soorten weefsel) is voor zover men heeft kunnen beoordelen niet aangetast en dat zou *the end of it* kunnen zijn. Maar de ziekte heeft zoals bekend andere verspreidingsvormen dan lokale. De tumor in Åkes arm behoorde tamelijk onverwacht niet tot de meest riskante categorie van botziektes – jij kent de terminologie niet en ik ben niet van plan daarmee om me heen te gaan zwaaien. Maar helaas ontstaan er vaker wel dan niet metastasen (dochtergezwellen) in andere organen. Jullie vader weet dit en hij wil dat jullie kinderen daarop voorbereid zijn (Christian weet dat natuurlijk al lang), maar jullie moeder niet; zij moet hoopvol blijven, want het grootste deel van de verantwoordelijkheid voor de zorg komt op haar neer. De kwestie is deze, Hedda, dat zij de aard van de ziekte voor anderen geheimhoudt, voor de school, voor vrienden, zelfs voor de verdere familie. De familie weet niet beter of het is letsel dat moeilijk geneest en dat tot beenmerginfectie kan leiden, of wat ze ook verzonnen heeft. Voor kanker schaamt ze zich. Ze vroeg Tom of hij het aan meer mensen dan Elsa heeft verteld en ze werd boos toen hij dat toegaf.

Samenvattend is er nu in elk geval wat meer hoop dan verwacht, garanties zijn er echter niet, maar, zoals moeder Beate vaak herhaalt, er is natuurlijk niemand van ons die garanties heeft. Voor haar is de hoop het licht aan het eind van de tunnel geworden, alsof ze al bijna de uitgang heeft bereikt.

Dat niet Christian maar ik dit schrijf, komt doordat hij nog steeds niet kan begrijpen (boos is) dat jij naar Stockholm bent vertrokken terwijl 'jouw plaats' hier is. Ik wil hier graag opmerken dat ik zijn mening niet deel, of dat ik in elk geval begrip heb voor jouw kant van de zaak. Je kunt natuurlijk niet gewoon wachten tot het leven gaat beginnen terwijl ondertussen de tijd verstrijkt. Vooral niet wanneer dit alles eraan herinnert hoe kort het leven is. Omdat broers alleen maar oog hebben voor wat meisjes niet hoeven en niet voor wat ze wel moeten, vinden ze altijd dat zussen er gemakkelijk afkomen.

Geen kwaad woord over jouw ouders; ik heb zelf mijn toevlucht tot listen moeten nemen om datgene te kunnen doen waarvoor ik denk ik geschikt ben, en ik heb het gemakkelijker omdat we met drie meisjes zijn en ik de enige ben die beroepsambities heeft (een van mijn zussen kan die ook niet hebben, want zij is zwaar gehandicapt en verblijft in een inrichting). Ik heb veel mensen gezien die hun leven op een zijspoor hebben gezet terwijl ze hun plicht jegens anderen deden. Ik vind niet dat je je vader en je moeder eert door in de schoot van de familie te blijven. Ze hebben immers zelf de mens geschapen die jij bent, niet een meisje of vrouw in haar algemeenheid, maar een mens met eigenschappen om te ontwikkelen. Logisch gezien eer je hen door je te ontwikkelen, niet door regressie. Als ik kinderen krijg (in een niet al te nabije toekomst, hoop ik) zou ik het heel verdrietig vinden als ze hun mogelijkheden en talenten niet zouden durven of willen beproeven.

Daarmee niet gezegd zijnde dat een mens alle verzoeken om hulp moet afwijzen. Zo bedoel ik het niet. Een mens kan niet volledig zus of volledig zo zijn. Ik zal niet meer schrijven, maar wat er ook gebeurt, als je wilt ben ik er voor je,

Karin

DEEL 4

Het portaal

Monogram

Wat je in staat bent te doen, kun je natuurlijk wel doen. Maar dan prik je je en je blijft likken om geen vlekken te maken. En je moet even vloeken, en de harde knoop van de borduurzijde los pulken of er een ruk aan geven zodat de hele zoom scheef wordt. Het is zo lekker om het werk van uren te verpesten; dat geeft macht in je onmacht.

De F en de C over elkaar heen, of zich in elkaar slingerend als zielen, harten, of eigenlijk lichamen met duidelijke stokken, armen en benen? De F groter, of de C groter? Even groot. De ene letter in de omhelzing van de andere, of de ene streng in het zwart gekleed naast de andere, als een pasgetrouwd paar in 1880 op het platteland. Als een verloofd koninklijk paar, hij zittend, zij staand, of beide letters in driekwart.

C en F? F en C of C en F? Nee, waarschijnlijk ingewikkelder, met extra krullen voor twee die één zijn. Art deco? Gemerkte lakens en handdoeken interesseren Christian niet, Karin ook niet, maar die vond 'enkele' goed, om moeder een plezier te doen, maar zou waarschijnlijk later de was toch naar een tweederangs wasserij sturen, waar het fijne linnen door warm mangelen tot op de draad wordt versleten. Misschien gewoon F/C. Als het kapsel van de verloofde. Gemakkelijk te borduren. Bestaan daar mallen en machines voor? Of zit iedereen te bloeden en zijn beste tijd weg te likken, en legt iemand vervolgens tevreden zijn hoofd op een kussen met een gehaakt randje en een dik zijdemonogram om er meteen bij in slaap te vallen? En daarna, jeetje, in de wasserij, vergeeld en zo versleten dat je dwars door de stof heen kijkt.

C en S. S/C. Daar zou je ook mee kunnen spelen.

Hedda liep bij een zilversmid naar binnen, die haar doorverwees naar een graveur. Die kreeg er schik in en zij mocht op een stoel zitten toekijken hoe hij motieven in de binnenkant van een vrijmetselaarsring brandde/kerfde/etste. Al die kleine plaatjes van hem. Zij mocht een C en een F en daarna ook een S overtrekken. Ze streelde de slalom van de

S en wenste dat die van haar zou zijn. L had verteld dat de verzweedste achternaam Santer de voornaam van zijn vader was. Maar in het gewone Hongaars kwam de voornaam Szandor ook achter de achternaam, ongeveer zoals in Zweden de achternaam bij een alfabetische opsomming het uitgangspunt was. De initialen verenigen iets wat bestendig is. Het is voor eeuwig. Het staat er tot de wereld brandt en smelt. Vastgelegd. Het monogram van het paar en vervolgens scheiden of sterven.

Waarom al die bewijzen voor iets wat geen stand houdt? Waarom niet rustig leven tot een onbekend moment?

Thuis stonden er navulpotten van glas met een gegraveerd zilveren deksel, voor coldcream, poeder en pastilles. Daar stond alleen het monogram van de vrouw op, privé, voor op de kaptafel, bbs, de meisjesnaam, de eigen persoon, onzeker over wat, wie die persoon is, voortdurend op de uitkijk naar de andere poten van haar persoonlijkheid: P of C, die je bevrijden van vereenzaming en je handen vol werk geven. Handen vol. Je hebt geen tijd om 'ik' te denken. Dat is goed. En nu zat moeder in het kuuroord Grünmoelle en had ze te veel tijd voor zichzelf. Ze was immers niet gewend aan lezen, ze had geen rust om te lezen, vond geen rust in lezen. Hedda stelt zich voor hoe moeder broos en mooi door eetzaal en salon loopt – als die er waren – en met getuite lippen glimlacht om haar scheve voortand te verbergen, en dat ze als ernaar gevraagd wordt antwoordt dat haar jongste ongelukkig met zijn arm is terechtgekomen bij een val op de stoep van de school en dat er ten slotte … ingegrepen moest worden. Maar haar neef die tuberculose had gehad en zijn arm verloor … werd vader van zes kinderen, dus … Ze schaamt zich voor ongeluk. Ze wil er niet aan. Ze verzet zich er zo tegen dat ze ook niet ziet wat er wel lukt. Ze zegt tegen Hedda: 'Wat leuk dat ze je dat laten doen', of: 'Ik ben er zo trots op dat ze je de kans geven', of: 'Wat vleiend dat je ook mee mag doen.'

Ze zou wel wat concentratie kunnen gebruiken. Zitten zoals Hedda zit, met een vergrootglas boven het ton sur ton borduurwerk. Het gewicht van haar gedachten zinkt neer in haar handwerk, de monotonie lijkt op een reis waarbij de gedachten de rook zijn, de locomotief buiten het gezichtsveld is, maar de dichte duisternis van de schoorsteenrook oplicht en vervaagt. Terwijl je handen en ogen zich concentreren, kun je je gedachten afmaken. Je bereikt een evenwicht tussen verveling en concentratie.

Alleen dan ben je volledig wie je bent. De mens op zich, het werk op zich, dat is een goddelijke balans. Hedda en moeder begrijpen elkaar niet. Jawel, zij begrijpt moeder wel, maar wat ze begrijpt, bevalt haar niet; compassie is niet hetzelfde als prettig vinden. Maar nu ontwerpt ze het monogram, de mal die moeder gaat kopiëren op bruidslakens en kussenslopen en op een paar damasten handdoeken die ze aan het jonge stel zal geven, aan C&K, Chrille en zijn kleine Karin. Vierentwintig couverts. Hoe vaak komt dat voor?! Ook als er verder niets gemerkt hoeft te worden, wil ze dat toch mogen doen, jawel, alleen dat. Help me alleen daarbij.

Een Stockholmse komedie

Een van de dubbele deuren van het kantoor van mevrouw Borg-White stond weleens op een kier, maar nu waren ze beide open en was de dunne moiréstof opzijgeschoven zodat de grote staande spiegels vrij waren, de buitenste wat gedraaid zoals bij een kaptafel, waardoor de klant alle facetten van het model gelijktijdig kon zien, ook de onvoordelige.

Hedda zag al van verre dat mevrouw Borg-White met haar gast Elina Söderbergh zat te wachten. De dames zaten op de cretonnen bank, hun handen op schoot, hun gezichten naar elkaar toe gekeerd, met rechte hals en ingetrokken kin, mevrouw Söderbergh had een grote tas op de grond neergezet en hield een handtasje van schildpad en slangenleer in haar gehandschoende hand. Toen ze bij Hedda's binnenkomst haar benen kruiste, hoorde je het geritsel van zijden kousen die langs elkaar gleden.

In het echt was de actrice groter dan op het witte doek. Het was weliswaar al enkele jaren geleden dat Hedda voor het laatst iets met haar gezien had, en ze was inmiddels de veertig, of vijfenveertig, gepasseerd. De rol waardoor ze beroemd was geworden dateerde van lang geleden, althans vanuit het perspectief van een meisje – bijna tien jaar. Het was een van de eerste geluidsfilms, een op een Amerikaanse stomme film geïnspireerde muzikale komedie, waarbij twee personen na een ongeluk engelen in de hemel worden, maar het nageslacht wel naar hun hand mogen zetten, zodat haar man verliefd wordt op zijn vrouw, twee verdrietige kindjes broer en zus worden en de hond een baasje krijgt. Een grote kaskraker.

De destijds slanke Elina Söderbergh was geroemd om haar spel als comédienne, waarvan de ironische facetten door een glasheldere Fins-Zweedse dictie werden benadrukt. Sindsdien had ze minder films gemaakt, want ze kon weliswaar gewoon Zweeds spreken, maar haar tongval was natuurlijk haar halve persoonlijkheid. Dat beperkte haar terrein. We waren hier wel in Zweden. Zo lagen die dingen gewoon. Toen ze de engelenrol vertolkte, was ze niet jong geweest en haar rollen daarna waren die van de moeder van de heldin of van een abdis of van een familielid uit Zuid-Amerika dat op bezoek kwam. In haar laatste film had ze een tamelijk grote rol gehad als 'mysterieuze' vrouw, een borduurster met kringen onder haar ogen die stiekem naar jonge meisjes kijkt wanneer die zich uitkleden in de door zonlicht gefilterde open plek bij het bosmeertje waar de muggen dansen. Een rol die haar mogelijk geen goed had gedaan. De homoseksualiteit had een muffe bijsmaak. 'Totale inleving', stond er in twee recensies, de recensenten zouden na de vertoning van de film wel met elkaar hebben gepraat.

Mevrouw Söderbergh had daarna het hele najaar Arkadina gespeeld in een privétheater, waarbij haar dialect niet storend was. 'Finland ligt halverwege Tsjechov', had ze met een glimlachje in een interview gezegd. Het mysterieuze karakter van de actrice bepaalde nog steeds Hedda's indrukken toen ze de krachtige mond met de neergetrokken mondhoeken zag, de met een blauw streepje op het onderlid opgemaakte ogen en de neusvleugels die vaak wit werden. Gekleed in een van Elina's kostuums, die bijna klaar waren voor haar volgende rol in *Een Stockholmse komedie*, zwierde Hedda het kantoor binnen, waarbij ze meteen doorliep om een draai van driehonderdzestig graden te maken en een volledige indruk te geven. Ze wierp een verstolen blik op het exorbitante gezicht, via de spiegel en rechtstreeks. Mevrouw Söderbergh heette nu eigenlijk Thorstensson, ze was onlangs getrouwd. In het establishment, met een professor die lid was van de Koninklijke Academie der Wetenschappen. Niettemin voelde Hedda zich onzeker, ze voelde de door slaapgebrek vermoeide ogen op haar lichaam toen ze het antwoord op de vraag 'en wie hebben we hier dan?' aan mevrouw Borg-White overliet. Zoals het hoorde. Zij moest glimlachend zwijgen, een bewegende paspop.

Zij was op dit moment de enige op de Academie Borg-White die de modellen voor mevrouw Söderbergh kon dragen voordat ze afgewerkt werden. Ze had er de lengte en de buste- en schoudermaat voor om haar paspop te zijn. Het was geen nadeel dat ze een langere hals had, een slanker bovenlichaam en een veel slankere taille en bips. Voor het mannequinwerk konden de naden met spelden worden ingenomen, maar niet méér dan geloofwaardig was en zodanig dat de stof op de juiste manier viel. Wanneer de actrice vervolgens zelf ging passen werden de spelden eruit gehaald, en hoewel mevrouw Söderbergh dat natuurlijk snapte, hoefde ze het niet direct te weten. Hedda voelde weer de blik op het kuiltje in haar hals, en ze beantwoordde die weemoedig. Ze had de film gezien samen met Tom, die eigenlijk niet had gewild dat ze hem zag. Van Elina Söderberghs personage moest hij niets hebben; hij maakte een afwijzend gebaar met gespreide vingers, alsof hij ze in slijm had gedoopt. Hij had gezegd dat zulke types er nooit genoeg van krijgen, onverzadigbaar zijn en 's nachts de hand aan zichzelf slaan. Zonder de geruchten vooraf zou het voor Hedda een film zijn geweest over een vrouw die treurde om haar jeugd en vrijheid. De zwemmende meisjes in het bosmeertje kenden op dat moment geen belemmeringen of zorgen. De mysterieuze vrouw had een moeder die bedlegerig was en een bigotte man, wiens rechten ze in de midzomernacht ontvlucht was. Was dat niet de reden dat ze zuchtte, slikte en rilde bij de aanblik van de meisjes die zich uitkleedden en wier ledematen kringen in het water veroorzaakten?

'Ja, hier hebben we dus de ochtendjapon met knoopdetails voor de scènereeks die we volgens de instructies "dag vier" noemen', antwoordde mevrouw Borg-White. 'Hij wordt gedragen in de hal op de begane grond en daarna met een hoed erbij in de koffiehuisscène met Betty, en natuurlijk in de scènes op de veerboot naar Djurgården en tijdens de daaropvolgende wandeling met Arvid.' 'Zo veel!' lachte Elina. 'Die japon verslijt er nog van. Ik vermoed dat er veel opnames komen op zee, bij de loopplank en onder vliegende wolken. En met vliegende hoeden, hahaha.' Hedda stond zichzelf toe ook geamuseerd te kijken. 'De hoed is een vraag voor de modiste', zei mevrouw Borg-White op haar nadrukkelijke manier. 'Wat de kleding betreft, hebben we drie reservestukken voor de revers en de manchetten van piqué. Ze zijn heel gemakkelijk te vervangen voor het geval ze een beetje ... voor onderweg. Verder hebben we de paraplu-vouw aan de achterkant aangebracht, zodat de rok wijd genoeg is om erin te kunnen lopen op de loopplank en tijdens een wandeling, terwijl er tegelijkertijd geen risico bestaat dat de rok rond vliegt, zoals paraplu-vouwen aan de voorkant wel doen wanneer het waait.' (Blablabla.) 'Het achterpand van het jasje heeft ook een comfortabele wijdte. Mevrouw Söderbergh ziet hoe de bovenarmen ongemerkt naar het rugpand toe bewogen kunnen worden, terwijl over de onderarmen handschoenen van een kwartlengte komen. De kraag staat iets omhoog, dat geeft mooie contouren aan de schouderpartij en maakt de hals langer.'

'Die schoenen zijn betoverend', zei Elina Söderbergh.

'De schoenen …?' Mevrouw Borg-White en Hedda keken elkaar aan. De schoenen. Mevrouw Borg-White raakte helemaal van haar apropos, zodat Hedda wel iets moest zeggen. Met ingehouden stem: 'Die zijn privé.' 'Privé? Die schoenen zijn van iemand, bedoelt u, juffrouw, u bedoelt dat ze van uzelf zijn?' Hedda knikte en keek ongerust naar mevrouw Borg-White. 'Waar hebt u zulke mooie schoenen gevonden, juffrouw?' hield Elina Söderbergh vol. 'Reist u soms, juffrouw?' De directrice liet de teugels vieren en Hedda mocht antwoorden: 'Ik heb ze uit Helsingör.' 'Nee, wat fantastisch, niet eens uit Kopenhagen, maar uit Helsingör.' 'Mijn grootmoeder woont daar. Zij laat maatschoenen maken. Deze zijn gemaakt voor mijn laatste verjaardag.' 'Handgemaakte schoenen! Prachtig, zou u ze niet willen verkopen, juffrouw?' Toen ze Hedda's verlegenheid opmerkte, glimlachte ze meer schuin dan recht en voegde eraan toe: 'Voor zover mijn maat 39 erin zou hebben gepast, maar ik zie natuurlijk dat dat niet gaat. Vergeef me mijn grapje, juffrouw, over zijn privékledingstukken moet een mens echt vrij mogen beschikken. Maar schoenen zijn iets waar ik verliefd op kan worden. Is het niet triest, mevrouw Borg-White, dat je voeten en neus blijven groeien terwijl al het andere krimpt? En de schoenen worden daar naar.'

Mevrouw Borg-White glimlachte koel, alsof die natuurwet niet voor haar gold, en ze sloeg een wig in het contact. 'Mag ik u juffrouw Carlsson uit Lund voorstellen?' Hedda maakte een klein kniksje, 'een heel getalenteerd meisje'. Op het eerste reageerde Elina Söderbergh met 'Lund, in Skåne?' en op het tweede met 'dat kun je wel zien'. Mevrouw Borg-White benadrukte dat ze met talent niet bedoelde het vermogen om kleding te presenteren, maar talenten met naald en draad. 'Aha …' 'Juffrouw Carlsson heeft veel van uw kleding genaaid, mevrouw Söderbergh. Juffrouw Carlsson maakt stiksteken die bewijzen dat de Singermachine onderdoet voor werkelijk naaitalent, identiek gelijkmatig, precies stevig genoeg, foutloos.' 'Als tomaten?' Mevrouw Söderbergh zette een gezicht op als een domme foto. Geduld, overijverige uitleg: 'Voor robuuste stoffen en eenvoudige naden is de naaimachine een hulpmiddel, maar zodra er iets extra's moet gebeuren, wanneer de materialen exclusief zijn, is alleen handwerk goed genoeg. Anders houd je rommel over. Dure rommel ook nog. Als je fouten maakt, zijn het dure materialen die je moet wegdoen, omdat ze geen correctie verdragen. Chiffon, zijde, duchesse, romain reversé en dunne wollen stoffen onthullen het onverbiddelijk als je een verkeerd genaaide naad opentornt en opnieuw doet. Er komt dus gedegen handwerk aan te pas en daarin is juffrouw Carlsson moeilijk te overtreffen. Niemand is onfeilbaar, maar juffrouw Carlsson maakt zelden fouten.'

Hedda had in deze kamer nooit eerder lovende woorden gehoord. Maar ook al waren die woorden nu bedoeld als reclame voor de klant, ze had natuurlijk wel gemerkt dat het merendeel van de stukken uit deze filmgarderobe waar je bijziend van werd, op haar tafel terecht was gekomen. *Een Stockholmse komedie* zou gaan over een verloofde jongeman en een rijpe getrouwde vrouw. In hoeverre elk van beiden weer naar zijn eigen leven terugkeerde of dat het een happy end zou worden, kon mevrouw Söderbergh natuurlijk niet verklappen. Wat ze echter in september al wel had kunnen vertellen was dat het kostuumatelier van de filmstudio's in Råsunda geen verstand had van haar figuur en dat ze in haar contract had laten opnemen dat haar kostuums zouden worden ontworpen door de couturier die ook haar privékleding maakte. De Academie Borg-White zou in de aftiteling worden opgenomen onder het kopje 'Garderobe van mevrouw Söderbergh'.

Behalve een ochtendmantelpak toonde Hedda een sportmantelpak van stevig tweed met leren stukken in het jasje en golfplooien in de rok, alsmede twee avondjurken; een ervan dieprood. Hedda's tinten harmonieerden niet met de stof, hetgeen uitstekend was, omdat die mevrouw Söderbergh perfect stond. De jurk had een laag uitgesneden rug, bijna helemaal tot aan de kuiltjes in de onderrug. De derde keer dat ze bij Luigi was geweest, had hij haar over haar hele lichaam gezoend. Troostend, lang; hij had gezegd dat ze zo verdrietig mocht zijn als ze wilde, hij was er voor haar. Wees maar verdrietig, ik ben er voor je. Voordat ze de kleren showde, had Hedda gedoucht in een badkamer die anders niet door de leerlingen gebruikt werd. Er was een grote spiegel en ze had bestudeerd of haar huid ook sporen van het liefdesspel vertoonde. Terwijl ze nu met haar rug naar mevrouw Söderbergh stond te draaien en te keren vond ze het een prikkelende gedachte dat de mysterieuze vrouw de beten van haar minnaar rond haar taille zou zien, de rode sporen van zijn stoppelbaard, de zuigplekken. Maar de klant dacht aan zichzelf, ze zei: 'Heel goed! Dat gedrapeerde vanaf de ene schouder is geniaal. Die borst is zoals bekend wat groter dan de andere.' Hedda keek in de spiegel naar mevrouw Borg-White. Hier werd het woord 'borst' niet gebruikt, hier zei men 'buste'. Maar hoe moest je zeggen: 'Mijn ene buste?' Hedda begon te glimlachen, mevrouw Söderbergh glimlachte terug in de spiegel. 'En die schoenen zijn gewoonweg fantastisch, weet u de naam van de schoenmaker, juffrouw, of zou u dat kunnen uitzoeken?' 'Helaas is hij afgelopen najaar overleden', antwoordde ze met een hard gezicht, maar ze draaide zich meteen hoffelijk en face. Ze wist niet of de schoenmaker nog leefde of niet, maar ze had geen zin om achter hem aan te gaan.

Mevrouw Söderbergh kreeg een kopje Russische thee met kruipbramenjam, terwijl Hedda en Bodil de spelden uit de kleren verwijderden en streken wat gekreukt was. Hedda was genoodzaakt om bij elk kledingstuk Bodils werk na te lopen; die had uit slordigheid al eerder spelden laten zitten, en terwijl ze de rode avondjurk controleerde, zei Bodil: 'Je bent gekust.' Ze verstijfden allebei en keken elkaar aan. Verdorie, dat ze zich zo gehaast had met het werk en niet eerst haar blouse had aangetrokken. Bodils wijsvinger was op haar linkerzij gericht, vlak onder de ribbenboog. Hedda's wijsvinger had de laatste speld gevonden, op bijna dezelfde plek in de jurk. Ze haalde die eruit en liet hem zien. Bodils ogen fonkelden terwijl Hedda naar het roestkleurige plekje wees. 'En wat dan nog?' reageerde Hedda brutaal en snel. 'Wat denk je dat zij zou zeggen als ze een speld in haar nier kreeg!?'

Op 10 januari had ze gedacht dat ze hem nooit meer zou zien – zoals ze zich had aangeboden! Hem alles had laten doen. Alles had gewild en zelf was begonnen. Dat hij haar in haar eentje 's avonds laat naar huis had laten gaan, had op zijn zich geldige redenen gehad. Hij was nog niet koortsvrij. Hij had longontsteking kunnen oplopen als hij naar buiten was gegaan. Maar hij had haar ook niet laten blijven, hoewel ze meer dan alleen de suggestie had opgeworpen dat dit kon, en hem ook nog had gepaaid door te zeggen dat zij de volgende ochtend het ontbijt kon klaarmaken. Hij had haar laten vertrekken en in het donker van het trappenhuis 'smak, smak, lieve Hedda' gefluisterd.

Toch was ze blij. Dat ze het gedaan had. En ook dat het gebeurd was, dat ze het had aangedurfd en dat hij het was geweest. De vele herinneringen aan zijn lichaam. Ze sliep lang en toen ze ontwaakte, voelde ze die en liet ze zich daarop drijven omdat ze de zijne was. Ze stond op om het ondergoed te wassen, daar zat hij ook in, maar dat kon je in deze staat niet bewaren. Om elf uur werd er aan de deur gebeld en meteen daarna klopte Blondie aan. Hedda zette snel het kamerscherm voor de wastafel. Het was tegen de regels om was op je kamer op te hangen, en bovendien had ze warm water uit de kraan van het bad gepikt. Terwijl zij nog bezig was met het scherm ging de klink al naar beneden. In de kier van de deuropening zag ze de huisbazin met een uitdrukking op haar gezicht die meer familiair was dan wanneer ze om de huur kwam. Hedda rende naar de deur en slaagde erin die iets verder te openen, maar te voorkomen dat Blondie binnenkwam. Ze zag een puntzak, een bos bloemen. Blondie zei: 'Deze zijn bezorgd.' Er waren geen regels over de bezorging van dingen, maar Blondie deed altijd open wanneer er werd aangebeld omdat ze aannam dat het voor haar was. Ze wilde het boeket nog niet afgeven, boven het papier glinsterde een laagje cellofaan, maar ten slotte moest ze wel. 'Hedda heeft toch geen aanbidder genomen?' 'O, nee, ik heb voor Kerstmis wat naaiwerk gedaan', kwam de ratelende reactie, en terwijl ze haar strak aankeek, pakte ze het boeket met twee handen beet vlak onder Blondies handen. Die wilde de bloemen hebben.

Alleen in de kamer haalde ze voorzichtig het krantenpapier eraf. Een paar nummers van *Vecko-Journalen* van bijna een jaar geleden. Thuis bij de familie Goebbels in Berlijn, Helga naaide op haar speelgoednaaimachine, Helmuth speelde met meccano. Hedda liet het cellofaan zitten. Het knarste met een zilverig geluid toen ze het boeket ronddraaide; toen ze het streelde, piepte het. Het had geen lange stelen, maar het was een meisjesboeket; blauwe anemonen, de witte violier parfumeerde de kamer, daartussen wat kleine rode roosjes. Ze vond het fijn dat hij het zelf had samengesteld en geen conventioneel boeket had gekozen met alleen rozen of anjers. Als hij dat althans had gedaan. Hij had vast gewoon aan de bloemenjuffrouw gevraagd om voor hem een boeket samen te stellen. *'Ich war von den Socken'* stond er op het kaartje. Dat begreep ze. Het was een uitdrukking voor verbijsterd of overdonderd zijn – hoewel dat niet de hele betekenis was. Hoewel, ja, overdonderd klopte wel. En die sokken waren nu eenmaal het voorwendsel geweest. Daar kon je om lachen, maar dan die laatste regel: 'Kom snél weer terug! Ik ben … ja, wat ben ik? Jouw L.'

De volgende dag kwam zijn brief, waarvan ze niet wist waar ze die moest laten. Hij brandde in haar zak, in haar tas, in de lade van haar kast. Niemand mocht die in handen krijgen, zo belastend was hij. Hij was niet lang, maar liederlijk, teder, hij beschreef haar.

Hij schreef dat ze mooi was, maar dat dat er niet zo veel toedeed. Dan zou je vallen voor elke willekeurige persoon die mooi was. De ziel heeft ook een vorm – en ogen. Op die manier zien sommigen mensen elkaar zoals geen ander hen ziet, hoe mooi ze ook zijn. Ze had een afsluitbaar kistje nodig. Ze beantwoordde zijn brief, hij reageerde, op 15 januari deed ze wat hij had voorgesteld en ging ze opnieuw naar hem toe. Ook nu kwamen ze aan praten niet toe. Ze werden overmand, heftiger dan de eerste keer omdat ze ongeremd wisten waar ze heen wilden. Zij leerde nieuwe dingen die hij prettig vond. Hij onderwees haar. Beiden schreeuwden ze het af en toe uit; op de grond, op bed en op de bank waren ze, ze hadden niet genoeg aan die plekken, ze probeerden ze met liefdesspel te veroveren, en dat was krachtig en wilde alle ruimtes bezetten. Zij stond met haar rok omhoog en hem in zich trots met haar rug naar het open raam toen hij de kamer luchtte. Hij nam haar vier keer, de laatste keer snel als een hond, van achteren, op handen en knieën, en toen was ze te moe om iets anders te doen dan het passief over zich heen te laten komen, maar ze wreef haar billen tegen zijn buik en liezen, terwijl hij met zijn ene hand haar hoofd naar beneden hield en ten slotte een orgasme kreeg dat pijnlijk klonk. Met een klap in haar knieholtes velde hij haar en hij ging vervolgens met bonkend hart op haar rug liggen.

Hedda's ogen werden rood, stroomden over van herinneringen toen ze Bodil aankeek, maar haar wangen werden niet rood. Bodil was misschien niet meer zo maagdelijk als ze leek, maar ze was verlegen en zei: 'Zullen we eens kijken of we haar in die plunje kunnen hijsen?'

Die avond begeleidde hij haar tot haar voordeur. Ze gingen te voet vanaf Söder, af en toe kuste hij haar, het was niet druk op straat op deze late zaterdagavond, een enkeling wierp een verstolen blik over een opgezette kraag. Hij maakte een sneeuwbal die hij tegen haar mond drukte, tegen zijn eigen mond. 'Gezwollen. Je ziet er gekust uit', zei hij. Zij kuste de sneeuwbal en hij nam die terug en drukte hem tegen zijn mond. 'We moeten ook iets anders doen,' zei hij, 'niet alleen met elkaar naar bed gaan. Hoe heb ik jou de eerste keer alleen naar huis kunnen laten gaan?

Dat doe je toch niet, er had van alles kunnen gebeuren, maar kom. Kom', en hij trok haar mee de Prästgatan in, waar niemand te zien was, behalve een man die tegen een muur leunde en helemaal van de wereld leek. Zij maakte van de gelegenheid gebruik om voorover te buigen en de hiel van haar kous in haar schoen te duwen, ze kreeg een blaar omdat er een gat in haar kous zat. Hij vond het prettig om haar daar beneden te hebben, hij keek neer, hield haar ene hand vast en met zijn andere duwde hij haar gezicht tegen zijn dijbenen, tussen zijn benen. Hij zag zo gauw geen portieknis en kuste haar dus maar in de schaduw tussen twee lantaarns, zij ontvlamde meteen, drukte zich tegen hem aan en toen ze zijn erectie voelde, streelde ze die door de stof van zijn broek heen. Zijn lid was zo heet. Hij zei: 'Hou op. Het is genoeg voor vandaag.' Zij wilde protesteren tegen deze plotselinge verwaandheid, hij was tenslotte degene die was begonnen. Een stem door een open raam. 'Martin, waarom sta je daar buiten te hangen? Kom nou maar naar binnen.' Echo.

18 januari bleef ze niet lang, ze gingen maar één keer met elkaar naar bed. En toen was ze zo stijf van verdriet en gewetenswroeging dat de aarzelende gemeenschap een accumulatie van zijn lijfelijkheid en tederheid werd. Hij troostte haar met zijn mond en handen, zonder woorden. Dat was nadat moeder naar Blondie had gebeld over de operatie en Tom meteen met Pia en Elsa in de auto naar Lund was gereden. Elsa zette hij af bij een zus in Ingatorp, Pia wilde hij bij zich hebben. Het was een dinsdag. Lill-Inger was inmiddels weer terug. Hedda huilde pas toen ze weer op haar kamer bij Lill-Inger was. Om Åke, die nu onherroepelijk verminkt was. En omdat ze bij Luigi haar zelfbeheersing niet had durven verliezen.

De tweeëntwintigste vroeg Lill-Inger waar ze naartoe ging toen ze 's middags thuiskwam en met haar jas en stevige schoenen nog aan eerst vaders brief opende en daarna een brief van Daisy. En ten slotte een nieuwe brief van Luigi.

Daisy sprak moed in en haalde het familielid aan dat tuberculose had gehad en ondanks zijn prothese zes kinderen had gemaakt. Ze steunde Hedda: je kunt de behoeften van anderen niet bevredigen. Hedda moest beginnen met het scheppen van haar eigen leven, niet rondrennen om zich in grote en kleine dingen voortdurend aan dat van anderen aan te passen. *Lots of women and some men postpone their lives for duty's sake, it seems a proper way to behave and sentimentalists consider it acts of love as well. But actually it may be just a matter of tidying up nuisances before your own important things are allowed to take place, and that's not very nice for the "nuisances" either, is it?'* Toen ze dat zo schreef, wist Daisy nog niet dat Åke al geopereerd was. Ze reageerde op een kerstbrief van Hedda, die had gevraagd hoe 'beschikbaar' je moest zijn als enige dochter. Luigi schreef geen enkel liefdeswoord, alleen dat hij met Tom had gesproken, die had gezegd dat Christian en zijn verloofde meenden dat de toekomst er nu misschien wat rooskleuriger uitzag. Over de geslaagde operatie moest niet geringschattend worden gedaan. Alle successen zijn tijdelijk, maar ze vormen ook allemaal een begin.

'Ze gaan over mijn jongste broer,' zei Hedda tegen Lill-Inger, die toekeek terwijl zij de brieven las en ondertussen mechanisch in een filmtijdschrift zat te bladeren, 'misschien een goed bericht, verder heb ik een afspraak, het wordt misschien laat, ik zal zo stil mogelijk doen als ik binnenkom. Maar het kan ook zijn dat ik blijf slapen.' Lill-Inger keek haar niet-begrijpend aan, maar zei 'zeker, zeker, vertel later maar'.

Hedda bleef de hele nacht bij hem en ze was zeer ontroerd. Hij was liefdevol. Ze sliepen en werden weer wakker, maar toen ze in een reflex naar elkaar begonnen te tasten, onderbraken ze zichzelf. 'Het geeft niet,' zei hij, 'je bent overstuur.' Ze huilde niet, maar praatte aan het eind van lange stiltes over Åke, en over de muziek die ze die laatste avond gedraaid hadden. Nu al deed het pijn als ze die toevallig hoorde. Ze was bang voor het verdriet dat zou komen. Ze was heel bang voor het verdriet. Hoelang duurt dat? Ze vertelde dat ze afgelopen zomer samen gezwommen hadden. En over hoe het voor een klein jongetje geweest was om die akelige grootmoeder bij hen in huis te hebben wonen. Hij had toen geen thuis, hij had alleen Hedda soms, maar veel steun aan haar had hij niet gehad; had hij daar de ziekte misschien door opgelopen? Hedda stond op om naar de wc te gaan. Met ogen in haar nek vernam ze hoe Luigi op zijn rug ging liggen om zijn slapende arm te wekken die onder haar had gelegen, en dat hij opgelucht uitblies, zo zacht als hij kon. Ze kon het hem niet kwalijk nemen. Toen ze doorspoelde, hoorde ze het rommelen en bonken in de oude pijpen, en ze werd bang dat ze de buren zou wekken. Ze bekeek zichzelf in de spiegel. Haar gezicht onpersoonlijk, ze herkende het, maar ze kende het niet, een landkaart. Vannacht had die geen nationaliteit, een kaart zonder land. Åkes gezichtsuitdrukking toen hij haar tien, nee, vijftien dagen geleden – zo kort nog maar – op het station had uitgezwaaid.

Dat verwachtingsvolle 'Oo-gezicht' van toen was in haar in slaap gevallen om nu wakker te worden. Ze zag er wetenschap of wijsheid in, en het verontschuldigde zich ook; hij wist dat zij hem nu moest verdringen omdat ze later om hem verdriet zou hebben. Mensen die elkaar een laatste keer aankijken zoals ze elkaar gekend hebben, in de wetenschap dat ze elkaar niet meer zullen zien of erg veranderd zullen zijn, maar die toch, gewoon om de tijd en de weg te volgen, 'dag, tot gauw' zeggen, terwijl de band tussen hen strak komt te staan, een blikwisseling die even beweert dat er een alternatief is en dat je naar elkaar terug kunt rennen en noodlotslijnen en toekomstplannen kunt doorkruisen. Maar dat alternatief is er niet, dit gebeurt niet. Het leven wordt geleefd 'alsof'. Religieuzen en atheïsten leven allemaal 'alsof'. In kleine en grote dingen treedt men het open einde van de toekomst tegemoet. Hij had niet aan zichzelf gedacht toen hij vergevingsgezind naar haar keek. Dat hij zo volwassen moest zijn. Wat was zijn blik tevreden geweest toen hij een kleine baby was en vanuit het badje naar moeder omhoogplaste, en moeder had er smakelijk om gelachen hoewel ze zo preuts was dat ze Hedda de dag ervoor nog een tik op haar achterste, op haar hand en in het gezicht had gegeven omdat ze achter een struik in de tuin was gaan zitten. 'Al het goede komt in drieën', had moeder gezegd toen ze die tikken uitdeelde. Tijdens Hedda's leven hadden alleen zij en Åke slaag gekregen. De anderen waren al te groot. Ze ging weer in bed liggen, op haar zij, om Luigi's arm te ontzien. Ze had niets meer te vertellen.

Luigi vertelde over zijn jongere broer, die bijna aan longontsteking was gestorven omdat hun vader het hem verboden had thuis te blijven van school toen hij verkouden was, en nu was hij als gevolg daarvan zwaar astmatisch. Hedda luisterde stil, maar vond het conventioneel dat hij nu op deze manier ook wat terug moest geven. Hij vertelde over zijn moeder, die heel mooi was en die zijn zussen lelijk vond. Die leken allebei op hun vader, en op elkaar. Zijn moeder vond bovendien een van de twee saai, en liet niet na te waarschuwen dat wie het niet van haar uiterlijk moet hebben, haar innerlijk moet koesteren. Aan tafel had hun moeder gezegd dat ze er af en toe vertwijfeld over was dat ze niet charmant waren. Luigi had gezegd dat ze een oorvijg verdiende, en het hele gezin had gezwegen en zich bijna een week lang voor en tegenover elkaar geschaamd. Toch kwamen de meisjes alle feestdagen naar huis. Ze vonden dat hun ouderlijk huis hun thuis was, ze maakten kransen, naaiden voor de gezelligheid gordijnen en probeerden aan een goede sfeer bij te dragen. Dat deed hij niet, en hij was nog wel moeders lieveling. Van hem verlangde ze dat niet.

'Toen God de mensen schiep, had hij het er zo druk mee de dunne aan de dikke darm vast te haken dat er geen ideeën meer overbleven om die schepselen ook onderling bij elkaar te laten passen. Sommige mensen kunnen alleen maar nemen, anderen alleen maar geven. De meesten hebben zo veel te praten dat ze nooit horen wat anderen zeggen,

en met gezinnen is het helemaal gek,' zei hij, 'die zijn meer bij toeval dan met een bedoeling bij elkaar gegooid. Gezinsleden zijn vaak zo verschillend dat ze elkaar in een schoolklas of op een Amerikaschip niet zouden uitkiezen. Dan zouden ze met heel andere mensen optrekken dan met elkaar. Zullen wij er eentje maken?' Toen Hedda het woord 'Amerikaschip' hoorde, zag ze twee gezichten. Vader was ooit naar Amerika gevaren. En haar Deense grootmoeder. 'Wat maken?' 'Een gezin.' 'Maar je gebruikt toch condooms?' 'Dat zou ik liever niet doen.' Gelach. Hij meende er niets van. Bedoelde het wel en niet zo. Bedoelde: 'Ik moet verantwoordelijk zijn, hoewel ik dat niet ben. Jij bent immers totaal onverantwoordelijk.' Hij trok zich van haar terug. Serieus: 'Nee, ik bedoelde het niet zoals het klonk. Maar jij kijkt niet ver vooruit, jij denkt niet aan wat er kan gebeuren.' Pauze. 'Jij denkt aan het verdriet waarvoor je weg wilt rennen.'

Dat hij dat merkte. Er worden grote sprongen gemaakt wanneer je elkaar op deze manier leert kennen. Heel die lege maand, vanaf het moment dat ze elkaar voor de eerste keer ontmoetten totdat zij naar hem toe kwam, was niet weggegooid geweest. Die was voor een soort ontkieming gebruikt. En nu groeide het al, ondanks alles waren ze niet alleen maar bedgenoten. Vroeg in de ochtend werd ze wakker omdat hij naar de wc ging. Toen hij weer in bed kwam, sliepen ze met elkaar zonder voorbehoedsmiddel, ruw en mechanisch.

Nog steeds met Bodils blik op zich gericht knoopte ze haar blouse en de boord van haar rok dicht, en samen droegen ze de kledingstukken naar de kamer waar mevrouw Söderbergh in haar onderrok stond. Haar hals en decolleté vertoonden minuscule rimpeltjes, die verklaarden waarom beide avondjurken aan de achterkant zo laag uitgesneden moesten zijn. Ze wilde hulp bij de blouse zonder kraag en keek Hedda aan, maar Bodil was toeschietelijker.

'Juffrouw Carlsson,' zei mevrouw Borg-White en ze ging zonder haar gebruikelijke denkpauze verder, 'mevrouw Söderbergh heeft iemand nodig die op bepaalde dagen tijdens de opnames assisteert bij haar garderobe. De blauwe avondjurk moet bijvoorbeeld bij iedere gelegenheid in elkaar worden gezet en na afloop weer worden opengetornd omdat wij de knoopjes hebben verwijderd – op voorstel van juffrouw Carlsson – omdat dit een slankere rug geeft. En dan zijn er de andere details die ook – ja, aangepast moeten worden wanneer de kledingstukken worden gebruikt. Om een zo mooi mogelijk silhouet te verkrijgen. Mevrouw Söderbergh heeft geen vertrouwen in het personeel van de filmstudio's en zou dus dankbaar zijn als juffrouw Carlsson haar van tijd tot tijd behulpzaam zou willen zijn, vooral in Råsunda, maar ook bij enkele opnames buitenshuis.'

'O', zei Hedda. Pauze. 'Maar hier dan?' Een horizontale hoofdbeweging van rechts naar links. 'Maakt u zich geen zorgen. Er mag toch gezegd worden dat dit praktische ervaringen zijn waar een mens u tegen zegt?' 'Jawel ...' 'Dat klinkt niet erg overtuigd?' 'Ik vraag me gewoon af wat ik hier verzuim.' 'Laat ik u op dat punt geruststellen, juffrouw Carlsson. De studio-opnames beginnen eind maart. Een aantal buitenopnames wordt gemaakt nadat de bomen groen beginnen uit te lopen. Omdat u slechts bij bepaalde gelegenheden ter plekke nodig bent, gaat het om zo nu en dan een dag, plus de bereidheid om bij te springen als er iets zou zijn. Uw opleiding zal er niet onder lijden, juffrouw Carlsson.' Toen ze nog op aarzeling stuitte, voegde ze eraan toe: 'Er is uiteraard ook sprake van een kleine vergoeding.'

Hedda was die ochtend niet erg snel van begrip en zette grote ogen op bij de gedachte dat ze moest betalen voor de praktijkervaring, maar mevrouw Borg-White interpreteerde haar gezichtsuitdrukking als een ja. Ze legde haar hand op tafel en zei: 'Mooi zo, dat is dan afgesproken, en laat ik *onder ons gezegd* benadrukken dat ik het niet graag aan iemand anders had toevertrouwd. Daarmee ook gezegd zijnde dat uw afwezigheid van een paar dagen aan het eindoordeel niet afdoet, integendeel, u mag het best zo opvatten, juffrouw Carlsson, dat u mij er ook een dienst mee bewijst.' De blik van mevrouw Borg-White werd voor het eerst persoonlijk, haar ogen kregen een vreemde vochtzweem. Hedda stond op om weg te gaan. De blauwe orchidee die boven het raam hing, liet een verwelkte bloem los.

Ze keek op en zag dat de pracht was vergaan, maar dat de stijve bladeren nog groen waren. Ze wist niet of dit soort opnieuw bloeide. Zou ze het vragen? 'En dan nog iets', zei mevrouw Borg-White. 'Zaterdagavond geef ik een diner waar jongelui bij zijn, vrienden van mijn zoon. Hij gaat over een week weer naar de universiteit in München. De kwestie is dat er in zijn vriendenkring een overschot aan heren is. Hij is nog erg jong. Ik had het niet aan iedereen gevraagd, maar u maakt een goede indruk, juffrouw Carlsson ...' eindigde ze vaag. De vochtige ogen waren niet het einde, maar het begin. Ze had haar een uitnodiging gedaan zonder die daadwerkelijk te doen. Hedda keek weer naar de orchidee en wachtte af. Ze keek naar de drie foto's van Adrian die eronder stonden. Een blonde jongen en een jongeman, met dik steil haar als meest opvallende kenmerk. Hij droeg het in een zijscheiding en het viel aan de ene kant ver over zijn voorhoofd, met licht getinte strepen alsof het vet was, hij spitste zijn neus en mond, en keek alsof hij iets aangeboden kreeg wat hij niet wilde.

Ze had geen zin om hem te ontmoeten, maar het was niet fraai om ook hierover te aarzelen, ze zou nog de indruk wekken dat ze chronisch moeilijk over te halen was. Ze moest meteen ja zeggen. Het was waarschijnlijk een bijzondere gunst om te worden uitgenodigd. Het had geen zin om te vragen waarom. Misschien was zij op de een of andere manier geschikt. Ze bewoog haar ogen. Mevrouw Borg-White kon aan haar niet zien wat ze had meegemaakt. Luigi en zij waren elkaar eergisteren toevallig op het Nybroplan tegengekomen, zij onderweg naar huis met boodschappen in een netje, hij omdat hij onderweg naar huis een paar dingen had afgegeven op een adres aan de Artillerigatan, waar een oude vrijgezel stukken uit zijn luxeappartement uitleende om ze op film terug te zien.

Het was zaterdagmiddag drie uur en het schemerde. Zij zag hem het eerst, hij was blootshoofds. Toen hij haar zag, keek hij langs haar heen, hij herkende haar niet. Hij keek opnieuw, keek in een reflex ongerust om zich heen, maar misschien alleen vanwege het verkeer, en stak de straat over. 'Hedda?' Ze deed een stap achteruit.

Hij zette er eentje naar voren en keek weer om zich heen. 'Ik herkende je niet meteen. Ik verwachtte je niet te zien. En mutsen in de winter ...'

'Ik woon hier toch.' Geen wederzijds begrip in hun blikken. Gewoon twee bekenden op straat. Hij keek voor de derde keer om zich heen. Nu was het onmiskenbaar. Alsof ze smokkelwaar was, een misdrijf. Eindelijk was hij klaar met zijn controles. 'Wat ben je mooi', zei hij zachtjes. Ze reageerde niet, maar nam hem van het hoofd tot de voeten op. 'De kou staat je, ik heb dat niet eerder gezien, ik heb je immers nog nauwelijks bij daglicht gezien.' Hij trok zijn ene schouder op in een dom gebaar: 'We zijn bijna lichtschuw geweest.' Ze walgde van die woorden. Toen zij nog steeds niet reageerde, stelde hij voor de volgende dag een wandeling op Djurgården te maken.

'Als het mooi weer is', voerde zij als beleefd voorbehoud aan. En daar wrong waarschijnlijk de schoen. Een onverwachte ontmoeting zonder spontane vreugde was waarschijnlijk het enige wat nodig was voor een voorbehoud. Eerder had ze geen enkel voorbehoud gekend, en toen ze eraan dacht hoe *easy* ze was geweest en alles had gegeven voor niets, schaamde ze zich en ze projecteerde die schaamte op hem: een sponzige afkeer van alles wat ze samen hadden gedaan. Zonder aanleiding, ze hadden absoluut niets samen. Alleen af en toe een uurtje geslachtelijk verkeer. Een wandeling op Djurgården zou net een volkomen te late eerste keer zijn, een spel, het begin van het platonische waar ze aan voorbij waren gestormd zonder het zelfs maar uit te proberen. Haar fout, en de zijne. Ze zou blij zijn geweest met de mogelijkheid van een wandeling, zij aan zij, sporen in de sneeuw, als hij maar niet zo vaak om zich heen had gekeken. Hoe vaak zou hij om zich heen moeten kijken in het klaarwakkere winterlandschap van Djurgården? 'Een wandeling zou me misschien wel schikken', zei ze. 'Van zwemmen is al een paar zaterdagen niets meer gekomen.'

Hij voelde de kilte in haar woorden, de lucht ertussen, en hij deed een greep naar haar boodschappennetje: 'Wat heb je hier?' Zij trok terug, te heftig, de handgreep glipte uit haar gehandschoende hand, hij liet tegelijkertijd los en de eieren vielen stuk op het plaveisel. 'Verdomme', zei Hedda zachtjes. Ze zag een kist strooizand staan in een hoek bij de stoeptreden van de schouwburg, liep erheen en smeet het hele net met brood, gebroken eieren en fruit erin. Hij bleef met zijn jas open staan waar zij hem had achtergelaten. Ze nam hem weer van top tot teen op en bedacht dat ze hem weliswaar bezeten had, maar dat hij onbereikbaar was. Hij droeg een gebreide slip-over onder zijn colbert. Ze was zo verliefd. Ze zette een paar passen op de onderste trede van de schouwburgstoep en liep daarna omhoog in de straat die naar de Koninklijke Stallen voerde. Na een poosje liep hij naast haar. 'Ik had misschien sorry gezegd als je niet zo overdreven had gereageerd. Wat is er met je? Is er iets gebeurd?' Omdat er eiwit uit droop, hield hij het boodschappennetje een eindje van zich af: 'Je moet geen afval in het strooizand leggen.'

'Ben je zo bang dat een bekende van je ons ziet? Ben je bang dat je verloofde ons ziet?' Zij bleef stilstaan en hij liep een paar passen door en vond een afvalbak waar hij de droge van de natte spullen begon te scheiden. Dat ging snel. Toen ze hem had ingehaald overhandigde hij haar zwijgend het netje. Alles zat er nog in, behalve de zak met de eieren.

Om op een zaterdag in het appartement van mevrouw Borg-White te worden uitgenodigd. Aan nieuwe mensen te worden voorgesteld.

Elsa had een regeltje geschreven en haar uitgerekend die avond bij hen thuis uitgenodigd. Het was de eerste keer dat ze in deze stad werd uitgenodigd en dan meteen voor twee dingen tegelijk. Ze waren op Kungsholmen klaar met schilderen en uitpakken, schreef Elsa, en eindelijk konden ze haar verwelkomen. Hedda had geen zin, ze had Tom al sinds november niet meer gezien en zelfs geen contact met hem gehad sinds hij en de kleine meid in Lund waren geweest. Hedda had iets te verbergen. Hoewel Ugly hen waarschijnlijk wel voortdurend zou tegenkomen. Dat hij zo goed kon liegen. Moeder en Åke zouden binnenkort naar Denemarken gaan. Ze wist niet hoe het nu geregeld was voor vader, die de dingen best voor zichzelf kon regelen als hij er zin in had, maar niet wanneer hij moest. Als ze bij hen op bezoek ging, zou Tom haar ook willen overhalen om 'voorlopig' naar huis te gaan. Hij was een voorvechter van de vrouwenemancipatie, maar als het een kwestie is van de zwartepiet doorspelen, gaat iedereen soms tegen zijn eigen principes in. Wat deed hij dat zo veel belangrijker was dan wat zij deed? Een dergelijke discussie had ze wel aangekund.

Wat ze niet zou aankunnen was in de ogen van Tom kijken, die Åke gezien had. Ze wilde er niets over horen. Hij was daar geweest, in de eb en vloed der emoties. Hij had de verminkte jongen gezien en bezat in zijn blik en zijn lijf een wetenschap die Hedda deed huiveren. Toen mevrouw

Borg-White haar even daarvoor bij zich had geroepen was ze ervan overtuigd geweest dat moeder gebeld had om over de nood te vertellen en de directrice te vragen Hedda te laten gaan. Stuur haar naar huis.

'Dank u wel, wat vriendelijk, ik ben die avond vrij', antwoordde ze, terwijl ze erin slaagde haar blik los te maken van de uitgebloeide orchidee, die zijn blauwheid waarschijnlijk nooit terug zou krijgen. 'Graag uiteraard, dank u. Moet ik iets speciaals ...' 'Een avondtoilet, maar niets bijzonders, ik zorg zelf voor het eten, dus het wordt eenvoudig. Om negentien uur bent u welkom.'

'Welkom', zei ze toen Hedda was binnengelaten door het dienstmeisje, dat ook de bloemen aannam waar de gastvrouw met een verwonderd 'dank u' slechts een zeer verstrooide blik op wierp. 'Kom, dan zal ik u aan mijn zoon voorstellen, juffrouw Carlsson.' In een salon, die minstens zo groot was als de eet- en de zitkamer thuis bij elkaar, stonden heren en dames van mevrouw Borg-Whites leeftijd en vijf jonge mannen en drie jonge vrouwen, allen met een glas in de hand. Wat mevrouw Borg-White met eenvoudig bedoelde, wist ze niet, maar ze was blij dat ze haar mooiste jurk had aangetrokken, eentje met blote schouders, waarbij ze een geplisseerde bolero en haar parelketting van de diploma-uitreiking droeg. Nadat ze met kleine kniksjes de ronde had gemaakt bij de oudere generatie zei mevrouw Borg-White: 'Adrian, schat. Mag ik je juffrouw Carlsson voorstellen?' Hij had van onder zijn gestreepte haardos al enkele blikken geworpen, zoals je doet wanneer je ergens kennis van neemt zonder opdringerig aandachtig te willen zijn. Nu maakte hij een buiging, hoorde ze daar even het geluid van tegen elkaar klikkende hakken?, en hij boog zich over haar hand zonder die te kussen. 'Aangenaam', zei hij ongeinteresseerd, en hij stelde haar verder voor aan de anderen: Agnes Piper, in een zwarte jurk en met een halsketting van granaat die mooi afstak tegen haar winterhuid, Peter Antonsson en zijn glimlachende verloofde Gulle Dorff, Colin Sanders – toen die achternaam genoemd werd, bleef Hedda even wat langer naar zijn gelaatstrekken kijken – verder een paar namen die ze meteen vergat en uiteindelijk nog een stel: Adrians nichtje Elisabeth Borg en haar aanstaande verloofde, Bror Lennart Langmark.

Hij werd aan haar rechterzijde geplaatst. Naar de tafel werd ze begeleid door een knappe man van in de zestig die zijn medicijnenstudie aan de universiteit van Lund had gedaan. Het voorgerecht was kalfszwezerik met een zurige saus, erwtjes, geribbeld bladerdeeg en groene pastei, champagne erbij. Bij de welkomsttoosten hief ze primair het glas met deze dokter Dob... Dol...? Zijn naamkaartje lag half verborgen onder zijn waterglas. Hij haalde jeugdherinneringen op, zij noemde kennissen van haar ouders om te kijken of ze ook iemand gemeenschappelijk kenden. Hij had in de Klostergatan gewoond, die door de studenten destijds de Boulevard, of Bullis, werd genoemd, 'helemaal bovenin, op een zolderkamer die in vijf minuten had kunnen uitbranden', karton en planken, acht meter valhoogte als enige uitweg als er brand in het trappenhuis zou uitbreken. 'Als je jong bent, sta je niet bij dat soort dingen stil. Tegenwoordig controleer ik altijd waar de nooduitgangen zijn, vooral in hotels in het buitenland.'

Al snel voelde ze dat hij zijn belangstelling voor haar verloor, hij betrok een dame van zijn leeftijd in het gesprek, die tegenover hem zat en zich verveelde met haar jonge tafelheer. Het werd een mixed dubbel met twee beginners die de eenvoudige ballen mochten nemen. Hedda probeerde inschikkelijk te zijn en te lachen wanneer het moest. De jongeman bood na de zwezerik sigaretten aan, de dame stak er eentje in haar pijpje en blies fonteintjes niet-geïnhaleerde rook naar het plafond. Een niet-roker. Hedda sloeg de sigaret af. De dokter en de dame verkeerden in dezelfde kring en deelden een jargon, ze speelden met trefwoorden en hadden aan een half woord genoeg. Soms legden ze uit wat er zo grappig was, maar meestal niet. In twee terrines werd de trechtercantharellensoep binnengebracht. Die was erg lekker, perfect met port afgemaakt. Het was ook tijd om van gesprekspartner te wisselen. De dokter had juffrouw Piper met de granaten links van zich. De jongeman aan de overkant had een andere jongeman die nu aan de beurt was, en Hedda wendde zich tot 'Brorsan', zoals ze hem door de andere jongelui had horen noemen.

Op het moment dat ze zich naar hem omdraaide, viel haar op hoe zijn beoogde verloofde, die de tafeldame van Adrian was, de blik op haar decolleté richtte. Dat deed ook haar verloofde. Alert zond Hedda haar volgende blik terug naar de vrouw, die de blikvanger van de man vorsend opnam en aangaf dat hij moest uitkijken, haar moest aankijken en dat hij gewaarschuwd was. Hedda wist niet of het kwam doordat ze naar voren had geleund om te horen wat de dame met het sigarettenpijpje te zeggen had en dat daardoor het spleetje tussen haar borsten (de leliekussens) zichtbaar was geworden, of dat er sporen van een tong en tanden op haar huid zaten, maar ze ging met haar hand omhoog naar haar decolleté. Het duurde allemaal slechts luttele seconden, de verloofde had haar blik alweer afgewend, maar zelf zat ze met haar linkerhand op haar blote huid.

'Neem me niet kwalijk?'

'Bent u bij de film, juffrouw Carlsson?' vroeg haar tafelheer. 'Nee, nee. Bewaar me. Mijn oudere broer wel. En mijn … Nee, daar deug ik niet voor, nee.' Bror Lennart voelde dat hij met de conversatie nu al in een doodlopende steeg was beland en begon van inspanning te blozen. Hij deed een nieuwe poging. 'Dan heb ik onze gastvrouw blijkbaar verkeerd begrepen. Zei ze niet zoiets?' Hedda haalde haar hand weg, streelde onderweg even haar cultivéparels en liet ze weer los; hij vermeed het daarnaar te kijken. Hedda wierp een blik op zijn verloofde, die snel haar ogen neersloeg. Wat een rare situatie. De helft van alle vrouwen aan tafel had een groot decolleté en liet iets van haar buste zien. Terwijl zij hem op het juiste spoor zette door uit te leggen hoe haar kleine kledingconnectie met de filmwereld in elkaar zat, werd ze zich ervan bewust dat het door alle kandelaars, kroonluchters en de open haard warm was in de kamer; diverse dames hadden al jasjes en zijden sjaals afgelegd. Zij begon haar bolero uit te trekken en werd daarbij voorzichtig geholpen door Bror Lennart. De verloofde beviel dat niet, hoewel huid geen huid raakte. Toen het kledingstuk eenmaal over haar rugleuning hing, wierp Hedda haar een lange, dode blik toe waarvan ze niet wist dat ze die in zich had en tegelijk maakte ze zich langer, waarbij haar borsten wel enkele centimeters in haar decolleté omhoogkwamen. Haar tafelheer zag dat en kon het nauwelijks vermijden om te kijken.

Wat doe ik? Wat heb ik eraan dat hij een standje zal krijgen omdat hij keek, ook al heeft hij zo weinig belangstelling voor me dat hij zo dadelijk weer dezelfde vraag zal stellen als waar ik hem net ook al een antwoord op heb gegeven. Kijk, nu brengt hij een toost uit. Bror Lennart Langmark hief het glas naar zijn verloofde en wierp haar een kushandje toe, zij liet zich vertederen, zodanig dat ze ook Hedda en Adrian in de toost betrok, want haar verloofde was al vanaf het moment dat zij volgens de regels der tafelschikking naar elkaar toegekeerd zaten, vergeten zijn glas naar dat van Hedda te heffen.

Hedda besloot aan het tweede couplet van de conversatie te begin-

nen en erkende dat ze behalve de gastvrouw niemand aan tafel kende.
'Ik ook nauwelijks', zei hij. 'Dat ik ben uitgenodigd komt doordat mijn
aanstaande – dus het meisje met wie we net hebben getoost – de dochter is van de broer des huizes en bijna een zus voor de zoon des huizes.'
'En wanneer wordt de verloving bekendgemaakt?' vroeg Hedda om te
mogen glimlachen, wat ze niet wist te onderdrukken toen ze stijfheden
hoorde als de dit des huizes en de dat des huizes. 'Eerst waren we van
plan om dat tijdens de jaarwisseling te doen, maar we zijn van gedachten
veranderd. Nu wordt het een voorjaarsverloving in aansluiting op mijn
eindexamen bij de Handelshogeschool.' 'O, de Handelshogeschool ...'
'... en dan wordt het een winterbruiloft, tegen de Kerst. Elisabeth zegt
dat ze graag wit bont wil wanneer ze gaat trouwen. Dat zal dan wel konijn worden.' 'Een klein witje', zei Hedda. De conversatie begon te lopen
en de soepkoppen werden afgevoerd.

'Nu we het er toch over hebben,' zei Bror Lennart terwijl hij een blik
in de richting van zijn aanstaande wierp en zachter begon te praten, 'is de
ring belangrijk voor een meisje? Moet je vragen wat ze wil hebben of wil
ze verrast worden?' Hedda bedankte voor een tweede kippenvleugeltje;
ze was al verzadigd door twee voorgerechten. Eén glas champagne was
ook genoeg, ze bedankte voor de rode wijn, dronk nog wat water en las
in Bror Lennarts lichte mokkakleurige ogen waardering voor haar terug-
houdendheid. 'De ring', ze dacht na over de ring. 'Als het een verrassing
is, is het nog belangrijker dat het de juiste is. Dan moet je er een zoeken
die laat zien dat je niet alleen haar smaak kent, maar ook weet wat voor
persoon ze is. Verrassingen dragen een veel groter risico in zich.' 'Maar',
filosofeerde Bror Lennart Langmark terwijl hij zijn derde glas rode wijn
leegde nadat hij ook al drie glazen champagne had gedronken – hij was
nu minder gespannen – 'maar als dit, dus de ring en dergelijke, gebeurt
wanneer iemand laten we zeggen vijfentwintig is, dan zijn de smaak en de
persoonlijkheid en alles twintig jaar later misschien helemaal veranderd?'
'Aan een dergelijke grilligheid heb je niets, vind ik.' 'Haha, is het grillig
om te veranderen in de loop van decennia?' 'Als je van smaak en persoonlijkheid verandert wel, vind ik dus.' 'Juffrouw Carlsson heeft strenge
morele principes, hoor ik.' 'Misschien wil ze dan gewoon een gladde ring
hebben?'

Aan tafel werd nu vrolijk heen en weer gepraat. Hedda zag dat mevrouw Borg-White naar haar toostte, de gastvrouw keek tevreden en leunde over naar haar rechtertafelheer, de enige die niet tussen de twintig en dertig of tussen de vijftig en zeventig was, maar die vroeg grijs was geworden en niettemin aantrekkelijk was. Zij fluisterde iets met haar blik op Hedda gericht en hij hief zijn glas. 'Wat, wat?' Wat zaten die twee daar te monkelen, iets vleiends, dacht ze en ze begon te blozen. 'Ze heeft zich aan me gegeven. Tegelijk onschuldig en vrijmoedig, ik wist niet wat ik ervan moest denken, voor mij hoefde het niet eens zo', zei Bror Lennart bij het dessert, dat geweldig was.

Hij schonk eerst Hedda's portglas bij, hoewel ze daarvoor bedankt had, en vervolgens zijn eigen glas voor de vierde, vijfde of zevende keer: 'Wat een kleine dingen, die glazen.' Zuipschuit, dacht ze en ze wendde zich weer tot de dokter, die voor de tweede keer vertelde over zijn brandgevaarlijke studentenkot aan de Klostergatan in Lund. De dame met het sigarettenpijpje had het bijzonder genoeglijk met de jongeman, die een nieuwe virginia voor haar aanstak. Ze lachten heel wat af; er hoefde maar af en toe een klein woordje gezegd te worden of de vrolijkheid ontvlamde alweer. 'Wie?' vroeg Hedda. 'Wie? Over wie hebben we het?!' 'Elisabeth, mijn aanstaande.' 'Maar dat zijn toch geheimen!' De mokkaogen keken haar dubbelzinnig aan. Een beetje beledigd, een beetje neerbuigend: 'Er zijn geheimen waarover je alleen met vreemdelingen praat, mensen die je toch nooit meer ziet.' 'U bedoelt zoiets als "mijn vrouw begrijpt mij niet"? Moet ik de barkeeper spelen?' 'Het probleem', hij fluisterde nu half, zijn blik ongegeneerd diep in haar decolleté, 'is dat ze mij te goed begrijpt …

Hoe moet ik haar kunnen vertrouwen wanneer we getrouwd zijn als ze, ja, zo gáúw wilde?' 'Maar is het dan niet de bedoeling dat jullie twee samen zijn?' 'Jawel, jawel!' 'Ik wil het hier eigenlijk niet over hebben.' De conversatie ebde weg, niet alleen tussen hen, want het werd helemaal stil aan tafel. Hij zweeg ook, sloeg zijn ogen op, keek haar een onnodig lang en moeilijk moment strak aan en mompelde: 'Ja, waarom vertel ik u dit eigenlijk? Een goede vraag, een werkelijk relevante vraag.'

Luigi had haar helemaal naar de voordeur vergezeld. Daar gleed hij bijna uit over een bevroren plek en Hedda ving hem op. Het was een plomp contact, maar ze had hem. En toen ze zo stonden, zij met haar arm om zijn middel, en de reactie over zijn gezicht trok, blokkeerden ze. Er gebeurde een hele tijd niets, behalve een ogengesprek waarbij je niet wist wat je ontving of wat je gaf. Na een poosje zei ze: 'Ik kan vandaag niet, ik heb mijn regels.' Hij ging er niet op in. In plaats daarvan zei hij dat ze eerst de boodschappen naar binnen moest brengen, dan konden ze daarna een eindje lopen, en praten.

Arm in arm staken ze Blasieholmen over. Zwijgend, zij dacht aan de eerste keer dat ze gewandeld hadden en elkaar bij de arm hadden genomen als steun bij de gladheid. Toen was haar lichaam alert geweest en oplettend en had ze elke aanraking geduid, nu was dat soort onrust voorbij. Er was geen fysieke onzekerheid meer. Nu hoefde hij maar met zijn vingers te knippen of ze kwam. Ze voelde dat hij af en toe naar haar gezicht keek, naar haar keek, maar ze beantwoordde zijn blikken niet, het maakte hem niet uit of ze deed of ze die niet zag. Hoewel ze hadden zullen praten wisselden ze geen woord. Toen ze bij de kade van Blasieholmen kwamen, koos hij ervoor niet door te lopen naar Gamla Stan op weg naar zijn huis, maar langs het Nationaal Museum links af te slaan naar Skeppsholmen.

Het liep daar omhoog en het was weer glad, daarom kozen ze voor een besneeuwd stuk, zodat ze hun voeten in de sporen van anderen konden zetten. Vervolgens heuvelafwaarts schuin naar rechts, onder het hoge rode huis door dat je van alle kanten kon zien. Hij liet haar los en gleed op zijn gladde zolen naar beneden, het was geen ijs- maar een sneeuwbaan, iets trager, zodat hij met zijn voeten kon draaien en op een drafje kon lopen. Bijna viel hij, maar wapperend met zijn armen kwam hij overeind, zijn sjaal en jas staken vogelzwart af tegen de sneeuw en het water, waarin de ijsschotsen zich in het kielzog van de boten voegden. Hij zag eruit als een roek die schokt op een windstroom. Op haar overschoenen met hakken kon Hedda dergelijke toeren niet uithalen, zij moest stapje voor stapje zijwaarts door de sneeuwhoop naar beneden. Het laatste stukje stond hij met open armen te wachten om haar op te vangen, zij klauterde jaloers en ongezellig omlaag en liep langs hem heen. Nu volgde er een stuk weg waar de sneeuw was geruimd en ze liep snel door, waarna ze bij de brug naar Kastellholmen stopte. 'Zit hier ook een plan achter?'

Een snel weer verdwijnend gevoel dat hij haar op een zo godvergeten plek in het water wilde duwen. Schuiten met gedoofde lichten bewogen aan de kade, kleine zeiljachten, pramen, vissersboten met een hoge boeg, en groengeverfde roeiboten. Daartussen, en onder de steile rotsblokken van het volgende eilandje, bewoog het water zwart en rustig, men zou er niets van merken, de koudeshock zou haar waarschijnlijk niet helemaal doen verstommen, maar ze zou ook niet luidkeels kunnen schreeuwen en ze zou alleen de moordenaar om hulp kunnen vragen. Er was hier verder niemand, het water was niet transparant, aan de oever lag geen ijs, maar het was te koud om te zwemmen. Je zou snel sterven. Ze kon duiken om het maar achter de rug te hebben. Ze kon op Åke wachten wanneer hij bang en voorzichtig kwam, stap voor stap, minder bang wanneer hij zag dat zij wachtte. Hedda kreeg veel tranen in haar ogen, sommige stroomden over haar wangen. Ze dacht aan de *Kindertotenlieder* van Schubert, het lied over de Erlkönig en dat over de dood en het meisje. In het eerste vleide en lokte de kinderdief *(mein liebes Kind, komm, geh mit mir ...)*, die zich wilde verlustigen aan het tere knaapje *(und bist du nicht willig, so brauch ich Gewalt!)* De jongen kon niet beschermd worden door zijn vader, die hem in zijn armen hield, onder zijn jas, op de zadelknop, en hij stierf rechtstreeks vanuit die bescherming, werd gestolen door de wellusteling die het op hem gemunt had. In het tweede lied opent de dood zijn beschermende, vreselijke mantel voor het meisje. Hedda keek neer in het water en over de zee, met ijsschotsen die door de schroeven verspreid werden en daarna golfden op het kielzog daarvan. Aan de overkant waren ook rotsoevers, en verder de hoogtes van Södermalm, waar enkele van de voorste gebouwen rechtstreeks uit de rots leken te groeien. Het straalde van het licht, in het westen was nog een streepje daglicht te zien.

Terwijl ze heel steil omhoogklommen naar Kastellholmen, waar de krakende sneeuw zo hoog lag dat hun voeten er houvast in vonden en hun schoenen vol met sneeuw kwamen te zitten, was er evenwel geen sprake van fysiek ongemak, maar van iets anders. Ze stonden op het hoogste punt, de stad spreidde zich driehonderdzestig graden rondom hen uit. Onder hen bosjes, de twijgen ijzig. Er gingen lichten aan, er werden lichten gedoofd, neon, de vuurtorens knipperden in het oosten, alles weerspiegeld in het water tussen de ijsschotsen. Hedda zag dat beneden haar licht uit het eiland lekte, maar niet of dat van een huis of een boot afkomstig was. Enkele met sneeuw bedekte daken onder het filigraanwerk van berkentakken, rook uit schoorstenen als je goed keek, maar alles gecamoufleerd door het wit. Het rook naar kachel. 'Wonen hier mensen?' Hij antwoordde: 'Ja, ik heb een verloofde. En op dit moment wil ik liever niet dat ze hiervan weet.'

Twee polen in zijn woorden. 'Hiervan'. 'Op dit moment'. Wijd uiteen; zij kon het hoopgevende in 'op dit moment' en het afwijzende in 'hiervan' niet overbruggen. Ze reageerde er helemaal niet op. Ze voelde dat hij weer naar haar keek, de lichten in Stockholm kregen kleuren, die van de regenboog. 'Nee, niet huilen.' Om het haar te vertellen had hij haar mee-genomen naar de top hier. Hier was er geen mogelijkheid om weg te ren-nen. Al die sneeuw. Ze vond het vreselijk toen hij haar wangen droogde met zijn hand, maar ze kon er niet veel aan doen, ze wilde hem niet afwe-ren en zich onnozel gedragen. Ze had net op de kade gehuild zonder dat hij het merkte en ze bleef huilen. 'Ik heb deze winter genoeg te verduren gekregen', zei ze toen ze haar stem teruggevonden had. 'Waarom moesten we helemaal hiernaartoe, nu word ik ook nog verkouden.'

Ze dook naar de grond om haar gezicht te wassen met sneeuw en tot bedaren te komen, maar er kwamen alleen maar meer tranen. Snot ook, ze snikte luid, leunde met haar gezicht voorover tussen haar knieën, ter-wijl ze het maar bleef wassen en er steeds meer bijkwam waarover ze nog geen tranen had vergoten. Een uitslaande brand door slechts één kleine mededeling, die niet eens een verrassing was. Natuurlijk had hij iemand, zo jong was hij niet meer. In de schaal die tegen zo veel lood in de andere schaal moest opwegen zat vooral schroot; hij had maar een klein tikje tegen de weegschaal hoeven te geven of die sloeg door. De ene dag heb je vertrouwen in je rijkdom, moeder, vader – alle mensen, broers en zussen die je tot het laatst bijstaan, vrienden op wie je kunt rekenen, je bent blij met wat je hebt, bent blij om gele populieren tegen een herfstlucht en als je het woord 'gloeiworm' leest, wordt er een wereld van junigewaarwor-dingen gewekt. De geliefde roeken die nestelen in de olmen en tekeer-gaan wanneer al het andere is verstomd. Dan valt er een roek dood naar beneden. Dan komt de dood die klare taal spreekt: er is niets, iedereen slaat zijn eigen richting in, iedereen heeft zijn eigen beslommeringen, niemand deelt met anderen méér dan zijn overvloed. Er is niets. Luigi zat op zijn hurken met een arm om haar rug geslagen. Dat kon ze niet gebruiken. 'Ga weg', zei ze. 'Ik heb nergens een plek om alleen te zijn. Ik wil alleen zijn. Ik heb veel zorgen, ik wil alleen zijn.'

Hij begreep het en stond op om weg te gaan, maar slechts een klein stukje bij haar vandaan. Door haar onmiddellijke reactie begreep ze dat ze toch bang was om hier in het duister alleen achtergelaten te worden. Ze wist niet hoe ze zich moest oriënteren, het was steil en donker, ze kende het eiland niet. De behoefte aan veiligheid damde de onvergoten tranen in. Na een paar minuten had ze het koud. Toen ze haar gezicht voor de laatste maal waste, hoorde ze een heel zwakke weerklank van een bootsignaal uit de archipel. Steunend tegen een boom ontdeed ze haar overschoenen van sneeuw zodat haar schoenen niet doornat zouden worden, want vochtig waren ze al.

Ze zette ook de eerste stap. 'Zullen we gaan?' Hij stond met zijn rug naar haar toe en keek naar een lichtfenomeen achter Riddarholmen, een vliegtuig? Onderweg naar hem toe duwde Hedda losse sneeuw aan de kant zodat haar schoenen niet weer vol kwamen te zitten. 'Zullen we gaan?'

Hij draaide zich om en ze zag dat hij geïrriteerd was. Hij zei dat hij niet tegen scènes kon, vooral niet als die opgewekt werden, als doelstelling in zichzelf. Waarom noemde ze zijn verloofde als ze vervolgens niet van haar bestaan wilde weten? Was ze zo kinderlijk dat ze dacht dat het leven van anderen alleen bestond uit wachten op haar? Hij toonde toch respect voor haar door te begrijpen dat ze eigenlijk om heel andere dingen verdrietig was toen ze zich daar in de sneeuw wierp en klonk als een … Waarom kon ze voor hem niet hetzelfde respect opbrengen? Niemand is het gereedschap van een ander. Hij vleide zich niet met de gedachte dat die tranen voor hem bedoeld waren, zo bijzonder waren. Als hij dat had gedacht, zou hij inmiddels al op de brug naar Skeppsholmen zijn en rennen voor zijn leven. Misschien moesten ze allebei maar naar hun eigen huis gaan en het een poosje wat rustiger aan doen.

Na het diner verplaatste het gezelschap zich naar de zitkamer voor koffie met cognac en likeur, die klaarstonden op kleine tafels. Omdat ze niemand kende, liep Hedda wat rond om de schilderijen te bekijken. De jonge generatie was in een hoekje bijeengeklonterd, daar kon ze zich niet opdringen, de ouderen bleven ook onder elkaar in drie of vier constellaties. Door het hele perspectief van de kamers en suite zag ze mevrouw Borg-White met haar jongere tafelheer mee naar de voordeur lopen. Ze hielp hem zelf in zijn jas, schikte strelend een revers, gaf hem zijn hoed aan, ontving een kus op haar wang en daarna op haar hand. Toen hij de deur achter zich had dichtgetrokken bleef de gastvrouw even resumerend staan, ondertussen dromerig met haar ketting spelend. Voor de spiegel duwde ze haar kapsel in model en snel wendde Hedda haar blik af naar een stilleven in pastel, stokken die ronde vormen verbeeldden. Behalve zij keek er niemand naar de kunst, maar op welke andere manier kon ze verbergen dat ze een eenling was in het gezelschap? Toen Hedda naderbij kwam, was het Elisabeth Borg die de kring sloot; het was net als op school. Hedda overwoog of ze met een tevreden blik midden in de kamer zou gaan staan, dan zou er wel iemand zijn die er niet omheen kon dat op te merken en die zich over haar zou ontfermen. Maar ze durfde dat niet goed te doen op het moment dat mevrouw Borg-White uit de hal terugkwam. In plaats daarvan liep ze haar tegemoet met de spiegel als doel, maar dat werd verkeerd begrepen en een hand wees haar een deur aan de andere kant, 'het damestoilet'.

Toen ze gehoorzaam in die richting liep, hoorde ze dat het op dat moment een herentoilet was. Er was een man aan het overgeven. Ze deed twee stappen naar achteren. Weer klonken binnen drie erupties. De wc werd doorgespoeld. Water dat stevig in de wasbak spoot. Ze hoorde hem steunen. Het wc-deksel ging weer omhoog. Een rauw, droog spuuggeluid, vervolgens een beetje braaksel dat tegen het porselein kletterde, toen een grote hoeveelheid in porties, met ertussendoor bijna geroep om hulp. 'Aah, verdomme.' Weer werd er doorgespoeld. Hedda begon nu zelf misselijk te worden, ze keek in de richting van de zitkamer en naar de mensen die zich in zwart satijn stonden aan te stellen en lang te maken, en het gezelschapsspel 'Gezelschap' speelden. Wat als een van de oudere heren echt onpasselijk werd en nu bijna een beroerte kreeg? Het eten tijdens het diner was overvloedig geweest, zij had zorgvuldig gekozen wat ze aankon. Er was ook te veel drank geweest. 'Gaat het wel?' fluisterde ze, maar hij gaf alweer over. 'Gaat het wel?' herhaalde ze toen het stil werd. Hij spoelde weer door en plensde met water. Ze hoorde hem binnen rondlopen, zijn keel schrapen en op proef hoesten. Het deksel omhoogdoen, op proef spugen, maar er kwam niets. Hij gorgelde en je hoorde een oprisping, maar niet meer dan dat. Hij gorgelde weer en leek klaar te zijn, pakte de deurklink, maar liet die weer los en urineerde lang, nadruppelend. Opnieuw handenwassen aan de wastafel en nog een keer gorgelen. Hedda liep vijf meter weg naar de grote spiegel en toen de deur openging, deed ze net of ze niets gemerkt had. Ze leunde naar voren om het lintje aan de halsuitsnijding van haar bolero te strikken. Bror Lennart Langmark kwam naar buiten en ging achter haar staan om te zien of zijn kleding in orde was. Dat was opdringerig en ze stapte opzij om de spiegel aan hem over te laten. Hij zag grauw, de verlichting van voren benadrukte het bijzondere contrast tussen zijn lichte wenkbrauwen en donkere haar. Net een nachtdier in de zoo. 'Ik kan niet zo goed tegen paddenstoelen.' Hedda negeerde zijn opmerking met een blik opzij. Geef het tafelbier de schuld maar. Daar kwam de verloofde aanzeilen om ook naar de wc te gaan, Hedda gunde haar graag de geur van het toekomstig huwelijk. Paddenstoelen …

Een poosje later was ze in gesprek met de zoon des huizes. Hij leek opdracht te hebben gekregen om een conversatie met haar te beginnen, maar had het voornamelijk over zichzelf. Hij noemde haar juffrouw, waarschijnlijk was hij haar naam vergeten, en keek langs haar heen alsof hij met iemand praatte die achter haar stond. Alleen een ongeveinsde blik toen ze antwoordde dat ze drie broers had. O, dat had hij ook gewild. Hij was enig kind. In München huurde hij een kamer bij een familie met vijf kinderen, twee zussen en drie broers tussen de dertien en de achtentwintig. Lawaaiig, heerlijk. Zij keek ook langs hem heen. Naar Langmark, die zo vreselijk had staan overgeven, maar nu met trillende handen, wazig, van een cognac en een sigaar genoot. En een bonbon. Hij zou wel weer honger hebben. Zijn verloofde praatte tegen hem zonder te glimlachen, een hand op zijn bovenarm. Zelf praatte hij tegelijkertijd met iemand anders. Je zag gewoon dat hij haar wilde afschudden, maar dat zij koppig volhield. Zouden ze ruzie krijgen als zij verdere dronkenschap probeerde te voorkomen? De zorgen maakten haar echt lelijk, maar zelf zag hij er bijna aantrekkelijk uit met die gorigheid. Adrian volgde haar blik. 'Tja', zei hij. 'Wat doen we met die daar?'

De terugkeer van de begeerte toen alles in een andere richting wees. Wat wil een mens hebben? De geslachtsorganen zijn gereedschappen, om op terug te vallen, gewoonweg paren, tegen elkaar aan wrijven wanneer de verdere fantasie zwijgt. Maar daar is het slaapbeen, de plooi in de duim, de krachtige ader op de onderarm, de aanblik van de polsslag, het gevoel van de polsslag. De begeerte op zich, zonder speciale aanleiding.

Het was zo vreemd om tegenover elkaar te staan, maar elkaar nauwelijks te zien. De brief die hij had geschreven over de vorm van de ziel en de ogen van de ziel, die bijzondere schoonheid die alleen de ziel kan zijn en de ziel alleen kan zien, hetgeen de Italiaanse dichters vanaf Petrarca tot D'Annunzio hebben geprobeerd te onderzoeken, maar waarin ze hebben 'gefaald'. Niemand anders had dit geprobeerd, er misschien hooguit bij toeval in geslaagd.

Hij was de weg naar Kastellholmen ingeslagen omdat daar een familielid woonde dat vroeger bij de marine had gezeten. Tegenwoordig was hij zo goed als doof en zijn gezichtsvermogen was verpest door veel ooginfecties. Luigi zocht hem af en toe op, en was ook naar hem op weg geweest toen hij Hedda tegenkwam, dus hij had hier sowieso naartoe gemoeten. Toen hij haar bij de arm nam om haar naar beneden te helpen, voelde dat eerst als dansen met willekeurig wie. Het boze zwijgen van de spier. Plicht. Na een poosje stonden ze te zoenen in het kreupelhout. Meer onderhandeling dan verzoening. Bij de eerste kus zei hij dat huilebalkkussen naar koewei smaakten en dat je niet moet denken dat emotionele uitbarstingen twee mensen dichter bij elkaar brengen, integendeel. Vervolgens klemden ze zich vast aan een berk en aan elkaar om het houvast niet te verliezen. En toen stak Hedda haar handen onder zijn jas, zijn colbert, zijn slip-over en trok ze zijn overhemd uit zijn broek om strelend haar handen over hem heen te laten gaan, over zijn borst en buik, eentje verwarmde zijn nieren, ze pakte met beide handen zijn billen, die ook warmte nodig hadden. Zij stond met haar oor tegen zijn sleutelbeen en voelde de lichte vibratie van zijn hartslag.

Toen twee oudere paren vertrokken, nam Hedda eveneens de gelegenheid te baat om afscheid te nemen. Mevrouw Borg-White zei dat de avond nog jong was, maar ze accepteerde Hedda's uitvlucht dat het morgen weer vroeg dag was zonder verder commentaar. Naar haar vrienden toegekeerd zei ze: 'Jullie kunnen juffrouw Carlsson vast wel een lift geven, zou dat niet praktisch zijn?'

Weldra zat ze tussen de stellen in op het uitklapbare stoeltje in de taxi. Degenen die voor haar met hun rug naar haar toe zaten moesten naar de Danderydsvägen, degenen achter haar naar de Djurgårdsvägen. Het paar voor haar kon er niet omheen beleefd een paar vragen te stellen. Terwijl ze antwoord gaf, luisterde ze naar de mensen die achter haar zaten. Het woord 'underdog' viel. Ze hoorde: 'Wat mankeert er toch eigenlijk aan Elisabeth? Waarom kan ze geen fatsoenlijk iemand vinden? Dit is al de tweede cavalier die geen maat weet te houden. Godzijdank blijft het ons bespaard te zien hoe deze avond afloopt. Hij had zich al een keer moeten uh, huh "verwijderen", en dat nog voordat het borrelen echt was begonnen. Is dit nu het tweede of derde diner waarbij we hem dronken zien?' Hedda's gesprekspartners konden de verleiding niet weerstaan om langs haar heen te praten: 'Wij zijn hen twee weken geleden bij een diner tegengekomen waarbij hij op zijn zachtst gezegd beneveld was. Hij kon niet meer recht vooruit kijken en hij moest zich tijdens het diner zelf een paar keer uh, huh van tafel verwijderen. Hij moet van tevoren al begonnen zijn, want veel werd daar niet geschonken. Elisabeth was gebroken, maar er zat natuurlijk niets anders op dan doen of haar neus bloedde. Wij hebben haar naar huis gebracht, hij moest zichzelf maar zien te redden. Maar volgens mij houdt ze aan deze vast. Axel en Dagny hebben haar immers min of meer gedwongen, of omgekocht, haar vorige relatie te verbreken.' Hedda zweeg en haalde zich haar laatste aanblik van Bror Lennart Langmark weer voor de geest. Het trillen van zijn handen, waardoor de cognac door zijn glas draaide, zijn hardnekkig gefixeerde blik op de gloeiende punt van zijn sigaar, met één oog tegelijk, alsof hij niet zag, of niet met beide ogen tegelijk kon zien.

Ze hadden de nacht in de woning van oom Pourrin doorgebracht. Hedda begreep van de oude man dat zij niet het eerste meisje was dat hier zo opdook. Maar wat maakte dat nu nog uit. Hij wilde haar de haringsoep aanbieden die op het fornuis koud was geworden. Hij noemde Luigi 'Ulf', zijn tweede naam. Of eigenlijk zijn eerste naam. 's Ochtends liepen ze stil over de brug van Skeppsholmen terug naar de vaste wal. Ook de nacht was zwijgend verlopen. Tot een uur of elf het drinkgelag aan de andere kant van de muur; oom Pourrins woning was de laatste in een rijtje, zijn buurman was ook vrijgezel. Bij hem hadden ze die zaterdag de drankfles neergezet. Er deed nog een andere oude kerel mee aan het kaartspel, met lange stiltes, troefkaarten, protesten en gepraat in golven. Als ze moesten plassen gingen ze op de stoep, ze maakten geen gebruik van de plee, waar Hedda drie keer naartoe moest, twee keer met bloederig verband, daarna vond Luigi een versleten handdoek voor haar in de linnenkast. Als een volleerd servettenvouwer vouwde hij die in veel plooitjes en puntjes zodat hij zou passen. Ook hij maakte geen gebruik van de stinkende, volle plee; toen ze terugkwam, stond hij met de klompen die hij van zijn oom geleend had sneeuw over de sporen te schuiven. Hedda had rubberlaarzen aan. Dit was een nacht van kut en lul. Hij liet haar niet de vorm van de ziel zien en haar ogen waren blind. Ze wilde niet omdat ze bloedde, hij wilde wel, en er viel niets te discussiëren, al toen hij in haar binnendrong harde ellebogen en wellustig gesteun, een geïrriteerde vagina deed hem plezier, haar afgestompte gevoeligheid behaagde hem. Hoe groter haar reserve, des te heftiger was hij. Het deed haar verdriet dat ze niet in deze hitte op de grens van geweld mee kon gaan. Hij probeerde haar fysiek te overweldigen, hij drong binnen en trok zich terug, drong binnen en trok zich terug, hij draaide haar op haar buik, op haar rug, trok haar als een piramide op haar knieën omhoog en likte lang om haar tot een orgasme te dwingen, maar haar gekerm kwam voort uit weerzin en gedachten aan iets anders. In het schijnsel van het tweekleurige glas van de kachel liep hij als een fabeldier rond met een terugkerende erectie, hij wekte haar uit haar sluimerslaap en sliep in toen hij zich geleegd had. Hij genoot, hij deed geen moeite om haar reacties te begrijpen. Hij begeleidde haar drie keer naar de plee, de derde keer gaf hij haar de als een servet gevouwen handdoek die zacht was geworden in de was. 's Ochtends werden ze wakker doordat oom Pourrin pap ging koken en koffie ging zetten. Luigi had bloed op zijn gezicht. Hun schoenen stonden voor de kachel, het krantenpapier dat erin zat was opgedroogd.

In de stroom

'Een opener aaa. Altaaaar. Juffrouw Carlsson laat haar kin hangen en vouwt haar onderlip en dan klinkt het "ao". Die kin omhoog, de tong tegen de tanden, glimlachen! …?? Zo, ja. Ongeveer. Nog een keer aaaaAAAA! SchaaaaAAAAp.'

'Op den duur verdraagt het haar van de juffrouw deze behandeling niet meer. Kijkt u eens hoe gemakkelijk de haren afbreken, ik hoef er maar een klein beetje aan te trekken! In het najaar zullen we een nieuw kapsel proberen. Zoals dit, met een punt in de nek en een hoge bob, als een klein jongetje. De juffrouw heeft er de hals voor. Overdag sportief en 's avonds glamoureus met oorbellen. Vandaag pak ik de haren in met olie, maar in de zomer knippen we ze kort en benadrukken we het natuurlijke. Blond haar raakt trouwens uit de mode, niet het van nature blonde haar, maar de waterstofperoxidevariant. Denk aan Katharine Hepburn, asblond, lichtbruin, geen zweem van Au! Wat was dat? Kijk, een lieveheersbeestje! Nu al. Hij beet me.'

'Heel goed dat u uw geboortebewijs hebt meegenomen. Carlsson, Hedwig Regitze. Wat is Regitze voor naam? Regina ken ik wel. Geboren in Lund op zeventien maart negentienhonderdachttien, aha, de Allerheiligenparochie, aha. Burgerlijke staat ongehuwd, aha, huidige woonplaats Stockholm? Huidige beroepsmatige bezigheid 'student aan de Academie Borg-White'? Komt u maar, dan gaan we wegen en meten. Een meter vijfenzeventig en een halve centimeter. Nee, houdt u uw schoenen maar aan; hoe zwaar zal uw mantelpakje zijn? Laten we zeggen zesenzestig kilo. Wat een heerlijk voorjaarsweer. Hierna zal het wel weer tegenvallen, maar als dit maar tot zondag standhoudt. Dan zou ik met mijn meisjes naar het bos fietsen om te kijken of er al leverbloempjes zijn. Trekt u uw onderbroek en jarretellegordel maar uit, de kousen mogen naar beneden worden gerold als u ze aan wilt houden. De ketting hoeft niet af. Pakt u het hesje maar en wacht op de stoel.'

'Hoe noemen ze deze manier van lopen ... "Weet niet?" Luisteres, moejeskijken. (Loopt u nog een stukje.) Hebben jullie deze manier van lopen al eerder gezien, waar lijkt hij op, ik kan er niet op komen. O ja, natuurlijk. De pínguïn. Carlsson loopt als een pinguïn, of waggelt, moeten we misschien zeggen, wie heeft Carlsson geleerd om eerst de hielen neer te zetten? Nee, hou op, dat kan ik niet geloven, dansleraressen weten heus wel dat de tenen eerst moeten komen en je moeten helpen om je voeten goed neer te zetten. Hoepla, kan Carlsson alleen rechtop staan als ze haar hielen eerst neerzet?'

'Doe nou niet moeilijk, maar geef liever antwoord: wat dóé je hier? We proberen je al meer dan een maand te pakken te krijgen, maar de ene keer ben je "bezet" en de andere keer reageer je helemaal niet. En je bent ook niet thuis langs geweest. Je bent gewoon niet goed snik. Of je bent niet normaal. Tien tegen een dat hij over een jaar dóód is. Ja, jank maar niet, klare taal lijkt het enige wat er bij jou in wil, en dan is het meteen janken en jammeren. Wat kom je hier verdomme doen?! Verdorie, ik moet snel naar de montagekamer. Blijf hier, zodat ik met je kan praten, blijf hier, zeg ik!'

'Herkent u me niet, juffrouw Carlsson? We hebben anders een uur of drie naast elkaar gezeten. Hoewel er toen natuurlijk champagne, port en het een en ander aan te pas kwam, haha. Ja, nu komt er iets bovendrijven. Ik vergeef het u. Bijna ... Mag ik u voorstellen, licentiaat Dickson, juffrouw Carlsson en ...? Aangenaam, Langmark. Wij zijn ook gewoon even een luchtje aan het scheppen, je zou niet denken dat het pas maart is. Maar de ijspegels zijn riskant hier en daar. Is mevrouw Carlsson ook vanuit Skåne aangereisd of mevrouw ... neem me niet kwalijk, mevrouw "Diamond" ... wat wilde ik nou ook alweer vragen?'

'Carlsson moet haar wenkbrauwen epileren; als ze die rupsen houdt waarmee de natuur haar heeft bedeeld ziet ze er te oud uit om Stina te zijn. Nee, we halen de hele boel er niet af, ze mogen best borstelig zijn, maar

ze moeten lichter. En die sproeten, geen idee hoe jullie dat gaan aanpakken, spetter voor mijn part rozenbottelsoep door een vergiet. Als jullie er
maar wat van maken.'

'Hedda? Nu had ik je bijna weer niet herkend. En dan word je toch zo'
(gefluisterd) 'boooos ... Ik had helemaal niet verwacht je hier te zien. Je
hebt er niets over gezegd. Je komt toch niet voor mij? O, dat verklaart de
bagage. Wat een kleine koffer voor Amerika ... Maar dan moet je daar
zijn, ik heb Elina een paar uur geleden nog gezien. De make-up neemt
tegenwoordig behoorlijk veel tijd in beslag ... en hoe gaat het met haar
kostuums? Sinds ze getrouwd is, is ze aangekomen. Anders niet bepaald
van liefdesgeluk, volgens mij. Ze ... klokklokklok. Maar even eerlijk: wat
zie je er mooi uit. Ik heb geen last van je. Ik heb geen last van je. En de
volgende keer kraait de haan, ja.'

'Kom iets meer naar voren, de knieholtes moeten tegen de beugels. Dat
is niet voldoende, nog een beetje, de bips moet naar voren. Zuster, helpt
u even. U valt niet. Zo ja, en probeer te ontspannen. Probeert u uw buik
te ontspannen, anders kan ik tijdens het onderzoek niet voelen. Dat geeft
niet, gas is niet iets om u voor te schamen, nu niet weer omhoogkruipen,
u moet helemaal hiernaartoe. Dank u. Nu moet ik de schede wat verwij-
den om te kunnen kijken. Het voelt een beetje koud, maar het doet geen
pijn. Een schoenlepel? Daar heeft het inderdaad wel wat van weg. Zuster,
mondkapje. Nou, dat ziet er goed uit. U bent helemaal gezond? Voor zover u weet? Wanneer hebt u voor het laatst uw regels gehad? Goed. Ik zie
trouwens dat de menstruatie nog niet helemaal voorbij is ... inderdaad,
dat komt met het secreet uit de schede mee naar buiten, maar dat hoeft
daardoor niet gekleurd te zijn. Hoelang kent u Elina al? Elina is een ver-
standige vrouw, en gul. Ontspan. Ik ken haar zelf al sinds, ach, sinds ...
Toen ze nog Erling heette. Maar Elina Erling was geen naam voor een
artieste, dat klonk veel te bedacht, ook al heette ze zo. Ontspan. Eigenlijk
hadden we ons gesprek van tevoren moeten hebben. Mag het ook zo, of
wilt u bij het bureau zitten? Ik stel geen vragen voor mezelf. Dat Elina
u naar mij toe stuurt, komt omdat ze me kent. Het intieme leven is een
privékwestie, zolang de partijen volwassen en het met elkaar eens zijn,
en nog beter natuurlijk als ze een warme spirituele gemeenschap hebben,

maar van dat soort dingen weten buitenstaanders niets. Ook niet of ze de zegen van de kerk hebben. Dat er tegenwoordig minder kinderen worden geboren heeft tot enige overheidscontrole op de geboortebeperking geleid. Begrijpt u? Het echtpaar Myrdal maakt zich zorgen dat hier in het land minder kinderen worden geboren. Wat in een boek genoteerd wordt, "staat geschreven". Bepaalde beroepsgroepen richten zich meer naar wat er geschreven staat dan naar wat men kan, begrijpt en weet te beoordelen. Dus ik vraag: bent u hier vrijwillig of bent u hier door iemand anders naartoe gestuurd? Hebt u plannen om op een later tijdstip kinderen te krijgen? Ik zie dat u over een paar dagen twintig wordt. Als burgerlijke staat geeft u aan ongetrouwd. Maar als ik het goed begrijp, bevindt u zich in een relatie van langdurige aard? Waarmee deze, ja, methode zich laat motiveren, die natuurlijk een middel is om bevruchting te verhinderen, ook al is het niet voor honderd procent. Ze biedt echter absoluut geen bescherming tegen ziektes die door tijdelijke kennissen kunnen worden veroorzaakt. Dergelijke ziektes worden in de volksmond "schandelijk" genoemd, maar dat verhindert niet dat het om gewone bacteriologische of virusziektes gaat die lichaam en ziel treffen. Onbehandeld kunnen ze leiden tot onvruchtbaarheid, of nog ergere gevolgen. Zo! Op uw twintigste verjaardag zelf? De verlovingstijd is een fantastische tijd. Alles en niets. Blijft u zo liggen. Wat u hier ziet, is een pessarium.'

'Søgaard is dus Hedda's broer. Dat wist ik niet. Jullie lijken niet op elkaar, Hedda heeft zeker meer broers of zussen? Klinkt heel degelijk, en wat doet de jongste? Och, maar lieve schat ... Dat heeft Hedda goed voor zich weten te houden. Daar had ik geen idee van. Je hebt je ongerustheid goed verborgen gehouden. Dat is voorkomend tegenover anderen, maar niet tegenover jezelf, lieve schat. Het komt vast wel in orde. Het moet in orde komen! Ik weet dat iedereen dat zegt. Ook wanneer men over ziekte en dood spreekt, staat men midden in het leven, dat is het enige perspectief dat men heeft. Hoop is het enige perspectief dat men heeft, leven is het enige wat we kennen, en alles wat we hopen heeft betrekking op wat er in het leven bestaat. Hoe kan deze praat je nou troosten? Hedda is te vriendelijk, ik ben niet zo erg wijs. Nu begrijp ik Tom Søgaards boze gezicht ook beter. Ik vind – ja, kijkt hij niet voortdurend boos? Terwijl ze deze havenfilm toch ook mogen maken.'

'Het komt goed uit dat Bror hier met de auto is en tijd overheeft. Dan besparen we een taxi. Want Bror wil juffrouw Carlsson vast wel een lift naar Solna geven. Ja, nu meteen. Er is op een manchet geknoeid en juffrouw Carlsson is nodig om die te verwisselen. Vergeet je naai-etui niet, lieve schat. En je hoeft je niet te haasten om terug te komen. Mevrouw Oscarsson kan de zijden franjes doen.'

'Natuurlijk denk je dat ik jaloers ben omdat je verliefd op hem bent. Wie zou hem kennen en niet verliefd zijn … Het is de logica waarnaar je leeft. Nu ligt het niet zo simpel, ik ben niet verlíéfd op Ugly, maar dat mag je best denken. Wat je ziet is geen jaloezie. Misschien afgunst. – Ik ben nooit verliefd geweest. Nu heb ik jou ook iets toevertrouwd, en dat is aanzienlijk erger, of niet? – Ik ben niet "verliefd" op Tom en ik was ook niet verliefd op mijn man. Ze liggen me allebei na aan het hart, ik ben niet koud. En waarschijnlijk is dat veel normaler dan brandende verliefdheid. De meeste mensen zijn niet verliefd, hooguit op iemand die ze niet kunnen krijgen. De mens is praktisch. Tom is volgens mij ook niet "verliefd" op mij. Niet op de manier zoals jij bedoelt. Wie zou jou niet benijden? Ook al krijg je hem uiteindelijk niet. Alleen al dit te voelen is fantastisch. Ik had meteen al het gevoel dat dit ging gebeuren. Je had je eigen gezicht die eerste avond moeten zien, toen hij de trap af kwam stormen om je naar de tram te brengen. Die enorme opluchting. Omdat hij is zoals hij is, neemt hij nooit zelf het initiatief. Maar je zult wel een geurspoor hebben uitgezonden dat voor hem niet mis te verstaan was en nu heeft hij je dus verleid. Ja, zeg …! Je hebt me versteld doen staan. Ik zal het niet aan Tom vertellen. Dat durf ik gewoon niet. Ik vertel hem niets. Hij is ook een beetje verliefd op Ugly.'

'Hedda weet vast wel dat ze neerkijken op producties waar ik bij betrokken ben? Hoe kunnen we met zoiets onze tijd verdoen? Kluchten, komedies en romances hebben geen bestaansrecht zonder sociale bijgedachte, en zelfs dan is het nog de vraag. Humor, bah. Ze zeggen dat de mensen geen films over de middenklasse, middenlagen en bovenklasse willen zien. Maar de mensen rennen toch veel eerder naar de bioscoop om zoiets te zien dan die havenfilms van hen. Al die moederskindjes hier zijn gek op gekostumeerde tuberculose en dronkenschap in de goot. Opgegroeid in villa's en met een hogere opleiding hebben ze nooit meegemaakt – laat staan dat ze er getúíge van zijn geweest – wat ze op film willen zien. En dat heb ik wel. Mijn vader was fabrieksarbeider in Vasa en mijn moeder ging uit poetsen en werd bij de beter bemiddelden afgebekt door het díénstmeisje. We woonden in twee kamers met een keuken zonder faciliteiten tot ik tien was en mijn vader conciërge werd en een dienstwoning kreeg. Toen was hij inmiddels ook geheelonthouder. Daarvoor hadden we het slecht, echt slecht. En ik heb oorlog meegemaakt en honger geleden. Ik kijk niet neer op kunst over het wrede leven, maar die is moeilijk om te maken. Zíj kunnen dat niet, zij vermanen anderen en slaan zich op de borst. In de rotzooi die ik mag maken kun je niettemin begenadigde momenten van inzicht smokkelen die het publiek bijblijven, of dat nou rijk is of arm. Puur menselijk gezien is er weinig verschil tussen rijk en arm. Ik kan het weten! Genoeg daarover, Hedda, maar ik erger me eraan wanneer jonge filmfantasten die het zelf niet hebben meegemaakt de ellende huldigen als de ultieme waarheid. Nu moet ik even mijn middagslaapje doen, dus Hedda moet gaan. Alleen dit nog. Kijk uit met Ugly, hij heeft zijn bijnaam niet voor niets. Een lieve jongen, op zijn manier, maar iets te lief.'

'Maar jullie gebruiken toch wel voorbehoedsmiddelen? Dus, Hedda, hoe kun je dit nou het beste zeggen? Luigi is speels en charmant en weet zijn mondje te roeren, maar hij is niet de juiste voor jou. Over twee jaar zit hij als directeur van een scheermesjesfabriek in een gat in Uppland en is hij daar tevreden mee. Ik koester geen overdreven verwachtingen van jou, maar hij is tweeëndertig en jij wordt vandaag twintig. Jij begint je te ontwikkelen en hij begint zich te beperken. Hij is al veel te lang met film en zo bezig. Hij begint aan de terugkeer naar wat er voor hem is voorbestemd, en ook al zou je hem op dit moment naar het einde van de wereld willen volgen, ik weet niet zeker of jij je dat einde van de wereld wel zo had voorgesteld ... De droomfabriek is voor ons allemaal min of meer uitgedroomd. Tom wil misschien op documentaires overstappen. In juni ben jij godzijdank weg uit Stockholm, of houden jullie in mei op? Zie je dan niet dat hij elke keer als jullie elkaar tegenkomen wanneer er anderen bij zijn, onrustig om zich heen kijkt?'

'Ik heb geen vooroordelen, vrouwtje, maar jij zit een half uur of langer met gesloten deur bij Elina binnen en daar wordt over gesproken. Ik denk ook niet dat ze "zo" is, maar door haar vorige rol heeft ze, fluister, fluister, een naam gekregen. Ze kijkt nu eenmaal op een bepaalde manier naar je, je bent haar protegé geworden en je moet de hele tijd bij haar komen en …'

'Nou, dat is vlot gegaan. Wanneer is het pessarium uitgeprobeerd? Volgens de status een kleine vier maanden geleden? Nee, geen twijfel over mogelijk, geen enkele onzekerheid, de baarmoeder is zodanig vergroot dat ik zou zeggen tussen de tweede en derde maand. U moet het zelf ook hebben gevoeld. De borsten zijn immers ook groter geworden, ziet u die aders, wanneer was uw laatste menstruatie? Nee, serieus. Omwille van uzelf, serieus! Hoe hebt u nou kunnen twijfelen? Ja, u hoeft zich niet te verontschuldigen, er zijn zo veel mensen die zichzelf voor de gek houden. U moet rekening houden met een bevalling in februari. Ja, inderdaad, de kómende februari. Niet over anderhalf jaar. Hoe bent u momenteel gesitueerd? Formeel bestaat er een meldingsplicht voor het geval het om een buitenechtelijk kind gaat. Rustig maar. Nu niet, maar voor het geval het kind buitenechtelijk ter wereld komt. Ja natuurlijk, dat is uw zaak, dat ben ik honderd procent met u eens. U weet dat dat uitgesloten is. Dat moet u niet eens bij mij aankaarten. U verkeert in een uitstekende gezondheid. Ik ben in elk geval nooit een ongetrouwde prinses op die manier van dienst geweest! Gaat u nu maar liever naar huis, voordat we hier allerlei zijpaden inslaan. Ja, ga naar huis en praat met de vader van het kind, praat met uw moeder. Het komt allemaal goed. En maak bij de zuster een nieuwe afspraak voor over een maand.'

'Het spijt me, maar Carlsson moet nog één keer in het kuurbad. Carlsson moet proberen nog een beetje te acteren. Een mooi figuur in een badpak alleen is niet voldoende. En Carlsson zet de voeten weer neer met de hielen eerst. En is Carlsson de laatste weken niet aangekomen? Zowel van boven als beneden, van boven tamelijk … Dat badpak staat gewoon op springen. Als dit zo doorgaat moeten we een grotere maat nemen, anders krijgen we problemen met de censuur. Waarom ziet Carlsson zo blauw in haar decolleté? Is dat nieuw? Ga naar Mala en laat haar dat een beetje bij poederen, het ziet er zo uierachtig uit, met die aders, dat heb ik niet eerder gezien, is dat nieuw? Het water moet koud zijn in juni, dit is de Oostzee. Leuk voor Carlsson dat ze de westkust gewend is, maar je neemt wat je krijgen kunt. Zorg ervoor niet zo uierachtig te zijn.'

'Mijn hart behoort aan jou. Jouw hart behoort aan mij. Ik geef het nooit meer terug.'

'Wat een geluk dat ik Hedda hier net tegenkom. Weet Hedda nog waar we het een poosje geleden tijdens dat diner over gehad hebben? "De ring". Nu is het binnenkort zover. Over een maand. Ik heb een uurtje vrij en Elisabeth is in Strangnäs, dus er is geen gevaar dat ze me betrapt. Maar ik zou best wat advies kunnen gebruiken en Hedda is me wat verschuldigd? Niet? Is Hedda vergeten dat ik haar – drie keer – een lift heb gegeven? Dat weet ik ook. Als ik niet beter had geweten zou ik bijna denken dat tante BW het erop aanstuurt dat we elkaar tegenkomen … nee, nee, zo bedoel ik het niet. Maar Hedda is een estheet en Hedda is een vróúw, dus doe me een genoegen en ga mee naar binnen. Ik heb een kleinigheidje achterovergedrukt dat aan de linkerringvinger past. Over de prijsklasse heb ik niet nagedacht. Alle metaal gaat levenslang mee, maar ik had me eigenlijk iets met meer pretentie voorgesteld. Wat vindt Hedda van smaragden? Een onyx? Wie wil er nou zoiets dragen als … Doe hem eens aan je vinger voor me, Hedda. Jawel, doe maar, alsjeblieft, geef nou toe, ik zal hem wel even omdoen, tegenstand warmt het metaal op! Kijk, nu zit hij toch.'

Nabij de hemel

De tijd gaat zo snel, hij gaat langzaam, er is van alles gebeurd, maar we lopen hier nog.

Hedda en Åke wandelen in de Finngatan. Het is nog niet zo lang geleden dat ze dat met Quatrejamb deden, tot vader later een gepensioneerde politieagent in Stångby betaalde om voor de hond een stuk vlees te kopen en hem een nekschot te geven.

Åke is sinds Kerstmis de lucht in geschoten. Toen was hij wat kleiner dan zij, nu is hij centimeters langer. (Inclusief de ziekte, toch gek.) De natuur denkt niet. Wanneer ze met haar arm om zijn schouders loopt, zoals ze al doet sinds hij drie was, is hij een slenterende mannelijke begeleider, de door Tom achtergelaten winterjas zwiert om hem heen. Te lang voor hem en in de schouders te breed, de ene mouw is in de zak gestoken. Hij ziet er niet uit als een jongen in te grote kleren, maar als een man in Milaan.

Het is 22 maart, ze is al drie dagen thuis, het is hun tweede wandeling na schooltijd. Hij is pas weer op school begonnen; hij is nog niet sterk en komt tegen vieren naar huis, op een van die dagen in gezelschap van een meisje met ogen zo blauw als het zandblauwtje. Moeder glimlachte toen Tora een dag nadat ze van hun kuur waren thuisgekomen al langskwam.

Ze normaliseert het leven, ze is schattig, met een grote bos haar waarvan de contouren een lijn trekken naar de spitse handen op haar schoot, haar ene voortand staat iets over de andere, net als bij moeder. Hedda vindt haar een beetje ouwelijk overkomen, meer een moeder dan een vriendin voor hem, en ze is erg vertrouwelijk met moeder. Moeder is begonnen met porselein schilderen. Hedda begrijpt niet waarom. Ze hebben zo veel porselein in huis, Chinees, Duits, en voor dagelijks gebruik het Noorse van Porsgrunn. Hoe moeten ze dat allemaal in de kasten kwijt kunnen, wie gaat al die borden die moeder met bleke, verontschuldigende bloemen beschildert gebruiken? 'Akelei', zei Tora.

Tora en Åke zaten een poosje aan de piano te fluisteren, driehandig te spelen en ze giebelden erover dat er iets was, heus iets was wat echt goed klonk. Toen ze wegging, zwaaide moeder haar bij de deur en door het raam na. 'Dag, kleintje.' Tora was de nieuwe Hedda in huis geworden. Wat had dat meisje eigenlijk voor neigingen? Ze zag er prerafaëlitisch uit. Wat zouden haar ouders vinden van de rol die ze meende te moeten spelen?

Negen maanden later zal ze er ook zijn, wanneer Hedda met haar man naar het zuiden is afgereisd om Kerstmis te 'vieren'. Dat is de laatste week in Åkes leven, het zijn de laatste dagen dat hij thuis kan zijn (eigenlijk kan dat niet maar hij is er toch, want het is immers 'Kerstmis'). Hij is helemaal van de wereld door de morfine of het gif van de kanker, maar toch niet pijnvrij, want af en toe steunt en gilt hij, dan beweegt het kind in Hedda's buik, het schopt niet, maar strijkt langs haar buikvlies. Åkes hand tast over het dekbed. Hij praat onafgebroken, alsof hij slaapt, hij zal wel denken dat hij met beide handen tast. Hij heeft de rode doodskringen al onder zijn ogen. Zijn ademhaling is oppervlakkig. Niemand doet iets. En op een van die dagen zal Tora daar ook zitten, met ongewassen haar en lodderige ogen. Dan worden moeder en haar moeder het eens dat ... nee. De tijd gaat snel. Dan zal het winter zijn, nu is het lente.

Het voorjaar hangt in de lucht, in het westen kleurt de hemel blauw op, maar in het oosten is het donker en hangen er misschien wat wolken, die een hinderlaag voor Hedda en Åke zijn. Ze merken op dat de straatverlichting aangaat. Lichtpunten in het licht, je ziet er op de grond nog geen effect van. Gisteren waren ze later buiten en toen ze onder een lantaarn door liepen, zagen ze zichzelf naar hun eigen schaduw toe lopen en er weer van weg. Ze hadden het er nog niet eerder over gehad. Hij had haar verontschuldigend aangekeken en zij keek verlegen naar hem, maar ze zeiden niets over wat er was gebeurd, alsof alles al gezegd was. Maar nu. In het voorbijgaan legde hij uit dat het lichaam meteen een ander evenwicht zoekt wanneer er een deel van wordt verwijderd. Aanvankelijk stond hij voortdurend op het punt van omslaan, daarna had hij een poosje 'overgeheld'. Wat weegt een arm? Een paar kilo toch wel. Hij had hetzelfde gehoord van een meisje dat bij een ongeluk alleen maar een paar vingers was kwijtgeraakt. Toen haar hand niet meer van lood was omdat het zo'n pijn deed, vloog hij omhoog; slechts een paar onsjes minder, maar alles werd op zijn kop gezet en 'zij was veel verdrietiger dan ik, ook al had ze geen dodelijke ziekte'.

Hedda was met stomheid geslagen toen hij die woorden uitsprak. Ze had nooit gedacht dat hij het niet wist, dat ze hem moesten ontzien, maar toen hij dit heel openlijk zei, werd haar hand ballast op zijn schouder. Van verlegenheid wist ze niet wat ze moest beginnen, ze voelde haar eigen lichaam niet. Wat moet je zeggen? Nee, je gaat niet dood, ik kan morgen net zo goed een dakpan op mijn hoofd krijgen, dat soort luchtige dingen? Er is geen antwoord. Zijn voorzet kan niet worden genegeerd, maar ook niet worden beantwoord. Aan deze kant bestaat geen antwoord, alleen de stille verlegenheid dat je zelf geen tijdgebonden prognose hebt.

Hij weet het. Vandaag zegt hij niet veel bijzonders, hij schopt tegen een kastanje van vorig jaar. De ontstoken lantaarns maken de knoppen zichtbaar, het vocht onthult ze, een enkele is al ingekeept en staat op een kier. Er zit veel kaf tussen de takken, de hulzen van de goudenregen, de verdorde draden van de akkerwinde. Rechts en links vrijstaande huizen die er al enkele decennia staan. Hedda moet opeens denken aan namen van mensen van wie ze gehoord heeft dat het nazi's zijn. Die noemt ze nu niet; het is voorjaar, een merel. Dat lied! De deur daarheen staat al open. Ze blijven staan, kijken of ze hem zien, hun vier blauwe ogen zwermen de hele hemel af, ten slotte ziet hij de vogel op een tak in een olm. Ze blijven staan om te luisteren. Hedda haalt haar hand van zijn schouder, voorzichtig langs het geopereerde uiteinde zonder dat te ontwijken, slaat haar arm om zijn middel en trekt hem tegen zich aan. 'Ja', zegt hij wanneer ze 'merel' zegt. Iets beters is er niet.

'Ik heb ook een geliefde', zegt ze na een poosje. 'Ik heb geen geliefde', onderbreekt hij haar, omdat ze 'ook' heeft gezegd. Tora is geen geliefde, Hedda's indiscretie irriteert hem en hij informeert niet naar haar vriend. Hij is geen man in Milaan, maar een jongen die om zijn arm te ontzien een te grote jas draagt.

De merel hoort hun stemming niet. Die is een doel in zichzelf en zwijgt alleen om na te denken over het volgende deuntje. Kleine dingen met grote stemmen, wat die allemaal uithalen. Hedda ziet jonge poesjes die net tevoorschijn zijn gekomen uit het vruchtvlies dat stukgebeten is door de moeder, die net de volgende van het nest ter wereld brengt, zo groot als de duim van een man, met stemmen als kinderen. De grote dingen en hun zwijgen.

Stilzwijgende overeenkomsten, waarvan je nooit had gemerkt dat je ze was aangegaan:

mevrouw Borg-White zwermde om Hedda heen terwijl ze de laatste hand legden aan een van Elina Söderberghs toiletten. Op het laatste moment moest er voor de witte linnen blouse nog een fluwelen bies met knopen worden gemaakt die in plaats zou komen van een stropdas. Hedda probeerde tegen te werpen dat het mevrouw Söderbergh niet zou staan. Haar gewichtstoename van de laatste maand tekende zich vooral af in haar nek en had haar hals een paar millimeter korter gemaakt. Minieme veranderingen, maar belangrijk. De bies werd toch genaaid, door Hedda zelf; voor de knoopsgaten gebruikte ze dezelfde kleur, maar de zijde fosforesceerde een beetje en het contrast maakte aan de voorkant een verlengende indruk. Mevrouw Borg-White vond bruine paarlemoerknopen. Het resultaat zou beter passen bij een jonger gezicht dan dat van Elina, zagen ze beiden toen ze de bies bij de kraag van de blouse probeerden. Daarom werd uiteindelijk toch de oorspronkelijke stropdas gebruikt. De bies paste misschien bij zachtgele zijde, dacht mevrouw Borg-White hardop. Om precies te zijn: bij de nieuwe mantelpakblouse voor haar nichtje die afgezien van de manchetten klaar was. Die blouse had een knoopsluiting op de rug en het gladde oppervlak aan de voorkant kon wel zo'n geraffineerd detail gebruiken, in plaats van parels. De blouse zou een cadeau zijn voor Elisabeth Borg, van haar aanstaande, Bror Lennart Langmark, ter gelegenheid van haar naamdag.

Om het voortdurende gedruppel van de keurige praat van haar directrice te verdragen, zat Hedda met haar vingers te draaien. Ze raakte bijna buiten zichzelf dat ze moest luisteren naar de omstandige redenering over de blouse en de bies en hoe belangrijk het was dat je ook kleine gedenkdagen in ere hield, 'begin je die te verwaarlozen, dan eindigt het ermee dat je nooit meer iets viert, nietwaar?' Het had allemaal met drie woorden en een wijsvinger gezegd kunnen worden, maar mevrouw Borg-Whites stem krulde en slingerde verder over biezen en stijl, elke hoek om, alle balkons en alle trappen op, hoewel Hedda al klaarstond in de toren!

Hedda was in de kamer van de directrice. Van de orchidee was nu alleen maar een visgraat van bladeren over en ook die begonnen bruin te worden. Ze herinnerde zich de blauwe bloem. En vervolgens de zonsondergangen, die in haar eerste, muisgrijze maanden in Stockholm de enige kleur waren geweest. Daar dacht ze aan, omdat de rode schemering terug was, hoewel het nu later op de middag was dan in het najaar. Ze konden die kleur alleen maar indirect zien aan de overkant van de Birger Jarlsgatan, op de façade van graniet en baksteen daar. Vanaf de overkant zag ze geen gezichten de straat over kijken. Het was ook te ver weg. Mevrouw Borg-White praatte maar door.

Precies op die dag, op het moment dat Hedda de filmkostuums inpakte en op het punt stond een taxi naar Råsunda te nemen, kwam Bror Lennart Langmark binnen. De kledingstukken waren behandeld als de eieren van de tsaar. Zijdepapier, celluloid, hoezen van taft en fluweel. Geen sprake van dat er een of andere ondergeschikte van de filmstudio zou komen met een auto van de zaak. De waardevoorwerpen vielen onder de verantwoordelijkheid van ABW totdat ze waren overhandigd. De redenen daarvoor werden nog opgesomd toen Hedda al lang en breed ja tegen alles had gezegd en met haar jas aan en hoed op en haar handschoenen in haar hand klaarstond. Mevrouw Borg-White praatte precies zoals ze naaiden. Exact, verzegeld en met garantie. Was dat niet erger geworden, langdradiger dan in het begin? Hedda kon het niet meer aanhoren. Wat het een generatiekwestie? Waren dames van die leeftijd niet in staat om iets uit de context op te maken, konden ze niet *jump to conclusions*, of anderen een sprong laten maken om tot de juiste gevolgtrekkingen te komen? Of praatten ze net zo lang tot je murw was, zodat je opeens instemde met iets zonder dat je was opgevallen hoe dat zo was gekomen?

Bror Lennart was van zijn opleiding op de Sveavägen verordonneerd om naar deze blouse met het fluwelen biesje te kijken. Hij kwam vlak voordat Hedda's taxi zou arriveren. Hij keek gejaagd en beduusd. Wat kon hem die blouse schelen? Het waren zijn aanstaande en haar tante die dat van die naamdagcadeaus hadden bekokstoofd. Hij hoefde alleen maar te betalen. En het was trouwens niet eens Elisabeths roepnaam die gevierd werd, grote god, nee. Hij keek op zijn polshorloge om te zien of dat gelijkliep met een klok in een porfierlijst die in de erker stond.

Dit was de eerste keer dat mevrouw Borg-White hem verzocht (opdracht gaf) Hedda naar Råsunda te rijden. Een flinke afstand, Hedda werd er verlegen van, waarom was dat in vredesnaam nodig! Ze zag immers dat hij geen tijd en geen zin had, en er was al een taxi besteld. Alles was in gereedheid. Bror Lennart en Hedda wisselden een blik uit toen hij voet bij stuk hield. Hij zat vlak voor zijn examen, hij moest het een en ander schrijven. Toen dat achter de rug was en de blinde, glimlachende koppigheid van mevrouw Borg-White zijn verzet had gebroken, wisselde Hedda opnieuw een blik met hem uit. Er viel hier niets te discussiëren. Hij had de beste argumenten, maar er viel hier niets te discussiëren. Toch had hij natuurlijk niet hoeven toegeven, Hedda steunde zijn argumenten, weliswaar met kleine, zachte tegenwerpingen, maar het was toch twee tegen één.

Het was de eerste keer dat Hedda zo duidelijk voelde dat je op die manier macht kon uitoefenen: mevrouw Borg-White was als het ware niet langer een rationele eenheid en viel uiteen in een zwerm van zichzelf; zoals insecten een grote buit aanvallen, zoals wanneer een school roofvisjes zich in het levende vlees van een zoogdier invreet. Eerst kan dat dier hen nog in dozijnen en honderdtallen van zich afwerpen, maar hun soort geeft niet op en valt om de beurt aan. Het gezicht van Bror Lennart verwrong – de massa op zich; je krijgt geen ademruimte, je stort in.

Hij keek Hedda dus aan. Hij zei op nadrukkelijk matte toon: 'Zullen we dan maar?' Hij reed een paar keer fout en moest stoppen om navraag te doen. Hij was ook geen Stockholmer, bracht hij in herinnering, en Elisabeths familie woonde in Saltsjöbaden; de noordelijke buitenwijken waren hem vreemd.

'Meneer Langmark had me best ergens mogen afzetten in een buurt waar ik een auto had kunnen krijgen. Dit verstoort toch uw hele dag, ik begrijp niet waarom dit nodig is terwijl er een taxi onderweg was! Heen en terug …' Ze kon haar tong wel afbijten bij dat laatste woord. Zou hij zich nu verplicht voelen om te wachten? Mevrouw Borg-White had gezegd: 'Bror zal zich toch zeker op de beste manier om juffrouw Carlsson bekommeren?' Grijns.

Opeens kwam er iets bij haar op. Nee.

Hoewel? Adrians woorden bij de aanblik van Bror Lennart, die het diner en de drank had uitgebraakt en niet het benul had gehad om naar huis te gaan en zich te schamen, maar onvast ter been aan een nieuwe cognac en een sigaar was begonnen: *wat doen we met hem?* Ze draaide haar hoofd niet naar hem toe, maar wierp een verstolen blik in zijn richting. Zijn mokkakleurige haar, de op de een of andere manier mokkakleurige ogen en wenkbrauwen, die alleen zichtbaar waren door de glans van de haartjes. Hij kneep zijn ogen wat toe, het licht was fel, ze keek naar zijn handen, handen die autorijden denken niet na, ze proberen zich niet anders voor te doen dan ze zijn en zo zie je ze ook. Ze bewogen mooi en rustig.

'Is dit misschien meneer Langmarks eigen auto?'

'Hij is van mijn broer.' Hij haalde zijn blik van de rijbaan en zij snoot haar neus om de lach te onderdrukken die als een brede nies uit haar mond, neus en oren kwam toen ze dacht: hoe heet de broer van Bror? Brorbroer? Het was zo dom. Alsof hij haar gedachte had kunnen lezen, zei hij: 'Evald.' Zij was Bror opgedrongen, en hij had haast. Maar er was iets bij haar opgekomen. 'Wat doen we met hem?' Nee, Adrian had gezegd: wat doen we met *die daar*? En hier zat 'die daar' zich af te vragen waar zij om moest giechelen, onwetend van het feit dat hij voor de Borg-Whites een bepaald voornaamwoord was. De zuipschuit.

'Dat komt nu heel erg goed uit, dat Bror hier met de auto is en tijd overheeft. Dan sparen we de taxi uit. Want Bror wil juffrouw Carlsson vast nog wel een keer naar Solna brengen? Ja, inderdaad, nu meteen, Bror kent nu immers de weg? Er is geknoeid op een manchet en juffrouw Carlsson is nodig om die te verwisselen. Vergeet je naai-etui niet, lieve schat. En haast je niet terug. Mevrouw Oscarsson kan de zijden franjes wel doen.'

Zo klonk het de tweede keer, op 28 maart, toen Hedda uit Lund terug was en de binnenopnames al in Råsunda werden gedraaid en mevrouw Söderbergh al een paar keer had gedreigd de productie te verlaten. Waarom? Omdat ze zich opeens dramatisch te oud vond voor haar rol!

Waarom? De feitelijke liefdesintrige stort in als er tussen het paar niet een klein vonkje overspringt. Zij kon natuurlijk op haar routine terugvallen, maar de blikken die haar jonge tegenspeler op haar wierp, waren 'niet zozeer gloedvol bij de aanblik van een delicatesse als wel berustend bij een portie worst'. Tja, haar jeugd was verdwenen, maar dit schreef het script nu eenmaal voor en wat er ontbrak was niet jeugd, maar wel de wil van de tegenspeler om de rol te spelen waarvoor hij een contract had getekend. Zij was 'minstens' even ongeïnteresseerd in hem als vice versa, maar dat wilde nog niet zeggen dat ze bij elke toenadering de geur van bedorven haring verspreidde. Ze had haar echtgenoot en diverse anderen, en zojuist nog juffrouw Carlsson, gevraagd aan haar te ruiken om een mogelijke verklaring te vinden voor de gezichten die hij trok, maar nee. Ze had mannelijke acteurs met grotere intensiteit gevallen fruit en kruiken met haring het hof zien maken dan ... tja.

De derde keer dat Bror Hedda reed, bood hij dat uit zichzelf aan, al heel vroeg in de ochtend. Toen hoefde ze alleen maar naar Djurgården, waar op 17 april vroege buitenopnames werden gemaakt. De plot van de film besloeg een half jaar, van de eerste middagzon in het voorjaar tot oktober, en op deze dag zouden er scènes zonder tekst worden gedraaid. Elina en haar tegenspeler kwamen elkaar in slechts een daarvan tegen, op het einde van een shot, verder acteerden ze ieder voor zich. In haar rol kwam ze als laatste passagier aarzelend van de veerboot naar Djurgården. De camera is op de punten van haar schoenen gericht. Ze durft niet, maar wil wel. Elegant, maar het was de dag van de tegenspeler. Toen hij solo was, met 'de worst' op afstand, speelde hij magnifiek, hij heeft genoeg aan zichzelf zoals hij daar staat te kijken hoe de mensen de loopplank afstromen, kinderen met proviand, een botaniseertrommel en vlindernetten, een onderwijzeres die in haar handen klapt.

Bror Lennart sloot zich aan bij de toeschouwers bij de afzetting, die alleen gemarkeerd werd door de mannen van de opnameleider die met wijsvinger of handpalm gebaarden. De filmheld mocht vijf à zes takes doen, de progressie van het wachten. Hedda zag dat hij goed acteerde. Hij bracht bij elke nieuwe opname nuances aan in het wachten – verwachting, ongeduld, verwondering, wantrouwen, gelatenheid, hevige vreugde – en was daarbij gevoelig voor de voorstellen van de regisseur. De sequentie werd gefilmd in omgekeerde volgorde, de afsluitende beelden het eerst: een close-up van hoe zijn gezicht van berusting in geluk omslaat wanneer zijn geliefde ondanks alles durft te komen. Vervolgens de tussenliggende vijf, zes opnames, en daarna de afstandsshots.

Alles werd dus gefilmd zonder de tegenspeler. Voor de beelden van de loopplank werd op beter licht gewacht. Het ochtendlicht viel zo fel op hem dat als de camera honderdtachtig graden draaide, de figuranten en Elina er als nachtmensen zouden hebben uitgezien. Terwijl hij 'haar op de kade tegemoet rende', dronk Elina zelf thee met kruipbramenjam in de door en door koude salon op de veerboot. De figuranten stonden nog in de rij om te worden geschminkt in een keet, voor het moment waarop ze de loopplank moesten afstromen als de acteur de hoop opgeeft, zijn handen in zijn zakken steekt en zijn sigaret uittrapt.

De enige scène waarbij de hoofdpersonen samen te zien waren, werd uren later en profil gedraaid. Zij liep langzaam, hij kwam enthousiast maar toch aarzelend aan. Dan sloten vier handen zich om elkaar. De figuranten waren met vlindernetten en botaniseertrommels op halve afstand geplaatst. Verder hadden ze immers nog niet kunnen komen, ook al waren ze in de werkelijke tijd vier uur geleden al aan land gegaan. Hedda wist niet waarom ze was opgeroepen. Het kostuum was in orde, het waaide niet. Elina was verkouden, maar dat was een zaak voor de grimeur.

Op de terugweg praatte Bror Lennart over wat hij die dag geleerd had. Acteren zonder tegenspeler! Dat bood inspiratie voor heel andere contexten. Onderhandelingsmodellen. Nou ja, dat zou haar niet interesseren, maar toch. In de duisternis van de bioscoop denk je dat wat je ziet bij elkaar hoort. Natuurlijk weet je dat alles in stukjes wordt opgenomen, elk apart. Vervolgens word je echter gegrepen en begin je erin te geloven. Maar om met eigen ogen te zien hoe het gemaakt wordt – wanneer de man op de wal reageert op iets wat níét gebeurt op de boot. En wanneer dat wel gebeurt, is hij er niet, omdat het er voor hem voor die dag op zit. Bror Lennart lachte verrukt en bleef geïnspireerd door het feit dat het mogelijk is te acteren tegenover iemand die er niet is en een reactie te krijgen als je zelf bent vertrokken.

Twee dagen later kwamen Hedda en hij elkaar toevallig op straat tegen. Zij zo verstrooid dat ze hem nauwelijks herkende.

Een maand geleden had Luigi met de gedachte gespeeld dat ze naar Amerika zouden emigreren. Dat was op de avond van haar twintigste verjaardag geweest, en de enige keer dat ze hadden gedanst. Ze was opeens begonnen te huilen, was erin geslaagd de geluiden te onderdrukken maar niet de tranen. De mooie aanraking van de dans, zonder seksuele bedoeling; een man was zacht om beet te pakken. Daardoor moest ze aan vader denken.

Of eigenlijk aan Åke. Zijn kleine lijfje in haar bed toen hij bang voor grootmoeder was.

Moeder en hij waren inmiddels uit het kuuroord teruggekeerd. Hij was thuis. Hij had niets van haar gekregen. Nog geen woord. Het hart gedraagt zich wonderlijk, wordt drooggelegd, stroomt over. Ze had alles verdrongen om niet te worden gevangen op het moment dat ze haar vrijheid zou krijgen. En nu kon ze niet begrijpen dat ze zo koud was geweest. Ze herkende zichzelf bijna niet, o god, o god, ze was oppervlakkig. De volgende dag nam ze de trein naar Lund en vergat Amerika. Maar de avond voordat ze Bror Lennart buiten bij juwelier Brolin tegenkwam, was ze naar een studio aan de Karlavägen gegaan, waar Luigi op dat moment zijn dagen doorbracht met het vertalen van een Duitse muziekfilm. Bij die gelegenheid had hij het onderwerp weer ter sprake gebracht.

Bror Lennart stoorde haar. Een paar keer zei ze onfatsoenlijk: 'Wat?' Hij verzocht Hedda mee naar binnen te gaan om hem te adviseren bij de keuze van de verlovingsring. Elisabeth en hij zouden op 18 mei de knoop doorhakken. 'Over iets minder dan een maand al, ik ben nerveus.' Hij had een dunne gouden ring met turkooizen bij zich die zijn geliefde was 'verloren' en waarvan hij wist dat die aan de juiste vinger paste. 'Wedden dat ze merkt dat hij weg is. Wedden dat ze onraad ruikt?' zei Hedda. 'Heeft ze dit niet door?'

'Ze gelooft ook niet in de Kerstman, maar doet op 24 december ook of ze vol verwachting is', antwoordde hij. Nadat ze hier gepast om had gelachen, dacht Hedda: illusieloosheid. Of tolerantie. De mens wil het liefst voor de gek worden gehouden. De mens is zwak en Bror Lennart veroordeelt niet. Ze dacht: misschien zal het toch gemakkelijk worden voor Elisabeth Borg om met hem getrouwd te zijn ook al drinkt hij. Er zijn ook mannen die te nuchter zijn. Of misschien doet hij het niet voortdurend, maar drinkt hij alleen meer dan goed voor hem is wanneer hij ergens wordt uitgenodigd? En wat dan nog?

De merel zingt verder, het vroege voorjaar heeft een heerlijke vochtigheid. Ze kunnen hier niet eeuwig blijven staan, maar het kost hun zo veel moeite om de cirkel te doorbreken. Het schijnsel van de straatlantaarn achter hen wordt krachtiger. Hedda kijkt onverwacht naar Åkes profiel, schuin van opzij, zodat ze haar blik nog kan neerslaan als hij het zou merken. Is hij getekend? Ze heeft nooit eerder aan zijn schedel gedacht. Zijn haar is aan de achterkant erg kort geknipt, de schilden die de kleine hersenen beschermen liggen bijna bloot. De dubbele pezen in de nek liggen vrij.

Van achteren naar voren de welving van de kaak, hij is zich gaan scheren en zijn adamsappel is gegroeid, dus ziet hij er net als alle jongens van die leeftijd opeens magerder uit. Het puppyvet is van zijn wangen verdwenen. Ze durft niet langer te zeggen dat hij haar darling is, zoals toen ze hem nog kneep om hem aan het lachen – soms huilen – te maken toen hij klein was. Wat een vreemdeling is hij geworden. De trots der natuur, wanneer die dag in, dag uit, met slechts een paar handgrepen, haar huzarenstukje herhaalt. Die neemt haar enige materiaal, verbindt delen met elkaar en dan staat daar alweer een mens, anders dan de anderen.

Datgene waar je nooit aan denkt, het vanzelfsprekende, is op een dag aangrijpend. Dat hij niet een van die anderen is, maar juist hij. De oogholtes, het slaapbeen. Misschien is het ook gewoon een effect van groeien en veranderen. Maar hol en scherp als bij een bejaarde. Hij heeft pijn gehad, hij heeft nog steeds pijn. De blik uit die diepe holtes is moe wanneer hij niet zijn best doet om jong te zijn. Hij kijkt naar de torenklok, het uurwerk straalt, maar je kunt de wijzers niet zien.

De Finngatan is op zijn mooist wanneer het blad van de bomen is. Of nog niet is uitgekomen. Borstelig, donker, licht. Takken die glinsteren van kaf, de zwakke welving van oost naar west en helemaal aan het einde het silhouet van de toren. Het is hier landelijk. Geraffineerd ontworpen villa's omlijsten de straat, Italiaans, gotisch, jugendstil. Op de zuidelijke helling echter geneeskundige paleizen: pathologie en histologie. Daar is de arm van Åke geweest. Waar is die nu? Hebben ze die verbrand, gecremeerd? Ze heeft die gedachte nog niet eerder gehad, maar het scherpe licht van de tweede verdieping bij pathologie haalt die naar voren, en nu kan de woede omhoogschieten uit de angst, die laag is gehouden en basaal is geworden. Het is verkeerd om de ledematen van levende mensen te verbranden. Dat wil zeggen, stuk voor stuk.

De nekpezen, de welving van de kaak, de voeten, het is allemaal materiaal voor vernietiging. De natuur is een grootverbruiker, verspiller, waarom is die natuur god? Je wordt geboren om te treuren. Ze hadden haar nu een filmscript laten lezen dat ging over een actrice die zichzelf op de een of andere manier in haar jonge jaren te gronde had gericht. Misschien doordat ze iemand een onwettige levensvrucht had laten verwijderen met een sonde. Wanneer ze getrouwd is en een gezin wil, sterven haar kinderen voor straf, één keer een voldragen kind, de rest nog voor de geboorte. Hedda had aan Elina Söderbergh gevraagd wat zij dacht dat er van die kinderen werd. 'Het zijn geen kinderen, het zijn foetussen', antwoordde

Elina. Weggooien, verbranden. De lichaamsdelen in Vlaanderen. Over een arm die overbleef, een been, een gezicht zonder achterhoofd, kon je je toch niet druk maken.

Op haar twintigste verjaardag hadden ze gepraat over de bombardementen van Madrid, over de loopgravenoorlog in Vlaanderen die waarschijnlijk de laatste slagveldoorlog ooit is geweest, zei Luigi, omdat die alleen maar bewezen had dat gelijke troepensterktes elkaar vermangelen. De ergste soldatenoorlog ooit, ingekankerd in loopgraven, uitzichtloos, volkomen krankzinnig. Vandaar het gas en andere dingen, om de status-quo te doorbreken. Hedda zei dat ze in de loopgraven in verschillende talen 'Stille nacht' hadden gezongen. Elkaar hadden gehoord. Tom zei: Jazeker, en daarna pakten ze hun gasmaskers en stuurden een kerstcadeau met mosterd. Zijn cynisme als zelfverdediging tegen haar sentimentaliteit. De twee keerzijden van dezelfde munt. 'Mag ik?' vroeg Luigi. Ze zag dat Elsa hen nakeek toen ze om een paar tafels heen liepen om de dansvloer te bereiken. Ze hadden nog nooit met elkaar gedanst. Onder hen glom het. Iedereen was gekleed in ten minste avondjurk en donker pak.

Toen ze de dansvloer bereikten, was er juist even een extra pauze, het orkest had behoefte aan een sigaret en iets om de keel mee te smeren. De andere paren gingen zitten. Zelf liepen ze door naar de rij ramen, waarachter je een glimp van een vergulde heraut, een galjoenfiguur op de hoek van het gebouw, kon ontwaren. Ze keken naar buiten, ze wisten dat Elsa naar hen keek, ze lieten hun armen hangen, waren geen paar. Ze zei dat het mooi was om hiervandaan naar buiten te kijken. Hij antwoordde dat het zijn idee was geweest om hiernaartoe te gaan; dichter bij New York dan dit kon je in Stockholm niet komen. Natuurlijk was hij de enige die dweepte met de Amerikaanse hoofdstad.

Hoofdstad? Hij wilde snel een schip naar Amerika nemen. Wilde zij dat ook? Hij sloeg zijn arm om haar middel en pakte haar andere hand. Ze stonden wat onhandig te wachten op een ritme waarop ze konden gaan bewegen. Het was een slowfox, eenvoudig om mee te beginnen. Amerika? Een rondje, en door de magnifieke ramen zag ze opnieuw het glinsteren van de stad. Ze bedacht dat elk individueel lichtpunt iets anders dan glitter vertegenwoordigde. De vlijt van de avondschool. Onder de keukenlamp een kind dat niet naar bed mag voordat het zijn bord heeft leeggegeten, een stel dat zwijgend in de kamer zit onder een vijfarmige schemerlamp, het enige geluid het ritselen van de krant, het vochtige gereutel van zijn pijp, het doffe getik van breipennen.

Toen die beelden in haar hoofd opkwamen, verplaatste ze haar hand van zijn bovenarm naar zijn nek en legde vervolgens haar arm om zijn nek. Ze kwamen dichter tegen elkaar aan, maar dat was toegestaan bij een slowfox, en Elsa mocht gerust kijken want het was haar idee geweest dat ze Hedda mee uit zouden nemen wanneer ze twintig werd en dat Luigi mee zou gaan zodat ze met een even aantal waren. Met haar dijbeen voelde ze dat hij er automatisch op reageerde dat ze zachter was geworden in zijn armen, niet schandalig of zo, maar even later herstelde hij toch de afstand.

'Nog eentje?' Ze knikte. Een zangeres in zilverkleurig satijn stapte naar voren. De orkestleider noemde de naam van de melodie en zei dat die door de crooner Frank Sinatra in Amerika was gelanceerd. Veel plezier. Het orkest speelde een in vliezen en sluiers gehulde inleiding en verstomde toen.

De vrouw deed ongedwongen een stapje van de microfoon naar achteren. Ze sloeg haar ogen neer en begon nadenkend en met pauzes het moeilijke vers te zingen, alsof ze voor het eerst de noten las. Alsof ze zich die in herinnering moest roepen. Alleen de piano mocht haar begeleiden, en die bleef stil wanneer zij zich door de dur/molcombinaties werkte en af en toe katachtig landde op hoge of lage tonen, die niet de logica van een schlager volgden maar een andere. De paren stonden stil en keken naar haar, ze 'sprak' a capella, aan het eind van elke maat volgden de voorzichtige akkoorden van de piano. *Cathedral bells were tolling*, eerst drie tonen in dur, daarna vier in mol, ze piekerde, een pauze voordat ze verderging met *and our hearts sang on*, vier mollen eindigend in een dur. Stilte, ademhalen: *was it the spell of Paris?* Hedda keek uit over de stad, op het water buiten de stadsgrenzen en op verlichte ramen. De ruimte daarboven: een gewelf, geen sterren. Wat er glinsterde, kon net zo goed het waken aan een ziekbed zijn als een feest, een spelletje patience onder de keukenlamp als angst voor de duisternis.

Het eindigde in een poreuze uitademing, de eerste lettergreep van *again* was in dur, de tweede lettergreep in mol. Dat een klein 'again' zulke gemengde gevoelens kon bevatten. Toen het refrein inzette, begonnen ze te dansen. Hedda zei dat Amerika ook in oorlog was geweest. Als het dus was zoals Luigi meende, dat 1918 slechts het begin was van een oorlogspauze – geen einde van de oorlog – dan had ze vandaag bijna twintig jaar in vredestijd geleefd, en als dat alleen maar een tijd van wapenstilstand was, zou uiteraard ook Amerika weer verdergaan op het punt waar die wapenstilstand was geëindigd. Wat moesten ze allebei ver-zinnen om te gaan doen in Amerika? Hij antwoordde: Leven, werken. Hij voegde eraan toe dat hij dat meende. Daarna hadden ze het er niet meer over. Hij kende het lied, de woorden en de melodie, en hij had een mooie zangstem, het was voor het eerst dat ze die hoorde. De sopraan was nu zo opgelucht dat ze het couplet er zonder valse noten had afgebracht dat ze zich in het refrein liet gaan, ze had een verheerlijkte uitdrukking op haar gelaat en deed haar ogen af en toe dicht, en Luigi zong zachtjes alleen voor Hedda op haar verjaardag. Het was net een film en met al-lerlei barricades van ironie verzette ze zich *in every lovely summer's day, in everything that's light and gay, I'll always think of you that way. I'll find you in the morning sun, and when the night is new …*

Åke en Hedda zijn naar de tennishal gelopen, langs het huis met de pun-tige voorgevel en de aangebouwde orangerie. Wanneer ze de Helgonväg-en inslaan om naar huis te lopen zien ze de maan. De lucht is vandaag helder, geen nevel daarboven, de maan ligt boven op het hemelblauw en je ziet dat het geen schijf is maar dat ze rond is; vanavond is de bolvorm zo uitgesproken dat je de contour van één derde, dat in de schaduw ligt, kunt zien.

Ze had gedacht dat ze niet zou kunnen slapen, dat ze boven op de over-loop en beneden in de hal zou lopen luisteren, maar ze slaapt als een blok. Haar kamer is er nog, maar verder heeft moeder dingen veranderd. Ze wil niet in het mausoleum van een gezin met veel kinderen wonen, zegt ze. Ze komen immers nooit meer 'thuis', misschien Hedda tijdelijk, maar de oudsten hebben ondertussen hun eigen huis en noemen het huis van hun moeder alleen maar 'thuis' om haar een plezier te doen. Waarom ze dan niet tegemoetkomen door hun kamers af te schaffen, zodat ze hier niet langer een thuis hebben en het – opgelucht – kunnen missen? Christians kamer is nu een logeerkamer. In de kamer van Tom beschildert moeder porselein. Moeder wil niet over de ziekte praten, Hedda wil dat ook niet, er valt niets te zeggen. Vader heeft gezegd dat de ziekte met alle bekende middelen wordt bestreden en verder zal de tijd het moeten uitwijzen. Hij heeft een paar keer gezegd: 'Als ik dan nog leef', en Hedda's hart bleef bijna stilstaan van angst dat ze daar iets op moest zeggen, maar hij ging meteen door. Hij heeft het in het voorbijgaan gezegd. Hedda gelooft dat hij daar zonder woorden, met sensoren, met het zandblauwmeisje over praat. De vragen moeten er toch uit; fibrilleren ze als ruimtewezens? Op de graven zitten stenen engelen die op Tora lijken.

Hedda moet wel vertellen dat ze in een film de rol van een jongere zus zal gaan spelen, bijna een figurantenrol, niets serieus. Mevrouw Elina Söderbergh heeft dat geregeld. Ze heeft een screentest gedaan en ze hebben gezegd dat ze met haar tenen naar buiten loopt als een pinguïn, dus nu moet ze leren om netjes te lopen. Ze krijgt ook les bij een logopedist. Dus je kunt zeggen dat het zich alles bij elkaar loont om het te doen. Voor haar gaat het om opnames die een week duren, en ze zal er ongeveer mee klaar zijn wanneer ze bij ABW haar diploma krijgt. Ze rept met geen woord over het script dat ze heeft gekregen, over een actrice die haar recht om moeder te worden heeft verspeeld. Ze vertelt wel dat ze een klein honorarium ontvangt, en dat ze geld heeft gekregen voor het assisteren van mevrouw Söderbergh, zodat ze op haar onderhoud heeft gespaard en geld kan teruggeven. Vader kijkt verdrietig wanneer ze dat zegt. Misschien is hij verdrietig dat ze in de bioscoop te zien zal zijn, of dat ze een beetje in Toms voetsporen lijkt te treden. Moeder lijkt nauwelijks te luisteren naar wat er wordt gezegd. 'Je kunt het toch gewoon proberen', merkt ze ongeïnteresseerd op.

Karin en Christian zijn gekomen voor een verlaat verjaardagsdiner. De stemming is bedrukter wanneer zij erbij zijn dan wanneer ze slechts met z'n vieren aan tafel zitten, maar ze doen hun best om uitgelaten te zijn. Dit is een van de gelegenheden waarbij Åke in het voorbijgaan zegt: 'Als ik dan nog leef', en het wordt stil, bestek en porselein verstommen, en het kost een enorme inspanning om niet naar de keuken te vliegen om schalen bij te vullen, een nieuwe karaf te halen, andere borden, of om gewoon even te kijken naar de rollades die liggen te smoren. Uiteindelijk zegt vader: 'We rekenen er van harte op dat je dat nog doet. Jij hebt je portie wel gehad. Nu kijken we vooruit.' Hedda ziet Karin diep uitademen met haar voorhoofd tegen het vensterglas, dat door nachtvorst is bedekt. Christian en zij spreken vanavond nauwelijks met elkaar. Christian heeft gevraagd hoelang ze ditmaal blijft, een paar weken? Maar moeder heeft kristalhelder voor haar geantwoord: 'Een paar dagen, lieve schat. Hedda heeft haar eigen verplichtingen. Weet je, Chrille, ze heeft nu haar eigen leven, en we zijn zo blij dat ze zo snel is gekomen nadat Åke en ik thuiskwamen. Een kleine week is wat ze kan missen.' Een suikerbol met stukjes ijs, iedereen die aan tafel zit, behalve Karin, weet hoe je moeders hoge stem moet interpreteren, haar Deense accent, het nadrukkelijke 'kleine week' in plaats van 'weekje' omdat dit laatste wat onvriendelijker klinkt. Maar voor het gezin is het duidelijk dat ze wel een weekje bedoelt. Zij zijn gewend aan dit soort kritiek en wisselen onderling blikken uit. Moeders eigen blik bevindt zich achter haar lange, mooie wimpers en het is de enige keer dat Hedda een vlies van tranen ziet. Die worden weggeknipperd.

I'll always think of you that way, heerlijke, dromerige woorden, maar ze deden Hedda pijn. Ze gingen over liefde, maar niet over het dansen met een man en het zien van het glinsteren van de stad. Toen moest ze naar huis.

'Always think of you that way' betekende met een gevoel van gemis herinneren, en dat bij voorbaat al weten. 'Bij voorbaat al weten dat je met een gevoel van gemis zult herinneren', prentte ze zichzelf in en ze ontdekte dat ze het had omgedraaid en vereenvoudigd. Het was een treurzang in naam der liefde, maar wat normaal liefde wordt genoemd, met z'n tweetjes en al het andere, had niets met liefde te maken. Het verloofde paar Carlsson-Franzén had niets met liefde te maken, of het echtpaar Carlsson-Diamond, en zelfs zijzelf en Luigi in het bed van oom Pourrin niet. Liefde is iets totaal anders. 'Ugly', barstte ze uit toen het orkest een deel van het refrein alleen speelde om de zangeres ademruimte te geven voor de laatste zeven strofen. Uiteindelijk is alles waarop je gehoopt had tot herinneringen verworden, terwijl het heden en de toekomst nog bestaan: *I'll be looking at the moon, and I'll be seeing you.*

'Kijk eens aan, de banaalste schlager zet zelfs bij jou de sluizen open. Drink in elk geval je koffie nog even op.' Dat waren Toms woorden.

Bror Lennart Langmark voelde zich niet op zijn gemak in een juwelierswinkel, hij was een beetje bang voor het personeel en zijn blik bleef automatisch rusten op de grote stenen die ze voor hem hadden uitgestald. Je kon een kant-en-klare ring krijgen, maar je kon er ook eentje speciaal laten maken, eentje die uniek was voor juist dit doel en deze persoon – zei de verkoper terwijl hij naar Hedda lachte. 'Ik ben er alleen maar bij om advies te geven', interrumpeerde ze.

'Maar zeg toch maar wat u zou kiezen, juffrouw Carlsson! Gewoon puur hypothetisch. Dan hoef je ook niet aan beperkingen te denken.' Bror Lennart wilde het absoluut weten. Hij zei 'beperkingen', gebruikte in het bijzijn van de winkelbediende geen woorden als 'geld' of 'kosten'. Hedda wuifde met haar naakte vingers en verklaarde dat zij ringen had afgeschreven tijdens haar opleiding. Ze vond het wel prettig zonder, had ze ontdekt. Maar als ze zich ooit zou verloven wilde ze een gladde gouden ring, die hoefde je ook niet bij het minste of geringste af te doen, bij de afwas of het kneden van gehaktballetjes; ze kende iemand die haar ring was kwijtgeraakt toen ze deegresten weggooide nadat ze saffraanbroodjes had gebakken. 'Als ik ooit trouw, wil ik gewoon gordijnringen.' De juwelier glimlachte, maar zijn ogen deden niet mee, en daardoor kreeg ze zin om zich nog meer aan te stellen en ze begon over één enkele onyx aan een slanke, blanke hand, 'mijn esthetisch ideaal'. Vervolgens wees ze een druppelvormige groene steen in een witgouden zetting aan en zei dat die mooi was. 'Dat is een Colombiaanse steen. Uiteraard,' zei de juwelier, 'maar is die wel geschikt als verlovingsobject? De ring biedt nauwelijks ruimte om er iets in te graveren. En ik stel toch enige aanwezigheid van briljanten voor in een context als deze.'

Ze stonden op straat en zij probeerde haar lachen in te houden naar aanleiding van 'enige aanwezigheid van briljanten'. De mensen keken naar hen, maar eigenlijk zou je gewoon openlijk moeten lachen om het er uit te gooien, en dat was wat Bror Lennart deed. Hedda gebruikte haar zakdoek. Hij aaide over haar bovenarm en keurde daarmee haar vrolijkheid goed. 'Ik vind het leuk dat we hierom kunnen lachen. Ik kon me al bijna niet meer goed houden toen ik zijn gezicht zag bij die "gordijnringen", hahaha.' Hedda antwoordde: Nou ja, misschien had ze zijn beroepseer wel gekrenkt, maar omringd door al die kostbaarheden was dat ook zo verleidelijk geweest. Ze liepen door de Humlegården, waar krokussen en sneeuwklokjes stonden en kleine hondjes rondliepen. Hij stelde voor dat ze elkaar zouden tutoyeren. Zij antwoordde: Jazeker, maar daar hoefden ze wat haar betrof niet op te drinken. Hij: 'Ik bedoel, ik vind het zo ingewikkeld als je zo vaak met elkaar praat als wij zijn gaan doen. We zijn immers bijna vriendschappelijk verbonden kennissen.'

Drie weken later zag ze zijn twee ogen tot één, enorme, betraande amandel samensmelten. Eerst dacht ze dat dit kwam doordat hij voorovergebogen had gezeten om een steentje uit zijn schoen te halen en rood aangelopen overeind kwam. Dat was in een ander park. Op de Observatoriumheuvel. Het was laat en op de grond was het donker, maar de hemel was licht. Voor de tweede keer waren ze elkaar tegengekomen in een dinergezelschap dat aanknopingen had met mevrouw Borg-Whites kennissenkring, ditmaal zonder Elisabeth, die met haar moeder bij familie in Åbo was. Hij dronk matig, was misschien even iets aangeschoten, maar niet toen ze begonnen op te breken. Veel gasten gingen tegelijk weg, het was een zoele en mooie avond en ze hielden elkaar gezelschap langs de Odengatan, waarna een aantal mensen afviel: drie stellen liepen de Upplandsgatan in, twee sloegen er af in de Rådmansgatan. De groep viel uiteen toen het laatste paar heuvelafwaarts zijn weg door de Drottninggatan vervolgde. Ze zeiden tot ziens bij het huis waar Luigi had gewoond. Hedda keek op naar het raam en voelde dat ze moest blozen bij de herinnering. Maar dat gaf toch niets? Misschien moest ze erover vertellen aan haar bijna vriendschappelijk verbonden kennis? Hoewel ze maar weinig gedronken had, was ze misschien iets meer aangeschoten dan hij. Bror Lennart keek haar aan en vroeg of ze geen zin had om de heuvel te beklimmen en over de stad uit te kijken. Jawel, graag, ze was nog nooit boven geweest. Hij dacht ook dat het korter was. Als je hiervandaan naar de Sveavägen doorliep, was je dichter bij Hedda's huis. Hier en daar was het wel een beetje wankel en steil; er waren een paar houten traptreden die hielpen tussen de rotsen. Zij liep voorop en hoorde hem achter zich een beetje hijgen. Ja, ja, maar hij had het toch zelf voorgesteld. Toen ze boven waren, draaide ze zich tevreden lachend om. Hij zette de laatste, moeizame stappen, strekte zich in volle lengte uit, trok zijn kin in en keek haar streng aan. Of was het wel streng? Een nieuwe gezichtsuitdrukking. Ze was vagelijk verbaasd, liep nog iets verder door, helemaal naar de top, trok haar schouders naar achteren en ademde in. Hij kwam traag en nog steeds een beetje buiten adem achter haar aan. Zij dacht dat hij om die reden op het bankje ging zitten, maar hij mompelde dat er een steentje in zijn schoen zat en boog zich voorover om zijn veters los te maken. Een lantaarn vlakbij gaf het mokkahaar een roodachtige glans. Ze wilde het niet, maar ging naast hem zitten. En ze keek toe hoe hij zijn mooie glimmende leren schoen uittrok. Hij schudde hem uit, maar er viel niet hoorbaar iets uit. Hij zette zijn voet boven op zijn schoen en kwam omhoog uit zijn voorovergebogen positie. Hedda, zei hij. Je moet me gewoon toestaan ...

'Vergeef me, moeder', zegt ze wanneer de stationschef heeft gefloten en zij in moet stappen. 'Waarvoor?' Voor een antwoord is geen tijd. En ze weet ook niet waarvoor. Misschien dat ze een bezoeker is geweest. In wezen een korte praktische visite heeft afgelegd. Niet heeft bijgedragen met aanwezigheid in voor- en tegenspoed die echte betrokkenheid betekent. Ze is zes dagen lang vriendelijk geweest, ze heeft haar best gedaan om niet te vervallen in de oude irritatiepatronen die ze met moeder heeft, maar vriendelijk zijn is niets, het is niets waard en moeder heeft het trouwens toch niet opgemerkt. 'Tot ziens, hè, Stoppeltje.' Ze wekt een oud koosnaampje tot leven en aait Åke over zijn wang. 'Over een paar maanden ben ik er weer en dan blijf ik.' Ze gelooft in wat ze zegt. Zo zien haar plannen eruit.

Ze had het huis aan de Karlavägen gevonden en was naar de etage met het grote messing bord gegaan. De studio nam de halve verdieping in beslag. Luigi had opengedaan, ze hoefde alleen maar naar binnen te stappen. Hij zat aan een tafel met een scherm. Daarop werd heel snel gebabbeld, waarna het stilviel. Vervolgens begon het babbelen weer. Hij zat over het scherm gebogen en maakte aantekeningen. Voor twee ramen hingen verduisteringsgordijnen, tussen één stel gordijnen zat een kier. Vanaf de straat drongen zwakke geluiden naar binnen; vlak onder het raam hing de doorgezakte notenbalk van de telefoonleidingen. Sinds ze uit Lund was teruggekeerd hadden ze elkaar niet meer onder vier ogen gezien. Toen zij in Lund zat, was hij bij zijn ouders op bezoek geweest, iets wat een keer of twee per jaar gebeurde. Dat had hij gezegd toen ze elkaar in de filmstudio tegen het lijf waren gelopen. Hij had haar gevraagd hoe het thuis was geweest. Ze had geantwoord: 'Slecht. Goed.'

Ze had gedacht dat ze hier zou moeten huilen, maar ze was niet *in the mood*. Misschien was hij met zijn verloofde naar bed geweest toen hij in Uppland was. Sinds die keer op Kastellholmen had Hedda niet meer naar haar geïnformeerd. Hij had toen gezegd dat zijn verloofde moeite had om de liefdesdaad te verdragen, omdat ze een pijnziekte had. Hij had medelijdend geklonken toen hij vertelde dat ze het eigenlijk nauwelijks kon volbrengen, omdat ze in het hele gebied pijn had. Soms kon ze het niet eens velen om ondergoed te dragen. Er bestond een naam voor die aandoening, maar die was hem blijkbaar ontschoten. Kinderen zou ze misschien nooit kunnen krijgen, en als het al zover kwam, dan met een keizersnede. Hedda wist niet of ze dit moest geloven. Bestonden er zulke ziektes?

Maar gekust had hij zijn verloofde beslist. Haar met sterke armen en benen vastgehouden, zoals hij af en toe met Hedda deed. Nu stond hij evenwel niet op om haar te begroeten, maar wees op een stoel naast zich. Ze liep ernaartoe en ging zitten, wreef haar neus tegen zijn wang en rook de geur van vuil haar. Hij was voortdurend aan het werk, gunde zichzelf geen rust. *Ich glaube schon lange nicht mehr daran. Aber bin sowieso vergnügt*, zei een meisje op het scherm. Ze zat met twee anderen, haar man en een ander meisje, in een eenkamerflat met een piano. De man ging zitten om iets vrolijks te spelen. Het was een metafilm over een filmopname. Luigi schreef snel: 'Ik geloof er al heel lang niet meer in. Maar ik ben toch tevreden.'

Hij spoelde de band voor- en achteruit om te kijken welke uitdrukkingen hij eerder had gebruikt. 'Ik heb talent', zei een ander meisje. 'Ik heb geen tijd', antwoordde de regisseur. Een rij sportwagens kwam brullend op gang, een voor een, met behulp van een slinger die in een gat in de grille werd gestoken. Het meisje dat in de scène van zojuist niet langer in haar doorbraak gelooft, maakt toch die doorbraak, maar ze voelt zich niet prettig. Haar wenkbrauwen zijn helemaal weg geëpileerd en in plaats daarvan zijn boogjes gepenseeld. Lange wimpers en blond haar in schuimige krullen. 'Kun jij me helpen met de vertaling van *Schmorbraten mit Klöse*?' vroeg Luigi. Samen kwamen ze tot de conclusie dat het stoofvlees met gevulde aardappelballen moest zijn.

Ze vermaken zich een poosje. Hij praat over Amerika.

De laatste brief

Beste Sigrid Combüchen,

Ik ben in Zweden geweest. Voor het eerst sinds ik weet niet wanneer. Toen mijn broer een jaar of wat geleden bij een ongeluk met een sneeuwscooter omkwam, was ik al van plan naar zijn begrafenis te gaan. Hij was tweeënnegentig en had al zijn haar nog. Sinds het overlijden van zijn vrouw woonde hij alleen en hij was nog altijd boos. In zijn testament stond dat hij niet begraven wilde worden, hij wilde ogenblikkelijk worden gecremeerd en zijn as moest op zee worden uitgestrooid. Zijn oude hond moest worden afgemaakt en het huis liet hij na aan een jong gezin uit Holland, dat voor de katten en de schapen moest zorgen. Het lijkt wel of Hollanders en Duitsers de Zweedse uithoeken koloniseren. Het schijnt dat ze poolbramen kweken. Geen van mijn broers is normaal overleden. Alleen de jongste heeft een graf, op de Norra Kyrkogården-begraafplaats in Lund, omringd door de graven van de bekende familie Weibull. Ik ben er een week geleden geweest.

Ditmaal kwam ik in Zweden omdat Jana – dat is diegene die in de Pinkstergemeente is aangetrouwd – haar derde kind liet dopen, eindelijk een meisje, het heeft de namen Signhild Berta Hedwig gekregen. Geen mooie namen, maar modern, zeggen ze. In elk geval geen sneeuwvloknamen, waar je ook wel over hoort, Sprankel en Glimmer. Schamen de mensen zich niet? Moet dat soms feministisch zijn, kleine meisjes natuurnamen geven? Pluim in het achter- en Vlinder in het voorzitje wanneer papa naar huis fietst. Jonge Zweedse vrouwen praten trouwens als actrices uit de jaren dertig, met lange, open klinkers. Ik hoorde een modeprogramma op de radio en de ontwerpers stootten als een kanon hun woorden uit. Waarom praten ze zo hard? Het lijkt wel of ze doof zijn. Toen ik op de Finngatan liep met twee jonge vrouwen achter me tetterden die zo hard dat ik ze wel moest laten passeren. De doop vond plaats in Helsingör. Jana vond dat de beide knulletjes voornamelijk aan de kant van hun vader waren terechtgekomen, daarom waren nu haar roots aan de beurt. Deense kerkelijke liederen die niemand kende.

Elke sociale betrekking heeft haar uitgemeten tijd, en U en ik zijn nu op tien over twaalf aangekomen. Ik heb geen sentimentele hang naar het aanhouden van voorwerpen of 'oude vrienden'. Veel mensen vinden dat een ongeschreven wet, maar dat is het niet. Sommige betrekkingen sterven af en andere eindigen abrupt. Die van ons eindigt abrupt en dat geeft ook niets. In al die jaren heb ik natuurlijk gemerkt hoe gereserveerd U bent. Wat mij betreft mag een mens zich best terughoudend opstellen, zolang hij zijn omgeving maar niet tegelijkertijd lastigvalt met het te mooi afschilderen van zijn werkelijke situatie. Nu gebiedt de eerlijkheid me te zeggen dat U dat niet speciaal gedaan hebt, behalve dan dat U hebt laten doorschemeren dat U verwend bent en alles binnen een armlengte afstand wilt hebben, of beter gezegd: binnen een afstand van een halve kilometer. Bovendien ben ik me ervan bewust dat ik deze correspondentie begonnen ben. Dat is gewoon zo.

U zult zich anders wel veilig hebben gewaand omdat wij zo oud zijn en mijn man een *stroke* heeft gehad, en U zult wel niet gedacht hebben dat wij ooit nog weer in Lund zouden komen. Zoals ik in drie of vier e-mails schreef, was dat ook helemaal niet mijn plan. Het was Jana die het zo geregeld had, om zo veel mogelijk mensen van de familie naar Helsingör te halen. Ze vindt dat iedereen recht heeft op familiereünies en ze wilde er een keer eentje met andere mensen dan de familie van haar man. Ze heeft nu kinderen, en die moeten dus ook familie van moederskant hebben. Mijn man zei: Ga maar. We hebben immers iemand die één keer per dag komt schoonmaken en we konden het regelen dat ze nu twee keer kwam. Ik ben inmiddels de enige overlevende van de oudste generatie. Mijn dochter had alleen haar middelste zoon meegebracht, die een beetje ADHD heeft of iets dergelijks, en medicijnen krijgt om rustig te blijven; hij is al volwassen maar ze houdt graag een oogje in het zeil. Toen ik jong was, kregen zulke types van hun vaders en de meester op hun donder en moesten ze naar een werkkamp. Jana's vader was er, maar haar moeder natuurlijk niet en onze jongste zoon ook niet. Ik heb wel begrip voor hem; diverse telgen van Christian waren op airmiles met het vliegtuig gekomen, dat zijn allemaal professoren, of ze hebben vernissages. Genen zijn rotdingen, zegt mijn man. Het was gezellig.

Ik heb van U geen reactie gekregen toen ik liet weten dat ik in de buurt zou zijn. U hebt mijn eerste bericht niet beantwoord. Toen ik er nog eentje stuurde, waarin ik U de ruimte gaf om nee te zeggen, hebt U ook die mogelijkheid niet aangegrepen, maar kwamen er vijf regels over het hele najaar onderzoeksreizen her en der. Op mijn volgende drie mails kwam helemaal geen reactie. Ik ben natuurlijk niet dom. Maar Ludvig zei: We lenen een van de auto's en rijden er morgen na de lunch naartoe. Niemand zal het ons weigeren als jij het huis van je kinderjaren nog een keer wilt zien. Op z'n minst van buiten. Omdat hij al dertig jaar in Engeland woont en steeds naar links wil, rijdt hij niet goed. Maar hij moest en zou achter het stuur, want hij is een man en ik vind mezelf te oud. Eerst konden we het niet vinden, we hadden het natuurlijk minstens vijftig jaar niet meer gezien, maar Uw beschrijvingen van Uw avondwandelingen boden hulp. Ik zag dat gebouw waarin nano-onderzoek wordt gedaan en daar zaten ze inderdaad met badmutsen op naar computers te staren, zoals U had gezegd. En daarna reden we langs het sportpark. De meeste van de huizen die er in onze tijd stonden, leken er nog te staan en daartussen lelijke doosjes, zoals dat achter onze villa. Veel van het mooie was weg. Waar vroeger een rozenpergola stond, hadden ze nu asfalt gelegd voor drie auto's. De mensen waren ook niet echt vriendelijk. Een paar huizen verder dan de sporthal moesten we naar de weg vragen. De vrouw bij het tuinhek staarde ons alleen maar aan, de tweede gebaarde dat we moesten keren. Uiteindelijk kwamen we bij het huis aan en zijn we lang in de auto blijven zitten. Er brandde licht en ik zag binnen een vrouw. Ludvig was koppig. U en ik hadden nu meer dan tien jaar gecorrespondeerd, dan zou het toch vreemd zijn als ik niet heel even mocht binnenkijken. Dus ik heb aangebeld en toen deed er een meisje open dat niet veel ouder dan dertig geweest kan zijn. Ze heette Ludmila, maar daarom was het nog niet de werkster. Ze begreep niet wat ik bedoelde. Haar man had hier vanaf 1996 met zijn vorige gezin gewoond. Zelf woonde ze er nu bijna vier jaar. Ze was spraakzaam, ze begreep dat ik nieuwsgierig werd en vertelde dat ze elkaar in Stockholm hadden leren kennen toen haar gezelschap uit Tel Aviv een gastoptreden had in het Danstheater. Ik mocht binnenkomen en ze liet me een poosje een mij totaal vreemd huis bekijken. Een heel innemend persoon, opgegroeid in Oekraïne. De ramen waren vervangen, de radiatoren verplaatst, er was een muur uitgebroken, de meidenkamer en de dienkamer maakten nu deel uit van een grote keuken met een kookeiland en duizend dingen van rvs. De bovenverdieping heb ik achterwege gelaten. De baby was ook aan het huilen en haar zoontje dreinde.

U bent niet onbereikbaar voor mij. Ik heb uitgezocht waar U in werkelijkheid woont, maar U rekent er natuurlijk op dat Uw rollenspel voor mij niet zo interessant is en dat hebt u goed. Bij een schrijver raakt alles allengs door de fictie geïnfecteerd, ook de werkelijkheid. Ik kan me niet voorstellen dat daarop een antwoord mogelijk is.

Vriendelijks,
Hedwig Carlsson Langmark

Portaal

Als jong meisje had Hedda vlak onder de knie haar been gebroken. Het genezingsproces had lang geduurd, en massage was een onderdeel van de behandeling geweest. Geen fijne, lekkere massage, maar een pijnlijke. De persoon die haar masseerde, had al zijn gewicht in zijn vingertoppen en knokkels gelegd om de verkrampte spieren los te wrikken. Het was een verschrikking geweest om ernaartoe te gaan. Dat ze dit nu in haar herinnering terugriep, had niet met de vreselijke pijn te maken, maar met hoe die pijn wegtrok. De masseur voelde hoe het weefsel zachter werd en verhoogde de druk om nog dieper te komen. Eerst was de pijn intens, na een poos van druk zakte die weg, dan drukte hij harder, waarop de pijn vrij kort haar hoogtepunt bereikte maar daarna langzaam wegebde, en bij de vijfde keer drukken moesten alle zeilen worden bijgezet om het punt überhaupt nog te vinden, dat reageerde niet en hij liet het los om een nieuw punt te zoeken.

Ze bestudeerde Luigi. Ze zag Luigi en profil schuin van achteren. Hij keek naar het kleine beeldschermpje op de montagetafel. Hij probeerde te luisteren naar een liedtekst die hij moest vertalen. Iets moest rijmen op 'baby'. Het bewegende beeld dat hij voortdurend tot stilstand bracht, toonde een vrouw die met een kinderwagen in een park liep en zong over wandelen met de baby. Hedda zei dat ze wel een woord kende dat rijmde op baby, *maybe*, maar dat was niet Zweeds. Ze dacht aan de vingers van de masseur die niet verslapten wanneer zij kermde, wanneer ze af en toe een traan liet zonder te huilen. De filmvrouw kreeg gezelschap van andere moeders met kinderwagens die haar als koorzangeressen ondersteunden.

In de opluchting zat ook wantrouwen. Waar blijft het gevoel? Hoe kan pijn uiteenvallen? Wanneer ze naderhand stiekem met haar hand naar de plek tastte, was die gevoelig en er zaten ook duidelijke blauwe plekken, maar als ze duwde, kon ze de bron niet langer voelen.

Het gevoel was er niet meer.

Je kunt jezelf niet overhalen om verliefd te zijn.

Hedda sloeg beide armen om Luigi's schouders en streelde met haar lippen en de punt van haar neus het stoppelige haar bij zijn slapen, die ze aanvankelijk voor schaduw had aangezien, voor een smal voorhoofd. 'Gaby,' zei ze, 'lady, tjeemie, kweenie.' Hij vond het niet prettig om in haar armen opgesloten te zitten, en hoewel hij niets zei en geen beweging maakte, droeg hij dat op de een of andere manier toch over.

De masseur had met kleine, tamelijk aangename, cirkelende bewegingen naar de tere punten gezocht. Haar eerste reactie en zijn druk vielen op één moment samen en zij had niet de tijd om zich op de pijn voor te bereiden wanneer de druk toenam. Vervolgens nam de pijn af en drukte hij harder, de pijn nam opnieuw af en hij legde zijn volle gewicht erin om de bodem van de spier te bereiken, waarop het protest van haar lichaam meteen zwakker werd en ging liggen zoals de wind gaat liggen. Er kwam niets voor in de plaats, er was gewoon niets. Ze liet Luigi los en streelde over zijn achterhoofd, hij reageerde niet, ze hield zich in toen ze bij zijn nek kwam. Met twee vingers volgde ze de sterke pezen, ze moest aan Åke denken, aan nekpezen, je ziet wat de eigenaar niet ziet.

L, die ze Ugly noemden om zijn uiterlijk met een grapje af te doen, en die door oom Pourrin op Kastellholmen Ulf werd genoemd omdat Luigi als kind zo genoemd was, moest twee films vertalen. Enerzijds deze muziekfilm, waarvan hij dacht dat die niet bij het publiek zou aanslaan. Zware Duitse passen bij de zang- en dansnummers, ze hadden daar een Amerikacomplex, wilden net zulke showfilms maken, maar hadden natuurlijk geen Fred en Ginger of balletmeisjes die op Broadway getraind waren.

De andere film was er een met Ingrid Bergman in de hoofdrol. Daar was hij nog niet mee begonnen, maar hij spoelde hem op de montagetafel heen en weer om er Hedda een indruk van te geven. Ingrid Bergman sneed brood en smeerde boterhammen en de held liet zich daardoor betoveren. Zoals toen Lotte in *Werther* brood sneed. Waarom is dat uitnodigend? Waarom is het betoverend en bekoorlijk om brood te snijden? Misschien zat er in de ceremonie met het brood tegen de borst en het mes in het brood iets van jezelf vergeten, een belofte van verzadiging?

Ingrid Bergmans personage startte in Berlijn samen met andere vrouwen een reclamebureau: 'De vier gezellen'. Vier studiegenoten in grafische vormgeving. Ze zei dat vrouwen afzonderlijk geen kans hadden, dus ze moesten wel samenwerken. Ze sliepen ook gewaagd in dezelfde kamer, met de hoofdeinden van hun bed naar elkaar toe en een leeg vierkant in het midden, een klavertjevier.

Weldra viel de eenheid uit elkaar. Het privéleven deed zijn intrede en maakt het de meisjes onmogelijk vriendinnen te blijven. Meisjes leven niet in progressie zoals jongens; ze moeten een gedaanteverwisseling ondergaan om op te groeien, trouweloos worden en hun kleine aandoening – vriendinnenschap, hetgeen geen vriendschap is – vergeten. De meest mannelijke vrouw koos voor de kunst, de anderen kozen voor mannen.

'Dit gaat over jou', zei hij. 'Jonge vrouwen die naar de grote stad komen om te laten zien wat ze kunnen.' Hedda ging er niet op in. Hoe kon hij zo blind zijn? Beide films gingen over het laten varen van je dromen en vrouw worden. Of kunstenares worden of carrière maken als je jezelf beter vindt dan een ander. Maar wat kon ze daarover zeggen? Wat heeft het voor zin te wijzen op dingen die een ander niet ziet? Ze had geen zin om over de vrouwenzaak te praten, alles wat de vrouwenbeweging zei klonk als een vanzelfsprekendheid, daar hoefde je geen woorden aan vuil te maken, je moest daarentegen met bewijzen komen, jezelf overtuigen. Ze zei: 'Er zitten geen hakenkruizen in de film en geen marcherende soldaten. Ze zeggen ook alleen maar gewoon goedemorgen in plaats van dat ze de Hitlergroet brengen.'

Hij zei: 'In plaats van hun arm tillen ze hun been op. Film is een parallel universum.' Hij spoelde door naar een close-up van het logo van het reclamebureau, een vier in een cirkel. Het was duidelijk dat die je aan een swastika kon doen denken. Voor een verblindende hemel met aanstormende wolken fabuleerde het personage van Ingrid Bergman over de zelfstandigheid van de vrouw en over daadkracht. Je kon dat in elk geval opvatten als een tegenhanger van de vliegende azen en de padvinders in mannenfilms. In de eindscène is Bergman aanhalig met de man die haar al vanaf het begin in bed en in de keuken wilde hebben. 'Maar dat is natuurlijk niet speciaal nazistisch', zei Luigi, die van zijn stoel opstond om zich uit te rekken. Hij liep naar een van de ramen, trok een verduisteringsgordijn opzij en zette het raam open om de lentelucht binnen te laten. Hedda zag zijn middel. Zijn overhemd was gekreukt boven de broekband en er ging iets door haar heen. Ze ging naast hem staan, kuste zijn nekpezen en stak haar handen in zijn broekzakken. Dat had hij prettig gevonden in februari en dat had hij prettig gevonden in maart. 'Nee, we gaan nu niet spelen', zei hij geërgerd en hij haalde haar strelende handen weg. 'Ik vraag het nou al twee maanden.'

Hedda vergat zijn vraag telkens weer. Ze dacht dat hij het niet serieus bedoelde, dus wilde ze geen nee zeggen. Wat moesten ze doen in Amerika?

Luigi wil niet in Europa zijn wanneer de volgende oorlog uitbreekt. Hij denkt dat Zweden er niet nog een keer buiten kan blijven. Zweden is geen zondagskind, zoals de Zweden denken.

Hedda begreep niet waarom het uitgerekend Amerika moest zijn. Ze nam zijn argumenten niet serieus, ook niet wanneer hij zei dat de Amerikanen 'behalve indianenoorlogen' de laatste honderd jaar ondanks grote interne conflicten maar één burgeroorlog hadden gehad. Terwijl Europa – als 'Europa' althans bestond – er in dezelfde periode een overvloed had gehad. Plus oorlogen tussen afzonderlijke naties en een grote oorlog die Amerika uiteindelijk had moeten helpen beëindigen.

Op dit moment waren er vijf dictaturen en een aantal halve dictaturen, bandietenstaten, criminele ordes, zwakke democratieën en geldverslindende koningshuizen die op belachelijke families leken. Niets duidde op verbetering, in elk geval niet zonder ontlading. Europa, vond hij, bestond van binnen en van buiten uit botsende deeltjes. Amerika's democratie was 'interessant' omdat die onzeker en ongecontroleerd balanceerde rond enkele middelpunten, waaraan nog minder gehoorzaamheid werd betoond dan aan een dominee in een kleine parochie in Småland.

Hedda was er zeker van dat Zweden niet in oorlog zou raken; dure tijden zouden het misschien wel worden. Ze vreeën nog met elkaar, ze kwam vaak bij hem in bed en ze werden meer geroutineerd met elkaar. Ze ontdekten wat de ander niet aansprak, dingen die de seksuele hoffelijkheid hun eerst gedwongen had te tolereren. Misschien was dat goed zo. Hoewel de onbereikbaarheid geen drijfveer meer was, vonden ze voor de weemoed daarvan tegenhangers in activiteiten die ingegeven werden door hun geestelijke intimiteit wanneer de fysieke tijdelijk verbruikt was. De pijn van de liefde kwam soms sterk naar voren op plekken waar die eerder weggedrukt leek te zijn. De passionele storm gaf nieuwe aanrakingen, standjes, stemmingen. Die verloren aan betekenis wanneer ze werden herhaald als elementen van een repertoire. Ja, zo moest het zijn: je moest nog dieper komen om weerklank te vinden. Alles wordt na verloop van tijd praktisch, maar ze hielden heus ook wel van elkaar met de ziel; Hedda geloofde dat hij van haar hield, dat had hij eerst niet gedaan, dat had ze eerst niet geloofd. Nu wilde hij dat ze meeging naar Amerika. Ze vroeg of ze in dat geval aan boord zouden trouwen en hij had gelachen. 'Maar mijn ouders dan', had ze gezegd. 'Åke. Als hij ... Als het niet goed gaat.'

'Als hij sterft?' zei hij. 'Ja, dat kun jij nooit vervangen. Daarvoor kun je nooit afleiding geven!' En zonder zich iets van haar reactie aan te trekken: 'Je kunt niet eens klaarstaan voor het geval dat. Een mens heeft geen leven als hij altijd probeert alles te pareren. Een mens schiet altijd tekort. Iemand zal doodgaan en iemand zal ... ik weet niet. En jij kunt niet verhinderen dat de natuur haar gang gaat. Dat kun je niet. Dus je kunt maar beter een besluit nemen. Wil je een eigen toekomst? Eigenbelang is soms het enige fatsoenlijke.'

Een andere keer merkte hij op dat hun relatie zoals die er nu uitzag, haar bestaansrecht had verloren. Niet omdat Elsa wist wat er gaande was, maar omdat romantische genoegens vanzelf vergaan. Hij zei dat hij niet zo graag sprak over 'de liefde' als zij, maar dat ze groot, sterk, geduldig en behendig was. Zij zou altijd haar deel van de last dragen. Ze zouden zich samen in Amerika wel kunnen redden. Hier hield hij zich bezig met iets oppervlakkigs, film is slechts 'iets oppervlakkigs, diepzinnige films vooral. En ik heb geen talent.' Als hij volgens plan zijn vaders bedrijf overnam, zou dat zijn om de stoppeltjes van het oppervlak van de mannen en uit de oksels van vrouwen te schrapen. Hij had geen plannen om president van Amerika te worden. Ook al stond Amerika er bij ons om bekend dat het daar mogelijk was *to make it*, het leuke van 'to make it' was je doel bereiken ongeacht wat dat doel was. Geen schulden hebben, een huis hebben, je kinderen een opleiding geven.

'Alleen in Europa moet je uniek en speciaal zijn en originele vormen vinden om te excelleren, wil je überhaupt opvallen. Daarom wordt Europese kunst ook steeds gekunstelder. De Parijzenaars zijn het ergst, want daar is de hoogmoed het verst ontwikkeld. De ellende in de wereld komt door de Europese pretenties. In Amerika hoef je niet op te vallen of te

excelleren, je wint door te zijn wie je bent en werk heeft er waarde, ongeacht wat voor werk het is.'

Hij was er nooit geweest en in hun discussies over de kwestie over-
tuigde hij haar niet. Of discussies ... Hij had haar gewoon als toehoor-
der nodig. Ze was een slechte luisteraar. Hij kwam er steeds op terug
dat ze groot en sterk was. Soms was ze bij Tom en Elsa en een paar keer
was Luigi daar ook, en dan praatte Tom over de eindstrijd tussen het
communisme en het fascisme/kapitalisme en dat je leven niet veel waard
was als je geen partij koos, ook al kostte je dat misschien je leven, en Elsa
zei soms 'gezwam' zonder dat hij boos werd. Hedda zei niets, want dan
zou Luigi boos worden, maar de mannen ging met elkaar in de clinch,
want Luigi beweerde dat keiharde overtuiging tot intolerantie leidt. En
op grote schaal wordt dat ideologie genoemd, maar er is nog nooit een
geloof sterk genoeg geweest om levensruimte aan zijn oppositie toe te
kennen. Wat hem betrof maakte het geen donder uit of hij een nekschot
kreeg van communisten of fascisten, uiteindelijk vertoonden ze hetzelfde
gedrag, ongeacht welke goede bedoeling ze met hun utopieën ook hadden gehad.

Ze gingen weer zitten, hij aan de montagetafel, zij schuin achter hem.
Hij was nog steeds bezig met de Bergmanfilm, maar nu met een andere
actrice, de ontroerende tekenaarster met de grote ogen Käthe, op een
bankje in het park met haar vriend. Ze hadden het koud, hadden geen
plek waar ze met hun liefde naartoe konden. Hij had het over trouwen,
een eigen huis, zij over dat ze de anderen niet in de steek kon laten, want
die waren van haar afhankelijk. Toen ze zei dat ze toch op dezelfde voet
konden doorgaan en in het geheim geliefden konden zijn, verliet hij haar.
Hedda begon hevig te blozen, ongezien. Het was toeval, zoals meestal
het geval is wanneer het een met het ander wordt geïllustreerd. Toch
was het hinderlijk om je eigen argumenten uit de mond van een ander
te horen. En dan de reactie van die man redelijk te vinden, die van de
vrouw bekrompen.

Ze hadden nooit uitputtend gesproken over Amerika of over het feit
dat zij in de buurt van haar familie moest blijven. Ze praatten in losse
flodders, hij in de ene richting, zij in een andere, de onderwerpen lieten
zich nooit met elkaar verbinden tot een opsomming die klopte en tot
een beslissing leidde. Het was natuurlijk nog voorjaar. Ze had nu het

pessarium, maar dat had ze ook een paar keer vergeten of genegeerd. Na haar laatste menstruatie, twee weken geleden, had ze besloten dat ze nu beter ging opletten, maar ze had het niet in toen hij het afspeelapparaat uitzette, de gordijnen optrok en de deur op slot draaide.

Ze zat achter Luigi en drukte op haar tere punt wat deze man betrof en dat punt verdween onder de druk. Ze kreeg geen hete blik in haar ogen, er ontstond geen zoetheid waarin haar lichaam wegsmolt, het joeg geen rilling door haar schede. Het was wat ontwijkend, vriendelijk. Ze waren altijd zo serieus geweest. Bestond er een ernst achter de ernst? Viel die te dragen? In Amerika?

Bror Lennart Langmark wist haar aan het schaterlachen te maken, ook als ze niet geamuseerd was. Meer als een manier van zijn, zonder erbij na te denken. Dat was al zo sinds die eerste keer, toen zij haar onderarmen op het tafelblad had gelegd en zich om zijn verloofde te ergeren had uitgestrekt waarbij haar buste in haar decolleté omhoogkwam en zichtbaarder werd; toen al had ze moeten lachen. Hij wist niets over haar, hij kende haar broer niet, hij wist niet wat er met haar jongere broer aan de hand was. Hij wist alleen dat zij de beste leerlinge van mevrouw Borg-White was en een contract had getekend voor de rol van het jongere zusje in een Tengrothfilm. Dat vond Luigi dom, hij vond ook de tweede rol die ze misschien zou krijgen dom. Hij vond het niet prettig haar in de filmstudio in Råsunda te zien. Bror Lennart was onder de indruk, hij vond het warempel wel wat, en zij moest daarom lachen, omdat zowel Elsa als Luigi had gezegd dat ze zichzelf geen dienst bewees door op het witte doek te flitsen in domme rollen die niet bij haar pasten, waar ze niet geschikt voor was en voor de vertolking waarvan ze geen greintje ervaring in huis had.

Bror Lennart imiteerde haar dialect en dat was niet leuk, maar ze moest wel lachen, hij gaf een staaltje ten beste van zijn eigen dialect en dat was wel leuk, maar toen keek ze hem aan met een glimlachje. Zijn mokkaogen waren amandelvormig, en soms, wanneer hij haar lang gadesloeg, smolt die amandelvorm samen tot één, betraande cycloop die iets van haar wilde. Dat was nu onmiskenbaar.

Mevrouw Borg-White, die even onmiskenbaar druk had uitgeoefend om te zorgen dat hij oog voor haar kreeg, deed een onverwachte tegenzet en bood Hedda een functie aan als haar assistente. Hedda mocht voor het eerst in het kantoor gaan zitten. Er werd haar een plaats aangewezen, met haar rug naar de foto's van Adrian. Mevrouw Borg-White schreef iets op een vel papier en droogde dat met haar vloeiblok. Ze streek met haar beringde vingers door de haarwrong boven haar ene oor en voelde aan de schildpadspeld in haar nek. Daarna zei ze dat ze zonder meer moest toegeven dat Hedda een groot talent voor het coupeuse- en naaiwerk had. ABW zocht al een tijdje naar een compagnon, uiteraard niet om financiële redenen, maar omdat haar scheppingskracht in het gedrang kwam door te veel verplichtingen. Eigenlijk was er ook helemaal geen compagnon nodig, maar een vakbekwame medewerkster, als inspiratiebron, hulp-kracht, ideeëngever. Er werd haar een functie-inhoud en een loonvoorstel voorgelegd. Hedda zou haar eigen kantoor krijgen in de oude meidenka-mer, die nu leegstond. Ze kon er ook op rekenen dat ze hulp kreeg bij het vinden van geschikte woonruimte in de buurt. 'Juffrouw Carlsson heeft geen plannen om in de komende tijd aan een alternatieve opleiding te beginnen of in het huwelijk te treden, voor zover ik het heb begrepen? Ik ben natuurlijk op de hoogte van het kleine filmavontuur dat Elina heeft geregeld, maar de opnames vinden in de zomer plaats, en als dit niet het begin is van een sterrencarrière(???), is mijn voorstel dat juffrouw Carlsson op 15 augustus aan haar baan begint, wanneer we de studentes voor het komende jaar selecteren.'

Op een avond was Hedda bij een kamerconcert met Anna-Karin, een van de gehuwde leerlingen van ABW, die daar eigenlijk met haar man naartoe had zullen gaan, maar die was verkouden geworden.

Het was eind april en Hedda was opgewonden. Levenslust tot in haar vingertoppen en de puntjes van haar haren. Het lemmet stond nog steeds dreigend in het midden, maar was omgeven door een overvloed waarvan ze nooit had vermoed dat die haar ten deel zou kunnen vallen. Het was nog absoluut geheim dat ze een voorstel van mevrouw Borg-White had gekregen. Mocht zij er niet op ingaan, dan moest aan een ander het voor-stel kunnen worden gedaan alsof zij de eerste keus was.

Vooral omdat ze een aanbod voor een echte baan had gekregen, neigde Hedda op deze dag echter naar Amerika.

Ze vond het leuk om met de mokkakleurige amandelvorm te flirten. Maar het zou waarschijnlijk toch Amerika worden. Als ze de kwaliteiten had waardoor mevrouw Borg-White haar voorstellen deed terwijl ze nog maar net twintig was, zou ze ook in New York in haar onderhoud moeten kunnen voorzien. Ze was vingervaardig. Luigi had verteld over een erfenis waarmee ze het enkele maanden, een half jaar zouden kunnen uitzingen. Hij had voor de zoveelste keer herhaald dat in Amerika werk niet hiërarchisch is, werk op zich is waardevol, ze zouden werk vinden en zich redden tot ze hadden besloten waar ze zich zouden vestigen en wat ze op de langere termijn zouden gaan doen. Hij had liefdeswoordjes gezegd buiten de liefdesdaad om en daarna verwonderd zijn hoofd geschud, alsof ze hem ongewild ontvallen waren. Hij had gezegd dat ze met z'n tweeën niet zo geïsoleerd zouden zijn als het voor de emigratie voelde. Je krijgt vrienden en kennissen. Hij had gezegd dat ze moest ophouden haar haren te blonderen. Hij vond het niet nodig, zij had het niet nodig. Hedda dacht aan de Atlantische oversteek. Vanuit Bremen was er een goedkoper alternatief, maar vast wel met Shuffleboard en andere sporten. Moesten ze trouwen om een hut te mogen delen? Hij lachte en antwoordde dat er hutten waren met meerdere kooien, en dat zij tussen de vrouwen en hij tussen de mannen zou slapen. Ze moesten elkaar kussen op het dek in de maneschijn. Daarna moesten ze maar verder kijken. Alles op zijn tijd. Hedda overwoog hoe dit moest worden verteld, of zouden ze gewoon ongemerkt vertrekken en dan schrijven wanneer ze in Philadelphia voor anker waren gegaan?

De musici gingen zitten, er klonk geschraap van stoelpoten, van voeten, en er werd nog wat gehoest voordat het publiek zweeg.

Hedda had geen tijd gehad om een programma te kopen. Het idee om vanuit Philadelphia te schrijven en te verkondigen 'ik ben hier' was als gedachte al een zelfverwijt. Maar zou er geen stokje voor het hele gebeuren worden gestoken als zij haar plan onthulde om minderjarig en ongetrouwd te emigreren met een dertien jaar oudere man die al acht jaar een verloofde of aanstaande had? Ze zouden zeggen dat hij vluchtte en dat Hedda zijn stok zou zijn als zijn benen hem niet meer konden dragen. Ze dacht dat dit gezegd zou worden, dus was dit haar eigen gedachte. Maar om je geen illusies te maken en toch nog steeds te willen, dat was toch eigenlijk gezond? Dat bewees dat ze het zelf wilde. Ze wierp een verstolen blik op Anna-Karins programma. Wat speelden ze? *Franz Schubert, Strijkkwartet no. 14 in D mol* stond er. De klanken stuiterden al heen en weer. Twee noten, heen en weer.

Ze had geen tijd om zich op de muziek voor te bereiden of die begon al. De viool, de altviool en de cello. Ze volgden onmiddellijk de herhaalde klanken van de piano met een stap terug bij elke vijfde toon, heen en terug.

Vervolgens het donkere verhaal van de cello, dat iets in haar losmaakte. Hedda stopte met ademen. Op het eind van de tonenreeks stelt het instrument een vraag, twee zwarte noten die ongeveer een octaaf openen en waar de echo van de lichtere stemmen laf op volgt. Vervolgens beantwoordt de cello zijn eigen vraag. Rustig en onheilspellend.

Hedda had dit stuk vaak gehoord. Christian had *Der Tod und das Mädchen* thuis met zijn kamermuziekgroep geoefend en het was zo heerlijk geweest, het hele huis vol muziek. Ze braken het af en begonnen opnieuw, en na een kermgeluid van de cello midden in de donkerste partij hadden ze gelachen. Waren weer begonnen, doorgegaan, hadden het stuk opnieuw geoefend. Wanneer de muziek onderbroken en gerepeteerd werd, kon ze je niet manipuleren, hoewel het briljante en de schoonheid van de compositie zo – eenduidig waren geweest. Nu hoorde Hedda iets anders in de cello. De dood. Zo klonk die.

Zo klinkt die. Ze was niet volwassen. Terwijl ze zat te luisteren en, zonder haar hoofd te verroeren, naar de andere mensen in het publiek keek, mensen die de muziek intens waardeerden omdat hun eigen hoop niet gedoemd was, brak het koude zweet haar uit. Haar hart bonkte en haar handen en voeten werden ijskoud. Ze zaten midden in de rij, ditmaal kon ze niet zomaar wegrennen en misbaar maken naar aanleiding van haar gevoelens, zoals toen ze hadden gedanst op *I'll be seeing you*. Ze was ingesloten en opgesloten door onwetenden, neutrale muziekliefhebbers, en er zat niets anders op dan dat ze haar adem inhield om dit deel uit te zitten en ook het volgende, waarvan ze wist dat daarin de dreiging bewaarheid zou worden. De doodsstem zou komen en wachten op de heldere, smekende stem en ten slotte zijn mantel daaromheen slaan. Hoe het derde deel klonk, wist ze niet meer. Christian zou het op Åkes begrafenis spelen. Dat was haar duidelijk.

Driekwart jaar later werd het op Åkes begrafenis gespeeld en Christian leek tevreden dat hij dit kon doen, dat hij zich ergens op kon concentreren. Ook moeder werd erdoor getroost, ze keek rustig naar haar oudste zoon, die erin slaagde een emotionele waardigheid te behouden toen niemand iets had om zich aan vast te klampen afgezien van het ritueel dat hen door het uur heen hielp. Bror Lennart zat links van moeder en hield af en toe haar hand vast. Ze was ogenblikkelijk op hem gesteld geraakt en dacht niet zoals Hedda dat dit voor hem, die Åke nauwelijks gekend had, natuurlijk geen kunst was. Zelf was ze heel even de instorting nabij toen ze bedacht hoe gemakkelijk Åke vergeten zou worden, hij was in het leven nog nergens aan toe gekomen, was niet eens een markante persoonlijkheid geweest, zoals sommige kinderen kunnen zijn. Ze had honderden of duizenden keren gezegd dat ze van hem hield, maar had hij dat gehoord, of was hij daar alleen maar een beetje door verstoord geweest? Toch zeker niet alleen maar verstoord, het is toch goed om bemind te worden. De muziek was spitsbogig, gotisch, zo belachelijk zwart. Die maakte de troost erger dan het verdriet, de pikzwarte intensiteit van de cello lag als een gewicht op je gemoed. Ze begroeven hem op Norra Kyrkogården. Toen waren ze alleen met de familie, het kleine blauwzandmeisje was er niet eens meer, die had een nieuwe verplichting gevonden. Twee dagen later namen Hedda en Bror Lennart de trein terug naar Stockholm om niet het risico te lopen van een vroegtijdige bevalling in Lund en lange wachttijden voordat ze weer veilig naar huis, of weg, konden gaan met een baby.

Het goedgeklede meisje in de concertzaal had een voorsprong van negen maanden op de logge persoon in de kerkbank. Tussen het voorgevoel van de muziek in april en zijn bevestiging in januari gooide het leven de wissels om.

Heel onverwacht en lang nadat ze de hoop al hadden opgegeven toonde een producent belangstelling voor Toms en Luigi's idee van De Piraten. Dat was gebaseerd op herinneringen uit Luigi's Hongaarse familie. Een oom van vaderskant had gewoond in de Kroatische stad Rijeka toen die een kleine twintig jaar geleden werd ingenomen door een groepje Italiaanse paramilitairen met een dichter als aanvoerder. Mevrouw Elina Söderbergh had het project 'de havenfilm' genoemd en Hedda het idee gegeven dat het om een documentaire over stuwadoors en contrabande ging. Nu werd haar duidelijk dat het een verhaal was over poëzie, rotskusten en politiek carnaval. Daardoor kwam ook aan het licht dat dit nu – en niet Amerika – Luigi's levensdroom was. Emigreren zou een vlucht zijn weg van de zinloosheid. In tegenstelling daarmee betekende de film zín. Opeens was het medium niet meer oppervlakkig en hijzelf niet talentloos.

Hedda mocht de synopsis lezen over jongemannen met geraffineerde kleding en kapsels, over driestheid en doldriestheid wanneer je je ideeën in omloop brengt en je invallen ten uitvoer brengt, eerst conservatieve familiewaarden afschaft en daarna terreur uitoefent tegen het eeuwige vooruitkijken waardoor je aan banden wordt gelegd. Hun romanticisme was niet klef. *Dood aan de maneschijn* luidde de titel van een manifest. De 'haven'sequenties moesten uitbeelden hoe de stad met piraterij in de Adriatische Zee in haar onderhoud voorzag. Er moest met vliegtuigjes door het luchtruim worden getuimeld, een parlement moest met rode bieten worden bekogeld, er moesten kuddes paarden worden gestolen, maar er was slechts één vrouwenrol, die van een pianiste, en die was niet groot. Het stadsexperiment hield wel gelijkheid tussen de seksen in en tussen alle volksstammen en minoriteiten, tussen jong en oud, normaal en vreemd. Alle inrichtingen moesten worden geopend en gevangenen en gekken, moordenaars en gehandicapten moesten in de gemeenschap verwelkomd worden. Chaos is de ware orde!

De producent had altijd al belangstelling voor de inhoud gehad, voor hoe Luigi de scènes op elkaar liet volgen en detailcomposities had uitgedacht om een episch effect te bereiken zonder dat dit tot epische kosten zou leiden. En niet in de laatste plaats hoe hij de retoriek in vertolkbare en visuele argumentenstromen had gehakt in plaats van mensen te laten staan praten. Er werd in gesproken, maar het was geen 'dialoog'.

Ondertussen: vliegtuigjes, kuddes paarden, deels buitenopnames, af en toe documentairestijl: nee, dat was te kostbaar. Maar nu had zich een Italiaanse co-financier gemeld.

Eind april bevonden Tom en Luigi zich in het stadium van de preproductie; dat was naast hun werk als rekwisiteurs, regieassistenten en vertalers. Een hectisch tempo verving de verveling, die er een paar maanden geleden voor had gezorgd dat Elsa haar medicijnenstudie weer had opgepakt en Luigi over Amerika was gaan praten. Tom, die geen opleiding had afgemaakt na zijn middelmatige eindexamen van de middelbare school, had het erover gehad om arbeider te worden.

Amerika moest wachten, daar werd niet meer over gesproken. Van de ene dag op de andere werd er over de Atlantische Oceaan gezwegen.

En Hedda herinnerde hem er ook niet aan. Daarmee zou ze Luigi weer hebben laten wakker worden in een rusteloos verleden, terwijl hij nu zo enthousiast en arbeidzaam kon dromen over wat komen ging. Dat gaf haar ook ademruimte. Ze hoefde nergens voor te kiezen, maar kon de dingen op zich af laten komen. Ze liet opnieuw haar haren blonderen, ditmaal bij een bekende kapper die het lichter maakte; ze was een poosje korenblond geweest, voornamelijk voor een kleurenfoto als paasmeisje op ski's. Dat was voor de *Vecko-Journalen* en haar vlechten moesten een Zweedse tint hebben, geen platina. 's Avonds zaten ze soms in het appartement van Tom en Elsa over het script te praten. Af en toe stapten ze van het onderwerp af, maar ze kwamen er later weer op terug. Ze bespraken de woordkeuze, de scènes, de logica. Toen ze zelf met voorstellen kwam, verwachtte ze dat haar het zwijgen zou worden opgelegd of dat ze zou verdrinken in de grotere kennis van de anderen, maar wat ze zei werd opgeschreven. Het was ongelooflijk, maar het werd opgeschreven. Vier, vijf avonden van teamgeest. Zonder fricties sinds Tom was gestopt met tandenknarsen. Ieder mens heeft immers zijn prijs. De Zweedse producent moest zo nodig Italiaanse co-financiers zoeken! Nou, dat had hij uiteindelijk geslikt. Het waren in elk geval geen Duitsers. Zijn stille (maar toch uitgesproken) hoop was dat de Italianen misschien zouden uitstappen wanneer de opnames al zo ver waren gevorderd dat de Zweedse financiers het project niet meer zouden laten mislukken. Mussolini zou dat Kroatische stadsexperiment zeker niet bevallen.

De opnames zelf werden gepland voor het najaar van 1939, op locatie in oktober, wanneer de temperatuur en de lichtverhoudingen beter zouden zijn dan hartje zomer. De première werd voorlopig vastgesteld op Tweede Kerstdag 1940, misschien Tweede Kerstdag 1941. Zo ver vooruit denkt de filmkalender.

In de voorjaarsavond braken Hedda en Luigi samen op. Soms gingen ze dan uit elkaar en liep Hedda naar huis. Nou ja, naar huis … Meer een verkleedruimte op een station tegenwoordig. Zowel zij als Lill-Inger had het erg druk, ze waren vaak weg, en om dezelfde reden, zonder dat ze elkaar hun geheimen vertelden, maar ze begrepen het toch wel. Niettemin waren ze zwijgzaam, ze hadden hun korte vriendschap, die hun pasgeleden, na Kerstmis, nog goed was uitgekomen, afgebroken.

Een buffer, een weekmiddel, was deze tijdelijke verbinding met een andere vrouw, het had bijna niet uitgemaakt wie het geweest was, het was toch niet houdbaar. Als Hedda's minnaar verloofd was, dan was die van Lill-Inger getrouwd, dat was wel duidelijk. Met een trouwboekje en kinderen. De keren dat Hedda nu meeging naar de Hornsgatan werd ze hard en zacht geneukt en soms verontschuldigend (Amerika ...). Hij kende na de onverwachte doorbraak geen twijfels en at ook met veel meer trek dan in de weken daarvoor. Zijn haar, dat hij een poosje met pommade plat had gedragen, kwam overeind en werd blonder, zijn gezicht werd bruin. Ze waren opnieuw verliefd op elkaar, hoewel Hedda voelde dat iets gemeenschappelijks hun was ontvallen, maar ze kon niet benoemen wat het was. Het schip uit Bremen vertrok zonder hen naar Philadelphia, ze las in de krant dat het uitgerekend die week twee dagen gestormd had op de Atlantische Oceaan.

Hedda zei ja op de baan bij mevrouw Borg-White, maar voorlopig voor een jaar, omdat ze nog niet volwassen was en haar ouders daarom niet wilden tekenen voor een langere periode. Moeder had afwezig geklonken toen ze naar huis belde om hen te bedanken voor hun handtekening. 'Kom je?' had ze toonloos gevraagd. Hedda voelde zich meteen in het harnas gejaagd: 'Nu?! Naar huis, hoe zou ik dat kunnen? Ik heb mijn handen vol. Er zijn voorjaarsbals en er moeten een heleboel jurken af. En mevrouw Söderbergh, en over tien dagen moet ik me melden. U herinnert zich misschien, moeder, dat ik een klein filmrolletje heb. Ik krijg ervoor betaald.' Het bleef even stil aan de telefoon. 'En dat is noodzakelijk?' 'Noodzakelijk?' Hedda sprong bijna uit haar vel. 'Wat is er noodzakelijk als ik vragen mag? Er is er vrijwel niets noodzakelijk, maar toch doet men het.'

Nadien drong tot haar door dat er iets met de stem van haar moeder was geweest en ze wist dat dit niets goeds betekende, maar wilde verder niets weten. Dit kon ze er niet ook nog bij hebben.

Hedda,

Ik schrijf geheel op eigen initiatief en ik doe het vooral voor jou. Åke heeft de laatste weken koorts gehad en kon een aantal keren niet naar school. Hij heeft ook jeuk en eczeem die moeilijk onder controle te krijgen is, en een onverklaarbare wondinfectie. Ze dachten dat de wond helemaal dicht en genezen was. Dit hoeft allemaal geen grote betekenis te hebben en ik stuur het niet als slecht nieuws. Zelf neemt hij het kalm op en je vader is een rots in de branding, wat hij vroeger niet was, volgens Christian. Je moeder is helemaal op, lijkt het wel. Ze zou écht afgelost moeten worden. Ze is de laatste maanden een keer met je vader en een keer met Åke naar een kuuroord geweest, maar dat heeft haar zelf werkelijk geen goed gedaan, helaas. Nu heeft ze een uitnodiging ontvangen om een Amerikaanse vriendin met wie ze in de bouwcommissie heeft gezeten te bezoeken, die *over there* nog een zomerhuis heeft, aan de oostkust. Het zou niet lonend zijn om voor alles bij elkaar minder dan een maand met de boot heen en weer te gaan. Ze heeft er enorm veel zin in en nog veel meer behoefte aan. Het zou gaan om een paar dagen New York en verder de Atlantische kust. Maar ze heeft de neiging zichzelf een dergelijke verlichting te weigeren en doet het allemaal met een lachje af. Geen mens is onvervangbaar, luidt het spreekwoord, maar zij bewijst nu het tegendeel door juist onvervangbaar te willen zijn. Verder werkt iedereen in de familie: Tom heeft zijn gezin in Stockholm, Christian en ik hebben veeleisende dagen – en moeten bovendien vaak 's nachts werken. En jij lijkt piepjong aan een echte carrière te zijn begonnen, met een arbeidscontract en een film en alles. Gefeliciteerd! Binnenkort zullen de leuke jongens ook wel een oogje op je krijgen …

Het vervelende is dat er geen geld is om huishoudelijke hulp in te huren voor de periode dat je moeder weg is. Wat er gemist kan worden gaat natuurlijk op aan de reis, als die doorgaat. Het zou vast wel kunnen worden opgelost als men wilde. Er zijn dingen die verkocht kunnen worden, ik zou zelf bij mijn vader een gunstige lening kunnen lospeuteren, maar ik voel dat me dat kwalijk zou worden genomen. Jouw ouders zijn af en toe een beetje moeilijk in beweging te krijgen, maar soms moet een mens zich toch laten vallen en door anderen laten opvangen? Je vader accepteert ook niet dat je grootmoeder komt om je moeder te vervangen, en het is haar trouwens niet gevraagd, misschien wil ze ook niet. Heb jij misschien een maand over? Het zou in juni zijn, voor de opnames van de film, waarvan ze zeggen dat die *Wilt jullie het weten* heet. Moeder Beate heeft haar afwezigheid precies uitgedokterd, zodat die met jouw plannen zou kunnen stroken. Maar ze durft het je niet te vragen. Je weet hoe ik erop tegen ben dat meisjes en vrouwen hun beroepsleven opofferen voor het huishouden, maar het zou immers maar om vier onnozele weken gaan om moeder Beate weer wat op krachten te laten komen.

Dit is geen leuke brief om te schrijven, maar niemand anders heeft de moed om het te doen, en ik eigenlijk ook niet.

Je schoonzus in spe,

Karin

'Hedda is de behulpzaamheid zelve geweest, maar helaas wordt het niets met de ring. Bolin mag hem houden.'

'Hoezo? Was hij niet naar tevredenheid? Heb je hem laten zien voordat je om haar hand vroeg, Bror?'

'Nou ja, het is eerder zo … Er wordt niet om haar hand gevraagd, er komt allemaal niets van terecht. Ik heb een blauwtje gelopen. Of beter gezegd: we hebben elkaar een blauwtje laten lopen.'

'Dat is slecht nieuws. En dan loop ik hier midden in de nacht met een ongebonden, vrije man, hahaha. Nee, dat was onnozel van me, maar dat is omdat ik niet weet wat ik moet zeggen. Tja … Hebben jullie ruzie gehad?'

'Helemaal niet. We gaan als vrienden uit elkaar. Weet je, Hedda, misschien is dat het probleem wel. Als je verliefd bent, kun je niet als vrienden uit elkaar gaan. Dan word je jaloers en ben je gekwetst – ja, als je verliefd bent, wil je natuurlijk niet eens uit elkaar gaan, dan krijg je ruzie als de ander dat wel wil. Maar als je elkaar vriendelijk de hand schudt en elk je eigen richting op gaat, dan blijkt wel dat het voor geen van beiden erg belangrijk was. En dat had het wel moeten zijn. Maar weet je, mijn familie had niet veel met haar op en de hare niet met mij. Ik kom uit een familie van boeren uit Hälsingeland, en zij uit Fins-Zweedse officiersadel. Ik heb bijna de indruk dat wij aan onze kant nog trotser waren op onze afkomst. Toen mijn grootmoeder haar niet het riemtasje wilde geven dat haar eigen grootmoeder had geborduurd en dat mijn moeder op haar eigen bruiloft heeft gedragen, had ik al het gevoel dat het niet pluis was. Er was altijd sprake van dat mijn verloofde het ooit zou krijgen. Ik ben achttien minuten ouder dan mijn broer, het is een beetje lachwekkend, maar ik ben de oudste zoon …

– en ik moet ook bekennen dat er aan de horizon nog een andere genegenheid is opgedoken.'

'Het klinkt negentiende-eeuws!'

'Het is achttiende-eeuws, lieve Hedda, met heel veel voorvaderen. Wat zeg je ervan, zullen we de weg over de Observatoriumheuvel nemen naar de Sveavägen?'

'Weet je, Bror, het is helemaal niet nodig om me naar huis te brengen. Het is immers niet zo donker en er zijn veel mensen op straat.'

'Geen sprake van, ik heb het de gastvrouw toch beloofd. Als Hedda onderweg zoek zou raken, zou ik me moeten schamen. Maar kom, dan rennen we de heuvel op om de port uit het hoofd te verdrijven,

uh, huh. Je hoeft niet zo trots te doen. Als ik geen steentje in mijn schoen had gehad, zou het onbeslist zijn geweest, ik zeg niet dat ik dan gewonnen had. Ik ben te veel een gentleman om een dame haar overwinning te ontnemen. Potverdikkeme, ik moet even mijn schoen uitschudden voor we verder lopen.'

'Bror.'

'Ja …?'

'Ik heb een geheime geliefde.'

'O.'

'De eerste keer dat ik hem ontmoette, was in dat huis daar aan de Drottninggatan, dat raam waar nu net het licht uitgaat.'

'O.'

'En het is niet geheim zoals in "in het geheim verloofd", omdat er geen officiële verloving is aangekondigd voor de familie uit 1700 en 1800. Maar geheim zodat niemand het weet. We houden van elkaar. Hij wil dat we naar Amerika emigreren.'

'Wil je naar Amerika emigreren, Hedda?'

'Ik weet niets over Amerika. Hij is er ook nog nooit geweest. Mijn moeder wil op reis naar Amerika … Ik weet het niet, of jawel, ik wil waarschijnlijk vooral dingen proberen voordat ik me later, héél véél later, ergens vestig.'

'Is de geliefde ook iets om uit te proberen?'

'Dat was vals!'

'Hou je van hem?'

'Ik had niets moeten zeggen.'

'Durf je hier niet te gaan zitten?'

Durven … Hij moest eens durven. Genegenheden aan de horizon, wat onnozel. Hedda zag hoe Luigi's zuster een gordijn dichttrok; was het Astrid of Maja? Ze wist niet wie van de twee wie was, zij wisten niet dat zij hier was. Maar wie het ook was, ze bleef even de duisternis in kijken. Het moest voor haar even helemaal donker zijn geweest toen ze daarnet het licht had uitgedaan, voordat de nacht weer oplichtte in haar groter wordende pupillen. Maar het licht dat ze zag, waren voorjaarswolken, vlekken van groen en roze, straatlantaarns, waarvan er enkele tegen de heuvel van het observatorium omhoogliepen, maar niet waar Hedda stond, zij was duisternis voor Maja, Astrid.

Ze draaide zich om en keek naar Bror Lennart, die achterovergeleund op het bankje zat. Hij had zijn schoen uitgetrokken. Hij had ook zijn sok uitgetrokken. Op de schoen, op de sok lag zijn witte voet. Hedda had nog nooit iets zo uitdagend bloots gezien. Toen ze haar blik oprichtte om zijn gezichtsuitdrukking te duiden vulde haar mond zich met speeksel. Hij had net gevraagd of ze niet durfde te gaan zitten. De eeuwige lach die in haar reactie op Bror Lennart verborgen lag, bruiste in haar omhoog. Je hoorde hem als een hese echo in de kronen van de bomen, hij liep over het hobbelige graniet, bereikte zijn tenen, die zich enigszins verwelkomend verhieven. Waarom zou ze niet durven? Ze was, zoals Luigi zei, groot en sterk. Ze ging zitten en zei: 'Ja, ik hou van hem. Wij. Wij houden van elkaar. Hij is mijn minnaar. En ik was er verantwoordelijk voor dat het zo is gegaan. Ik ben niet bang. Dan weet je dat.'

Bror Lennart leunde naar voren. Ze dacht dat hij aan zijn sok dacht nu ze duidelijk had gemaakt hoe de dingen lagen. Maar hij krabde zijn voet even, streek even langs zijn tenen, en ging toen met zijn vingers over zijn wreef. Die was niet zo hoog als die van Luigi, wat gevulder, en het water liep Hedda in de mond. Ze keek toe, en zijn blik kruiste de hare toen hij weer rechtop ging zitten. Hij leunde tegen de rugleuning, zij zat met haar handen op haar knieën. Ze wierp een snelle blik op zijn kruis maar ze zag niets. Ze keek naar zijn gezicht en zag dat hij naar haar keek. Ze pakte zijn schoen onder zijn voet vandaan en keerde die om. Er viel niets uit. 'Heb je het steentje er al uit gegooid?' Hij gaf geen antwoord. 'Of wilde je je voet gewoon even wat frisse lucht geven?'

Hij antwoordde niet, zijn handen lagen met de palmen omhoog op zijn dijbenen. De voet en de handen. Een drie-eenheid van naaktheid. De extremiteiten van Bror Lennart Langmark, die bijna ongemerkt werkzaam en passief eisend waren toen ze daar zo rustten. Hedda weigerde daarop in te gaan. Ze keek naar de witte voet, de witte handpalmen op de bruine stof van de broek toen ze mechanisch zei: 'Tien dagen geleden waren er plaatsen voor ons geboekt, naar Philadelphia, maar mijn … man kreeg een opdracht. En die heb ik natuurlijk ook. We moeten maar vertrekken wanneer we tijd krijgen.'

'En zin?'

'Ik heb zin!'

Ze draaide haar hoofd om en keek in zijn samengesmolten, mokka-kleurige amandelvorm. Die maakte een verdere uitleg noodzakelijk: 'Na-tuurlijk vertrekken we, maar *opportunity knocks* niet alleen in de vs. Nu heeft mijn man hier thuis een droomkans gekregen en die kun je gewoon niet laten schieten.'

'Is hij je man?'

'Hij is van mij, en hij is een man.'

Bror Lennart Langmark riep luid lachend: 'Ik hou van Hedda!' Zijn lach en het hernieuwde gebruik van de derde persoon maakten eerst dat ze hoffelijk instemde. Het afstand doen van het tutoyeren gecombineerd met de lach indiceerde dat ze onbetaalbaar was. De handen bleven echter liggen. Even roerloos, de voet naakt. Als hij een grap had gemaakt en zich tot flirten beperkt had, zou hij zijn lichaam tot leven hebben gewekt en zijn vinnen hebben verroerd. Met tegenzin drong tot haar door dat hij zich echter als rivaal had gemeld. Ze beheerste het allemaal, het verlangen om een paar decimeter op te schuiven, op te staan, te vertrekken. Dit kon ze gemakkelijk aan. Het was bovendien zijn zaak om B te zeggen na een veelduidig A als in Ik-hou-van-Hedda. Als hij die handen nou maar omdraaide. In plaats van deze koppige, bijna theatrale ontvankelijkheid.

'Hedda heeft op mij vanaf het eerste moment een heel diepe indruk gemaakt.'

'Over de indruk die jij op mij hebt gemaakt zullen we het maar niet hebben?'

'Hoezo?'

'Zo dronken als jij was. Ik heb nog nooit bij iemand gezeten die zo dronken was. Ik snap niet hoe iemand erbij komt om bij een diner zo dronken te worden.'

'O, dat', zei hij ongeïnteresseerd. 'Maar nou is Hedda op een man met een opdracht verliefd, terwijl ik mijn verloving en alles heb verbroken.'

Zijn handen lagen nog een ogenblik doodstil, ook nadat ze hem boos tegen zijn bovenarm gebokst had en had gesist: 'Ja, nou moet je niet opeens aankomen met de bewering dat ik daar iets mee te maken heb!'

Ze bokste opnieuw tegen zijn arm om hem in beweging te krijgen: 'Zorg nou maar dat je je schoen weer aankrijgt, ik wil hier niet de halve nacht zitten. Of blijf ook maar zitten, dan ga ik zelf wel.' Hij boog zich voorover en trok zijn sok aan. Het was een enorme opluchting om die witte vis niet meer in het donker te hoeven zien, maar toen lag zijn hand op de binnenkant van haar onderbeen en streek langzaam naar haar knieholte omhoog. De onpersoonlijke zoetheid van de streling maakte haar voor een moment bewegingloos, en hij gleed ver over haar kous omhoog, niet naar de huid, want waar de zijde vanwege de rand dikker was, ging het niet verder.

Daar pakte Hedda hem bij zijn pols en trok ze de goedmoedige tegenkracht weg. Ze gaf hem een oorvijg en stond op. Probeerde op te staan. Hij was sterker, hij liet haar precies zo ver omhoogkomen als hem uitkwam en trok haar vervolgens op schoot. Hij was waarschijnlijk toch dronken. Hij pakte haar bij beide armen ('niet meer spartelen') en wiegde haar heen en weer alsof ze aan het walsen waren. Nu moest Hedda lachen om het idiote van de hele situatie. Eerst 'ik hou van Hedda' en daarna deze lelijke streek. Hij moest dronken zijn. 'Bror?' 'Ja?' 'Laat los.' Hij liet een arm los en Hedda begon overeind te komen, maar werd teruggetrokken op zijn ene dijbeen. Hij was naar voren geschoven op de bank zodat het vlezige naar beneden hing en zij bijna schrijlings op zijn dijbeen balanceerde. Met zijn andere hand verschikte hij via zijn broekzak wat er in het nauw zat en toen hij haar weer naar zich toe trok en haar benen vastklemde met de zijne voelde ze hoe zijn lid rechtop tegen haar achterste stond en hoe dat het bloed uit zijn lichaam pompte. Het ergste was nog dat de hele situatie op hol sloeg als een parodie op iets anders.

Wat moest ze zeggen? Ze sloeg hem een beetje waar ze hem kon raken, hij lachte een beetje. Daar had je haar ellebogen, haar achterhoofd, haar ene voet, 'au, o, hohoho', alsof ze speelden, stoeiden. Ze verlangde ernaar hem een bloedneus te slaan. Ze verlangde er zo naar hem te verwonden dat haar lichaam er helemaal week van werd. Het was haar eigen schuld, omdat ze met hem mee naar boven was gegaan. Ze kon gillen, maar waar moest je dat horen, wie anders dan een politieagent zou na middernacht op gegil afkomen op deze heuvel? 'Stel dat er iemand aankomt', zei ze voorzichtig. Hij raakte in een nog beter humeur. Zijn handen en voorhoofd waren koortsachtig warm, zijn pogingen om haar te kussen ook. Hij hield op met zijn pogingen haar mond te pakken te krijgen, hij worstelde. Ze zag de oogamandel op vijf centimeter afstand tranen. 'Hedda, je moet me toestaan ...'

Hij had geen moeite gedaan voor iets extra's, iets bloots. Hij had haar broek naar beneden getrokken en knoopte zijn gulp open. Het noodzakelijkste. Ze huilde van gemis. Wat ze miste, kon ze niet onder woorden brengen. De liefde moest in quarantaine om te worden beschermd tegen een vergelijking met dit. Wat miste ze? Alles. Hij zei dat hij toch had gevoeld dat ze wilde, ook al kon ze dat niet toegeven. Waarom was ze anders met hem meegegaan de heuvel op?

De bloemen die hij haar de volgende ochtend al stuurde, maakten haar razend. Ze zaten achter de deurklink gestoken toen ze thuiskwam, Blondie had ze zo gelaten, de koppen van de rozen hingen slap. Hedda gooide ze bij het vuilnis. Het kaartje las ze niet. Ze schreef een brief waarin de woorden over elkaar heen buitelden, als hij haar ooit weer lastigviel!, maar ze gooide die weg. Hij bezorgde haar een slecht geweten toen ze zich kronkelde van verachting om zijn toenaderingen, zijn belachelijke orgasme twintig seconden nadat hij aan de verkrachting begonnen was. Zijn 'Hedda is zo fantastisch, ik heb er zo naar verlangd, veel te veel, daardoor komt het. Ik heb nog nooit last van een vroege zaadlozing gehad' had aan al het andere nog een dikke vetvlek toegevoegd.

Hij had gelijk, ze had het in zekere zin aangemoedigd, ook al had ze dat niet geweten of gewild. Ze had met de gedachte gespeeld omdat ze zich zeker, groot en sterk voelde en vervuld van een nieuwe overvloed. Een kleine aanvulling ook van hem zou toch ... ja, waarom niet? Rijk, mooi zijn. En vervolgens Langmarks vette spermazegel. Valt het ongedaan te maken? Je kunt alles verwijderen behalve vet. Zelfs van een naaicursus steek je wat op; Bodil had verzuimd de naaimachine helemaal schoon te vegen na het onderhoud met olie en er waren vetvlekken op een heldergroene katoenen blouse gekomen. Het was geen dure stof, maar Bodil had er twee dagen aan gewerkt met biesjes en knoopsgaten, en aan de vlek was niets te doen, midden op de groene voorkant. Bodil had uren gebruld en mevrouw Borg-White had gewaarschuwd voor vet. Mevrouw Borg-White! Het was allemaal haar schuld, zij had hem opgedrongen aan Hedda. Zij was degene die deze vetvlek op Hedda had gezet. Ze was echt niet van plan om ooit voor haar te gaan werken.

O, maar Hedda wilde daar werken. Ze wilde met Luigi en de anderen eten en drinken en over de piraten in Fiume zitten praten. Luigi zien ploeteren achter de montagetafel. Soms spraken ze nog steeds over *Fräulein Else*, de mooiste film die ze kende. Hij had die vertaald. Toen ze die zag, toen hij eraan werkte, waren ze onwetend geweest van het feit dat die hen ooit zou verbinden. Van dat soort gedachten hield Hedda. Die balanceerden op een koord.

Hoelang duurt verdriet? Luigi had gezegd dat het een draad is die je volgt. Je leeft immers mét ervaring, niet zonder. Hoelang duurt *het vet*? Dat moest ze uitvinden. Wanneer Luigi met haar naar bed wil, kan ze geen echte respons meer opbrengen. Hij vraagt of ze het beu is geworden. Wanneer ze het toch doen, bezoedelt zij hem met haar vet, bezoedelt ze hem met haar kut, alles wat ze ooit hebben gedaan raakt ook besmet en hij kijkt haar zo onwetend aan, begrijpt niet waarom ze zich terugtrekt en een lelijk gezicht opzet. Langmark had geen condoom, zij was niet voorbereid. Nu haalt ze ook voor Luigi haar pessarium niet tevoorschijn, met de gedachte dat ze zo schoongewassen wordt of het een door het ander kan opheffen.

Hedda spiegelt zich de hele tijd in onwetende ogen. Zie je het aan haar? Zelf schaamt ze zich. Ze schaamt zich verschrikkelijk. Ze heeft geen trek. Alles is verkeerd aan haar lichaam, ze is blij wanneer de boot naar Runmarö vertrekt voor een week filmopnames. Daar in de scheren valt het voorjaar later in dan in Stockholm. Niemand flirt met haar. En dan is de week voorbij.

Logica kan het verkeerde uitgangspunt hebben, maar de gedachtegang moet worden afgemaakt als je verder wilt komen en misschien aan de chaos wilt ontsnappen.

Hedda heeft die gedachtegang gemaakt terwijl ze vele lege uren lang op aanwijzingen van de opnameleider zat te wachten. Ze weet niet waar Langmark woont; misschien dat hij een kamer bij een weduwe heeft zoals zijzelf, geen damesbezoek op de kamers toegestaan. Ze loopt naar de

Handelshogeschool, twee keer zonder resultaat.

Ze liep naar de Handelshogeschool. Vlak voordat ze afscheid namen van het stel dat de Drottninggatan verder uitliep, had Hedda trots vragen van de vrouw beantwoord over de Academie Borg-White, en Bror Lennart Langmark had aan de echtgenoot verteld over de examenperiode op de 'Handels' die nog de hele maand zou duren. Vervolgens waren ze dus uiteengegaan en de Observatoriumheuvel opgerend, en nu moest ze het vet afwassen wilde ze weer kunnen leven. De derde keer dat ze stond te wachten kwam hij naar buiten, samen met een grijsharige man, die lachte en gesticuleerde en afsluitend zijn hand op Bror Lennarts schouder legde. Hedda speurde naar een gemaakte glimlach als antwoord op die aanraking, maar zijn gezicht was bleek en er ging een reactie overheen die zijn mond niet bereikte. Daarna kreeg hij haar in de gaten en toen werd hij nog bleker. Hij begon te blozen en werd bleker. Misschien stonden ze tien meter van elkaar, de grijsharige beëindigde een onderbroken zin, draaide zijn gezicht naar Hedda en kneep zijn ogen vragend en argwanend enigszins toe. Pauze.

Als iemand die zich uit een moeras omhoogwerkt, begon Bror Lennart dingen te doen; hen aan elkaar voorstellen was onvermijdelijk. Toen dat afgerond was – zij had niet gehoord hoe dat gegaan was – vertrok de andere man en ze bleven zwijgend staan en keken langs elkaar heen. Hedda zag zich gedwongen te beginnen. Ze was van plan geweest harde woorden te vinden, maar hoorde dat ze klagelijk sprak.

'Ik kan de dagen niet doorkomen als ik niet iets verklaren en zeggen mag. Moet ik gewoon doorgaan of er niets gebeurd is wanneer ik zo geminacht ben? Alles wat mooi was in mijn leven is smoezelig geworden omdat u … U moet zich schamen. Ik hoop dat u uw verdiende loon krijgt. Ik krijg geen rustig moment zolang ik eraan denk dat u leeft.'

'Misschien verdien ik wat Hedda zegt. Maar ik ben zo vreselijk verliefd geworden. Ik ben dat nu nog, en waar ik ga en sta wil ik dat vertellen. Dat Hedda me niet heeft begrepen is onbegrijpelijk, ik heb toch zo'n beetje alles gedaan behalve dat uit te spreken. Ik ben dom geweest en heb me slecht gedragen, maar was Hedda niet zelf geraffineerd en heeft ze me niet verleid? We hebben het zo leuk als we met elkaar praten. Ik heb niet begrepen dat Hedda een verhouding heeft, Hedda is ook tegen mij lieftallig geweest. Toen mijn kans daar op de heuvel verloren ging, raakte ik helemaal in de war en heb ik het steviger aangepakt dan ik ooit van plan was. Vergeef me, allerliefste Hedda, ik zou naar de politie gaan als dat hielp. Ik heb me wel vaker laaghartig gevoeld, maar nog nooit zoals nu. Zou je me niet ten minste een heel klein beetje willen vergeven?'

Hij zei nog veel meer van zulke dingen, alsof hij het had geoefend, of in doorwaakte nachten had liggen piekeren en net als zij naar verklaringen voor zijn eigen gedrag had gezocht.

Ze liepen de Sveavägen uit en tegen een helling op en de Regeringsgatan door. Telkens stroomden de tranen weer uit de mokkaogen. Eventjes dacht Hedda dat hij toneelspeelde. Er werd niet gesnikt, het was geen lelijk gehuil, alleen maar parels uit mokka, maar wel een voortdurende stroom. Om hen heen liepen mensen, en ze kon niet geloven wat ze zag. Een man die huilt, buitenshuis.

'Kalmeer! Waar zou u nou om moeten huilen?'

'Ik wilde Hedda toch niet fysiek te lijf gaan. Ik schaam me verschrikkelijk. Wat kan ik zeggen? Maar toen Hedda zo helder en duidelijk zei … ja. En toch naast me ging zitten. Ik weet het niet. Het hadden woorden moeten zijn, maar het werd vlees.'

'Nee maar, dit is het ergste wat ik ooit gehoord heb. U bent niet goed snik. Daarna hebt u mij "bekend", bijbelvast als u was.'

Ze stond op het punt hem weer een oorvijg te geven, maar ze voelde toch enige opluchting in haar gemoed door het alledaagse van de beschaamde, verontwaardigde man die haar een deel van de schuld in de schoenen wilde schuiven.

Hij was van een natuurlijke grootte; positioneerde zich niet op een schaal van 1:10, zoals mannen graag willen zijn.

'Bent u misschien op de hoogte van hoe kleine kinderen ontstaan?'

'Hedda, stel me die vraag niet terwijl je me vousvoyeert! Ik zou verdorie zo graag de vader van onze kinderen worden.'

'Moet dit hofmakerij verbeelden?'

'Ik maak je al twee maanden het hof, maar je hoort het niet, Hedda. Ik heb geprobeerd afgemeten en voorzichtig te zijn en geprobeerd je te laten horen dat ik meer te bieden heb dan liefde. Maar nu draaien we het mes er alleen maar dieper in, want jij hebt een minnaar en je gaat hem volgen naar Amerika.'

'Ik ga hem niet vólgen of zelfs met hem mee. We gaan samen naar

Amerika, en misschien ben ik degene die ...'

Wat haar ertoe bracht een paar weken later ja te zeggen, wist ze eigenlijk niet helemaal. Misschien dacht ze dat hij voor haar zou hebben gevochten als Luigi zijn rivaal was geweest. Maar Luigi was een modernist en zakelijk in aangelegenheden van het hart en trok zich terug. Hun laatste nacht, toen ze Bror Lennart met hem bedroog, vertelde ze niet dat ze in verwachting was. Hedda, die zelf in die jaren meer romantisch dan modern was, begreep haar Bror beter, die haar een tijd lang overweldigde zodra hij de kans kreeg en die tegen elke prijs de gebeurtenis op de Observatoriumheuvel wilde goedmaken.

Daar had zij Astrid of Maja het licht zien uitdoen en de duisternis in zien kijken. Vervolgens was het leven veranderd. Het kon niet meer zijn zoals het op de ochtend van die dag geweest was.

Wat valt er nog toe te voegen? De brieven uit Spanje waren ondertekend met 'Hedwig Langmark'. Tijdens de opnames van *Wilt jullie het weten* vertoonde ze tekenen van zwangerschap in de tweede of derde maand, bij de begrafenis van Åke hield een geliefde nieuwe schoonzoon de hand van Beate Sophie Carlsson vast. De eerste zoon kreeg de naam Ludvig. De film *De Piraten* is nooit tot stand gekomen omdat de oorlog ertussen kwam. Tom werd tekenleraar op een lagere school. Elsa werd gynaecoloog, en aangezien Aina haar als levensgezellin opvolgde, moet ze door overlijden of scheiding uit Toms leven zijn verdwenen. Luigi ging het familiebedrijf in en overleed in de jaren vijftig. Voor het heden is de samenvatting iets volkomen bizars, niet eens een structuur. Voor de samenvatting is het heden ondoorgrondelijk, aan zinloosheid grenzend arm aan dynamiek.

Op 28 juni 1938 traden Bror Lennart Axel Langmark en Hedwig Regitze Carlsson in de kerk van Vomb in het huwelijk. Het was een mooie dag. In de auto keek het gezelschap uit over geel koolzaad en onrijpe korenaren. Zwaluwen, kwikstaarten en wouwen. De ouders van de bruidegom en diens tweelingbroer en haar verloofde ontmoetten de bruid en haar familie voor de eerste keer. Bror was met de auto naar het zuiden afgereisd, een paar dagen voordat Hedda met de trein aankwam. De opnames waren wat uitgelopen, maar hij vertrok toch en zij vond het fantastisch van hem dat hij zich in haar afwezigheid aan haar familie blootstelde. Hij hielp haar moeder in de tuin.

Op de trouwfoto in de krant droeg Hedda geen trouwjurk. Haar mantelpakje bestond uit een enkellange lichtgrijze rok met een bijbehorend jasje. Dat was kant-en-klaar gekocht in Malmö en zat niet bijzonder goed. Haar schoenen waren in dezelfde tint, haar boeket bestond uit witte anjers en ezelsoor.

NAWOORD

In deze roman is alles fictie: personages, tuinen, huizen, zelfs 'ik'.
Maar het blauwe uur in de Finngatan bestaat.